MAPA TRZECH MĘDRCÓW

Tego autora

LODOWA PUŁAPKA
AMAZONIA
OŁTARZ EDENU
EKSPEDYCJA
PODZIEMNY LABIRYNT

Cykl SIGMA FORCE

BURZA PIASKOWA
MAPA TRZECH MĘDRCÓW
CZARNY ZAKON
WIRUS JUDASZA
KLUCZ ZAGŁADY
OSTATNIA WYROCZNIA
KOLONIA DIABŁA
LINIA KRWI
OKO BOGA
SZÓSTA APOKALIPSA

James Rollins, Rebecca Cantrell
Cykl ZAKON SANGWINISTÓW

EWANGELIA KRWI

Wkrótce

NIEWINNA KREW
LABIRYNT KOŚCI

JAMES ROLLINS

MAPA TRZECH MĘDRCÓW

Z angielskiego przełożył
ARKADIUSZ NAKONIECZNIK

Wydawnictwo
A. Kuryłowicz

Tytuł oryginału:
MAP OF BONES

Redakcja: Jacek Ring

Projekt graficzny okładki: Mariusz Banachowicz

Skład: Laguna

ISBN 978-83-7985-835-4

Książka dostępna także jako e-book

Dystrybutor

Firma Księgarska Olesiejuk sp. z o.o. sp. j.
Poznańska 91, 05-850 Ożarów Mazowiecki
tel. (22) 721 30 00, faks (22) 721 30 01
www.olesiejuk.pl

Wydawca

WYDAWNICTWO ALBATROS ANDRZEJ KURYŁOWICZ S.C.
Hlonda 2A/25, 02-972 Warszawa
www.wydawnictwoalbatros.com
Facebook.com/WydawnictwoAlbatros | Instagram.com/wydawnictwoalbatros

2016. Wydanie III
Druk: Drukarnia POZKAL

Aleksandrze i Aleksandrowi —
oby wasze życie lśniło jak gwiazdy

Podziękowania

Praca nad tą książką wymagała wsparcia mnóstwa osób: przyjaciół, rodziny, krytyków, kustoszy, agentów biur podróży, pomywaczy i opiekunów zwierząt. Przede wszystkim dziękuję Carolyn McCray, która pierwsza kreśliła na czerwono każdą stronę, oraz Steve'owi Preyowi za myśli i pomysły, które na tych stronach zamieniły się w dzieła sztuki. Z ogromną przyjemnością dziękuję gronu przyjaciół, z którymi co dwa tygodnie spotykałem się w restauracji Coco's. Są to: Judy Prey, Chris Crowe, Michael Gallowglas, David Murray, Dennis Grayson, Dave Meek, Royale Adams, Jane O'Riva, Dan Needles, Zach Watkins oraz Caroline Williams. Serdecznie dziękuję mojej przyjaciółce z Dalekiej Białej Północy, Diane Daigle, za pomoc lingwistyczną. Specjalne podziękowania kieruję do Davida Sylviana za niespożytą energię, wsparcie i entuzjazm, oraz do Susan Tunis za niestrudzone weryfikowanie faktów. Dziękuję sir Laurence'owi Gardnerowi za książki, które stały się dla mnie inspiracją, a także Davidowi Hudsonowi za pionierskie badania naukowe. Na koniec pragnę wymienić cztery osoby, które niezmiernie cenię zarówno jako przyjaciół, jak i doradców: moją redaktorkę Lyssę Keusch, jej koleżankę May Chen, oraz moich agentów Russa Galena i Danny'ego Barora. Jak zawsze pragnę podkreślić, że ponoszę całkowitą odpowiedzialność za wszelkie błędy lub niedokładności, jakie mogły się znaleźć na kartach tej powieści.

Dzieło literackie, jeśli ma zachwycać precyzją, musi stanowić odbicie faktów. Nawet jeśli prawda bywa niekiedy dziwniejsza od fikcji, to fikcja zawsze musi sięgać korzeniami prawdy. W tym sensie wszystkie dzieła sztuki, relikwie, katakumby i skarby opisane w tej książce są prawdziwe, tak samo jak opisany w niej historyczny ślad. Nauka, która stanowi jądro niniejszej opowieści, odzwierciedla aktualny stan badań oraz najnowsze odkrycia.

REJON ŚRÓDZIEMNOMORSKI

WATYKAN

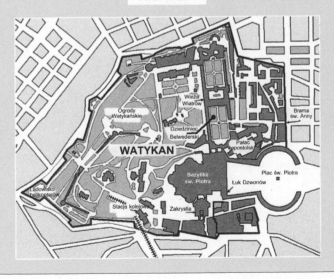

Po złupieniu przez cesarza Fryderyka Barbarossę Mediolanu relikwie przekazano Rainaldowi von Dasselowi, arcybiskupowi Kolonii (1159—67) w podzięce za to, że doradzał i wiernie służył cesarzowi. Nie wszyscy byli jednak zadowoleni, widząc, iż tak wielki skarb opuszcza Italię, i nie wszyscy zamierzali się temu bezczynnie przyglądać...

fragment *L'histoire de la Sainte Empire Romaine* (*Historii Świętego Cesarstwa Rzymskiego*), 1845, Histoires Littéraires

Prolog

Marzec 1162

Ludzie arcybiskupa umknęli w cień wypełniający dolinę. Za nimi, na przełęczy, przeraźliwie rżały konie zasypywane i dźgane ostrogami. Wtórowały im ludzkie okrzyki, wrzaski i przekleństwa. Stal dźwięczała niczym kościelne dzwony, ale nie w bożej sprawie toczyła się ta walka.

Straż tylna musi wytrzymać!

Brat Joachim kurczowo ściskał cugle wierzchowca ześlizgującego się po stromym stoku. Naładowany wóz dotarł już bezpiecznie na dno doliny, ale naprawdę bezpieczni będą, gdy pokonają jeszcze całą milę.

Jeżeli dadzą radę.

Joachim rozpaczliwie poganiał klacz. Kiedy z pluskiem i chlupotem przebrnęli przez lodowaty strumień, odważył się zerknąć za siebie.

Choć wiosna była tuż-tuż, to w górach wciąż niepodzielnie panowała zima. Ośnieżone szczyty o graniach ostrych jak brzytwy lśniły oślepiająco w promieniach zachodzącego słońca, ale tu, w zacienionych wąwozach, topniejący śnieg zamienił grunt w grząskie błoto. Konie zapadały się tak głęboko, że w każdej chwili mogły połamać nogi. Koła wozu grzęzły niemal po osie. Pojazd poruszał się coraz wolniej, aż w końcu znieruchomiał. Joachim spiął wierzchowca ostrogami, by dołączyć do żołnierzy przy wozie.

Nadjechali kolejni jeźdźcy, z tyłu napierali następni. Powinni jak najprędzej dotrzeć do szlaku wspinającego się na grań po drugiej stronie doliny.

— Wio! Wio! — wykrzykiwał woźnica, poganiając konie batem.

Zwierzęta naparły ze wszystkich sił, lecz bez rezultatu. Zaskrzypiały powrozy i łańcuchy, z nozdrzy buchnęły kłęby pary, ludzie klęli na czym świat stoi. Powoli — zbyt powoli — wóz ruszył z donośnym mlaskaniem przypominającym odgłos, jaki wydobywa się z rozpłatanej mieczem piersi. Najważniejsze, że znowu jechał naprzód. Za każde opóźnienie płacili ludzkim życiem. Z przełęczy za ich plecami dobiegały krzyki konających.

Straż tylna musi wytrzymać jeszcze dłużej.

Wóz wolno wspinał się pod górę. Trzy wielkie kamienne sarkofagi coraz mocniej naprężały liny. Gdyby któraś z nich pękła...

Brat Joachim zrównał się z wozem. Natychmiast podjechał do niego drugi zakonnik, Franz.

— Zwiadowcy donoszą, że szlak przed nami jest bezpieczny.

— Relikwie nie mogą wrócić do Rzymu. Musimy dowieźć je do niemieckiej granicy.

Franz skinął głową. Istotnie, relikwie nie były bezpieczne na italskiej ziemi — szczególnie teraz, kiedy prawowity papież został wygnany do Francji, a w Rzymie rządził uzurpator.

Konie ciągnęły coraz żwawiej, stąpając po twardym gruncie, niemniej posuwali się naprzód co najwyżej w tempie piechura. Joachim co chwila odwracał się w siodle i z niepokojem patrzył na pozostawioną z tyłu grań. Szczęk oręża ucichł, od ścian doliny odbijały się echem już tylko jęki i szlochanie. Mogło to oznaczać jedno: straż tylna została pokonana. Joachim wytężał wzrok, lecz w głębokim cieniu lasu porastającego zbocze poniżej skalnych grani niewiele mógł dostrzec. A potem nagle ujrzał metaliczny błysk. W plamie słonecznego blasku pojawiła się samotna sylwetka w błyszczącej zbroi.

Nawet gdyby Joachim nie zauważył czerwonego smoka na napierśniku, i tak od razu rozpoznałby porucznika czarnego papieża. Pogański Saracen przybrał chrześcijańskie imię Fierabras, po jednym z paladynów Karola Wielkiego. Przewyższał swoich ludzi co najmniej o głowę. Prawdziwy olbrzym. Miał na rękach więcej chrześcijańskiej krwi niż ktokolwiek, ale przyjąwszy w minionym roku chrzest, Saracen stanął u boku kardynała Oktawiana, czarnego papieża, który przybrał imię Wiktora IV.

A teraz trwał nieruchomo w plamie słonecznego blasku, najwyraźniej ani myśląc ruszać w pogoń. Wiedział, że jest już za późno.

Wóz wreszcie dotarł do grani i wjechał na prowadzącą wzdłuż jej krawędzi drogę z głębokimi koleinami. Teraz już nic nie powinno ich zatrzymać. Od niemieckiej ziemi dzieliła ich zaledwie mila. Zasadzka zastawiona przez Saracena na nic się zdała.

Uwagę Joachima zwróciło nagłe poruszenie.

Fierabras ściągnął z pleców ogromny łuk, czarny jak cień, wyjął strzałę z kołczanu i powoli naciągnął cięciwę. Joachim zmarszczył brwi. Po co on to robi? Co chce w ten sposób osiągnąć?

Strzała poszybowała w górę, na chwilę znikła w blasku słońca nad granią. Chwilę później, niczym nurkujący jastrząb, uderzyła w wieko środkowego sarkofagu.

Chociaż wydawało się to nieprawdopodobne, kamienne wieko pękło z trzaskiem, zerwały się liny, wszystkie trzy skrzynie zsunęły się ku tyłowi wozu. Ludzie rzucili się, by uchronić sarkofagi przed upadkiem na ziemię. Natychmiast zatrzymano wóz, ale za późno: jeden z sarkofagów zjechał z wozu prosto na żołnierza, miażdżąc mu nogę i miednicę. Powietrze rozdarł przeraźliwy wrzask nieszczęśnika.

Franz zsunął się z końskiego grzbietu, doskoczył do tych, którzy już starali się dźwignąć sarkofag, uwolnić żołnierza, a co ważniejsze, umieścić sarkofag z powrotem na wozie. Pierwsza część zadania się powiodła, ale nie mogli uporać się z drugą.

— Liny! — ryknął Franz. — Dawajcie liny!

Jeden z żołnierzy poślizgnął się, sarkofag przechylił się na bok, ponownie uderzył o ziemię, kamienne wieko odpadło z łoskotem.

Z tyłu, za ich plecami, rozległ się szybko narastający tętent. Odwracając się, Joachim wiedział już, co zobaczy. Konie z odzianymi na czarno jeźdźcami na grzbietach pędziły ku nim z ogromną prędkością. Wpadli w drugą zasadzkę.

Joachim siedział nieruchomo na swoim wierzchowcu. Wiedział, że nie ma ucieczki. Franz otworzył szeroko usta — nie ze strachu, lecz ze zdumienia, ujrzawszy zawartość rozbitego sarkofagu... A raczej jej brak.

— Pusty! — wykrzyknął młody zakonnik. — Jest pusty!

Franz jednym susem znalazł się na wozie i wybałuszył oczy.

— Nic... — wykrztusił, osuwając się na kolana. — Ani śladu... Co z relikwiami?! — Popatrzył na spokojnego Joachima. — Ty... Wiedziałeś?

Joachim przeniósł wzrok na zbliżających się szybko jeźdźców. Ta karawana była jedynie fortelem, przynętą, która miała ściągnąć na siebie uwagę ludzi czarnego papieża. Prawdziwy kurier wyruszył dzień wcześniej z kilkoma mułami i relikwiami ukrytymi w wiązce siana. Co prawda Fierabras skąpie dzisiaj ostrze swego miecza we krwi, ale relikwie nigdy nie dostaną się w ręce czarnego papieża.

Nigdy.

Czasy obecne
22 lipca, 23.46
Kolonia, Niemcy

Zbliżała się północ. Jason podał iPod Mandy.

— Posłuchaj. Najnowszy singel Godsmack. Jeszcze nawet niewydany w Stanach. I co ty na to?

Jej reakcja nieco go rozczarowała: Mandy wzruszyła ramionami z obojętną miną, po czym odgarnęła do tyłu czarne włosy o zabarwionych na pomarańczowo końcach i włożyła słuchawki do uszu. Poły kurtki rozchyliły się na tyle, by odsłonić czarny T-shirt ciasno opięty na piersiach wielkości jabłek. Jason gapił się na nie.

— Nic nie słyszę — powiedziała Mandy, wzdychając zniecierpliwiona.

No jasne. Jason przeniósł spojrzenie na iPod i wcisnął „play", po czym odchylił się do tyłu i oparł na rękach. Siedzieli na wąskim trawniku okalającym szeroki deptak zwany Domvorplatz. Otaczał on ogromną gotycką katedrę, wzniesioną na wzgórzu i dominującą nad miastem. Wzrok Jasona powędrował w górę, na bliźniacze wieże ozdobione niezliczonymi kamiennymi rzeźbami niekoniecznie religijnej natury. Oświetlone blaskiem reflektorów wydawały się czymś nie z tego świata.

Nasłuchując muzyki sączącej się ze słuchawek iPoda, Jason patrzył na Mandy. Oboje uczyli się w Boston College i dotarli do Kolonii podczas wakacyjnej wędrówki z plecakami po Niemczech i Austrii. Wyruszyli na tę wyprawę jeszcze z dwójką przyjaciół, Brendą i Karlem, tamci jednak woleli zwiedzać miejscowe puby, niż uczestniczyć w mszy o północy. Mandy była praktykującą katoliczką, a że takie msze odprawiano w katedrze zaledwie kilka razy w roku, w dodatku z udziałem samego arcybiskupa Kolonii, było całkiem zrozumiałe, że nie chciała przepuścić nadarzającej się okazji. Jason, chociaż protestant, zgodził się jej towarzyszyć.

Mandy poruszała lekko głową w takt muzyki. Jasonowi podobały się jej lekko falujące włosy i sposób, w jaki wydymała dolną wargę, wsłuchując się w utwór. Nagle poczuł delikatne dotknięcie na ręce; to Mandy musnęła ją czubkami palców, ani na chwilę nie odwracając wzroku od katedry.

Jason wstrzymał oddech.

Przez minione dziesięć dni czuli, jak coś coraz bardziej zbliża ich do siebie. Przed tą wyprawą byli zaledwie znajomymi; Mandy i Brenda przyjaźniły się od gimnazjum, a Karl i Jason dzielili pokój w internacie. Karl i Brenda, od niedawna stanowiący parę, namówili ich na wspólny wyjazd, na wypadek gdyby się sobą szybko znudzili. Nic takiego jednak nie nastąpiło, wręcz przeciwnie, w związku z czym Jason i Mandy coraz częściej wyruszali na zwiedzanie tylko we dwójkę.

Jason nie miał nic przeciwko temu. W college'u studiował historię sztuki, Mandy specjalizowała się w europeistyce. Tutaj mogli zweryfikować swoją podręcznikową wiedzę, nadać jej konkretny życiowy wymiar. Ponieważ oboje uwielbiali odkrywać i poznawać nowe rzeczy, szybko znaleźli wspólny język.

Jason bardzo się pilnował, żeby nie spojrzeć w dół, na ręce, ale nieznacznie przesunął palce bliżej dłoni dziewczyny. Czy tylko mu się zdawało, czy noc nagle nabrała kolorów? Niestety piosenka skończyła się zbyt wcześnie. Mandy wyprostowała się i wyjęła słuchawki z uszu.

— Chyba powinniśmy już iść — szepnęła, wskazując ruchem głowy na ludzi wchodzących do katedry, po czym wstała i zapięła czarną, nierzucającą się w oczy kurtkę, a następnie wygładziła sięgającą niemal do kostek spódnicę. Wystarczyło, że zgarnęła za uszy kosmyki zakończonych pomarańczowo włosów, by przeobraziła się z wyzwolonej studentki w skromną katolicką dziewczynę.

Jasona aż zatkało na widok tej błyskawicznej transformacji. Nagle poczuł, że jego czarne dżinsy i kurtka nie są odpowiednim strojem na nabożeństwo.

— Wyglądasz okej — powiedziała uspokajająco Mandy, jakby czytając w jego myślach.

— Dzięki — wymamrotał.

Zgarnęli swoje rzeczy, wyrzucili puste puszki po coli do kosza na śmieci i przeszli na drugą stronę brukowanego Domvorplatz.

— *Guten Abend* — powitał ich przy wejściu ubrany na czarno diakon. — *Willkommen*.

— *Danke* — wymamrotała Mandy, po czym szybko wspięli się po stopniach.

Przez otwarte drzwi na kamienne schody spływał migotliwy blask świec, pogłębiając wrażenie obcowania z czymś wiekowym i dostojnym. Wcześniej, podczas zwiedzania katedry, Jason dowiedział się, że kamień węgielny pod tę ogromną budowlę położono w trzynastym wieku. Z trudem potrafił ogarnąć wyobraźnią taki szmat czasu.

Gdy tylko weszli do środka, Mandy umoczyła czubki palców w wodzie święconej i przeżegnała się. Jason poczuł się niezręcznie, uświadomił sobie wyraźniej niż kiedykolwiek, że jest tutaj intruzem, że to nie jego wiara. Obawiał się, że palnie jakieś głupstwo, które zawstydzi nie tylko jego, ale i Mandy.

— Chodźmy — szepnęła Mandy. — Chcę mieć dobre miejsce, ale nie za blisko ołtarza.

Jason szedł tuż za nią. Kiedy znaleźli się w nawie głównej, jego zakłopotanie szybko ustąpiło miejsca zachwytowi. Chociaż już tu był i choć zdążył się wiele dowiedzieć o przeszłości katedry, to i tak majestat tego miejsca wywarł na nim ogromne wrażenie. Przed nim ciągnęła się ponadstumetrowa nawa główna przecięta niemal stumetrowym transeptem. W miejscu ich przecięcia usytuowano ołtarz. Jednak tak naprawdę największe wrażenie robiła nie długość ani szerokość, lecz niesamowita wysokość budowli. Strzeliste łuki i kolumny z hipnotyzującą siłą zmuszały do skierowania spojrzenia w górę, na wysokie sklepienie. Tam również unosił się dym tysięcy migoczących świec.

Mandy poprowadziła go w kierunku ołtarza. Po obu stronach odgrodzono go grubymi linami, ale pozostawiono przejście w nawie głównej.

— Może tutaj? — zapytała, zatrzymując się mniej więcej w połowie nawy. Uśmiechała się łagodnie, nieśmiało.

Skinął głową w milczeniu, onieśmielony jej urodą. Madonna w czerni.

Mandy wzięła go za rękę i zaprowadziła na sam koniec ławki, tuż przy ścianie. Usiadł, zadowolony ze względnego odosobnienia. Mandy wciąż trzymała go za rękę. Czuł ciepło jej dłoni.

Ten wieczór stawał się coraz przyjemniejszy.

Wreszcie zadźwięczał dzwonek i rozległ się śpiew chóru. Zaczynała się msza. Jason naśladował Mandy, klękając, wstając i siadając w wyrafinowanym balecie wiary. Nic z tego nie rozumiał, ale stwierdził, że go to intryguje: odziani w długie stroje kapłani wymachujący kadzielnicami, procesja towarzysząca arcybiskupowi w mitrze i bogato zdobionych szatach, pieśni śpiewane przez chór i wiernych, blask świec.

Dzieła sztuki brały udział w ceremonii w takim samym stopniu jak jej uczestnicy. Drewniana rzeźba Matki Boskiej z maleńkim Jezusem, zwana Madonną Mediolańską, jaśniała wiekiem i wdziękiem. Po drugiej stronie nawy marmurowy święty Krzysztof z łagodnym uśmiechem trzymał na rękach niemowlę. A nad tym wszystkim dominowały gigantyczne witraże, teraz ciemne, ale odbijające światło świec różnobarwnymi błyskami niczym kamienie szlachetne.

Największe wrażenie robił jednak złoty sarkofag za ołtarzem, zamknięty w gablocie z metalu i szkła. Rozmiarów zaledwie sporej walizki i przypominający kształtem miniaturowy kościół, stanowił centralny punkt katedry, przyczynę jej wzniesienia, był najważniejszym miejscem związanym z wiarą i sztuką. Zawierał najświętsze relikwie przechowywane w tym kościele. Wykonany z litego złota, powstał, zanim jeszcze mury katedry zaczęły piąć się ku górze. Zaprojektowany w trzynastym stuleciu przez Mikołaja z Verdun, jest uważany za najwspanialszy ocalały przykład średniowiecznej sztuki złotniczej.

Jason prowadził obserwację, a msza toczyła się swoim rytmem, wyznaczanym dzwonkami i modlitwami, nieuchronnie zmierzając do końca. Wreszcie nadeszła pora na komunię, czyli dzielenie się eucharystycznym chlebem. Wierni wolno wychodzili z ławek i zmierzali ku ołtarzowi, by przyjąć ciało i krew Chrystusa.

Kiedy nadeszła ich kolej, Mandy wstała i wysunęła dłoń z jego ręki.

— Zaraz wracam — szepnęła.

Ławka niemal całkowicie opustoszała, ludzie podążyli w kierunku ołtarza. Czekając na powrót Mandy, Jason wstał, by rozprostować nogi. Korzystając z okazji, przyjrzał się rzeźbom po obu stronach konfesjonału oraz posłał tęskne spojrzenie w kierunku przedsionka, gdzie było wejście do toalety. Coraz bardziej żałował, że skusił się na trzecią puszkę coli.

Właśnie wtedy, kiedy tam patrzył, do katedry weszła grupa mnichów. Byli w długich czarnych szatach, z kapturami nasuniętymi na oczy, ale... Poruszali się stanowczo zbyt szybko, z wojskową precyzją, zajmując miejsca w wypełnionych cieniem zakamarkach. Czy to też należało do rytuału?

Rozejrzawszy się ukradkiem, dostrzegł więcej podobnych postaci przy wszystkich drzwiach, nawet za transeptem obok ołtarza. Choć miały pochylone głowy, trudno było oprzeć się wrażeniu, że stoją na warcie.

Co tu się dzieje?

Wypatrzył Mandy przy ołtarzu. Właśnie przyjmowała komunię. Za nią czekało w kolejce już tylko kilka osób. Oto ciało i krew Chrystusa, wyczytał Jason z ust kapłana.

Amen, odpowiedział w myślach.

Komunia dobiegła końca, wierni — w tym także Mandy — wrócili na miejsca. Jason przepuścił ją, po czym usiadł obok.

— O co chodzi z tymi mnichami? — zapytał.

Klęczała z pochyloną głową. Nie odpowiedziała, tylko przyłożyła palec do ust. Usiadł. Większość uczestników nabożeństwa również klęczała; siedzieli tylko ci, którzy tak jak on nie przystąpili do komunii. Kapłan wycierał kielich, arcybiskup zdawał się drzemać na swym tronie.

Wrażenie obcowania z czymś wzniosłym i niezwykłym zniknęło bez śladu. Być może przyczynił się do tego dyskomfort związany z pełnym pęcherzem, ale Jason nie mógł się doczekać, kiedy wreszcie stąd wyjdzie. Już nawet wyciągnął rękę, by dotknąć łokcia Mandy i zachęcić ją, by się podniosła...

Nagły ruch zwrócił jego uwagę. Mnisi po obu stronach ołtarza błyskawicznie wydobyli broń spod szat. W blasku świec zalśnił naoliwiony metal: pistolety maszynowe Uzi z długimi czarnymi tłumikami na lufach.

Chwilę potem rozległ się stukot wystrzałów, niegłośniejszych od kaszlu nałogowego palacza. Pochylone głowy uniosły się ze zdziwieniem. Kapłan w białych szatach liturgicznych zdawał się tańczyć w rytm niesłyszalnej muzyki; na białym materiale pojawiły się czerwone plamki, jak ślady po kulkach z farbą w paintballu. Zaraz potem runął na ołtarz, przewracając kielich. Wino wymieszało się z jego krwią.

Po kilku sekundach wypełnionych całkowitą ciszą w świątyni rozległy się okrzyki przerażenia. Arcybiskup nieporadnie zerwał się z miejsca, zachwiał i mało nie runął jak długi; mitra spadła mu z głowy i potoczyła się po posadzce.

Mnisi rozbiegli się po nawach bocznych, wykrzykując polecenia po niemiecku, francusku i angielsku.

— *Bleiben Sie in Ihren Sitzen... Ne bouge pas...*

Głosy były stłumione, ponieważ wydobywały się zza masek zasłaniających twarze, ale wycelowana broń nie pozostawiała najmniejszych wątpliwości co do ich znaczenia.

Nie ruszać się albo zginiecie!

Mandy i Jason usiedli w ławce. Dziewczyna zacisnęła palce na jego ręce. Jason rozglądał się dokoła szeroko otwartymi oczami. Wszystkie drzwi były obstawione.

Co się tu działo?

Od grupy mnichów stojących przy głównym wejściu odłączyła wysoka postać. Jej szata przypominała pelerynę. Chociaż bez broni, wyprostowany mężczyzna szedł śmiało środkiem nawy głównej. Kiedy stanął przed arcybiskupem, wywiązała się między nimi ożywiona rozmowa. Jason uświadomił sobie ze zdumieniem, że wymiana zdań odbywa się po łacinie. W pewnej chwili dostojnik kościelny cofnął się gwałtownie o krok, jakby coś go przeraziło.

Wysoki mężczyzna w pelerynie odsunął się na bok. Zaterkotały pistolety maszynowe, ale strzelający nie chcieli nikogo zabić; celem była szklana gablota, w której znajdował się złoty relikwiarz. Kuloodporne szkło popękało, w wielu miejscach pojawiły się wgłębienia, ale nic więcej nie udało im się osiągnąć.

Odporność zabezpieczeń zdawała się dodawać sił arcybiskupowi, który stanął pewniej na nogach i wyprostował zgarbione plecy. Przywódca mnichów wstrzymał kanonadę ruchem ręki i powiedział coś po łacinie. Arcybiskup pokręcił głową.

— *Lassen Sie dann das Blut Ihrer Shafe Ihre Hände beflecken* — rzekł mnich po niemiecku.

W takim razie niech krew twoich owieczek splami twoje ręce.

Dwaj mężczyźni stanęli po obu stronach gabloty i przyłożyli do niej coś w rodzaju dużych metalowych talerzy. Rezultat był natychmiastowy: poharatane szkło rozsypało się w drobny mak, jakby po uderzeniu huraganu. Nieosłonięty niczym sarkofag zalśnił w blasku świec. Jason poczuł w uszach krótki, choć gwałtowny wzrost ciśnienia, jakby ściany katedry nagle zbliżyły się ze wszystkich stron. Zabolało w uszach, zakręciło się w głowie...

Odwrócił się do Mandy.

Wciąż trzymała go mocno za rękę, ale odchyliła głowę do tyłu i szeroko otworzyła usta.

— Mandy?

Kątem oka widział innych ludzi znieruchomiałych w równie nienaturalnych pozach. Dłoń Mandy zaczęła drżeć w jego ręce, wibrując niczym membrana głośnika wysokotonowego. Z oczu dziewczyny popłynęły łzy, najpierw bezbarwne, chwilę potem czerwone. Przestała oddychać. Jej ciało szarpnęło się gwałtownie, ale zanim osunęło się na podłogę, poczuł uderzenie prądu.

Przerażony, zerwał się z miejsca.

Z szeroko otwartych ust Mandy wydobywała się smużka dymu. Oczy, wywrócone białkami do góry, w kącikach szybko czerniały.

Była już martwa.

Oniemiały, rozejrzał się dookoła. Wszędzie działo się to samo, zaledwie kilka osób nie zaznało strasznego losu. Dwoje małych dzieci płakało rozpaczliwie, siedząc między nieżyjącymi rodzicami. Jason szybko się zorientował, kto ocalał: wszyscy, którzy nie przystąpili do komunii.

Tak jak on.

Wycofał się w cień przy ścianie. Nikt tego nie zauważył. Jego ręka trafiła na drzwi, nacisnęła klamkę.

Te drzwi nie prowadziły na zewnątrz. Wślizgnął się do konfesjonału, osunął na kolana, objął ramionami. Na usta cisnęły mu się słowa modlitwy.

Nagle wszystko się skończyło. Poczuł to w głowie. Jakby pyknięcie. Ściany przestały napierać.

Po jego policzkach popłynęły łzy. Ostrożnie zerknął przez szparę w drzwiach konfesjonału.

Ze swojej kryjówki miał doskonały widok na ołtarz i nawę główną. W powietrzu unosił się smród palonych włosów. Słychać było jęki i szlochy, ale wydobywały się z bardzo niewielu ust. Jakaś odziana w łachmany postać, przypuszczalnie bezdomny, wysunęła się z ławki i zataczając, pobiegła w kierunku głównego wyjścia, ale zanim zdążyła zrobić dziesięć kroków, dostała kulę w tył głowy.

Boże... o Boże...

Tłumiąc rozpaczliwy szloch, Jason przeniósł spojrzenie na ołtarz. Czterej mnisi wyjęli złoty sarkofag z roztrzaskanej gabloty. Ciało kapłana odsunięto na bok kilkoma kopniakami. Mnisi ustawili sarkofag na ołtarzu, unieśli wieko, po czym ich przywódca przełożył zawartość do sporego worka, który wyjął spod habitu. Opróżniony sarkofag wylądował z łomotem na posadzce świątyni.

Przywódca zarzucił worek na ramię i szybkim krokiem podążył w stronę głównych drzwi.

Arcybiskup zawołał coś za nim po łacinie. Zabrzmiało to jak przekleństwo, ale mnich tylko machnął ze zniecierpliwieniem ręką. Jeden z jego towarzyszy zrobił krok naprzód i przystawił arcybiskupowi pistolet do głowy.

Jason osunął się na podłogę konfesjonału. Nie chciał widzieć nic więcej. Zamknął oczy. W katedrze co jakiś czas rozlegały się pojedyncze strzały. Krzyki stopniowo milkły. Śmierć obejmowała świątynię w niepodzielne władanie.

Jason zacisnął mocniej powieki i modlił się.

Parę chwil wcześniej, w momencie kiedy habit przywódcy się rozsunął, na ubraniu, które tamten miał pod spodem, Jason dostrzegł znak przedstawiający smoka z ogonem owiniętym wokół własnej szyi. Nigdy wcześniej nie widział czegoś takiego; przemknęło mu przez myśl, że to dość egzotyczny symbol, bardziej perski niż europejski.

W katedrze zapadła grobowa cisza. Zaraz potem do jego kryjówki zaczęły zbliżać się czyjeś kroki. Jason jeszcze mocniej zacisnął powieki, jakby usiłował w ten sposób odgrodzić się od niewyobrażalnego koszmaru, okrucieństwa, świętokradztwa. A wszystko to dla paru kości.

Chociaż ta katedra powstawała przez stulecia właśnie po to, by je chronić, choć składali im hołd niezliczeni władcy, choć nawet dzisiejsze święto miało czcić pamięć tych od dawna nieżyjących ludzi — Święto Trzech Króli — w jego umyśle wciąż od nowa pojawiało się to samo pytanie:

Dlaczego?

Wizerunki Trzech Mędrców można było znaleźć w całej katedrze, wykonane w kamieniu, szkle i złocie. Tutaj podążali ku Betlejem, prowadzeni przez gwiazdę, tam składali hołd maleńkiemu Chrystusowi, ofiarowując mu złoto, kadzidło i mirrę. Ale Jason miał przed oczami coś zupełnie innego: ostatni uśmiech Mandy. Delikatne dotknięcie jej dłoni.

To wszystko bezpowrotnie odeszło w przeszłość.

Kroki zatrzymały się przed drzwiami konfesjonału.

Jason wciąż bezgłośnie wykrzykiwał pytanie o sens tego rozlewu krwi.

Dlaczego?

Do czego komuś były potrzebne szczątki Trzech Mędrców?

DZIEŃ PIERWSZY

1

Ósma Kula

24 lipca, 4.34
Frederick, Maryland

Przybył sabotażysta.

Grayson Pierce przejeżdżał motocyklem przez wąskie prze-smyki między budynkami, które tworzyły centrum Fort Detrick. Elektryczny silnik pracował nie głośniej niż agregat lodówki. Czarne rękawiczki pasowały do koloru maszyny — ten niklowo-fosforowy lakier nosił nazwę NPL SuperBlack. Pochłaniał świat-ło w takim stopniu, że w porównaniu z nim zwykła czerń zdawała się niemal świecić. Zarówno reszta stroju, jak i kask były równie głęboko czarne.

Pochylony nad kierownicą, powoli zbliżał się do końca alejki. U jej wylotu zaczynał się dziedziniec otoczony budyn-kami Narodowego Instytutu do walki z Rakiem, wchodzącego w skład USAMRIID, czyli Amerykańskiego Wojskowego Instytutu Chorób Zakaźnych. Tutaj, w całkowicie oddzielo-nych od świata laboratoriach o łącznej powierzchni sześciu tysięcy metrów kwadratowych, toczyła się wojna z bioter-roryzmem.

Gray wyłączył silnik, ale nie zsiadł z motocykla. Lewym kolanem dotykał sakwy z siedemdziesięcioma tysiącami dolarów. Wolał pozostać tutaj, w mroku. Księżyc już dawno zaszedł, do wschodu słońca zostały jeszcze dwadzieścia dwie minuty. Gwiaz-dy skryły się za resztkami chmur burzowych.

Czy podstęp się uda?

— Muł do Orła — powiedział bezgłośnie do laryngofonu. — Dotarłem na miejsce spotkania. Dalej idę pieszo.

— Potwierdzam odbiór. Mamy cię na podglądzie z satelity.

Oparł się pokusie, żeby spojrzeć w górę i pomachać. Nie lubił być obserwowany, śledzony, ale w tym wypadku stawka była zbyt wysoka. Jego informator był bardzo płochliwy. Oswojenie go zajęło blisko pół roku, dzięki kontaktom w Libii i Sudanie. To nie było łatwe. Zaufania nie kupuje się za pieniądze. Szczególnie w tym biznesie.

Wyjął z sakwy torbę z pieniędzmi i przewiesił ją przez ramię. Zaparkował motocykl w najbardziej zacienionym miejscu, zsiadł i przeszedł na drugą stronę alejki.

O tej porze niewiele oczu pozostawało otwartych, te, które patrzyły, na ogół były elektroniczne. Kontrolę tożsamości przeszedł przy wjeździe na teren ośrodka — teraz pozostawało mu wierzyć, że zdoła uniknąć elektronicznych środków nadzoru.

Zerknął na wyświetlacz swojego zegarka dla płetwonurków: 4.45. Spotkanie miało się odbyć za kwadrans. Tak wiele zależało od tego, czy zakończy się sukcesem...

Wreszcie Gray dotarł do celu. Budynek 470. O tej porze stał całkowicie opustoszały, w przyszłym miesiącu miała zacząć się jego rozbiórka. Ponieważ w związku z tym w zasadzie nikt go nie pilnował, doskonale nadawał się do takich spotkań, choć w wyborze akurat tego miejsca można było doszukać się pewnej ironii. Otóż w latach sześćdziesiątych w ogromnych zbiornikach hodowano tu bakterie wąglika. Zapasy zniszczono komisyjnie dopiero w roku 1971 i od tego czasu budynek pełnił funkcję magazynu Narodowego Instytutu do walki z Rakiem. Teraz jednak znowu wróciła sprawa wąglika. Zerknął w górę. Wszystkie okna były ciemne. Miał się spotkać ze sprzedawcą na trzecim piętrze.

Otworzył boczne drzwi za pomocą elektronicznej karty kodowej dostarczonej przez kontakt w bazie. W torbie na ramieniu niósł drugą część zapłaty: pierwszą połowę przelał przed miesiącem na podane konto. Oprócz tego miał przy sobie również sztylet o trzydziestocentymetrowym ostrzu ze spieku węglowego, ukryty w pochwie na przedramieniu.

To była jego jedyna broń. Nie mógł ryzykować, że strażnicy przy bramach odkryją cokolwiek.

Zamknął za sobą drzwi i skierował się do klatki schodowej po prawej stronie, oświetlonej jedynie czerwonym znakiem z napisem WYJŚCIE. Włączył noktowizor zainstalowany w kasku. Świat natychmiast rozjaśnił się odcieniami zieleni i srebra. Gray szybko wszedł na trzecie piętro i pchnął drzwi prowadzące do wnętrza budynku.

Nie miał pojęcia, gdzie dokładnie nastąpi spotkanie. Wiedział tylko tyle, że ma czekać na sygnał od tamtego człowieka. Przystanął na chwilę, rozejrzał się dookoła. To, co zobaczył, wcale mu się nie spodobało.

Klatka schodowa znajdowała się w narożniku budynku. Jeden korytarz biegł prosto, drugi w lewo. Po jednej stronie każdego korytarza ciągnęły się drzwi do pomieszczeń biurowych, po drugiej zaś okna. Powoli ruszył przed siebie, gotów zareagować na najmniejsze poruszenie.

Przez jedno z okien wpadł snop światła, który przesunął się po nim i podążył dalej.

Oślepiony, rzucił się pod ścianę i poturlał do tyłu. Czyżby go namierzono? Snop światła przesuwał się nieśpiesznie dalej. Ostrożnie zerknął przez jedno z okien. Wychodziło na obszerny dziedziniec przed budynkiem. Ulicą powoli jechał wojskowy hummer z zamontowanym na dachu szperaczem.

Rutynowy patrol.

Czy nie wystraszy jego kontaktu?

Klnąc w duchu na czym świat stoi, Gray czekał, aż pojazd zniknie z pola widzenia. Na chwilę jego życzenie się spełniło: hummer wjechał za potężny obiekt stojący na środku dziedzińca. Obiekt ten trochę przypominał statek kosmiczny, choć w rzeczywistości był po prostu kulistym zbiornikiem o pojemności miliona litrów, wspartym na tuzinie ogromnych nóg. Otaczały go rusztowania, ponieważ właśnie przechodził renowację, która miała przywrócić go do świetności z okresu zimnej wojny. W bazie nazywano go Ósmą Kulą. Usta Graya wykrzywił niewesoły uśmiech, kiedy uświadomił sobie, w jak niewesołej znalazł się sytuacji. Schwytany w pułapkę za Ósmą Kulą...

Hummer wyłonił się zza zbiornika, powoli dojechał do końca dziedzińca i znikł w jednej z alejek.

Zadowolony Gray ponownie ruszył korytarzem. Niebawem

dotarł do dwuskrzydłowych drzwi z wąskimi szybkami, przez które widać było obszerne pomieszczenie z wysokimi metalowymi i szklanymi pojemnikami. Jedno ze starych laboratoriów, pozbawione okien i opuszczone.

Ktoś jednak zauważył jego przybycie, ponieważ w głębi pomieszczenia trzykrotnie błysnęło jasne światło, zmuszając go do wyłączenia noktowizora. Latarka.

Sygnał.

Pchnął stopą jedno skrzydło i prześlizgnął się przez szczelinę.

— Tutaj — odezwał się czyjś spokojny głos.

Gray słyszał go po raz pierwszy. Do tej pory zawsze był zniekształcony elektronicznie, całkowicie anonimowy. Teraz stało się oczywiste, że należy do kobiety. Dla Graya było to spore zaskoczenie, a nie lubił być zaskakiwany.

Szedł wzdłuż rzędów stołów, na których poustawiano odwrócone krzesła. Kobieta zajęła miejsce przy jednym ze stołów. Oprócz krzesła, na którym siedziała, ze stołu zdjęto jeszcze tylko jedno. Po przeciwnej stronie.

— Siadaj.

Spodziewał się nerwowego naukowca, kogoś, komu zależało tylko na pieniądzach. Zdrada z powodów finansowych stawała się czymś coraz częściej spotykanym. USAMRIID nie stanowił pod tym względem wyjątku... tyle że był tysiąckrotnie groźniejszy. Każda oferowana na sprzedaż fiolka mogła zabić tysiące ludzi, gdyby rozpylić jej zawartość na przykład na stacji metra.

A ona chciała sprzedać piętnaście takich fiolek.

Usiadł na krześle, położył na stole torbę z pieniędzmi.

Kobieta była Azjatką... Nie, Eurazjatką. Miała owalne oczy i lekko śniadą cerę, uszlachetnioną brązową opalenizną. Jej czarny golf bardzo przypominał ten, który on miał na sobie. Była szczupła, ale bez wątpienia silna. Na jej szyi wisiał srebrny łańcuszek z amuletem w postaci smoka owiniętego własnym ogonem. Gray przez jakiś czas przyglądał się kobiecie w milczeniu. Nie była spięta jak on, raczej... znużona.

Oczywiście jej spokój mógł w jakiejś części brać się z faktu, że celowała mu w pierś z sig sauera kalibru 9 milimetrów, z tłumikiem, ale tak naprawdę zmroziły go dopiero jej słowa:

— Dobry wieczór, komandorze Pierce.

Nie spodziewał się usłyszeć swojego nazwiska. Skoro jednak je znała...

Wystartował jak wystrzelony z procy, ale było już za późno. Pistolet wypalił z bliskiej odległości.

Siła uderzenia pocisku była tak wielka, że poleciał do tyłu razem z krzesłem i wylądował na plecach przy ścianie pomieszczenia. Ból był paraliżujący, czuł smak krwi na języku.

Został zdradzony.

Kobieta wyszła zza stołu i pochyliła się nad nim z wycelowanym pistoletem. Smok kołysał się, połyskując srebrzyście.

— Przypuszczam, komandorze Pierce, że dzięki urządzeniom zainstalowanym w kasku rejestruje pan wszystko, co się dzieje. Kto wie, może nawet transmituje pan to do Waszyngtonu, do Sigmy? Jeśli tak, to chyba nie będzie miał mi pan za złe, jeśli zajmę nieco czasu antenowego?

Zdawał sobie sprawę, że pytanie jest czysto retoryczne. Kobieta pochyliła się jeszcze niżej.

— Za dziesięć minut Gildia zajmie Fort Detrick i skazi go wąglikiem. To zapłata za to, że Sigma ingerowała w naszą operację w Omanie. Ale ja jestem jeszcze coś winna waszemu szefowi, Painterowi Crowe. To sprawa osobista. To za moją siostrę, Cassandrę Sanchez.

Wycelowała pistolet w osłonę na twarz.

— Krew za krew.

Nacisnęła spust.

5.02
Waszyngton, D.C.

Siedemdziesiąt kilometrów stamtąd ekran monitora przekazujący obraz z satelity zgasł nagle.

— Gdzie backup? — zapytał Painter Crowe opanowanym głosem, powstrzymując cisnące mu się na usta przekleństwa. Panika nic tu nie pomoże.

— Dotrze najwcześniej za dziesięć minut.

— Dacie radę na nowo nawiązać połączenie?

Technik pokręcił głową.

— Straciliśmy przekaz z kamery w kasku, ale wciąż mamy podgląd z satelity NRO*. — Wskazał na sąsiedni monitor, na którym widać było czarno-biały obraz przedstawiający centralną część Fort Detrick.

Painter przechadzał się tam i z powrotem przed monitorami. Zatem była to pułapka zastawiona na Sigmę i bezpośrednio na niego...

— Zawiadomcie ochronę Fort Detrick.

— Czy na pewno?

Pytanie zadał Logan Gregory, jego zastępca. Painter doskonale rozumiał powody jego wahania: o istnieniu Sigmy wiedziała zaledwie garstka osób na samych szczytach władzy: prezydent, członkowie Połączonego Kolegium Szefów Sztabów, jego bezpośredni zwierzchnicy w DARPA**... Po zeszłorocznym trzęsieniu ziemi w najwyższych kręgach organizacja została wzięta pod lupę. Nikt nie zamierzał tolerować błędów.

— Nie chcę ryzykować życia agenta — powiedział Painter. — Zawiadom ich.

— Tak jest.

Logan podniósł słuchawkę. Z wyglądu bardziej przypominał kalifornijskiego surfera niż wybitnego stratega: jasne włosy, opalenizna, doskonała muskulatura, ale i lekko zaznaczający się brzuszek. Painter był jak jego negatyw: półkrwi Indianin, czarne włosy, błękitne oczy. I bez opalenizny. Nie pamiętał już, kiedy ostatnio widział słońce.

Najchętniej usiadłby, zgiął się wpół i oparł głowę na kolanach. Dowodzenie objął zaledwie osiem miesięcy temu i większość czasu zajęła mu restrukturyzacja oraz naprawa szkód po infiltracji przez międzynarodowy kartel zwany Gildią. Nie sposób było stwierdzić, ile informacji przedostało się na zewnątrz, należało więc wszystko zbudować na nowo od podstaw. Nawet siedzibę dowództwa przeniesiono z Arlington do podziemnego schronu w Waszyngtonie.

Painter zjawił się dziś wcześnie rano, by rozpakować pudła w swoim nowym biurze, kiedy otrzymał alarmującą wiadomość

---

* National Reconnaisance Office — Narodowe Biuro Rozpoznania.
** Defense Advanced Research Project Agency — Agencja do spraw Zaawansowanych Obronnych Projektów Badawczych.

od rozpoznania satelitarnego. Skierował wzrok na monitor z obrazem przekazywanym przez satelitę.

Pułapka.

Wiedział, do czego zmierza Gildia. Przed czterema tygodniami, po ponadrocznej przerwie, zaczął znowu wysyłać agentów. Dwa zespoły. Jeden do Los Alamos, by wyjaśnić zagadkę zniknięcia wyjątkowo ważnej bazy danych, a drugi na własne podwórko, do Fort Detrick, zaledwie godzinę jazdy z Waszyngtonu.

Uderzenie Gildii miało za zadanie wstrząsnąć Sigmą i jej dowódcą, dowieść, że Gildia nadal dysponuje wiedzą wystarczającą do storpedowania wszystkich ich poczynań, zmusić Sigmę do ponownego wycofania się, przegrupowania, może nawet samorozwiązania. Dopóki grupa Paintera pozostawała w uśpieniu, dopóty Gildia mogła spokojnie działać.

Do tego nie można było dopuścić.

Painter zatrzymał się i spojrzał pytająco na zastępcę.

— Wciąż nic — odparł Logan, wskazując na słuchawki. — W całej bazie mają problemy z komunikacją.

To bez wątpienia też była sprawka Gildii.

Zdenerwowany Painter oparł się o konsoletę i wbił wzrok w teczkę z dokumentacją operacji. Na okładce widniała samotna grecka litera:

$$\Sigma$$

W matematyce sigma oznacza sumę, połączenie rozproszonych elementów w całość. Był to także emblemat organizacji dowodzonej przez Paintera: oddziału Sigma.

Działając pod auspicjami DARPA, Sigma była jej zbrojnym ramieniem, mającym za zadanie strzeżenie, zdobywanie lub neutralizowanie technologii istotnych dla bezpieczeństwa Stanów Zjednoczonych. Należeli do niej najlepsi, starannie wyselekcjonowani członkowie wojskowych służb specjalnych, którzy po błyskawicznym intensywnym szkoleniu tworzyli grupę wyjątkowo sprawnych specjalistów w dziedzinie uzbrojenia.

Wyjątkowo sprawnych w zabijaniu.

Painter otworzył teczkę. Na samym wierzchu leżało dossier dowódcy oddziału. Doktor komandor Grayson Pierce.

Z fotografii przypiętej w prawym górnym rogu patrzyła na niego twarz mężczyzny. Zdjęcie pochodziło z okresu odsiadki w Leavenworth. Ciemne włosy ostrzyżone prawie do gołej skóry, błękitne gniewne oczy. Wystające kości policzkowe, szeroko rozstawione oczy i mocno zarysowana szczęka świadczyły o walijskich korzeniach, ale ogorzała cera była już w stu procentach teksańska.

Painter nie tracił czasu na przeglądanie grubego dossier, ponieważ znał na pamięć wszystkie szczegóły. Gray Pierce wstąpił do wojska w wieku osiemnastu lat, w wieku dwudziestu jeden lat został rangerem i przez dwa lata świecił przykładem, aż trafił pod sąd polowy za uderzenie oficera. Wydarzyło się to w Bośni. Biorąc pod uwagę okoliczności, Painter przypuszczalnie postąpiłby tak samo, ale w wojsku pewne zasady są nienaruszalne i wielokrotnie odznaczany żołnierz musiał odsiedzieć rok w Leavenworth.

Ale Gray Pierce był zbyt cenny, żeby spisać go na straty. Nie wolno było zmarnować jego talentu i wyszkolenia. Trzy lata temu, w chwili kiedy wychodził z więzienia, zgłosiła się po niego Sigma. A teraz był pionkiem w rozgrywce między Sigmą i Gildią.

Pionkiem, który lada chwila mógł zostać zgnieciony.

— Mam na linii ochronę bazy! — oznajmił Logan z ulgą w głosie.

— Dawaj ich.

— Proszę pana! — Technik zerwał się na równe nogi, wciąż mając słuchawki na uszach. — Panie dyrektorze, złapałem dźwięk.

Painter podszedł do technika, podniesioną ręką powstrzymując Logana. Technik przełączył dźwięk na głośniki i wszyscy usłyszeli coś, co brzmiało jak bardzo długie, wypowiedziane niemal jednym tchem słowo:

— Niechtoszlagtrafidokurwynędzy...

5.07
Frederick, Maryland

Gray uderzył stopą, trafił w tułów, poczuł silny opór, ale niczego nie usłyszał, bo w uszach wciąż jeszcze szumiało mu po strzale. Pocisk strzaskał wizjer kevlarowego kasku, lewe ucho piekło niemiłosiernie, przypalone w wyniku zwarcia w okablowaniu. Nie zwracał na to uwagi.

Błyskawicznym ruchem wyciągnął sztylet z pochwy i dał nura między stoły. Padł kolejny strzał, pocisk odłupał kawałek blatu.

Dotarłszy pod przeciwległą ścianę, Gray przykucnął w ukryciu, rozglądając się dokoła. Jego kopnięcie wytrąciło kobiecie latarkę z ręki; latarka potoczyła się po podłodze, cienie zatańczyły po ścianach i suficie. Delikatnie dotknął piersi; bolało, ale nie było krwi.

— Płynna zbroja, tak? — zapytała głośno kobieta.

Niemal przywarł do podłogi, próbując ustalić jej położenie. Na strzaskanym wizjerze miotały się bezsensowne holograficzne obrazy, utrudniając obserwację, ale nie chciał zdejmować kasku. To była jego najlepsza obrona.

To, a także jego strój.

Kobieta miała rację. Płynna zbroja, opracowana w roku 2003 przez laboratoria badawcze armii Stanów Zjednoczonych. Materiał nasączono glikolem polietylenowym, w którym znajdowały się mikrocząsteczki krzemu. W normalnych warunkach ta ciecz zachowywała się jak zwyczajny płyn, ale w chwili uderzenia pocisku materiał błyskawicznie twardniał, tworząc solidną zaporę. Przed chwilą ocalił mu życie.

Przynajmniej na razie.

— Rozmieściłam w całym budynku ładunki wybuchowe — mówiła dalej kobieta, przesuwając się powoli w kierunku drzwi. — To było stosunkowo łatwe, skoro i tak przeznaczono go do wyburzenia. Wystarczyło tylko lekko zmienić ustawienie wojskowych detonatorów, żeby całą siłę eksplozji skierować w górę.

Gray wyobraził sobie słup dymu i pyłu wznoszący się wysoko w poranne niebo.

— Wąglik... — wyszeptał, ale jego głos był doskonale słyszalny w całym pomieszczeniu.

— Pomyślałam sobie, że sensownie będzie wykorzystać doskonałą okazję.

Boże, ona zamieniła ten budynek w bombę biologiczną!

Jeśli akurat wiałby silny wiatr, zagrożona byłaby nie tylko baza, ale i pobliskie miasteczko Frederick. Trzeba ją powstrzymać! Ale jak?

Gray także ruszył w kierunku drzwi. Zdawał sobie sprawę z niebezpieczeństwa, ale to nie mogło go powstrzymać. Stawka była zbyt wysoka. Spróbował włączyć noktowizor, lecz tylko ponownie przypiekł sobie ucho. Tuż przed jego nosem wciąż poruszały się holograficzne zjawy, utrudniając orientację.

Niech to szlag trafi.

Sięgnął do klamry, rozpiął ją i ściągnął kask.

Powietrze, którego łapczywie zaczerpnął, było świeże, ale równocześnie jakby trochę zalatywało pleśnią. Trzymał kask w jednej ręce, a sztylet w drugiej. Nisko pochylony przemknął wzdłuż ściany w kierunku drzwi. Był pewien, że się nie otworzyły, więc kobieta musiała wciąż przebywać w tym pomieszczeniu.

Ale gdzie?

I w jaki sposób mógł ją powstrzymać? Zacisnął mocniej dłoń na rękojeści sztyletu. Broń palna przeciwko ostrzu ze spieku węglowego. Marne szanse.

Kątem oka dostrzegł poruszenie w pobliżu drzwi. Znieruchomiał. Kobieta czekała ukryta za stołem, jakiś metr od wyjścia.

Z holu przez odrutowane szybki sączyło się mdłe światło. Zbliżał się świt, z każdą chwilą robiło się coraz jaśniej. Żeby uciec, kobieta będzie musiała prędzej czy później wyjść z ukrycia. Na razie wtopiła się w cień, nie wiedząc, czy jej przeciwnik jest uzbrojony.

Należało jak najprędzej zakończyć tę grę.

Wziął zamach i rzucił kask w kierunku przeciwległej ściany laboratorium. Rozległ się donośny łoskot i brzęk tłuczonego szkła. Ułamek sekundy później pobiegł tam, gdzie ukryła się wysłanniczka Gildii. Nie miał wiele czasu.

Zerwała się na równe nogi, strzeliła w kierunku, z którego dobiegł hałas, ale równocześnie niemal z wdziękiem dała susa ku drzwiom. Można było odnieść wrażenie, że wykorzystała do tego siłę odrzutu broni, z której strzelała.

Gray poczuł coś w rodzaju podziwu, ale to było za mało, żeby go powstrzymać. Wycelował starannie i rzucił sztyletem, wkładając w to całą siłę. Doskonale wyważona broń ze świstem przecięła powietrze i trafiła kobietę w szyję.

Gray rzucił się ku drzwiom, lecz niemal natychmiast zrozumiał swój błąd. Sztylet odbił się od celu i spadł na podłogę.

Płynna zbroja.

Nic dziwnego, że domyśliła się, co go chroni. Sama korzystała z podobnego wyposażenia.

Jego atak odniósł jednak jakiś skutek; straciła równowagę i upadła z łoskotem. Uderzenie było tak silne, że prawie na pewno uszkodziła sobie kolano, ale nie wypuściła pistoletu z ręki. Z odległości kilkudziesięciu centymetrów wycelowała broń w twarz Graya.

A on nie miał już na głowie kevlarowego kasku.

5.09
Waszyngton, D.C.

— Znowu straciliśmy łączność — powiedział technik zupełnie niepotrzebnie.

Usłyszeli donośny łoskot, a potem zapadła cisza.

— Wciąż mam ochronę na linii — przypomniał Logan.

Painter nadal analizował odgłos, który usłyszeli przed zerwaniem połączenia.

— Rzucił kask — powiedział nagle.

Dwaj mężczyźni spojrzeli na niego.

Opuścił wzrok na leżące przed nim dossier. Grayson Pierce nie był głupcem. Sigma zwróciła na niego uwagę nie tylko ze względu na jego wojskowe doświadczenie, ale i na wynik testów na inteligencję. Były bardzo dobre, choć trafiali się tacy, co mieli lepsze. Tym, co zaważyło na decyzji o rekrutacji, było jego zachowanie w więzieniu. Pomimo surowej dyscypliny i obowiązku wykonywania ciężkiej pracy Grayson wziął się do intensywnej nauki chemii i taoizmu. Ta różnorodność zainteresowań zaintrygowała zarówno Paintera, jak i poprzedniego dyrektora Sigmy, Seana McKnighta.

Grayson był żywym przykładem sprzeczności: Walijczyk mieszkający w Teksasie, student taoizmu nierozstający się z różańcem, żołnierz zgłębiający w więzieniu tajniki chemii. Między innymi właśnie dlatego trafił do Sigmy.

Ale nie ma nic za darmo. Będąc oryginałem, płacił za to określoną cenę. Nie pracował w zespole.

Tak jak teraz. Działał sam, wbrew zasadom.

— Porozmawia pan z nimi? — zapytał zastępca.

Painter nabrał powietrza w płuca.

— Za dwie minuty.

5.10
Frederick, Maryland

Pocisk przemknął ze świstem tuż obok jego ucha.

Gray miał szczęście. Kobieta nacisnęła spust odrobinę za wcześnie, zanim zdążyła dobrze wycelować, on zaś był w trakcie błyskawicznego uniku. Celny strzał w głowę nie jest aż tak łatwy, jak pokazują w filmach.

Rzucił się na przeciwniczkę, chwycił ją z całych sił. Pistolet znalazł się między nimi. Nawet gdyby pociągnęła po raz drugi za spust, będzie miał szansę przeżyć, tyle że zaboli jak diabli.

Rzeczywiście, zabolało.

Pocisk trafił go w lewe udo. To było jak potwornie silne uderzenie ostro zakończonym młotem. Wrzasnął przeraźliwie. A niby czemu nie? Przecież bolało jak skurwysyn. Z wściekłością rąbnął łokciem w szyję kobiety, ale płynna zbroja natychmiast zesztywniała, chroniąc ją przed uderzeniem.

Niech to szlag!

Padł kolejny strzał. Gray był od swojej przeciwniczki silniejszy i masywniejszy, ale ona miała przewagę ciężkiej artylerii. Pocisk rąbnął w brzuch, dotarł prawie do kręgosłupa, zanim zbroja odrzuciła go wstecz. Grayson nie był w stanie oddychać; bezsilnie patrzył, jak lufa podnosi się wyżej.

Sig sauer miał magazynek na piętnaście pocisków. Ile razy nacisnęła już spust? Z pewnością w magazynku zostało dość amunicji, żeby zrobić z niego miazgę.

Nie mógł do tego dopuścić.

Rąbnął ją czołem w twarz, jednak agentka Gildii nie była nowicjuszką. Zdążyła nieco odchylić głowę, ale dzięki temu zdołał zahaczyć stopą o przewód lampy stojącej na stole; lampa spadła z hukiem na podłogę, szklany kosz rozprysnął się na kawałki. Trzymając kobietę w niedźwiedzim uścisku, przetoczył się z nią po szczątkach lampy. Oczywiście nie liczył na to, że odłamki szkła przebiją jej zbroję. Chodziło mu o coś innego.

Pod ich połączonym ciężarem żarówka pękła z hukiem.

Doskonale.

Gray zwolnił uchwyt i prawie na oślep skoczył tam, gdzie — jak mu się wydawało — powinien być włącznik światła. Usłyszał huk i niemal równocześnie poczuł jakby potężne kopnięcie w plecy.

Uderzył w ścianę, ręką trafił na włącznik. W laboratorium zamigotały światła. Coś nie w porządku z obwodem.

Osunął się na podłogę. Nie zamierzał porazić kobiety prądem, takie rzeczy udawały się wyłącznie w filmach. Liczył tylko na to, że ktoś, kto ostatnio pracował przy tym stole, nie wyłączył lampy.

Przeciwniczka wciąż celowała w niego z pistoletu. Nacisnęła spust, ale chybiła. Gray przesunął się w bok; wyciągnięte ramię kobiety nie powędrowało za nim.

— Płynna zbroja... — powiedział z zadumą. — Ma wiele zalet, ale nie jest pozbawiona wad. — Podszedł z boku i wyjął jej broń z dłoni. — Glikol jest doskonałym przewodnikiem elektryczności. Wystarczy niewielki impuls, nawet taki ze stłuczonej żarówki w lampie.

Kopnął kobietę w podbródek. Zbroja była twarda jak kamień.

— No i proszę, jaki mamy rezultat...

Zbroja stała się jej więzieniem.

Przeszukał ją szybko, nie zwracając uwagi na jej próby poruszenia się. Z największym wysiłkiem mogła odrobinę zmienić pozycję, ale odbywało się to jak w zwolnionym tempie. W końcu zrezygnowała.

— To nic nie da — powiedziała z zaczerwienioną twarzą. — Nie znajdziesz detonatora. Ustawiłam włącznik czasowy. Wybuch nastąpi... — Z trudem spojrzała na zegarek. — Za dwie minuty. Nie zdążysz rozbroić wszystkich ładunków.

Dwie minuty. Jej życie też wisiało na włosku. Dostrzegł wyraz niepewności w tych lekko skośnych oczach — bała się śmierci tak samo jak każda ludzka istota — ale reszta twarzy była nieruchoma i twarda jak zbroja.

— Gdzie ukryłaś pojemniki?

Wiedział, że mu nie odpowie, ale uważnie obserwował jej oczy. Źrenice na chwilę powędrowały w górę, po czym znów spojrzały prosto na niego.

Dach.

To nawet miało sens. Nie potrzebował potwierdzenia. Wąglik — *Bacillus anthracis* — jest wrażliwy na temperaturę. Jeśli kobieta chciała, żeby bakterie rozprzestrzeniły się w wyniku wybuchu, to musiały znajdować się jak najdalej od epicentrum eksplozji.

Splunęła mu na policzek. Nawet nie otarł twarzy. Nie miał czasu.

Jeszcze minuta i czterdzieści osiem sekund.

Zerwał się na nogi i pobiegł do drzwi.

— Nie zdążysz! — zawołała za nim.

Domyśliła się, że chodzi mu o bombę, nie o własne życie. Z jakiegoś powodu cholernie go to zirytowało. Zupełnie jakby znała go wystarczająco dobrze, żeby przejrzeć na wylot.

Dopadł klatki schodowej i przeskakując po dwa stopnie, popędził w górę. Metalowe drzwi prowadzące na dach wyposażono w ciągnący się przez całą ich szerokość uchwyt, ułatwiający otwieranie w razie nagłej potrzeby.

To była właśnie nagła potrzeba.

Otworzył drzwi, uruchamiając sygnał alarmowy, i wypadł w szarówkę przedświtu. Dach był pokryty papą, pod stopami chrzęścił piach. Gray potoczył wzrokiem dookoła: zbyt wiele miejsc do przeszukania. Rynny, kominy, anteny satelitarne...

Gdzie to mogło być?

Zostało mu bardzo niewiele czasu.

5.13
Waszyngton, D.C.

— Jest na dachu! — wykrzyknął technik, wskazując na ekran monitora.

Painter pochylił się i wytężył wzrok. Co on tam robi?

— Ściga go ktoś?

— Nie widzę.

— Ochrona bazy informuje, że w budynku numer czterysta siedemdziesiąt włączył się alarm pożarowy! — zameldował Logan od telefonu.

— Widocznie uruchomił go, kiedy wchodził na dach — odparł technik.

— Dasz radę zrobić zbliżenie? — zapytał Painter.

Technik skinął głową i poruszył joystickiem. Grayson Pierse był bez kasku, miał zakrwawione lewe ucho. Stał nieruchomo przy drzwiach.

— Co on wyrabia? — zastanawiał się głośno technik.

— Ochrona pyta, czy mają interweniować.

Painter pokręcił głową, czując, jak w żołądku rozpuszcza mu się lodowa kula.

— Powiedz im, żeby trzymali się z daleka. I żeby natychmiast ewakuowali wszystkich z okolic tego budynku.

— Ale...

— Zrób to!

5.14
Frederick, Maryland

Gray powtórnie rozejrzał się po dachu. Sygnał alarmowy wciąż działał, ale on starał się nie zwracać na to uwagi. Próbował się skupić i myśleć jak przeciwnik.

Przykucnął. W nocy lał deszcz, więc zapewne kobieta przyniosła pojemniki dopiero wtedy, kiedy przestało padać. Próbował wypatrzyć jakieś ślady w piasku spłukanym przez wodę. Nie było to trudne, ponieważ wiedział, że to jedyne wyjście na dach.

Ruszył po śladach. Prowadziły do jednego z wylotów kanałów wentylacyjnych.

Oczywiście.

Komin miał posłużyć za coś w rodzaju lufy armatniej, która wystrzeli śmiercionośny ładunek wysoko w powietrze.

Ukląkł i niemal natychmiast dostrzegł świeże zadrapania na pokrytym rdzą metalu. Nie miał czasu szukać ewentualnych pułapek: wytężył siły i z cichym stęknięciem zdjął z komina metalowy kołnierz.

Bomba tkwiła u samego wylotu: pakiet C4 otoczony piętnastoma szklanymi pojemnikami. Przez chwilę wpatrywał się w biały proszek wypełniający pojemniki, a następnie, przygryzając dolną wargę, ostrożnie wyjął bombę z kanału wentylacyjnego. Ukazał się detonator czasowy.

00.54

00.53

00.52

Gray wyprostował się i dokonał błyskawicznych oględzin bomby. Była zabezpieczona przed niepożądaną ingerencją. Wszystko wskazywało na to, że wybuchnie. Musiał jak najprędzej usunąć ją z tego budynku.

00.41

Tylko jedna szansa.

Wepchnął bombę do nylonowej torby na ramieniu i pobiegł w kierunku frontowej ściany budynku, jasno oświetlonej reflektorami, które automatycznie włączyły się w chwili uruchomienia alarmu. I co z tego, ochrona bazy i tak nie zdąży na czas.

Nie miał wyboru.

W tej sytuacji jego życie przestało mieć jakiekolwiek znaczenie.

Cofnął się kilka kroków, wziął głęboki wdech i ruszył biegiem. Chwilę potem z całych sił odbił się od parapetu i poszybował w sześciopiętrową przepaść.

5.15
Waszyngton, D.C.

— Chryste Panie! — wykrzyknął Logan, kiedy Grayson skoczył.

— On oszalał! — zawtórował mu technik, zrywając się z miejsca.

Painter z kamiennym spokojem patrzył w ekran.

— Zrobił to, co musiał.

5.15
Frederick, Maryland

Gray podkulił nogi, ręce rozłożył szeroko. Spadał jak pocisk, modląc się, żeby prawa fizyki oraz analiza wektorowa okazały się dla niego łaskawe. Szykował się na uderzenie.

Dwa piętra niżej i dwadzieścia metrów od budynku czekała na niego powierzchnia Ósmej Kuli. Gigantyczny kulisty zbiornik o pojemności miliona litrów połyskiwał poranną rosą. Gray wykonał półobrót w powietrzu, starając się za wszelką cenę lecieć stopami w dół.

Czas przyśpieszył. Albo on.

Stopy w wojskowych butach uderzyły w powierzchnię kuli. Płynna zbroja natychmiast zesztywniała wokół kostek, chroniąc je przed złamaniem. Siła bezwładności pchnęła go do przodu, twarzą w dół, z rozrzuconymi ramionami. Wylądował nie na szczycie kuli, lecz z boku, od strony budynku numer 470.

Rozczapierzone palce nie trafiły na nic, co mogłoby go zatrzymać.

Zsuwał się po pokrytej rosą gładkiej powierzchni, po czym minął punkt bez powrotu i runął w dół, tracąc kontakt z powierzchnią.

O tym, że spada na rusztowanie, dowiedział się dopiero wtedy, kiedy z impetem wylądował na metalowym podeście biegnącym dokoła równika kuli. Natychmiast zerwał się na nogi, nie wierząc, że jeszcze żyje. Błyskawicznie wyjął bombę z torby, równocześnie rozglądając się dookoła. W metalowej powierzchni znajdowało się wiele okrągłych okienek, przez które uczeni mogli śledzić przebieg zachodzących w środku procesów. Groźne mikroby nigdy nie zdołały wydostać się na zewnątrz.

Modlił się, żeby podobnie było i tym razem.

Wyświetlacz detonatora pokazywał 00.18.

Gray nie miał nawet czasu zakląć. Pognał ile sił w nogach. Kilka metrów dalej dostrzegł właz z iluminatorem.

Chwycił za klamkę, szarpnął.

Zamknięte.

5.15
Waszyngton, D.C.

Painter obserwował, jak Grayson szarpie właz w powierzchni metalowej kuli. W każdym jego ruchu widać było rozpaczliwy pośpiech. Wcześniej zauważył bombę, którą tamten wydobył z kanału wentylacyjnego. Nie miał najmniejszych wątpliwości co do tego, jaki ładunek zawiera.

Wąglik.

Najwyraźniej Graysonowi nie udało się rozbroić bomby, więc teraz usiłował umieścić ją w jakimś bezpiecznym miejscu. Niestety bezskutecznie.

Ile czasu mu zostało?

5.15
Frederick, Maryland

00.18

Grayson pobiegł przed siebie. Może dalej coś będzie otwarte. Miał wrażenie, że biegnie w butach narciarskich — dolna część nogawek wciąż była sztywna jak blacha.

Przed sobą dostrzegł kolejny właz.

— STÓJ!

Ochrona bazy. Wzmocniony przez megafon głos był tak rozkazujący, że niewiele brakowało i Gray zastosowałby się do polecenia. Jednak biegł dalej.

Padło na niego światło reflektora punktowego.

— STÓJ ALBO OTWORZYMY OGIEŃ!

Nie miał czasu na negocjacje.

Rozległ się terkot pistoletów maszynowych, pociski rykoszetowały od powierzchni kuli i rusztowania. Wszystkie daleko od niego. Strzały ostrzegawcze.

Dopadł drugiego włazu, chwycił za klamkę, nacisnął i pociągnął. Przez ułamek sekundy nic się nie działo, a potem stalowa płyta ustąpiła. Z ust Graya wyrwał się okrzyk ulgi. Wrzucił bombę do środka, zatrzasnął właz, oparł się o niego plecami, po czym powoli osunął się do pozycji siedzącej.

— STÓJ! NIE RUSZAJ SIĘ!

Nigdzie się nie wybierał. Był bardzo szczęśliwy tu i teraz. Za plecami poczuł wyraźne drżenie: ładunek eksplodował we wnętrzu kuli, nie czyniąc nikomu krzywdy. Zaraz okazało się jednak, że to nie koniec, lecz zaledwie początek. W powietrzu rozległ się łoskot kolejnych eksplozji.

BUM! BUM! BUM!

To wybuchały ładunki zainstalowane w budynku numer 470.

Chociaż osłonięty krzywizną ogromnej kuli, Gray i tak poczuł ruch mas powietrza, kiedy budowla runęła z ogłuszającym hukiem. W górę wzbiła się ogromna chmura dymu i pyłu... Ale była całkowicie nieszkodliwa.

Resztkami budynku wstrząsnęła jeszcze jedna eksplozja, posypał się gruz i kamienie. Nastała cisza, ale po chwili zakłócił ją nowy odgłos.

Skrzypienie metalu.

W wyniku wstrząsu spowodowanego wybuchem dwie stalowe podpory wygięły się i ogromna kula zaczęła się powoli przechylać, jakby próbowała przyklęknąć. Kolejne podpory pękały albo gięły się jak źdźbła trawy. Zbiornik o pojemności miliona litrów pochylał się coraz mocniej w kierunku pojazdów ochrony.

A Gray znajdował się tam, gdzie miało nastąpić zetknięcie z ziemią.

Popędził przed siebie metalową kładką, ale ta bardzo szybko zamieniła się w drabinę, więc o biegu nie było już mowy. Rozpaczliwie chwycił się metalowej konstrukcji i odepchnął z całych sił nogami.

Kula z ogłuszającym hukiem uderzyła w nawierzchnię dziedzińca. Siła wstrząsu cisnęła Graya w powietrze; przeleciał kilka metrów i z impetem wylądował na plecach na miękkim trawniku. Podniósł głowę, oparł się na łokciu.

Pojazdy ochrony cofały się pośpiesznie przed obalonym kolosem, ale nie ulegało wątpliwości, że lada chwila wrócą. A on nie mógł pozwolić się złapać.

Z jękiem podniósł się i zataczając, pobiegł w stronę dymiącego rumowiska. Dopiero teraz do jego uszu dotarło zawodzenie syren alarmowych. Biegnąc, ściągał kombinezon; nie zapomniał o zabraniu plakietki identyfikacyjnej. Pod osłoną dymu przemknął na drugą stronę dziedzińca, do alejki, w której zostawił motocykl. Maszyna była nienaruszona.

Wskoczył na siodełko, przekręcił kluczyk. Silnik zamruczał ochoczo. Gray chwycił za kierownicę... i znieruchomiał. Na manetce gazu coś wisiało. Wziął to do ręki, przyglądał się przez chwilę, po czym wcisnął do kieszeni.

Cholera!

Skręcił w najbliższą alejkę. Droga była pusta. Pochylił się, dodał gazu i popędził między pogrążonymi w ciemności budynkami. Po chwili skręcił w lewo w Porter Street, niemal dotykając kolanem nawierzchni. Żaden z nielicznych samochodów na ulicy nie miał oznaczeń żandarmerii wojskowej.

Gnał na złamanie karku w kierunku mniej zurbanizowanej części bazy wokół jeziora Nallin, otoczonego łagodnymi pagórkami i lasem. Przeczeka tam największe zamieszanie, a potem opuści teren bazy. Na razie był bezpieczny, ale w kieszeni ciążył mu przedmiot, który znalazł na kierownicy motocykla.

Srebrny łańcuszek ze smokiem mającym ogon owinięty wokół własnej szyi.

5.48
Waszyngton, D.C.

Painter odsunął się od konsoli. Widzieli na ekranie, jak Grayson dopada motocykla i rusza. Logan cały czas wisiał na telefonie, prowadząc ożywione rozmowy na kodowanych kanałach. Wyjaśniał wszystkim, że zamieszanie w bazie to rezultat nieporozumienia i błędów technicznych przy składowaniu zapasów broni.

Ani słowa o Sigmie.

— Mam na linii dyrektora DARPA — zameldował technik.

— Przełącz go tutaj.

Painter wziął do ręki drugą słuchawkę i czekał na sygnał, że urządzenia kodujące są gotowe do działania. Wreszcie technik skinął głową. Choć na razie nie padło ani jedno słowo, Painter niemal fizycznie wyczuwał obecność przełożonego.

— Dyrektorze McKnight?

Spodziewał się, że tamten zażąda informacji o przebiegu misji, ale się mylił.

— Painter, właśnie otrzymałem wiadomość z Niemiec — powiedział dyrektor tonem, w którym wyraźnie było słychać napięcie. — Tajemniczy zamach w katedrze, wiele ofiar. Nasi ludzie muszą tam być najpóźniej o zmroku.

— Tak szybko?

— W ciągu kwadransa powinniśmy poznać szczegóły, ale już teraz wiem, że grupą musi dowodzić najlepszy agent, jakiego mamy.

Painter spojrzał na ekran monitora, na którym samotny moto-cyklista pędził drogą wijącą się wśród zalesionych wzgórz.

— Chyba mam właściwego człowieka. Skąd ten pośpiech?

— Dzwoniono do mnie z prośbą, żebyśmy zajęli się tą sprawą. Wymieniono konkretnie pańską grupę.

— Czy można wiedzieć, kto dzwonił?

Przypuszczał, że chodzi o prezydenta, bo nie potrafił sobie wyobrazić, żeby telefon od kogokolwiek innego zdołał tak bardzo poruszyć McKnighta, ale okazało się, że i tym razem się mylił.

— Watykan.

2

Wieczne Miasto

24 lipca, południe
Rzym, Włochy

To tyle, jeśli chodzi o randkę podczas lunchu.

Porucznik Rachele Verona ostrożnie zeszła wąskimi schodami wiodącymi głęboko w podziemia Bazyliki Świętego Klemensa. Od dwóch miesięcy trwały tam prace wykopaliskowe, nadzorowane przez niewielki zespół archeologów z uniwersytetu w Neapolu.

— *Lasciate ogni speranza...* — mruknęła pod nosem.

Jej przewodniczka, profesor Lena Giovanna — szefowa całego przedsięwzięcia — zerknęła przez ramię. Profesor Giovanna była wysoką kobietą w wieku mniej więcej pięćdziesięciu pięciu lat, ale stale przygarbione plecy sprawiały, że wydawała się starsza i niższa. Obdarzyła Rachele zmęczonym uśmiechem.

— A więc zna pani naszego Dantego Alighieri. *Lasciate ogni speranza, voi ch'entrate!* „Porzućcie wszelką nadzieję, wy, którzy tu wchodzicie".

Rachele poczuła ukłucie zażenowania. Zgodnie z tym, co napisał Dante, te słowa widniały nad bramą prowadzącą do piekła. Wcale nie chciała, żeby ktoś usłyszał jej szept, ale akustyka tego wnętrza nie pozwalała nawet na odrobinę prywatności.

— Nie miałam zamiaru pani urazić, *professoressa*.

Odpowiedział jej stłumiony śmiech.

— Nie wzięłam tego do siebie, poruczniku. Po prostu zdziwiłam się, że wśród naszych dzielnych policjantów znalazł się ktoś, kto tak dobrze zna Dantego. Nawet jeśli weźmiemy pod uwagę, że pracuje pani w Carabinieri Tutela Patrimonio Culturale.

Rachele rozumiała, skąd wzięło się to błędne przekonanie. Wszyscy karabinierzy oceniani byli dość stereotypowo, ponieważ cywile widzieli tylko tych mężczyzn i kobiety w mundurach i uzbrojonych w karabiny, których zadaniem było patrolowanie ulic i pilnowanie budynków. Ale ona wstąpiła do policji nie jako zwykły żołnierz, lecz jako absolwentka psychologii i historii sztuki. Została przyjęta do korpusu karabinierów zaraz po ukończeniu uniwersytetu, a potem spędziła jeszcze dwa lata w szkole dla oficerów, studiując prawo międzynarodowe. Wybrał ją sam generał Rende, dowódca jednostki specjalnej zajmującej się dochodzeniami w sprawie kradzieży dzieł sztuki i antyków — Tutela Patrimonio Culturale.

Zszedłszy na sam dół schodów, Rachele wdepnęła w kałużę stojącej wody. Burza, która przeszła nad miastem kilka dni temu, zalała wszystkie tereny położone poniżej poziomu morza. Z kwaśną miną zerknęła na swoje stopy. Dobrze, że woda sięgała jej zaledwie do połowy łydki.

Na szczęście miała na nogach parę pożyczonych kaloszy, trochę za dużych, bo przeznaczonych dla mężczyzny. Własne nowe czółenka od Ferragamo — urodzinowy prezent od matki — niosła w lewym ręku. Nie odważyła się zostawić ich na górze, przy wejściu na schody. Złodzieje zawsze kręcą się w pobliżu. Gdyby ktoś ukradł jej te pantofle albo gdyby je zniszczyła, matka nigdy nie przestałaby utyskiwać.

Z kolei profesor Giovanna ubrana była w funkcjonalny płaszcz, o wiele bardziej przydatny przy badaniu zalanych przez powódź ruin niż granatowe spodnie Rachele i jedwabna bluzka w kwiaty. Niestety, kiedy mniej więcej kwadrans temu zabrzęczał jej pager, siedziała już w samochodzie i jechała na lunch, na którym miała się spotkać z matką i siostrą. Nie było najmniejszych szans, żeby zdążyła wrócić do swojego mieszkania i przebrać się w mundur. Nie, jeśli w ogóle chciała dotrzeć na ten cholerny lunch.

Przyjechała więc prosto we wskazane miejsce, gdzie czekali na nią dwaj karabinierzy z miejscowego komisariatu. Zostawiła ich na górze w bazylice, sama zaś postanowiła przeprowadzić wstępne śledztwo w sprawie niedawnej kradzieży.

Z pewnych względów była nawet zadowolona, że nieprzyjemny moment spotkania w rodzinnym gronie został chwilowo odsunięty w czasie. Już i tak zbyt długo zwlekała z powiedzeniem matce, że ona i Gino postanowili się rozstać. Prawdę mówiąc, jej eksprzyjaciel wyprowadził się ponad miesiąc temu i Rachele bez trudu mogła sobie wyobrazić rozczarowanie w oczach rodzicielki, ewentualnie towarzyszące mu dobrze znane pomruki w stylu „Mówiłam ci, że tak będzie": A starsza siostra Rachele, zamężna od trzech lat, będzie znacząco obracać na palcu swoją obrączkę ślubną z brylantem i z mądrą miną kiwać głową.

Nikt z jej bliskich nie był zadowolony z zawodu, jaki wybrała.

— Jak ty zamierzasz utrzymać przy sobie męża, szalona dziewczyno? — jęczała jej matka, wznosząc oczy ku niebu. — Obcięłaś krótko swoje piękne włosy. Sypiasz z karabinem obok łóżka. Żaden mężczyzna tego nie wytrzyma.

W konsekwencji Rachele rzadko opuszczała Rzym, żeby złożyć wizytę swojej rodzinie osiadłej w prowincjonalnym Castel Gandolfo, dokąd przeprowadzili się po drugiej wojnie światowej, żeby zamieszkać w cieniu letniej rezydencji papieży. Jedynie babcia Rachele rozumiała jej pasję, bo obydwie kobiety łączyła miłość do zabytków i do broni. Dorastając, Rachele przysłuchiwała się chciwie babcinym opowieściom o wojennych czasach — makabrycznym historiom zaprawionym sporą dawką czarnego humoru. Na nocnym stoliku babci zawsze leżał nazistowski luger P-08, starannie naoliwiony i wypolerowany — relikt skradziony strażnikowi na granicy podczas pamiętnej ucieczki rodziny. Starsza dama z pewnością nie była łagodna jak baranek.

— Już niedaleko — odezwała się profesor Giovanna. Z chlupotem brnęła w kierunku jaśniejącego przed nim otworu. — Zostawiłam tam na straży moich studentów.

Rachele posuwała się w ślad za swoją przewodniczką; kiedy doszła do niskiego przejścia, pochyliła się i dała nura. Wyprostowawszy się, stwierdziła, że znajduje się w przypominającym jaskinię pomieszczeniu, które oświetlał migotliwy blask lamp karbidowych i latarek. Ponad jej głową rozpościerało się ogromne, łukowato wygięte sklepienie, skonstruowane z ociosanych bloków tufu wulkanicznego połączonych w prymitywny sposób za pomocą gipsu. Najwyraźniej ta grota była dziełem człowieka. Wczesną rzymską świątynią.

Ruszając dalej, Rachele uświadomiła sobie nagle, jak wielkie znaczenie ma bazylika znajdująca się dokładnie nad nimi. Dedykowana świętemu Klemensowi, powstała w dwunastym stuleciu na ruinach dawnej bazyliki, pochodzącej z czwartego wieku. Ale nawet ten pradawny kościół ukrywał w głębi pewną tajemnicę: ruiny rzymskiego dziedzińca z pierwszego wieku z pozostałościami rzymskich budowli, między innymi tej pogańskiej świątyni. Takie warstwowe budowanie nie było tu niczym niezwykłym — nowa religia grzebała poprzednią; tak wyglądała cała historia Rzymu.

Rachele przeszył znajomy dreszcz, bo wagę minionego czasu odczuwała równie mocno jak ciężar kamieni. Chociaż kolejny wiek skrywał pod sobą ten, który się właśnie skończył, to jednak przeszłość wciąż była tu obecna, zaklęta w ciszy i kamieniu. Najwcześniejsza historia rodzaju ludzkiego. To wnętrze także było katedrą, równie bogatą jak ta stojąca powyżej.

— To właśnie są moi studenci — powiedziała pani profesor. — Tia i Roberto.

Rachele podążyła wzrokiem za spojrzeniem profesor Giovanny i opuściwszy głowę, odkryła w półmroku dwie przykucnięte postacie. Młodego mężczyznę i kobietę, oboje o ciemnych włosach i podobnie przyodzianych w brudne robocze płaszcze. Zajęci byli zbieraniem fragmentów potłuczonych naczyń, ale teraz wstali, żeby się przywitać. Nie wypuszczając z rąk pantofli, Rachele po kolei uścisnęła ich dłonie. Jej zdaniem wyglądali na nie więcej niż piętnaście lat, mimo że zdążyli zacząć już studia. Być może działo się tak dlatego, że Rachele świętowała niedawno trzydzieste urodziny i od tego czasu wszyscy dookoła zdawali się młodnieć, oczywiście poza nią.

— To tam — odezwała się profesor i poprowadziła Rachele do wnęki znajdującej się w najdalej położonej od wejścia ścianie. — Zeszłej nocy przeszła burza. Złodzieje skorzystali z okazji.

Profesor Giovanna skierowała światło latarki na stojącą w głębi niszy marmurową figurę. Miała mniej więcej metr wysokości —

a raczej miałaby, gdyby nie brakowało jej głowy. Został jedynie korpus, nogi i sterczący dumnie kamienny fallus. To musiał być rzymski bożek płodności.

Profesor pokręciła głową.

— Zupełna tragedia. Jedyny posążek, jaki udało się nam odnaleźć w całości.

Rachele podzielała frustrację pani profesor. Wyciągnęła rękę i przesunęła palcami po kikucie szyi. Opuszki natrafiły na znajomą szorstkość.

— Piłka do metalu — mruknęła.

Było to główne narzędzie pracy współczesnych rabusiów cmentarnych. Łatwe do ukrycia i wygodne do trzymania. Złodzieje kradli i uszkadzali dzieła sztuki w całym Rzymie. Operacja trwała zaledwie chwilę; często incydenty zdarzały się w biały dzień, kiedy tylko dozorca się odwrócił. Nagroda warta była poniesionego ryzyka. Handel skradzionymi dziełami sztuki uważany był za lukratywny biznes, który przebijały jedynie narkotyki, pranie brudnych pieniędzy i handel bronią. W związku z pogarszającą się sytuacją w 1992 roku powołano do życia wydział policji do spraw ochrony dziedzictwa kulturowego. Współdziałająca z Interpolem formacja starała się postawić tamę fali przestępczości.

Rachele kucnęła obok figurki. Znajome pieczenie w żołądku znów dało o sobie znać. Historia Rzymu ulegała wymazywaniu, kawałek po kawałku. To było przestępstwo przeciwko minionym wiekom.

— *Ars longa, vita brevis* — tym razem wyszeptała cytat z Hipokratesa. Jeden z jej ulubionych. „Sztuka długotrwała, życie krótkie".

— Całkowicie się zgadzam — zbolałym głosem dorzuciła pani profesor. — To było naprawdę wspaniałe znalezisko. Piękna rzeźba, doskonała w każdym szczególe, prawdziwy okaz artystycznego rzemiosła... Jak można było ją tak okrutnie oszpecić.

— Ciekawe, czemu te sukinsyny nie ukradły całej figurki — zauważyła Tia. — Przynajmniej pozostałaby w całości.

Rachele poklepała jednym z pantofli w kamienny fallus.

— Ten posąg jest zbyt duży; chociaż łatwo byłoby go przenieść, chwytając za to. Przypuszczam, że złodziej miał już umówionego kupca, i to z międzynarodowego gangu. Samą głowę o wiele prościej będzie przemycić przez granicę.

— Czy jest jakaś nadzieja na jej odzyskanie? — spytała profesor Giovanna.

Rachele nie lubiła składać obietnic bez pokrycia. Z sześciu tysięcy zabytkowych dzieł sztuki, które skradziono w zeszłym roku, udało się odzyskać jedynie garstkę.

— Potrzebuję kilku fotografii całej figury, żeby zacząć jej szukać przez Interpol. Najlepiej takich, na których dobrze widać głowę.

— Mamy cyfrową bazę danych — odparła profesor. — Mogę przesłać zdjęcia e-mailem.

Rachele skinęła głową, nie odrywając wzroku od okaleczonej statuetki.

— Albo może Roberto po prostu nam powie, co zrobił z tą głową.

Spojrzenie profesor Giovanny błyskawicznie powędrowało w stronę młodego chłopca.

A on cofnął się o krok.

— C... co? — wykrztusił.

Omiótł wzrokiem całe pomieszczenie, aż w końcu popatrzył na Giovannę.

— *Professoressa...* Ja naprawdę nic nie wiem. To jakieś wariactwo.

Rachele dalej przyglądała się figurce — i jedynej wskazówce, kierującej podejrzenia w stronę Roberta. Rozważyła już wszystkie za i przeciw, czy załatwiać tę sprawę od ręki, czy wracać na komisariat. Druga ewentualność oznaczałaby konieczność przesłuchiwania każdego po kolei, zbierania zeznań i górę papierkowej roboty. Rachele zamknęła oczy, wracając myślą do lunchu, na który i tak już była spóźniona. Zresztą jeśli w ogóle istniała jakaś nadzieja na odzyskanie głowy, to szybkość działania odgrywała tutaj zasadniczą rolę.

— Nie wiem, czy zdajesz sobie sprawę, że sześćdziesięciu czterech procent kradzieży, jakie zdarzają się na miejscu archeologicznych wykopalisk, dokonują pracujący tam ludzie? — odezwała się, nie odrywając oczu od posążka, i dopiero wtedy odwróciła się w stronę obserwującej ją w napięciu trójki.

— Czy naprawdę pani sądzi, że Roberto...? — Profesor Gio-vanna zmarszczyła brwi.

— Kiedy odnaleźliście ten posąg? — przerwała jej Rachele.

— D... dwa dni temu. Ale ja od razu wrzuciłem informację o naszym odkryciu na strony uniwersytetu w Neapolu. Wiele osób o tym wiedziało.

— A ile z nich wiedziało, że podczas wczorajszej burzy nikt nie pilnował wykopalisk? — Rachele zwracała się teraz tylko do jednej osoby. — Masz coś do powiedzenia na ten temat?

Twarz Roberta zastygła w grymasie niedowierzania.

— Ja... ja nie mam z tym nic wspólnego.

Rachele wyciągnęła zza pasa radio.

— Rozumiem więc, że nie będziesz miał nam za złe, jeśli przeszukamy twój pokój? Może znajdzie się tam piłka do metalu, a na niej resztki marmuru... Identycznego z tym, z którego zrobiony jest posążek.

W oczach Roberto pojawił się dobrze znany wyraz.

— J... ja...

— Karą za taki czyn jest minimum pięć lat więzienia — naciskała Rachele. — *Obligatorio*.

Nawet w świetle latarek ujrzała, że wyraźnie zbladł.

— Chyba że zaczniesz współpracować — dodała szybko. — W takim wypadku możesz liczyć na pobłażliwość.

Pokręcił głową, jakby chciał czemuś zaprzeczyć, choć na dobrą sprawę nie było wiadomo, o co mu chodzi.

— No cóż, dałam ci szansę — podniosła do ust odbiornik i wcisnęła guzik. Radio zaskrzeczało nieprzyjemnie, a ten dźwięk odbił się głośnym echem w zwieńczonej łukami przestrzeni.

— Nie!

Roberto podniósł rękę, żeby ją powstrzymać, dokładnie tak jak się spodziewała. Stał ze wzrokiem wbitym w ziemię.

Zapadła głucha cisza. Rachele jej nie przerwała. Pozwoliła, żeby napięcie sięgnęło zenitu.

W końcu Roberto cicho załkał.

— Ja... musiałem spłacić długi. Karciane długi... Naprawdę nie miałem wyboru.

— *Dio mio*... — jęknęła profesor i podniosła rękę do czoła. — Och, Roberto, jak mogłeś?!

56

Na to nie było żadnej odpowiedzi.

Rachele świetnie zdawała sobie sprawę, jakie naciski wywierano na tego chłopca. Takie postępowanie nie było niczym niezwykłym. Roberto był jedynie małą częścią potężnego systemu, tak rozrośniętego i mocno zakorzenionego, że całkowite jego wyplenienie wydawało się wręcz niemożliwe. Rachele mogła jedynie mieć nadzieję, że uda się jej wyrywać poszczególne chwasty.

Podniosła do ust nadajnik.

— *Carabiniere Gerard*, idę na górę z kimś, kto może nam dostarczyć dodatkowych informacji.

— ...*capito, Tenente...*

Kliknięciem wyłączyła radio. Roberto zakrył twarz rękoma. Cała jego przyszła kariera w jednej chwili legła w gruzach.

— Jak się pani domyśliła? — profesor Giovanna nie mogła wyjść z podziwu.

Rachele nie zawracała sobie głowy wyjaśnieniami, że dość powszechne pośród członków organizacji przestępczej było nakłanianie do współpracy ludzi zaangażowanych przy wykopaliskach ewentualnie wymuszanie tej współpracy. Korupcja szerzyła się bez ograniczeń, a w jej sidła wpadali niczego niepodejrzewający naiwniacy.

Odwróciła się plecami do Roberta. Często należało jedynie zorientować się, kto w zespole jest najsłabszym ogniwem. Jeśli chodzi o tego młodego człowieka, Rachele po prostu zgadła, a potem zaczęła nieco naciskać, żeby przekonać się, czy miała rację. Zbyt szybkie odsłanianie kart niosło pewne ryzyko. A gdyby chodziło o Tię? Kiedy Rachele podążała fałszywym tropem, Tia mogła ostrzec swoich mocodawców. A gdyby sama profesor Giovanna próbowała podreperować swoją uniwersytecką pensję, sprzedając własne odkrycia? Naprawdę można było na wiele sposobów popsuć sprawę, ale Rachele przekonała się, że wygrywa tylko ten, kto podejmuje ryzyko.

Profesor Giovanna nie przestawała się jej przyglądać, a w jej spojrzeniu wciąż widniało to samo pytanie: skąd Rachele wiedziała, że to robota Roberta?

Rachele rzuciła okiem na sterczący dumnie kamienny fallus. Dostrzegła jedną jedyną wskazówkę, za to bardzo wydatną...

— Nie tylko głowy i popiersia sprzedają się doskonale na

czarnym rynku — powiedziała. — Istnieje wielkie zapotrzebowanie na antyczną sztukę o charakterze erotycznym. Jej ceny przebijają czterokrotnie ceny bardziej konserwatywnych dzieł. Przypuszczam, że żadna z pań nie miałaby oporów, żeby odpiłować ten wspaniały atrybut męskości, ale panowie z jakiegoś powodu niechętnie robią tego typu rzeczy. Widocznie przyjmują to zbyt osobiście.

Pokręciła głową i ruszyła w kierunku schodów prowadzących do bazyliki.

— Nawet nie są w stanie wykastrować własnego psa.

13.34

Rachele wciąż była bardzo, ale to bardzo spóźniona...

Sprawdzając na zegarku godzinę, szybkim krokiem przemierzała na ukos wybrukowany kamieniami placyk, który rozciągał się przed wejściem do Bazyliki Świętego Klemensa. Potknęła się o wystającą kostkę, poleciała kilka kroków, ale jakoś udało się jej utrzymać na nogach. Ze złością odwróciła się w stronę kamienia — zupełnie jakby to była jego wina — a potem popatrzyła na własne stopy.

Cholera!

Szeroka rysa przecinała na ukos gładką powierzchnię nowiutkiego pantofla.

Rachele podniosła oczy ku niebu, zastanawiając się, którego ze świętych dziś obraziła. Wyglądało na to, że obrażonych było mnóstwo i każdy czekał w kolejce na swoje pięć minut.

Pobiegła dalej, starając się nie wpaść na żadnego z rowerzystów, którzy pierzchali przed nią jak stado przestraszonych gołębi. Tym razem starała się bardziej uważać, bo przypomniały jej się mądre słowa cesarza Augusta.

Festina lente. Śpiesz się powoli.

Chociaż... cesarz August nie miał matki, która przy lada okazji ciosałaby mu kołki na głowie.

W końcu dopadła swojego minicoopera, który stał zaparkowany na obrzeżach placu. Południowe słońce odbijało się oślepiającym blaskiem w srebrnym lakierze. Na ten widok na ustach

Rachele pojawił się uśmiech, pierwszy tego dnia. Ten samochód także był prezentem urodzinowym. Sama go sobie sprawiła, bo ostatecznie tylko raz w życiu kończy się trzydzieści lat. Kosztował majątek, zwłaszcza że Rachele zażyczyła sobie skórzanej tapicerki i wybrała model S z opuszczanym dachem.

Ale był jedyną radością jej życia.

Zresztą może między innymi właśnie dlatego miesiąc temu Gino zdecydował się ją opuścić. Samochód budził w niej o wiele gorętsze uczucia niż mężczyzna, z którym dzieliła łóżko. Zdaniem Rachele to była dobra zamiana. Do minicoopera znacznie łatwiej się przywiązać.

A poza tym... minicooper potrafił się zmieniać, a Rachele należała do kobiet, które doceniają tę umiejętność. W sytuacji kiedy facet okazał się całkowicie niereformowalny, przynajmniej samochód potrafił sprostać jej oczekiwaniom.

Jednak dziś było stanowczo za gorąco, żeby jechać z odkrytym dachem.

Wstyd.

Otworzyła kluczykiem drzwi, ale zanim zdążyła wsiąść, zabrzęczała zawieszona u paska komórka.

Co tym razem?

Prawdopodobnie był to karabinier Gerard, którego pieczy niedawno powierzyła Roberta. Nieszczęsny student jechał właśnie na przesłuchanie na posterunek przy Parioli. Zmrużywszy oczy, rzuciła okiem na wyświetlacz i od razu rozpoznała międzynarodowy prefiks — trzy dziewięć zero sześć — ale sam numer był całkowicie obcy.

Dlaczego dzwoni do niej ktoś z Watykanu?

Rachele podniosła słuchawkę do ucha.

— Tu porucznik Verona — powiedziała.

— Co dziś porabia moja ulubiona siostrzenica?... poza denerwowaniem swojej matki, oczywiście — odezwał się znajomy głos.

— Wujek Vigor?

Rachele uśmiechnęła się radośnie. Jej wuj, lepiej znany jako monsinior Vigor Verona, kierował Papieskim Instytutem Archeologii Chrześcijańskiej. Jednak tym razem nie dzwonił ze swojego uniwersyteckiego biura.

— Zadzwoniłem do twojej matki, bo myślałem, że jesteś z nią. Ale zdaje się, że w pracy karabiniera nie ma czegoś takiego jak zegarek. Moim zdaniem kochana mamusia nie doceni twojego zaangażowania...

— Właśnie jadę do tej restauracji.

— Tak... A raczej jechałabyś, gdyby nie mój telefon.

Rachele z wrażenia oparła się ręką o samochód.

— Wujku Vigorze, co ty...?

— Już przekazałem twojej matce wyrazy ubolewania. Zamiast na obiedzie, ona i twoja siostra spotkają się z tobą na wcześniejszej kolacji. W Il Matriciano. Oczywiście ty płacisz, ze względu na kłopot, jaki im sprawiłaś.

Bez wątpienia Rachele będzie musiała zapłacić — i to nie tylko w euro.

— A o co chodzi, wujku?

— Potrzebuję, żebyś przyjechała do mnie do Watykanu. Natychmiast. Przepustka czeka na ciebie przy Bramie Świętej Anny.

Rachele zerknęła na zegarek. Będzie musiała przejechać pół Rzymu, żeby tam dotrzeć.

— Niedługo mam spotkać się na naszym posterunku z generałem Rende, żeby wprowadzić go w szczegóły śledztwa, które właśnie prowadzę.

— Rozmawiałem przed chwilą z twoim dowódcą. Zgodził się na to, żebyś zrobiła sobie małą wycieczkę do Watykanu. Zresztą jesteś potrzebna przez cały tydzień.

— Tydzień?!

— Albo i dłużej. Wszystko ci wytłumaczę, jak przyjedziesz.

Dał jej dokładne wskazówki co do miejsca, gdzie będzie na nią czekał. Zmarszczyła lekko brwi, ale zanim zdążyła o cokolwiek zapytać, wuj zakończył rozmowę.

— *Ciao, bambina.*

Pokręciła głową z niedowierzaniem i wgramoliła się do auta. Tydzień lub dłużej?

Wyglądało na to, że kiedy Watykan mówi, słuchają nawet wojskowi. Ale generał Rende jest starym przyjacielem rodziny, a ta przyjaźń trwała od dwóch pokoleń. On i wujek Vigor byli niczym bracia. Nie przypadkiem Rachele zwróciła na siebie uwagę generała i dostała pracę zaraz po ukończeniu Uniwersytetu

60

Rzymskiego. Jej wujek czuwał nad nią od chwili, gdy ojciec Rachele zginął przed piętnastu laty w wypadku autobusowym.

Pod jego opieką spędziła wiele letnich miesięcy, badając eksponaty rzymskich muzeów i mieszkając u sióstr z zakonu Świętej Brygidy, mieszczącego się w pobliżu Uniwersytetu Gregoriańskiego — lepiej znanego jako *Il Greg* — gdzie jej wuj niegdyś studiował, a teraz był wykładowcą. Początkowo pragnął, by poszła w jego ślady i wstąpiła do zakonu, lecz gdy zorientował się, że Rachele jest zbyt żywiołową osobą i nie pasuje do pobożnego życia, sam zachęcał ją, aby dążyła do realizacji własnych pragnień. Podczas tych długich, gorących letnich dni zaszczepił w niej jeszcze jedno: umiłowanie i szacunek dla historii i sztuki, gdzie największe talenty, jakie wydał rodzaj ludzki, pozostawiły swój ślad w marmurze i granicie, na płótnie, w szkle i brązie.

A teraz wszystko wskazywało na to, że wuj jeszcze z nią nie skończył.

Rachele wsunęła na nos okulary przeciwsłoneczne Revo z błękitnymi szkłami i wyjechała na Via Labicana, żeby skierować się w stronę masywnego Koloseum. W pobliżu tego zabytku na jezdniach panował straszny ścisk, ale Rachele przemknęła kilkoma bocznymi uliczkami, wąskimi i zastawionymi krzywo zaparkowanymi samochodami. Zmieniała biegi z wprawą rajdowca startującego w wyścigu o Grand Prix i zwolniła dopiero wtedy, gdy zbliżała się do wjazdu na rondo, gdzie w szalonym kole zlewał się ruch z pięciu łączących się w tym miejscu ulic. Turyści uważali rzymskich kierowców za wybuchowych, niecierpliwych i nadużywających pedału gazu. Rachele sądziła, że ruszają się jak muchy w smole.

Wcisnęła się pomiędzy przeładowaną półciężarówkę a dostawczego mercedesa G 500, należącego do przedsiębiorstwa komunalnego. W porównaniu z nimi jej minicooper wydawał się nie większy od jaskółki śmigającej pomiędzy dwoma słoniami. Przemknęła obok mercedesa i wsunęła się w maleńki skrawek wolnego miejsca tuż przed nim, czym zasłużyła sobie na wściekły ryk klaksonu olbrzyma. Ale jej już tam nie było. Błyskawicznie opuściła rondo i skierowała się na główną arterię komunikacyjną, która wiodła w stronę Tybru.

Pędząc szeroką aleją, starała się mieć oczy szeroko otwarte i uważać na sznur samochodów płynący po obu stronach jej autka. Bezpieczne poruszanie się po rzymskich ulicach wymagało zarówno ostrożności, jak i strategicznego planowania. I może ze względu na szczególnie wyostrzoną uwagę Rachele zauważyła wlokący się za nią ogon.

Czarny sedan bmw wsunął się na ustaloną pozycję, pięć samochodów za nią.

Kto ją śledził i dlaczego?

14.05

Piętnaście minut później Rachele dotarła na podjazd prowadzący do podziemnego parkingu, tuż przy murach Watykanu. Zjeżdżając w dół, zerknęła w lusterko wsteczne i przeszukała wzrokiem ulicę. Czarne bmw zniknęło bez śladu zaraz po tym, jak przejechała przez Tybr, i więcej go nie widziała.

— Dzięki — powiedziała do telefonu. — Gdzieś sobie pojechał.

— Jesteś pewna? — spytał chorąży, który właśnie pełnił służbę na jej macierzystym posterunku. Zadzwoniła tam natychmiast, gdy spostrzegła ogon, i nie rozłączała się aż do tej pory.

— Najwyraźniej tak.

— Chcesz, żebyśmy wysłali tam patrol?

— Nie ma potrzeby. Zresztą na placu Świętego Piotra są karabinierzy. Tutaj już nic mi nie grozi. *Ciao!*

Nie czuła żadnego zawstydzenia z powodu fałszywego alarmu. Na pewno przesadna ostrożność nie była niczym śmiesznym. W korpusie karabinierów starano się rozwijać zarówno wśród kobiet, jak i mężczyzn pewnego rodzaju zdrową manię prześladowczą.

Znalazła wolne miejsce, wygramoliła się z auta i starannie zamknęła je na klucz. Ciągle trzymała w ręku otwartą komórkę, choć wolałaby zamiast niej mieć przy sobie swój pistolet.

Wjechawszy na górę, wyszła z budynku garażu i skierowała się w stronę placu Świętego Piotra. Mimo że zbliżała się do jednego z arcydzieł światowej architektury, pilnie rozglądała się po pobliskich uliczkach i alejach.

Ani śladu czarnego bmw.

Siedzący w nim ludzie byli prawdopodobnie zwykłymi turystami, którzy woleli zwiedzać najważniejsze zabytki Rzymu w klimatyzowanym luksusie, niż wlec się pieszo w piekielnym upale skwarnego popołudnia. Lato zawsze było szczytem sezonu, a wszyscy przyjezdni w końcu kierowali się w stronę Watykanu. To pewnie dlatego wydawało się jej, że ktoś ją śledzi. Czyż nie jest powiedziane, że wszystkie drogi prowadzą do Rzymu?

Albo cały ruch samochodowy, jak w tym wypadku.

Całkowicie usatysfakcjonowana zamknęła komórkę i wsunąwszy ją do kieszeni, ruszyła w poprzek placu, zmierzając w stronę przeciwległego końca.

Jak zwykle jej wzrok powędrował wzdłuż otwierającej się przed nią przestrzeni. Po drugiej stronie olbrzymiego, wyłożonego wapienną kostką terenu wznosiła się Bazylika Świętego Piotra, zbudowana nad grobem pierwszego męczennika. Jej kopuła, zaprojektowana przez Michała Anioła, była najwyższym punktem w całym Rzymie. Po obu stronach bazyliki w dwóch szerokich łukach rozciągała się podwójna kolumnada Berniniego, obejmując w uścisku półokrągły plac. Zgodnie z zamysłem autora miała przywodzić na myśl ramiona świętego Piotra wyciągnięte do wiernych, aby zgarnąć ich do bożej owczarni. Powyżej owych ramion stu czterdziestu kamiennych świętych spoglądało w dół na rozgrywający się u ich stóp spektakl.

A było na co popatrzeć.

To, co niegdyś było cyrkiem Nerona, nadal przypominało cyrk.

Wszędzie dookoła słychać było głosy paplające po francusku, arabsku, polsku, hebrajsku, duńsku i chińsku. Wycieczki gromadziły się w oddzielnych wysepkach, zbite ciasno wokół swoich przewodników. Zwiedzający przystawali na moment i obejmując się ramionami, przywoływali na twarze sztuczne uśmiechy, kiedy robiono im pamiątkowe zdjęcia. Kilku zagorzałych pobożnisiów stało na słońcu z Biblią w ręku i z pochylonymi głowami szeptało bezgłośnie modlitwy. Garstka Koreańczyków ubranych na żółto klęczała na kamieniach i wznosiła modły. Na całym placu w tłumie kręcili się uliczni handlarze, wciskając przechodniom monety papieskie, perfumowane różańce i poświęcone krucyfiksy.

Dzięki Bogu udało się jej dobrnąć na przeciwległy koniec placu i zbliżyć do jednego z pięciu wejść na teren głównego kompleksu. *Porta Sant'Anna*. Brama położona najbliżej miejsca, do którego zmierzała Rachele.

Podeszła do jednego ze strażników z Gwardii Szwajcarskiej. Jak nakazywała tradycja, Szwajcar pełniący służbę przy tej konkretnej bramie nosił ciemnoniebieski mundur z białym kołnierzem, a na głowie czarny beret. Poprosił o podanie nazwiska, a potem sprawdził jej dokumenty, obrzucając od góry do dołu szczupłą postać Rachele pełnym niedowierzania spojrzeniem, jakby wątpił, czy ta dziewczyna może być porucznikiem karabinierów. Chyba to, co zobaczył, zupełnie go usatysfakcjonowało, bo niedbale skierował ją na bok, do kolegi z Vigilanzy, watykańskiej policji, z którego rąk odebrała swoją przepustkę.

— Proszę mieć przepustkę cały czas przy sobie — ostrzegł ją policjant.

Uzbrojona w dokument przeszła przez bramę z kolejką zwiedzających, a następnie skręciła w Via Pellegrino.

Większa część tego miasta-państwa była niedostępna dla ogółu turystów. Dla szerokiej publiczności otwarto jedynie takie miejsca jak Bazylika Świętego Piotra, Muzea Watykańskie i Ogrody. Wstęp na resztę obszaru liczącego setki akrów wymagał specjalnego zezwolenia.

Ale jedno miejsce było naprawdę zamknięte dla wszystkich z wyjątkiem nielicznych.

Pałac Apostolski, dom papieża.

Cel jej wędrówki.

Rachele przemaszerowała pomiędzy dwoma barakami z żółtej cegły, należącymi do Gwardii Szwajcarskiej, a szarymi i stromymi ścianami kościoła Świętej Anny. Tu nie odczuwało się majestatu miejsca najświętszego ze świętych. Tu widziało się jedynie zatłoczony chodnik i zapchaną samochodami jezdnię, prawdziwy korek wewnątrz Watykanu. Rachele minęła papieską drukarnię oraz urząd pocztowy i przeszła na ukos przez ulicę, kierując się prosto ku wejściu do Pałacu Apostolskiego.

Idąc, przyglądała się uważnie murom wzniesionym z szarej cegły. Z bliska budowla przypominała raczej budynek użyteczności publicznej niż siedzibę Jego Świątobliwości. Ale prostota wyglądu zewnętrznego była zwodnicza. Podobnie rzecz się miała z dachem. Wydawał się płaski i ponury, całkowicie niegodny uwagi. Jednak Rachele wiedziała, iż na górze mieści się sekretny ogród, z fontannami, ścieżkami okolonymi drewnianymi płotkami i starannie przyciętymi krzewami. Wszystko to zamaskowane było fałszywym dachem, który chronił Jego Świątobliwość przed okiem ciekawskich, a także przed celnym strzałem ewentualnego zamachowca wyposażonego w mocny celownik teleskopowy i ukrytego gdzieś na terenie miasta.

Dla niej tajemny ogród stanowił ucieleśnienie istoty Watykanu: tajemniczego, misteryjnego i nawet nieco paranoidalnego, lecz w gruncie rzeczy pięknego w swej prostocie i pobożności.

Być może to samo należało powiedzieć o niej. Mimo że z pozoru była niepraktykującą katoliczką, uczęszczającą na msze jedynie podczas wakacji, w głębi duszy zachowała wiarę, prawdziwą i szczerą.

Zanim dotarła do posterunku straży mieszczącego się przed samym wejściem do pałacu, musiała jeszcze trzykrotnie pokazywać przepustkę członkom Gwardii Szwajcarskiej. Robiąc to, zastanawiała się, czy jest to ukłon w stronę świętego Piotra, który trzy razy zdążył zaprzeć się Chrystusa, zanim kur zapiał.

W końcu uzyskała zezwolenie na wejście do właściwego pałacu. Tam czekał na nią jej przewodnik, amerykański student seminarium o imieniu Jacob. Był silnym, trzydziestoparoletnim mężczyzną, z lekko przerzedzającą się już blond czupryną, ubranym w czarne lniane spodnie i białą, zapiętą aż pod szyję koszulę.

— Jeśli zechce pani pójść za mną, zaprowadzę ją prosto do monsiniora Verony. — Dwukrotnie zerknął na jej przepustkę, robiąc przy tym niezwykle zabawną minę. — Porucznik Verona? — zająknął się ze zdumienia. — Czy... czy jest pani spokrewniona z monsiniorem?

— To mój wuj.

Jacob wyraźnie się zdziwił, ale po chwili skłonił z uszanowaniem głowę.

— Bardzo przepraszam. Powiedziano mi tylko, że ma tu przyjść jakiś oficer karabinierów.

Gestem zaprosił ją, żeby szła za nim.

— Jestem studentem i asystentem monsiniora na uniwersytecie.

Skinęła głową. Większość studentów odnosiła się z szacunkiem do jej wuja. Był głęboko wierzącym i oddanym Kościołowi człowiekiem, który mimo to zachował niezależne, naukowe poglądy. Nad drzwiami prowadzącymi do swojego biura uniwersyteckiego zawiesił transparent z tą samą inskrypcją, która zdobiła drzwi Akademii Platona: *Wstęp wzbroniony tym, którzy nie znają się na geometrii.*

Rachele została poprowadzona przez główną bramę pałacu. Była tu dotychczas tylko raz, kiedy jej wuj otrzymał nominację na kierownika Papieskiego Instytutu Archeologii Chrześcijańskiej. Uczestniczyła wówczas w prywatnej audiencji u papieża. Ale ten gmach był tak ogromny... Piętnaście setek pokoi, tysiąc klatek schodowych, dwadzieścia dziedzińców... Nawet teraz, zamiast kierować się w górę, w stronę papieskiej rezydencji na ostatnim piętrze, szli gdzieś w dół.

Nie miała pojęcia, dlaczego wuj chciał się z nią spotkać właśnie tutaj, a nie w swoim biurze uniwersyteckim. Czy popełniono tu jakąś kradzież? A jeśli tak, to czemu nie powiedział jej o tym przez telefon? A potem znów uświadomiła sobie, że w Watykanie obowiązywał niezwykle restrykcyjny Kodeks Milczenia. Był wpisany w prawo kanoniczne. Stolica Apostolska wiedziała, jak chronić własne sekrety.

W końcu stanęli przed jakimiś drzwiami, na których nie było żadnej tabliczki.

Jacob otworzył je i gestem zaprosił Rachele do środka.

Przeszła przez próg i znalazła się w pomieszczeniu, które wyglądało jak wyjęte z prozy Kafki. Oświetlony białym, sterylnym światłem długi i wąski pokój o wysoko sklepionym suficie od góry do dołu wypełniały rzędy stojących pod ścianami metalowych szaf z półkami i szufladami. O jedną z nich opierała się wysoka biblioteczna drabina, niezbędna do przeglądania zawartości górnych szuflad. Mimo że panowała tam idealna czystość, w powietrzu unosił się zapach stęchlizny i starości.

— Rachele! — gdzieś z kąta odezwał się jej wuj. Stał przy biurku obok jakiegoś księdza. Pomachała mu ręką na przywitanie. — Szybko się uwinęłaś, moja droga. Chociaż faktycznie, przecież już kiedyś z tobą jechałem... Masz na koncie jakieś ofiary w ludziach?

Uśmiechnęła się i ruszyła w stronę biurka. Zauważyła, że jej wuj nie miał na sobie zwykłego stroju, składającego się z dżinsów, T-shirta i rozpinanego swetra, lecz bardziej oficjalny ubiór, odpowiedni do zajmowanej pozycji: czarną sutannę z czerwonymi obszyciami i takimi samymi guzikami. Nawet zadał sobie trud, żeby natrzeć olejem kręcone włosy o kolorze pieprzu z solą i przyciąć przy samej skórze kozią bródkę.

— To jest ojciec Torres — przedstawił swojego towarzysza. — Oficjalny strażnik spoczywających tu kości.

Starszy mężczyzna podniósł się zza biurka. Był niski i krępy, ubrany na czarno, z białą koloratką. Przez jego twarz przemknęło coś na kształt uśmiechu.

— Wolę tytuł „rektor relikwii".

Rachele przyjrzała się z uwagą gigantycznie wysokim szafom. Słyszała o tym miejscu — watykańskim magazynie relikwii — lecz nigdy tu nie była. Z trudem zwalczała dreszcz obrzydzenia. W tych przepastnych szufladach i na ogromnych półkach spoczywały starannie opisane i skatalogowane części rozmaitych świętych lub męczenników. Kości palców, ucięte pukle włosów, szczypty prochów, strzępy odzieży, kawałki zmumifikowanej skóry, skrawki paznokci i krew. Niewiele osób wiedziało, że zgodnie z prawem kanonicznym absolutnie każdy ołtarz katolicki musi zawierać fragment relikwii. A biorąc pod uwagę, że jak ziemia długa i szeroka wciąż powstają nowe kaplice i kościoły, praca księdza rektora polegała na bezustannym pakowaniu i wysyłaniu FedExem kawałków kości czy też innych fragmentów ciała rozmaitych świętych.

Rachele nigdy nie umiała pojąć tej obsesji Kościoła na punkcie relikwii. Ona na samą myśl o tym czuła, jak ciarki jej przechodzą po grzbiecie, choć przecież cały Rzym pełny był szczątków różnych błogosławionych. Do najbardziej spektakularnych i niezwykłych należały: stopa Marii Magdaleny, struny głosowe świętego Antoniego, język świętego Jana Nepomucena, kamienie żółciowe świętej Klary. W Bazylice Świętego Piotra znajdowało się też całe ciało świętego Piusa, zamknięte w trumnie z brązu. Jednak najbardziej kontrowersyjna relikwia przechowywana była w relikwiarzu w Calcata: napletek należący rzekomo do Jezusa Chrystusa.

Rachele jakimś sposobem odzyskała głos.

— Czy... czy coś zostało stąd skradzione?

Wujek Vigor wyciągnął rękę w kierunku studenta.

— Jacob, czy mógłbyś nam przynieść cappuccino?

— Oczywiście, monsinior.

Vigor zaczekał, aż Jacob wyjdzie i zamknie za sobą drzwi, a potem spojrzał na Rachele.

— Słyszałaś o masakrze w Kolonii?

To pytanie zupełnie ją zaskoczyło. Przez cały długi dzień biegała, załatwiając różne sprawy, i w zasadzie nie miała szans obejrzeć dziennika, ale wszyscy mówili na temat masowego morderstwa popełnionego w Niemczech zeszłej nocy. Jednak żadne szczegóły jeszcze do niej nie dotarły.

— Tylko to, co mówili w radiu — przyznała.

Skinął głową.

— Tutejsza kuria przeprowadziła wcześniejszy wywiad, jakie informacje zostaną dopuszczone do środków publicznego przekazu. Zginęło osiemdziesiąt pięć osób, w tym arcybiskup Kolonii. Ale to, co na razie trzymane jest w tajemnicy, to sposób, w jaki zostali pozbawieni życia.

— Co masz na myśli?

— Tylko kilkoro z nich zostało zastrzelonych. Wydaje się, że większość została porażona prądem.

— Porażona prądem?

— To tylko wstępne analizy, bo raporty z sekcji zwłok jeszcze nie zostały ukończone. Niektóre z ciał jeszcze dymiły, kiedy władze przybyły na miejsce zdarzenia.

— Wielki Boże. Jak...?

— Odpowiedź na to pytanie będzie musiała jeszcze trochę poczekać. W katedrze roi się od śledczych z każdej możliwej dziedziny: kryminologów, detektywów, kryminalistyków, nawet elektryków. Są tam zespoły z niemieckiego BKA, spece od terroryzmu z Interpolu i agenci z Europolu. Ale ponieważ do zbrodni doszło w katedrze katolickiej, na poświęconej ziemi, Watykan powołał się na prawo omerty.

— Chodzi o Kodeks Milczenia.

Burknął coś, co wyglądało na potwierdzenie.

— Kościół zdecydował się współpracować z niemieckimi władzami, ale w ograniczonym zakresie. Nie chcemy, żeby to miejsce przyciągało ciekawskich.

Rachele pokręciła głową.

— A co to ma wspólnego z twoim telefonem i wezwaniem mnie tutaj?

— Ze wstępnego śledztwa wynika, że był tylko jeden motyw tej zbrodni. Włamano się do złotego relikwiarza umieszczonego przy głównym ołtarzu.

— Więc skradziono relikwiarz...

— No, niezupełnie. Złodzieje zostawili na miejscu skrzynię ze szczerego złota, bezcenne dzieło sztuki. Skradziono tylko jego zawartość. Relikwie.

W tym momencie do rozmowy wtrącił się ojciec Torres.

— I w dodatku to nie były jakieś tam relikwie, lecz kości biblijnych Mędrców.

— Mędrców... Chodzi o Trzech Mędrców, o których mówi Biblia? — Rachele nic nie mogła poradzić na to, że w jej głosie brzmiało niedowierzanie. — Więc złodzieje skradli tylko zawartość, a pozostawili na miejscu złotą skrzynię. Z pewnością na czarnym rynku uzyskaliby za nią lepszą cenę niż za jakieś tam kości.

Vigor westchnął ciężko.

— Zgodnie z żądaniem sekretarza stanu przyszedłem tutaj, żeby ocenić źródło ich pochodzenia. Z tego, co wiem, mają bogatą przeszłość. Do Europy przyjechały dzięki świętej Helenie, matce cesarza Konstantyna, i jej zamiłowaniu do zbierania relikwii. Jak na pierwszego chrześcijańskiego cesarza przystało, Konstantyn wysyłał matkę na różne pielgrzymki, nakazując jej szukać szczątków świętych. Najbardziej znane są, rzecz jasna, fragmenty Prawdziwego Krzyża Chrystusowego.

Swego czasu Rachele odwiedziła Bazylikę Świętego Krzyża stojącą obok Wzgórza Laterańskiego. W tylnym pomieszczeniu, za specjalną szybą, znajdowały się najbardziej znane relikwie odnalezione przez świętą Helenę: belka Krzyża Pańskiego, gwóźdź, którego użyto do ukrzyżowania Chrystusa, oraz dwa ciernie z Jego korony. Autentyczność owych fragmentów wzbudzała ostre kontrowersje. Większość uważała, że święta Helena była zwykłą naiwniaczką.

Ale wuj Vigor mówił dalej:

— Niewiele osób wie jednak, że cesarzowa Helena podróżowała dalej niż tylko do Jerozolimy i wróciła w tajemniczych okolicznościach z wielką kamienną skrzynią, w której — jak twierdziła — znajdowały się odnalezione przez nią ciała Trzech Króli. Relikwie przechowywane były w kościele w Konstantynopolu, ale po śmierci Konstantyna przeniesiono je do Mediolanu i pochowano w bazylice.

— Wydawało mi się, że mówiłeś coś o Niemczech...

Wuj Vigor podniósł dłoń.

— W dwunastym wieku cesarz Fryderyk Barbarossa splądrował Mediolan i ukradł relikwie. Okoliczności, w jakich to się stało, owiane są mnóstwem legend. Ale koniec końców, wszystkie opowieści kończą się w jeden sposób — że relikwie znalazły się w Kolonii.

— I były tam aż do zeszłej nocy — dokończyła Rachele.

Vigor przytaknął bez słowa.

Rachele zamknęła oczy. Nikt się nie odzywał. Pozostawiono ją w spokoju, żeby mogła przemyśleć to, co usłyszała. Do jej uszu dobiegł odgłos otwieranych drzwi, jednak nie uniosła powiek, aby nie zakłócać biegu myśli.

— A te morderstwa? — powiedziała na głos. — Dlaczego nie skradziono relikwii wtedy, kiedy katedra była pusta? Musiało więc chodzić także o bezpośredni atak na Kościół. Akt przemocy wobec kongregacji sugeruje nam, że mamy do czynienia z drugim motywem — zemstą. Kradzież nie była jedynym powodem zbrodni.

— Bardzo dobrze — od strony drzwi odezwał się jakiś nowy głos.

Rachele drgnęła i otworzyła oczy. Natychmiast rozpoznała szaty, jakie miał na sobie przybysz: czarną sutannę z krótką pelerynką okrywającą ramiona, szeroką szarfę w jaskrawoczerwonym kolorze przepasaną wysoko na biodrach i taką samą czapeczkę. Od razu rozpoznała człowieka, który je nosił.

— Kardynał Spera — powiedziała, nisko skłaniając głowę.

Pozdrowił ją, unosząc rękę, a wówczas Rachele ujrzała błysk złotego pierścienia. Ten pierścień stanowił oznakę godności kardynalskiej, choć Spera nosił także drugi, identyczny, który wskazywał, że jego właściciel pełni funkcję watykańskiego sekretarza stanu. Rodowity Sycylijczyk, o ciemnych włosach i brzoskwiniowej cerze, był dość młody jak na tak szacowne stanowisko, bo nie skończył jeszcze pięćdziesięciu lat.

Obrzucił Rachele ciepłym uśmiechem.

— Monsinior Verona, przyznaję, że właściwie oceniłeś swoją siostrzenicę.

— To byłoby bardzo niestosowne z mojej strony, gdybym pozwolił sobie na okłamywanie kardynała, zwłaszcza takiego, który przypadkowo jest prawą ręką papieża.

Wuj Vigor przeszedł przez pokój i zamiast ucałować z czcią oba pierścienie, objął kardynała mocnym uściskiem.

— I jak Jego Świątobliwość przyjął te nowiny?

Kardynał pokręcił głową, a jego rysy zastygły w napięciu.

— Zaraz po naszym porannym spotkaniu skontaktowałem się z Jego Eminencją, który przebywa w Sankt Petersburgu. Wraca jutro rano.

„Po naszym porannym spotkaniu...". Teraz Rachele zrozumiała, czemu wuj włożył dziś sutannę. Po prostu miał dziś konsultację z sekretarzem stanu.

Kardynał Spera mówił dalej:

— Układam właśnie oficjalną odpowiedź papieża razem z synodem biskupów i kolegium kardynalskim. Potem muszę się przygotować do jutrzejszej mszy żałobnej. Rozpocznie się dokładnie o zachodzie słońca.

Rachele czuła się całkowicie przytłoczona. Mimo iż papież był głową państwa watykańskiego — kimś w rodzaju monarchy absolutnego — prawdziwa władza spoczywała w rękach tego właśnie człowieka, oficjalnie pierwszego ministra. Zauważyła zmęczone spojrzenie jego oczu i wyraźnie napięte ramiona. Kardynał Spera sprawiał wrażenie wyczerpanego.

— A ty trafiłeś tutaj może na jakiś ślad? — spytał.

— Owszem — odparł szorstko Vigor. — Złodziejom nie udało się ukraść wszystkich kości.

Rachele drgnęła.

— To jest ich więcej? — zawołała.

Wuj Vigor odwrócił się w jej stronę.

— Przyszliśmy tu po to, żeby się upewnić. Wygląda na to, że kiedy relikwie zostały zagrabione przez Barbarossę, Mediolan przez kilka ostatnich stuleci głośno domagał się ich zwrotu. Żeby wreszcie zakończyć spór, kilka kości Mędrców zostało w tysiąc dziewięćset szóstym roku odesłanych do Mediolanu, gdzie z powrotem złożono je w Bazylice Świętego Eustorgiusza.

— Dzięki Bogu. — Spera odetchnął z ulgą. — Przynajmniej nie straciliśmy ich całkowicie.

— Trzeba postarać się, żeby jak najszybciej przysłano je tutaj — przemówił ojciec Torres. — I schować bezpiecznie w naszym depozytorium.

— Dopóki to się nie stanie, każę wzmocnić ochronę tam, w bazylice — oświadczył kardynał Spera i wskazał Vigora. — Chcę, żebyś wracając z Kolonii, zatrzymał się w Mediolanie i zabrał relikwie.

Wuj Vigor posłusznie skinął głową.

— Och, zapomniałem dodać, że udało mi się załatwić wam wcześniejszy transport — ciągnął kardynał. — Helikopter zabierze was oboje na lotnisko w ciągu trzech godzin.

Oboje?

— Bardzo dobrze. — Wuj Vigor zwrócił się do Rachele: — Wygląda na to, że znów będziemy musieli sprawić zawód twojej matce. Nici z uroczej kolacyjki w rodzinnym gronie.

— Czy ja... więc jedziemy razem do Kolonii?

— Jako wysłannicy Watykanu — wyjaśnił Vigor.

Rachele próbowała dotrzymać mu kroku.

— Nadzwyczajni wysłannicy — poprawił go Spera. — Oddelegowani tam czasowo, w związku z tą nadzwyczajną tragedią. Na miejscu zostaniecie przedstawieni jako bierni obserwatorzy, których zadaniem będzie reprezentowanie interesów Watykanu oraz przekazywanie raportów. Potrzebuję tam kogoś bystrego, o przenikliwym umyśle. Kogoś, kto zna na wylot sprawy kradzieży dzieł sztuki... — w tym miejscu skłonił głowę w stronę Rachele — ...i kogoś, kto ma ogromną wiedzę na temat antyków.

— W każdym razie to będzie nasza przykrywka — oznajmił Vigor.

— Przykrywka?

Kardynał Spera zmarszczył brwi.

— Vigor... — odezwał się ostrzegawczym tonem.

Wuj Rachele odwrócił się do sekretarza stanu.

— Ona ma prawo wiedzieć. Zresztą decyzja już zapadła.

— Ty zdecydowałeś.

Dwaj mężczyźni spoglądali na siebie przez dłuższą chwilę. W końcu kardynał Spera westchnął i z rezygnacją machnął ręką.

Wuj Vigor spojrzał na Rachele.

— Funkcja wysłannika specjalnego jest tylko zasłoną dymną.

— A jaka jest naprawdę nasza rola?

Powiedział jej.

15.35

Rachele wciąż nie mogła otrząsnąć się ze zdumienia. Czekała, aż jej wuj zamieni na osobności kilka słów z kardynałem Sperą, gapiąc się w tym czasie na ojca Torresa ustawiającego na półkach opasłe woluminy, które do tej pory piętrzyły się na jego biurku.

W końcu wuj Vigor wrócił.

— Miałem nadzieję, że wpadniemy coś przekąsić, ale czas nagli, a jeszcze przecież trzeba się przygotować. Spakuj torbę na jedną noc, zabierz paszport i to, co będzie ci potrzebne przez dzień lub dwa, bo tyle czasu będziemy za granicą.

Ale Rachele wciąż powracała do poprzedniego tematu.

— Czy naprawdę jedziemy tam jako watykańscy szpiedzy?

Wuj Vigor uniósł lekko brwi.

— Czemu ta wiadomość aż tak cię zaskoczyła? Watykan jako niezależne państwo zawsze utrzymywał siatkę wywiadowczą, z pracownikami zatrudnionymi na pełnym etacie i całą masą agentów. Byli oni wykorzystywani do infiltracji grup propagujących ideologię nienawiści, tajnych stowarzyszeń, wrogich państw — wszędzie tam, gdzie zagrożone były interesy Watykanu. Walter Ciszek, ksiądz ukrywający się pod pseudonimem

Władimira Lipińskiego, przez całe lata bawił się w kotka i myszkę z agentami KGB, aż w końcu został schwytany i spędził ponad dwadzieścia lat w sowieckim więzieniu.

— Więc mam rozumieć, że właśnie zostaliśmy wciągnięci do służby?

— Ty zostałaś. Ja pracuję dla wywiadu już ponad piętnaście lat.

— Co?! — Rachele zatkało ze zdumienia.

— A co może być lepszą osłoną dla agenta niż rola ogólnie poważanego i znającego się na rzeczy archeologa, skromnego naukowca służącego swoją wiedzą Watykanowi? — Wuj Vigor pociągnął ją w stronę wyjścia. — Chodź, musimy sprawdzić, czy wszystko jest jak należy.

Rachele poszła za nim, myśląc, że właśnie ujrzała zupełnie nowe oblicze swojego wuja.

— Mamy tam się spotkać z parą amerykańskich naukowców. Podobnie jak my będą w tajemnicy prowadzić śledztwo dotyczące tego ataku, tyle tylko że oni będą się koncentrować na masowym zabójstwie, zostawiając nam dochodzenie w sprawie kradzieży relikwii.

— Nie rozumiem jednego — powiedziała zwyczajnie Rachele, choć tak naprawdę nic nie rozumiała. — Czemu wszystko ma się odbywać w takim sekrecie?

Wuj zatrzymał się i wciągnął ją do małej, bocznej kapliczki. Była niewiele większa od przeciętnej szafy, a wewnątrz panował niesamowity zaduch zmieszany ze smrodem starego kadzidła.

— To, co teraz ci powiem, wie tylko kilka osób — szepnął. — Jeden człowiek przeżył ten atak. Chłopak. Jest w szoku, ale powoli dochodzi do siebie. Przebywa w szpitalu w Kolonii, oczywiście pod strażą.

— Widział, jak to się stało?

Odpowiedzią było krótkie skinienie głowy.

— To, co opisał, brzmi jak wyjęte z jakiegoś koszmaru, ale nie wolno nam lekceważyć jego słów. Wszystkie zgony — albo raczej te, które nastąpiły na skutek porażenia prądem — zdarzyły się w jednej i tej samej chwili. Umierający padali na posadzkę tam, gdzie siedzieli albo klęczeli. Chłopak nie potrafi wyjaśnić, jak to się stało, ale jest absolutnie pewien, że wie kto...

— Kto zabił wiernych?

— Nie, kto uległ porażeniu. To znaczy którzy uczestnicy mszy zmarli w ten przerażający sposób.

Rachele bez słowa czekała na wyjaśnienie.

— Zabici przez prąd — musimy tak to określić z braku lepszego słowa — zostali jedynie ci, którzy wcześniej podczas mszy przyjęli sakrament komunii.

— Co?!

— To hostia ich zabiła.

Rachele poczuła, jak przeszywa ją zimny dreszcz. Jeśli wieść, że prawdopodobną przyczyną zgonów był opłatek komunijny, zostanie podana do publicznej wiadomości, może się to odbić szerokim echem w całym świecie. Wówczas najświętszy sakrament znajdzie się w niebezpieczeństwie.

— Czy opłatki zostały zatrute, w jakiś sposób skażone?

— Tego ciągle nie wiemy. Ale Watykan chce natychmiast znać odpowiedź. A ponieważ nie mam dostępu do środków niezbędnych do prowadzenia potajemnego śledztwa na tym poziomie, w dodatku w obcym kraju, musiałem nawiązać kontakt z przyjacielem, który ma wobec mnie dług wdzięczności i który jest szychą w amerykańskim wywiadzie wojskowym. Mam do niego pełne zaufanie. Dzisiejszej nocy sprowadzi na miejsce cały zespół śledczy.

Rachele mogła jedynie kiwać głową. Rewelacje, które usłyszała w ciągu ostatniej godziny, zupełnie ją oszołomiły.

— Moim zdaniem miałaś rację, Rachele — powiedział wuj Vigor. — Te morderstwa są bezpośrednim atakiem wymierzonym w Kościół. W dodatku wydaje mi się, że to jedynie początek większej rozgrywki. Tylko o jaką grę może tu chodzić?

— I co wspólnego mają z tym wszystkim kości Mędrców?

— Właśnie. Kiedy będziesz zbierała swoje rzeczy, ja pójdę do biblioteki i archiwum. Tam już cały zespół stypendystów przegląda wszystkie odnośniki i segreguje wzmianki, które mają jakikolwiek związek z Trzema Królami. Zanim nasz helikopter wystartuje, otrzymam pełne dossier.

Wuj Vigor wyciągnął ręce, objął ją mocno i szepnął wprost do ucha.

— Jeszcze możesz się wycofać. Nie będę myślał o tobie źle, jeśli tak zadecydujesz.

Ale Rachele pokręciła głową, odsuwając się.

— Jak mówi stare porzekadło: *Fortes fortuna adiuvat*. „Śmiałym szczęście sprzyja"... — Delikatnie ucałował ją w policzek. — Gdybym miał córkę podobną do ciebie...

— ...to zostałbyś ekskomunikowany. — Cmoknęła go w drugi policzek. — A teraz chodźmy.

Wuj wyprowadził ją z Pałacu Apostolskiego i zaraz potem się rozdzielili. On poszedł w stronę gmachu biblioteki, ona zaś skręciła w stronę Bramy Świętej Anny.

Niedługo potem, ledwie zauważając upływ czasu, dotarła na podziemny parking i wsiadła do minicoopera. Ostro ruszyła z miejsca, wyjechała z parkingu i z piskiem opon skręciła za róg, gładko włączając się w miejski ruch. W myślach odhaczała wszystkie rzeczy, które powinna z sobą zabrać, jednocześnie starając się ograniczyć do minimum spekulacje na temat czekającej ją misji.

Jak najszybciej popędziła w stronę Tybru, a potem do centrum miasta. Skupiona na własnych myślach przeoczyła moment, kiedy pojawił się jej ogon. Spostrzegła tylko, że znów ją śledzi.

Serce zaczęło jej mocniej bić.

Czarne bmw trzymało się dokładnie pięć samochodów za nią i powtarzało każdy jej manewr, gdy wyprzedzała wolniejsze samochody i jeszcze wolniejszych przechodniów. Kilka razy pozwoliła sobie na ostry skręt — ale zrobiła to tak, jakby jej zachowanie za kierownicą było wyłącznie wynikiem lekkomyślności. Wolała nie pokazywać śledzącym ją ludziom, że ich zauważyła. Po prostu musiała się upewnić.

Bmw wciąż jechało za nią.

Teraz już wiedziała.

Cholera!

Zaczęła wpychać się w węższe, boczne uliczki i alejki, ale wszędzie na jezdniach panował straszny ścisk. Cała sytuacja wkrótce zaczęła przypominać pościg samochodów oglądany w zwolnionym tempie.

Nagle zdecydowała się wjechać na chodnik, żeby przecisnąć się obok stojących w korku aut. Przepychając się obok najbliższej przecznicy — alei przeznaczonej wyłącznie dla pieszych — bez namysłu w nią skręciła. Zaskoczeni przechodnie uskakiwali jej z drogi, a z kilku przenośnych straganów posypały się sprzedawane tam towary. W ślad za nią leciały przekleństwa i obelgi, aż w końcu w tylną szybę minicoopera uderzył bochenek chleba, rzucony przez jakąś krewką matronę.

Mimo to udało się jej dotrzeć do następnej głównej arterii, gdzie znów wcisnęła się między pędzące auta i w szaleńczym tempie minęła jedno skrzyżowanie, a potem skręciła raz i drugi. Ta część Rzymu była prawdziwym labiryntem alej i ulic i nie było najmniejszych szans, żeby śledzący ją samochód zdążył dotrzymać jej kroku.

Wyjeżdżając z Via Aldrovanti, przemknęła po obrzeżach ogrodu zoologicznego. Przez cały czas zerkała w lusterko wsteczne, ale wszystko wskazywało na to, że udało się jej umknąć... przynajmniej na razie.

Nareszcie mogła oswobodzić jedną rękę, więc szarpnięciem otworzyła komórkę i nacisnęła przycisk łączący ją bezpośrednio z posterunkiem Parioli. Zdecydowanie potrzebowała wsparcia.

Czekając na połączenie, zjechała z głównej arterii i dała nura w jakąś boczną uliczkę, żeby nie kusić licha. Kogo mogła aż tak rozwścieczyć? Jako członek policji do spraw ochrony dziedzictwa kulturowego miała wielu wrogów wśród rodzin parających się przestępczym rzemiosłem, które działały na nielegalnym rynku obrotu skradzionymi dziełami sztuki.

W komórce coś trzasnęło, zabrzęczało, a potem zapanowała martwa cisza. Sprawdziła wyświetlacz. Musiała wjechać w obszar o słabym zasięgu. Siedem wzgórz, na których leżał Rzym, oraz marmurowe i ceglane ciągi budynków stanowiły poważne utrudnienie dla sygnału telefonii komórkowej.

Wcisnęła ponowne wybieranie.

Modląc się do świętego od telefonów komórkowych, jednocześnie prowadziła sama z sobą zażartą dyskusję, czy wracać do domu, czy lepiej nie.

Z pewnością na terytorium Watykanu byłaby bezpieczniejsza i tam mogłaby spędzić czas aż do wylotu do Niemiec.

Wyjechała w Via Salaria — starą Drogę Solną — i tam wreszcie usłyszała sygnał odebranego połączenia.

— Tu centrala.

Lecz zanim zdążyła cokolwiek powiedzieć, kątem oka dostrzegła czarną plamę.

Tuż obok minicoopera sunęło bmw.

A z drugiej strony pojawił się kolejny samochód.

Identyczny z pierwszym, tylko całkiem biały.

Okazało się więc, że miała nie jeden ogon, lecz dwa... Skupiona na obserwowaniu podejrzanego czarnego auta, nie dostrzegła tego białego. Fatalny błąd.

Oba samochody zjechały gwałtownie na środek, zakleszczając jej auto między sobą, aż rozległ się rozdzierający uszy zgrzyt metalu. Z okien wysunęły się tępo zakończone nosy pistoletów maszynowych.

Rachele gwałtownie nacisnęła hamulec; metal znów zazgrzytał straszliwie, ale niestety ten manewr nie przyniósł spodziewanego rezultatu. Oba auta trzymały ją w morderczym uścisku. Nie było szans na ucieczkę.

3

Sekrety

24 lipca, 10.25
Waszyngton, D.C.

Czuł, że po prostu musi się stąd wydostać.

W przebieralni obok sali gimnastycznej Grayson Pierce wciągnął na siebie krótkie spodenki przeznaczone do jazdy na rowerze, a następnie wsunął przez głowę luźną koszulkę z dżerseju. Wreszcie usiadł na ławce i zawiązał trampki.

Za jego plecami drzwi do szatni otworzyły się z hukiem. Zerknął przez ramię i ujrzał Monka Kokkalisa, który wszedł do środka, trzymając pod pachą piłkę do koszykówki. Na głowę włożył czapeczkę baseballową tył na przód. Monk miał jedynie metr sześćdziesiąt wzrostu i wyglądem przypominał pitbulla, którego ktoś przez pomyłkę ubrał w bluzę. Mimo to nieraz już dowiódł, że jest zawziętym i sprawnym graczem. Większość ludzi nie doceniała jego talentu, ale on potrafił w mig rozszyfrować zamiary przeciwnika, obejść obrońcę i jak dotąd na palcach jednej ręki można było policzyć rzuty, które mu się nie udały.

Teraz cisnął piłkę do kosza ze sprzętem — jak zwykle bezbłędnie trafiając w sam środek — i ruszył w stronę swojej szafki. Ściągnął bluzę, zwinął ją w kłębek i wrzucił do schowka.

— Idziesz w tych ciuchach na spotkanie z komendantem Crowe'em? — Popatrzył uważnie na Graya.

Gray podniósł się z ławki.

— Nie. Idę zobaczyć moich staruszków.

— Myślałem, że szef kazał nam siedzieć w kampusie.
— Pieprzę to.
Brwi Monka powędrowały w górę. Krzaczaste i gęste, mocno kontrastowały z jego gładko wygoloną głową. Monk wolał trzymać się wizerunku, jaki wpojono mu w Zielonych Beretach. Poza tym miał na ciele jeszcze kilka pamiątek po wcześniejszej wojskowej karierze — trzy lekko wypukłe blizny po postrzałach: na ramieniu, udzie i klatce piersiowej. Był jedynym żołnierzem, któremu udało się ujść z życiem z zasadzki, w jaką wpadł jego oddział podczas wojny w Afganistanie. W okresie rekonwalescencji w Stanach został zwerbowany do Sigmy ze względu na poziom IQ geniusza, i tam zrobił doktorat z zakresu medycyny sądowej.
— Czy lekarze już zdążyli cię obejrzeć? — spytał Monk.
— Tylko trochę zadrapań i parę siniaków na żebrach — odparł. A także solidnie potłuczone poczucie własnej godności, dodał w myśli, dotykając delikatnie bolącego miejsca pod siódmym żebrem.
Gray złożył już sprawozdanie z akcji, które zostało zarejestrowane na wideo. Unieszkodliwił bombę, ale nie udało mu się zrobić tego samego ze Smoczycą. Umknęła mu jedyna nitka wiodąca do szlaku, którym nielegalnie przerzucano broń biologiczną. Jej wisiorek ze smokiem wysłał do laboratorium w celu sprawdzenia, czy nie ma na nim odcisków palców albo innych śladów, ale nie spodziewał się, że cokolwiek na nim znajdą.
Złapał plecak leżący na ławce.
— Zabieram ze sobą pager. W razie czego jestem o piętnaście minut jazdy metrem stąd.
— Chcesz powiedzieć, że dyrektor ma na ciebie czekać?
Gray wzruszył ramionami. Miał dziś wszystkiego dość: najpierw składanie wyjaśnień, potem szczegółowe badanie lekarskie, a teraz jeszcze to tajemnicze wezwanie do dyrektora Crowe'a... Spodziewał się, że czeka go surowa reprymenda. Nie powinien był jechać do Fort Detrick sam. To był całkiem zły pomysł i Gray świetnie o tym wiedział.
Ale nagły wzrost poziomu adrenaliny po porannej akcji, która prawie zakończyła się jego porażką, sprawił, że Gray nie mógł

siedzieć bezczynnie i po prostu czekać. Dyrektor Crowe wyjechał na spotkanie do kwatery głównej DARPA w Arlington i nikt nie wiedział, kiedy wróci. Gray postanowił więc w międzyczasie trochę się ruszyć, żeby rozładować napięcie.

Założył plecaczek.

— Słyszałeś, kto jeszcze został wezwany na spotkanie z dyrektorem? — spytał Monk.

— Kto?

— Kat Bryant.

— Naprawdę?

Monk skinął głową.

Kapitan Kathryn Bryant wstąpiła do Sigmy zaledwie przed dziesięcioma miesiącami, ale w tym czasie udało się jej zaliczyć przyśpieszony kurs z geologii. Krążyły pogłoski, że zrobiła także dyplom z inżynierii. Jeśli to prawda, byłaby drugim agentem z podwójnym dyplomem. Pierwszym był Grayson.

— Więc to nie chodzi o przydzielenie zadania — powiedział Gray. — Nie wysłaliby przecież do akcji kogoś tak zielonego.

— Nikt z nas nie jest „tak zielony". — Monk chwycił ręcznik i poszedł pod prysznic. — A ona przyszła do nas z wywiadu marynarki. Specjalistka od czarnej roboty, jak oni mówią.

— Oni mówią mnóstwo rzeczy — mruknął Grayson i skierował się do wyjścia.

Mimo znacznej liczby pracowników z ponadprzeciętnym IQ, w Sigmie krążyło tyle samo plotek co w każdej innej korporacji. Nawet dzisiejsze poranne odprawy zakończyły się zalewem służbowych notek i odwołaniami agentów. Oczywiście niektóre z nich były bezpośrednim rezultatem misji Graysona. Gildia zaatakowała jednego z członków Sigmy, więc od razu zaczęły się mnożyć spekulacje. Czy był to nowy przeciek, czy też zasadzka została zaplanowana wcześniej, jeszcze przed przeprowadzką Sigmy do Waszyngtonu z kwatery głównej DARPA w Arlington?

W każdym razie na korytarzach Sigmy powtarzano sobie na ucho, że szykuje się nowa misja, z gatunku tych mających związek z kimś na szczytach władzy i związana z żywotnym interesem narodu. Lecz nic więcej nie było wiadomo.

Gray nie miał zamiaru bawić się w domysły. Postanowił poczekać, aż usłyszy co nieco od samego komendanta. Nawiasem mówiąc, nic nie wskazywało na to, żeby w najbliższej przyszłości miał dokądkolwiek jechać. Z pewnością przez pewien czas będzie grzał ławkę rezerwowych, więc równie dobrze może poświęcić teraz parę godzin na wypełnienie innych zobowiązań.

Wyszedłszy z sali gimnastycznej, powędrował przez labirynt korytarzy w kierunku wind. W całym budynku wciąż było czuć zapach świeżej farby i smród starego cementu.

Podziemna twierdza, w której mieściła się komendantura Sigmy, była niegdyś bunkrem pełniącym funkcję schronu przeciwatomowego. Podczas drugiej wojny światowej miała zapewnić bezpieczeństwo ważnemu zespołowi badawczemu, ale potem została zamknięta i teraz już od dawna świeciła pustkami. Nieliczni wiedzieli o jej istnieniu, nie mówiąc już o tym, że mieściła się pod zabudowaniami mekki naukowej społeczności — miasteczka muzeów i laboratoriów noszącego nazwę Smithsonian Institution.

Teraz podziemny labirynt zasiedlili nowi lokatorzy. Ogólnie uważano ich za jakiś nowy zespół specjalistów, bo wielu z nich rzeczywiście pracowało w laboratoriach Smithsonian, prowadząc badania naukowe i od razu wykorzystując ich rezultaty. Zresztą nowa siedziba została wybrana ze względu na bliskość laboratoriów i instytutów naukowych z wielu dziedzin. Tak więc Sigma została pogrzebana w sercu naukowej społeczności Waszyngtonu, a Smithsonian Institution stał się zarówno źródłem pozyskiwania odpowiednich ludzi, jak i przykrywką dla ich sekretnej działalności.

Gray przyłożył dłoń do czytnika umieszczonego przy wejściu do windy. Błękitna linia przesunęła się po jego liniach papilarnych i drzwi momentalnie stanęły otworem. Gray wszedł do środka i nacisnął guzik oznaczony napisem „hol". Metalowa klatka uniosła się bezszelestnie, wspinając się na wysokość czwartego piętra.

Wiedział, choć tego nie czuł, że w tym czasie całe jego ciało zostało zeskanowane w poszukiwaniu ukrytych elektronicznie danych, co było w tej firmie standardową procedurą. Dzięki niej z centrum dowodzenia trudno było wykraść istotne informacje. Oczywiście, to rozwiązanie miało również swoje wady. Podczas pierwszego tygodnia pracy Monk uruchomił cały system alarmowy, bo wracając z popołudniowego joggingu, przez roztrzepanie wniósł do środka nieautoryzowany odtwarzacz MP3.

Drzwi rozsunęły się i Gray wyszedł do zwyczajnie wyglądającego holu recepcyjnego, gdzie całą załogę stanowiło dwóch uzbrojonych strażników oraz siedząca za biurkiem recepcjonistka. To wnętrze mogłoby uchodzić za hol jakiegoś banku, gdyby nie liczba nowoczesnych kamer i innych wyrafinowanych zabezpieczeń, która śmiało mogła rywalizować z tymi umieszczonymi w Fort Knox. Drugie wejście do bunkra, równie solidnie zabezpieczone, znajdowało się w kompleksie prywatnych garaży odległym o niecały kilometr. Właśnie tam naprawiano teraz motocykl Graya. Gray musiał więc pieszo dotrzeć do stacji metra, gdzie przechowywał rower górski, przydatny w tego typu okolicznościach.

— Dzień dobry, doktorze Pierce — odezwała się recepcjonistka.

— Witaj, Melody.

Młoda kobieta nie miała pojęcia, co tak naprawdę mieści się pod budynkiem, i bez zastrzeżeń wierzyła w historyjkę o zespole ekspertów o nazwie Sigma. Tylko strażnicy znali prawdę. Obaj powitali Graya skinięciem głowy.

— Wychodzi pan na cały dzień? — spytała Melody.

— Tylko na godzinkę albo dwie — odparł. Wsunął do czytnika swoją holograficzną kartę identyfikacyjną, a następnie przycisnął kciuk do ekranu, wymeldowując się w ten sposób z centrum dowodzenia. Dotąd sądził, że środki bezpieczeństwa stosowane tutaj są grubą przesadą, ale teraz zmienił zdanie.

Zamek drzwi prowadzących na zewnątrz nie był zamknięty.

Jeden ze strażników otworzył skrzydło na oścież, wyszedł i przytrzymał je dla Graya.

— Życzę miłego dnia — powiedział.

„Miły" — na razie to określenie niezupełnie pasowało to tego, co dziś się zdarzyło.

Przed wejściem rozciągał się długi, wyłożony panelami korytarz, zakończony klatką schodową, która prowadziła do ogólnie dostępnych części budynku. Wchodząc do olbrzymiego holu, minął grupę japońskich turystów, którym towarzyszył przewodnik i tłumacz. Nikt nawet na niego nie spojrzał.

To właśnie się nazywa kryjówką w zasięgu wzroku, pomyślał.

Idąc na ukos przez wyłożoną płytami posadzkę, słyszał głos przewodnika, który po raz tysięczny recytował z pamięci ten sam tekst.

— Smithsonian Castle został ukończony w tysiąc osiemset pięćdziesiątym piątym roku, a kamień węgielny wmurował osobiście prezydent James Polk. Jest to największa i najstarsza budowla w strukturach instytutu; pierwotnie mieściło się tutaj muzeum nauki i laboratoria badawcze, ale teraz służy jako siedziba administracji, centrum informacyjne dla piętnastu muzeów Smithsonian Institution i państwowe zoo. Są tu również liczne galerie oraz wiele miejsc, w których nadal przeprowadza się badania. A teraz proszę za mną...

Gray dobrnął wreszcie do bocznego wyjścia ze Smithsonian Castle i z uczuciem ulgi wyrwał się na wolność. Zmrużył oczy, oślepiony jaskrawym blaskiem słońca, więc odruchowo osłonił je otwartą dłonią. Gwałtowny ruch sprawił, że potłuczone żebra zareagowały ukłuciem bólu. Najwidoczniej tylenol z kodeiną powoli przestawały działać.

Doszedłszy do granicy wypielęgnowanego ogrodu, odwrócił się, żeby zerknąć na zamek. Nazwany tak ze względu na parapety z czerwonej cegły, niezliczone wieżyczki, liczne iglice i wieże Smithsonian Castle uznawany był za jedną z najlepszych konstrukcji gotyckiego odrodzenia w Stanach Zjednoczonych i stanowił serce Smithsonian Institution. Bunkier został wykopany dokładnie pod nim i wykończony w momencie, gdy po pożarze — który zdarzył się w roku 1866 — odbudowywano południowo-wschodnią wieżę. Wznoszono ją na nowo od fundamentów, a wykonanie sekretnego labiryntu włączono do prac renowacyjnych. W końcu stał się podziemnym schronem przeciwatomowym, który miał za zadanie chronić najtęższe umysły pokolenia... albo przynajmniej te, które akurat przebywały w Waszyngtonie.

A teraz kryło się tam centrum dowodzenia Sigmy.

Gray rzucił ostatnie spojrzenie na flagę Stanów Zjednoczonych łopoczącą na szczycie najwyższej wieży, a potem ruszył na ukos przez centralny plac w stronę stacji metra.

Ostatecznie miał jeszcze inne obowiązki poza pilnowaniem bezpieczeństwa Ameryki.

Coś, co i tak już zaniedbywał od zbyt długiego czasu.

16.25
Rzym, Włochy

Oba bmw nie wypuszczały minicoopera ze śmiertelnego uścisku. Niezależnie od tego, jak bardzo Rachele się starała, nie mogła wyrwać się na wolność.

Pistolety maszynowe wychylające się z tylnych siedzeń wysunęły się jeszcze bardziej.

Ale zanim zamachowcy zdążyli otworzyć ogień, Rachele skręciła ostro kierownicę i szarpnęła za hamulec ręczny. Samochodzikiem wstrząsnęło przy akompaniamencie okropnego zgrzytu metalu, a lusterko wsteczne roztrzaskało się na tysiące kawałeczków. Jej wysiłek uniemożliwił strzelcom dokładne wycelowanie, ale nie wystarczył do tego, by się uwolnić.

Bmw dalej ciągnęły jej auto gdzieś przed siebie.

Minicooper był teraz tylko bezwładną stertą metalu. Rachele rzuciła się na podłogę, uderzając lewym bokiem o dźwignię zmiany biegów, i w tym samym momencie deszcz pocisków uderzył w szybę od strony kierowcy.

Następnym razem nie ma co liczyć na takie szczęście, przemknęło jej przez głowę.

Kiedy zamachowcy nieco zwolnili, Rachele walnęła pięścią w kontrolki służące do obsługi składanego dachu. Okna zaczęły się obniżać, a brezentowe pokrycie powędrowało w tył. Do środka wdarł się podmuch wiatru.

Rachele modliła się, żeby ta akcja rozproszyła choć na moment uwagę napastników i dała jej czas, którego potrzebowała. Podwinęła pod siebie nogi i mocno odbiła się od środkowej części deski rozdzielczej, a następnie podpierając się o drzwi pasażera przecisnęła się przez na wpół otwarty dach. Biały sedan ciągle wciskał się w bok jej auta, więc Rachele wylądowała na jego dachu i zwinęła się w półprzysiadzie.

Teraz ich prędkość wynosiła mniej niż trzydzieści kilometrów na godzinę.

Z dołu doleciał grzechot pocisków.

Rachele rzuciła się na oślep i poleciała w stronę rzędu samochodów zaparkowanych przy krawędzi jezdni. Uderzyła w długi dach stojącego tam jaguara, prześlizgnęła się po nim na brzuchu i wylądowała po drugiej stronie.

Przez chwilę leżała nieruchomo, kompletnie zamroczona, ale karoserie zaparkowanych aut osłaniały ją od strony jezdni. Oba bmw nie zdołały wyhamować wystarczająco szybko, toteż kilkadziesiąt metrów dalej nagle zatrąbiły i z piskiem opon ostro ruszyły przed siebie.

Gdzieś z daleka dobiegało zawodzenie policyjnych syren.

Rachele przetoczyła się na plecy i poszukała przy pasie swojej komórki, ale jej nie znalazła. Przypomniała sobie, że przecież właśnie dzwoniła, kiedy tamci je dopadli.

O Boże...

Próbowała się podnieść. Nie ze strachu, że zamachowcy mogą wrócić. Jej minicooper stał na środku drogi, a za nim zdążył się już utworzyć pokaźny korek.

Rachele miała jednak większe zmartwienia. Inaczej niż za pierwszym razem udało się jej kątem oka dostrzec tablicę rejestracyjną czarnego sedana.

SCV 03681

Nie musiała zaglądać do rejestru pojazdów, żeby wiedzieć, skąd pochodziło czarne bmw. Te specjalne tablice były wydawane tylko przez jeden urząd.

SCV oznaczało: *Stato della Città del Vaticano.*

Watykan.

Dzielnie walczyła, żeby wreszcie wstać, choć głowa pękała jej z bólu. Czuła w ustach smak świeżej krwi, sączącej się z rozciętej wargi. Jeśli jej napastnicy mieli jakieś powiązania z Watykanem...

Serce Rachele waliło jak młot, ale w końcu zdołała utrzymać równowagę. Nagły przypływ strachu pomógł odzyskać siły. Ktoś

bardzo jej bliski w każdej chwili mógł znaleźć się w niebezpieczeństwie.

— Wuj Vigor... — wyszeptała.

11.03
Takoma Park, Maryland

— Gray, czy to ty?

Grayson Pierce zarzucił sobie rower na ramię i wspiął się po
schodkach prowadzących do domu rodziców — zwyczajnego
bungalowu z drewnianym gankiem i szerokim, dwuspadowym
dachem.

Wsadził głowę przez otwarte siatkowe drzwi.

— Tak, mamo! — zawołał.

Oparł rower o płotek z metalowych prętów, choć przy tej
czynności jego żebra znów gwałtownie zaprotestowały. Zadzwonił do domu, kiedy wchodził do metra, żeby uprzedzić matkę
o swojej wizycie. Właśnie po to trzymał rower trekkingowy
w schowku na stacji, żeby móc tu zajrzeć od czasu do czasu.

— Lunch już prawie gotowy.

— Co? Znowu coś pichcisz?

Otworzył na oścież siatkowe drzwi, a zawiasy zapiszczały
przeraźliwie. Kiedy tylko wszedł do środka, zatrzasnęły się
z hukiem.

— Czyżby cuda nadal się zdarzały?

— Przestań mi schlebiać, młody człowieku. Wciąż potrafię
zrobić kanapki. Z szynką i serem, jeśli chcesz wiedzieć.

Gray przeszedł na ukos przez salon, ciemny od dębowych
mebli Craftsmana, które w dobrym stylu łączyły nowoczesność
z antykiem. Jego uwagi nie uszła gruba warstwa kurzu, która jak
szara kołderka okrywała wszystkie powierzchnie. Matka Graya
nigdy nie należała do wzorowych gospodyń, bo większość czasu
poświęcała na nauczanie — najpierw, jeszcze w Teksasie, w średniej szkole należącej do jezuitów, a teraz na Uniwersytecie
Jerzego Waszyngtona, gdzie pełniła funkcję zastępcy dziekana
nauk biologicznych. Rodzice przeprowadzili się tu przed trzema
laty. W spokojnej historycznej dzielnicy Takoma Park stały

oryginalne domy w stylu wiktoriańskim i małe domki kryte gontem. Gray kupił apartament kilka kilometrów stąd, przy Piney Branch Road, bo chciał być blisko rodziców, żeby im pomagać, w czym tylko mógł.

Zwłaszcza teraz.

— Gdzie tata? — zapytał, kiedy wszedł do kuchni i zobaczył, że ojca tam nie ma.

Matka zamknęła drzwi lodówki. W ręku trzymała karton z mlekiem.

— W garażu. Robi następną budkę dla ptaków.

— Znowu?

Pani Pierce zmarszczyła brwi.

— On po prostu to lubi. Przestaje wtedy myśleć o swoich kłopotach. Zresztą jego terapeutka powiedziała, że to dobrze, że ma jakieś hobby.

Wzięła dwa talerze z kanapkami i przeszła przez kuchnię.

Gray widział, że jego matka przed chwilą wróciła ze swojego biura na uniwersytecie. Ciągle miała na sobie błękitny blezer włożony na białą bluzkę, a siwiejące blond włosy zaczesane do tyłu i spięte. Schludna pani profesor. Ale Gray dostrzegł ciemne półksiężyce pod jej oczami. Wyglądała na zmęczoną i była znacznie szczuplejsza niż ostatnio.

Wziął z jej rąk oba talerze.

— Rozumiem, że tata lubi podłubać w drewnie, ale czemu zawsze muszą to być budki dla ptaków? W Marylandzie naprawdę jest aż tyle ptaków?

Uśmiechnęła się blado.

— Zjedz kanapki. Chcesz do nich pikle?

— Nie.

Zawsze i w kółko to samo. Uprzejma rozmowa o niczym, żeby unikać drażliwych tematów. Ale pewnych spraw nie da się odkładać w nieskończoność.

— Gdzie go znaleźli? — spytał bez ogródek.

— Koło 7-Eleven w Cedar. Pomylił się i skończyło się na tym, że poszedł w złym kierunku. Na szczęście miał na tyle przytomności umysłu, żeby zadzwonić do Johna i Suz. Sąsiedzi musieli potem zatelefonować do matki Graya, a ona z kolei zaalarmowała syna, zdenerwowana i porządnie wystraszona. Ale pięć minut później odezwała się ponownie. Ojciec był już w domu, cały i zdrowy. Mimo wszystko Gray pomyślał, że lepiej będzie, jeśli wpadnie do nich z krótką wizytą.

— Czy ciągle bierze aricept?

— Tak. Pilnuję, żeby zażywał każdego ranka.

Wkrótce po przeprowadzce u ojca Graya zdiagnozowano chorobę Alzheimera. W bardzo wczesnym stadium. Zaczęło się od niewielkich epizodów z zapominaniem: gdzie położył klucze, jakie są numery znanych telefonów, jak mają na imię nowi sąsiedzi. Lekarze stwierdzili, że wyjazd z Teksasu mógł przyśpieszyć ujawnienie się pewnych objawów, które do tej pory nie dawały o sobie znać. Chory umysł miał problemy z przyswojeniem sobie takich ilości nowych informacji, jakie musiał zapamiętać po przeprowadzce na drugi koniec kraju. Ojciec Graya był uparty jak osioł i pełen determinacji — kategorycznie odmówił powrotu. W końcu do zapominania dołączyły ataki nieopanowanego gniewu. Oczywiście nie oznaczało to, że do tej pory miał trudności z przekroczeniem tej wąskiej granicy.

— Może zaniesiesz mu kanapki? — spytała matka. — Muszę jeszcze zadzwonić do biura.

Gray wyciągnął rękę i wziął od niej talerz, pozwalając, żeby przez moment jego dłoń spoczęła na jej dłoni.

— Może powinniśmy porozmawiać o domu opieki...

Pokręciła głową — nie żeby zaprzeczyć takiej konieczności, chciała mu po prostu dać znak, że nie ma ochoty o tym dyskutować. Powoli wysunęła rękę. Gray już wcześniej próbował przebić ten mur. Ojciec nigdy by się na to nie zgodził, matka zaś uważała, że sama jest odpowiedzialna za sprawowanie nad nim opieki. Ale ta sprawa wisiała nad ich gospodarstwem, nad matką Graya i nad ich całą rodziną.

— Kiedy Kenny był tu ostatnio? — spytał.

Młodszy brat Graya założył właśnie firmę komputerową — dokładnie po drugiej stronie granicy, w Wirginii — idąc tym samym w ślady ojca, który był inżynierem. Tyle tylko że Kenny zajmował się elektroniką, nie ropą naftową.

— Wiesz przecież, jaki jest Kenny... — zaczęła pani Pierce, a potem szybko zmieniła temat. — Czekaj, dam ci jeszcze parę pikli dla ojca.

Gray pokręcił głową. Ostatnimi czasy Kenny zaczął coś przebąkiwać na temat przeprowadzki do Cupertino w Kalifornii. Tłumaczył im długo i rozwlekle, dlaczego jest to absolutnie konieczne, ale Gray wiedział swoje. Jego brat po prostu chciał uciec. Chciał być jak najdalej stąd. Gray poniekąd rozumiał to pragnienie. Ostatecznie zrobił tak samo, zaciągając się do wojska. Widocznie takie zachowanie było charakterystyczne dla męskiej części rodziny Pierce'ów.

Matka podała mu słoik z piklami, żeby go otworzył.

— A jak ci idzie w laboratorium?

— Całkiem nieźle.

Pokrywka ustąpiła z trzaskiem. Gray wyłowił koperek, a następnie wyciągnął pikla i położył na talerzu.

— Czytałam gdzieś, że mają być jakieś cięcia w budżecie w całym DARPA.

— Ja na pewno nie stracę pracy, możesz się nie martwić — uspokoił ją.

Nikt z rodziny nie miał pojęcia o jego prawdziwej działalności w Sigmie. Myśleli, że po prostu przeprowadza mniej skomplikowane badania na potrzeby armii. Ze względów bezpieczeństwa Gray nie otrzymał pozwolenia na powiedzenie im prawdy.

Z talerzem w ręku skierował się do tylnego wyjścia.

Matka nie spuszczała zeń oka.

— Tata będzie szczęśliwy, że cię widzi.

Szkoda, że nie mogę powiedzieć tego samego, pomyślał.

Po wyjściu na dwór skręcił w stronę garażu. Do jego uszu doleciały ostre, wibrujące dźwięki muzyki country. Ten łoskot przywodził na myśl roztańczony szpaler na Muleshoes. I kilka mniej przyjemnych wspomnień.

Zatrzymał się w otwartych drzwiach. Ojciec siedział w kucki nad kawałkiem drewna włożonego w imadło i ręcznie szlifował krawędź.

— Cześć, tato — powiedział.

Ojciec wyprostował się i powoli odwrócił głowę w jego kierunku. Był mniej więcej tego samego wzrostu co Grayson, ale bardziej krępy, o szerszych plecach i potężniejszej klatce piersiowej. Pracując na polach naftowych, jednocześnie uczył się w college'u i zdobywał praktykę jako inżynier. Radził sobie całkiem dobrze, dopóki nie zdarzył mu się wypadek przy szybie naftowym. Skończyło się amputacją nogi w kolanie. Kalectwo i odszkodowanie, jakie za nie otrzymał, umożliwiły mu przejście na emeryturę w wieku czterdziestu siedmiu lat.

Od tamtego czasu upłynęło piętnaście lat.

Połowa życia Graysona. Zła połowa.

W końcu ojciec odwrócił się w jego stronę.

— Gray? — Otwartą dłonią wytarł pot z czoła, rozsmarowując przy tym trochę trocin. — Nie musiałeś się fatygować taki kawał drogi. — Skrzywił się.

— No to kto przyniósłby ci kanapki? — Gray uniósł talerz.

— Twoja matka je zrobiła?

— Znasz przecież mamę. Bardzo się starała.

— To lepiej je zjem. Nie chcę, żeby wyszła z wprawy.

Odsunął się od stołu warsztatowego i kuśtykając na sztywnej protezie, powlókł się do malutkiej lodówki z tyłu garażu.

— Napijesz się piwa?

— Muszę zaraz wracać do pracy, tato.

— Od jednego piwa jeszcze nikt nie umarł. Mam tu te pomyje sam adams, które tak lubisz.

Ulubionym trunkiem ojca był budweiser-and-coors. Ale sam fakt, że zapełnił swoją lodóweczkę ulubionym piwem Graya, można było uznać za ekwiwalent przyjacielskiego klepnięcia w plecy. A może nawet serdecznego uścisku.

Gray po prostu nie mógł odmówić.

Wziął butelkę i skorzystał z otwieracza zamontowanego na krawędzi blatu. W międzyczasie ojciec ukradkiem podsunął się do taboretu i oparł o niego biodrem, a swojego budweisera podniósł tak, jakby chciał wznieść toast.

— To boli, kiedy człowiek się starzeje... Ale na szczęście jest jeszcze piwo.

— Prawda. — Gray pociągnął potężny łyk. Nie był pewien, czy mieszanie kodeiny z alkoholem to dobry pomysł... Ale miał za sobą długi, naprawdę długi ranek.

Ojciec przyglądał mu się bez słowa. Cisza groziła tym, że za chwilę obaj poczują się niezręcznie.

— No więc... — odezwał się Gray. — Słyszałem, że podobno już nie możesz znaleźć drogi do domu.

— Odpieprz się — odpowiedział ojciec z udawanym gniewem, osłabionym przez uśmiech od ucha do ucha i pokręcenie głową. Zawsze cenił szczerość. „Wal śmiało, co cię trapi", powtarzał. — Przynajmniej nie jestem jakimś cholernym zbrodniarzem.

— Nie możesz zapominać o moich popisach w Leavenworth. Wtedy będziesz wszystko pamiętał.

Patrząc na Graya, ojciec przechylił butelkę.

— Będę tak długo, jak długo dam radę.

Ich oczy się spotkały. I wtedy Gray zobaczył przebłysk czegoś, co ojciec starał się ukryć za swoimi żarcikami; czegoś, co rzadko widywał. Strachu.

Łączące ich więzi nigdy nie były łatwe ani oczywiste. Po wypadku ojciec Graya zaczął ostro popijać, a oprócz tego zdarzyło mu się kilka epizodów ciężkiej depresji. Trudno było teksańczykowi pracującemu przy szybach naftowych nagle odnaleźć się w roli gospodyni i wychowywać dwóch chłopców, podczas gdy małżonka musiała pójść do pracy. Żeby jakoś to sobie zrekompensować, prowadził dom tak, jakby to był obóz dla rekrutów. A Gray zawsze przekraczał dozwolone granice, jak na urodzonego buntownika przystało.

Aż w końcu, kiedy skończył osiemnaście lat, spakował manatki i zaciągnął się do wojska, znikając z domu w środku nocy i bez pożegnania.

Po tym wydarzeniu nie rozmawiali ze sobą przez dwa lata.

Powoli, dzięki matce Graya, znów stali się sobie bliscy, choć ich wzajemne stosunki nie należały do szczególnie serdecznych. Pani Pierce powiedziała kiedyś: „Macie wiele cech wspólnych, wcale nie różnicie się tak bardzo". Grayson musiał przyznać, że nigdy nic go tak nie przeraziło.

— To cholernie mnie ssie... — odezwał się cicho ojciec, przerywając niezręczną ciszę.

— No widzisz, to z pewnością sprawka budweisera. — Gray uniósł swoją butelkę. — Dlatego ja piję wyłącznie sama adamsa.

Pan Pierce uśmiechnął się szeroko.

— Ale z ciebie dupek.

— Ty mnie wychowałeś.

— No tak, swój zawsze znajdzie swego.

— Ja tego nie powiedziałem.

Ojciec przewrócił oczyma.

— To czemu w ogóle zadawałeś sobie tyle trudu, żeby tu przyjeżdżać?

Bo nie wiem, jak długo jeszcze będziesz mnie poznawał, pomyślał Gray, ale nie ośmielił się powiedzieć tego na głos. Coś ścisnęło go za mostkiem, jakaś dawna uraza, której nie mógł tak do końca zapomnieć ani wybaczyć. Były słowa, które chciał wypowiedzieć, które pragnął usłyszeć... A jakaś część jego duszy wiedziała, że czas dobiega końca.

— Skąd wytrzasnąłeś te kanapki? — spytał ojciec, odgryzając potężny kęs. — Są naprawdę dobre — dodał z pełnymi ustami.

Gray zachował kamienny spokój.

— Mama je zrobiła.

Przez twarz ojca przemknął cień zakłopotania.

— Ach... tak.

Ich spojrzenia znów się skrzyżowały. Tym razem strach był o wiele wyraźniejszy. Strach i... wstyd. Piętnaście lat temu utracił część swojej męskości, a teraz stał w obliczu utraty człowieczeństwa.

— Tato... Ja...

— Lepiej wypij piwo. — W głosie pana Pierce'a zabrzmiał dobrze znany gniew i z kolei Gray poczuł ukłucie wstydu.

Dopił piwo, siedząc w milczeniu, niezdolny do powiedzenia czegokolwiek. Może matka miała rację. Może rzeczywiście byli do siebie aż za bardzo podobni.

Wreszcie odezwało się brzęczenie pagera. Gray chwycił go zbyt pośpiesznie.

Na wyświetlaczu widniał numer Sigmy.

— To z biura — mruknął. — Mam... Mam po południu spotkanie.

Ojciec skinął głową.

— A ja muszę wracać do tej cholernej budki dla ptaków.

Uścisnęli sobie dłonie, dwaj niepewni swego przeciwnicy, z których żaden nie dawał za wygraną.

Gray wrócił do domu, powiedział matce „do widzenia" i zabrał z ganku rower. Wskoczył na niego i popedałował ile sił w nogach w stronę stacji metra. Po numerze telefonu na wyświetlaczu ukazał się alfanumeryczny kod.

Sigma dziewięćset jedenaście.
Niebezpieczeństwo.
Dzięki Bogu.

17.03
Watykan

Poszukiwanie prawdy, jaka kryła się w opowieści o Trzech Mędrcach, zmieniło się w uciążliwą archeologiczną pracę, chociaż zamiast wyciągać na powierzchnię ziemię i kamienie, monsinior Vigor Verona i jego archiwiści przekopywali się przez rozpadające się w rękach księgi i pergaminy. Zespół *scrittori* wykonał wstępną czarną robotę w głównej części Biblioteki Watykańskiej. Teraz Vigor poszukiwał wskazówek dotyczących Mędrców w jednym z najbardziej strzeżonych obszarów Stolicy Apostolskiej — *Archivio Segreto Vaticano,* czyli w otoczonych złą sławą Tajnych Archiwach Watykanu.

Vigor szedł właśnie długim podziemnym korytarzem. Każdy kolejny reflektor zapalał się, gdy Vigor się zbliżał, i wyłączał, gdy zostawiał go za plecami, rzucając krąg ciepłego blasku na niego i idącego z nim studenta, Jacoba. Przemierzali całą długość głównego magazynu manuskryptów, zwanego w skrócie *carbonile* albo bunkrem. Zbudowana w 1980 roku betonowa hala wznosiła się na wysokość dwóch pięter, oddzielonych od siebie ażurową podłogą z metalowej siatki i połączonych jedynie wąskimi, stromymi schodami. Pod jedną ścianą kilometrami ciągnęły się stalowe regały, na których półkach spoczywały rozmaite archiwalne *regestra*: powiązane stosy pergaminów i papierów. Po przeciwnej stronie stały takie same metalowe szafy, tyle że starannie pozamykane i opieczętowane, bo ich zawartość stanowiły podatne na uszkodzenia materiały.

Krążyło pewne powiedzenie na temat Stolicy Apostolskiej: że Watykan kryje za wiele sekretów... choć niewystarczająco dużo. Podążając wzdłuż olbrzymiego depozytariusza, Vigor wątpił w prawdziwość tej drugiej części zdania. Watykan miał zbyt wiele tajemnic, nawet przed samym sobą.

Jacob taszczył ze sobą laptopa, żeby stale aktualizować bazę danych na interesujący ich akurat temat.

— Wygląda na to, że Mędrców było więcej niż trzech? — spytał, kiedy skierowali się w stronę wyjścia z bunkra.

Zeszli tutaj, żeby zapisać cyfrowo fotografię pewnej wazy, przechowywanej obecnie w Muzeum Kirchera. Widniał na niej wizerunek nie Trzech Króli, lecz ośmiu. Lecz nawet ta liczba ulegała zmianom. Malowidło na cmentarzu Świętego Piotra przedstawiało dwóch Mędrców, a to w katakumbie Domitylli sugerowało istnienie czterech.

— Ewangelie nie wspominają ani słowem o tym, ilu ich było — wyjaśnił Vigor, czując narastające zmęczenie na samą myśl o nadchodzącym długim dniu. Jako gorliwy wyznawca metody Sokratesa uważał, że najlepiej jest wypowiadać na głos tłoczące się w głowie myśli. — Tylko w Ewangelii świętego Marka jest o nich wzmianka, i to niezupełnie jasna. Popularne przypuszczenie, że Mędrców było trzech, wzięło się stąd, że złożyli w ofierze trzy dary: złoto, kadzidło i mirrę. Prawdę mówiąc, wcale nie musieli być królami. Słowo *magihi* pochodzi z greckiego *magoi*, czyli czarownicy.

— Więc byli czarownikami?!

— Nie w obecnym znaczeniu. Słowo *magoi* nie wskazywało na osoby uprawiające czary, lecz raczej na kogoś, kto para się tajemnymi dziedzinami nauki. Stąd wzięło się określenie „mądrych ludzi". Większość specjalistów badających Biblię pod kątem naukowym uważa teraz, że Mędrcy byli zoroastrianami i astrologami pochodzącymi z Persji bądź Babilonu. Interpretowali położenie gwiazd i dzięki temu przepowiedzieli, że od zachodu nadejdzie król, którego zwiastowało im pojawienie się na nieboskłonie pojedynczego ciała niebieskiego.

— Gwiazdy Betlejemskiej.

Vigor skinął głową.

— W przeciwieństwie do tego, co widzimy na obrazach, pojawienie się gwiazdy nie było szczególnie dramatycznym wydarzeniem. Zgodnie z tym, co mówi Biblia, nikt w Jerozolimie nawet nie zauważył jej obecności. Aż do chwili gdy Mędrcy zjawili się przed Herodem i zwrócili jego uwagę na to, co się wydarzyło. Bo to właśnie oni doszli do wniosku, że nowo narodzony król, jako że został zapowiedziany przez gwiazdy, musiał się zjawić w rodzinie królewskiej. Herod był zszokowany tymi nowinami. Spytał ich, gdzie dokładnie dostrzegli wschodzącą gwiazdę, a potem dzięki hebrajskim świętym księgom z proroctwami określił miejsce, gdzie mógł się narodzić ów król. I skierował Mędrców do Betlejem.

— A więc to Herod powiedział im, dokąd iść?

— Tak, bo wysłał ich jako szpiegów. Tyle tylko że gdy ruszyli do Betlejem — według tego, co zapisano u świętego Mateusza — gwiazda znów się pojawiła i doprowadziła ich do Dzieciątka. Zaraz potem ostrzeżeni przez anioła Mędrcy opuścili kraj, nie mówiąc Herodowi, gdzie znaleźli Dziecię ani kim ono było. Z tego powodu rozpoczęła się rzeź niewiniątek.

Jacob musiał się pośpieszyć, by dotrzymać kroku Vigorowi.

— Ale Maryja, Józef i nowo narodzone Dziecię zdążyli już uciec do Egiptu. Więc co się stało z Mędrcami?

— Właśnie, co?

Przez większą część ostatnich kilku godzin Vigor przekopywał się przez teksty gnostyków i apokryfy w poszukiwaniu jakichkolwiek wzmianek o postaciach Mędrców, od Księgi Jakuba do Księgi Seta. Jeśli kości zostały skradzione, jaka motywacja wchodziła w grę, oczywiście poza czysto finansowym? Wiedza mogła się okazać w tym wypadku najskuteczniejszą bronią.

Vigor zerknął na zegarek. Jego wolny czas już się kończył, ale prefekt archiwów miał kontynuować poszukiwania, a potem razem z Jacobem stworzyć bazę danych, którą Jacob prześle dalej e-mailem.

— A co z historycznymi imionami Mędrców? — spytał Jacob. — Kacper, Melchior i Baltazar...

— To tylko przypuszczenia. Po raz pierwszy te imiona pojawiają się w *Excerpta Latina Barbari* w szóstym wieku. Późniejsze odniesienia odwołują się właśnie do tego źródła, ale moim zdaniem wszystkie one mają więcej wspólnego z bajkami niż z rzeczowymi relacjami. Mimo wszystko warto sprawdzić każdy trop. Zostawiam to tobie i prefektowi Alberto.

— Zrobię wszystko co w mojej mocy.

Vigor zmarszczył brwi. To zadanie mogło każdego onieśmielić. I znowu nasunęło się pytanie, czy cokolwiek z tego, co robili, miało jakieś znaczenie? Dlaczego skradziono kości Mędrców?

Odpowiedź ciągle mu umykała. Vigor wcale nie był pewien, czy prawda zostanie odkryta gdzieś tutaj, między pięćdziesięcioma kilometrami półek, które składały się na Tajne Archiwa. Ale ze wszystkich wskazówek można było wyciągnąć jeden ogólny wniosek: prawdziwe czy nie, opowieści o Mędrcach wskazywały na istnienie olbrzymiego bogactwa tajemnej wiedzy, znanej jedynie pewnej sekcie.

Tylko kim oni tak naprawdę byli?

Czarownikami, astrologami czy kapłanami?

Vigor minął Salę Pergaminów, wciągając w nozdrza świeżą dawkę środków grzybobójczych i odstraszających owady i pajęczaki. Dozorcy musieli je rozpryskiwać dosłownie przed chwilą. Vigor wiedział, że niektóre z rzadkich dokumentów zgromadzonych w Sali Pergaminów zaczynają czerwienieć, poddając się działaniu odpornego na stosowane środki grzyba, a ich zawartość znajduje się w poważnym niebezpieczeństwie i może zostać bezpowrotnie utracona.

Zresztą tyle innych cennych rzeczy tutaj także było zagrożonych... i to nie przez ogień, grzyb czy ludzkie niedopatrzenie, lecz po prostu z powodu objętości. Ledwie połowa zgromadzonych tu materiałów została skatalogowana i opisana. A co roku napływały wciąż nowe, zbierane przez watykańskich ambasadorów, sądy metropolitalne i pojedyncze parafie.

Było niemożliwe nadążyć z tym wszystkim.

Tajne Archiwa rozprzestrzeniały się jak złośliwy nowotwór, rozrastając się z pierwotnie przeznaczonych dla nich pomieszczeń na stare strychy, podziemne krypty i puste wieże. Vigor spędził prawie pół roku na badaniach akt dawnych papieskich szpiegów — tych, którzy działali przed nim, agentów umieszczonych na wysokich stanowiskach rządowych na całym świecie. Wiele tych raportów było zaszyfrowanych, a ich treść stanowiły polityczne intrygi, które wydarzyły się na przestrzeni tysiąca lat.

Vigor wiedział, że państwo kościelne było jednością, tak samo polityczną, jak duchową. Ale wrogowie szukali sposobności, aby podkopać tę jedność Stolicy Apostolskiej. Nawet dzisiaj zdarzały się tego typu działania, a księża tacy jak Vigor stali pomiędzy

Watykanem a światem zewnętrznym. Tajemni rycerze, własnymi rękoma broniący granicy państwa. I mimo że Vigor mógł się nie zgadzać ze wszystkim, co zdarzyło się w przeszłości, a nawet w teraźniejszości, jego wiara pozostała mocna... Tak samo jak Watykan.

Vigor czuł się dumny, że pozostaje na służbie papiestwa. Cesarstwa powstawały i upadały. Filozofie przychodziły i odchodziły. A Watykan trwał, niewzruszony, niezmienny i niezachwiany. Był sam w sobie historią, świadectwem minionych wieków i wiary, które przetrwały w jego kamiennych murach.

Nawet tutaj wiele z najcenniejszych skarbów światowego dziedzictwa chronionych było w zamkniętych skarbcach archiwum, w sejfach, szafach i gablotach wykonanych z ciemnego drewna, zwanych *armadi*. W jednej z szuflad spoczywał list pisany ręką Marii Stuart dzień przed egzekucją; w innej — listy miłosne, które wymieniali Henryk VIII i Anna Boleyn. Były tam też dokumenty związane z działalnością inkwizycji, z procesami czarownic, z wyprawami krzyżowymi; obok nich leżały listy władcy perskiego i cesarzowej z dynastii Ming.

Ale to, czego poszukiwał Vigor, nie było aż tak pilnie strzeżone. Wymagało jedynie długiej wspinaczki.

Vigor natknął się na jeszcze jedną wskazówkę, którą chciał zbadać, zanim wyruszy razem z Rachele do Niemiec.

Dotarł do małej windy, która mogła ich zawieźć do sal znajdujących się na wyższych piętrach archiwum, noszących miano *piani nobili*, czyli pokojów szlacheckich. Vigor przytrzymał drzwi dla Jacoba, zamknął i wcisnął przycisk. Z lekkim drżeniem mała klatka powędrowała w górę.

— Dokąd teraz jedziemy? — spytał Jacob.

— Do *Torre dei Venti*.

— Do Wieży Wiatrów? Dlaczego?

— Bo tam jest przechowywany pewien stary dokument. Kopia *Opisania świata* z szesnastego wieku.

— Książka Marco Polo?

Vigor skinął głową. Winda znów zadrżała i zatrzymała się na żądanym piętrze. Wysiedli na końcu długiego korytarza.

Jacob musiał biec, żeby nadążyć za Vigorem.

— A co wspólnego mają przygody Marco Polo z Mędrcami?

— W tej książce Polo wspomina mit pochodzący ze starożytnej Persji, który nawiązuje do Mędrców i do tego, co się z nimi stało. Wszystko obraca się wokół podarunku, jaki otrzymali od Dziecięcia. Chodzi o kamień o wielkiej mocy. Dzięki temu kamieniowi Mędrcy przypuszczalnie założyli mistyczne bractwo hołdujące tajemnej mądrości. Chciałbym odnaleźć tamten mit.

Korytarz kończył się na Wieży Wiatrów. Puste sale tej wieży zostały włączone do Tajnych Archiwów. Na nieszczęście tak się złożyło, że pokój, do którego zamierzali dotrzeć, znajdował się na samym szczycie. Vigor przeklął pod nosem brak windy i wszedł na schody.

Dał sobie spokój z dalszym wykładem, bo postanowił oszczędzać oddech na długą wspinaczkę. Schody wiły się bez końca. Wędrowali w całkowitym milczeniu, aż w końcu stanęli w jednej z najbardziej niezwykłych i historycznych komnat Watykanu.

W *Sala della Meridiana*.

Jacob wyciągnął szyję, żeby przyjrzeć się freskom, które zdobiły półokrągłe ściany i sklepienie. Widniały na nich sceny z Biblii, nad którymi unosiły się wyglądające zza chmur aniołki. Pojedyncza smuga światła, wpuszczana do wnętrza przez otwór w ścianie o średnicy dwudziestopięciopensówki, przecinała pełne drobinek kurzu powietrze i rozbijała się o marmurową posadzkę, na której wyrzeźbiono znaki zodiaku. Linia zaznaczająca położenie biegunów biegła na ukos przez całą podłogę. To pomieszczenie służyło w szesnastym wieku do obserwowania położenia słońca, dzięki czemu ustalono kalendarz gregoriański. I to właśnie tutaj Galileusz usiłował dowieść, że Ziemia obraca się dookoła Słońca.

Niestety poniósł porażkę — z pewnością był to najczarniejszy moment w stosunkach pomiędzy Kościołem a społecznością naukowców. Od tamtej pory Kościół stale próbował nadrobić własną krótkowzroczność.

Vigor zatrzymał się na moment, żeby uspokoić oddech po długiej wędrówce pod górę. Wycierając pot z czoła, wskazał Jacobowi sąsiadujący z *Sala della Meridiana* pokój. Przy tylnej ścianie stała tam masywna szafa, a w niej znajdowały się opasłe księgi i oprawione *regestra*.

— Według indeksu profesorskiego, księga, której szukamy, powinna stać na trzeciej półce.

Jacob udał się we wskazanym kierunku, ale na progu zawadził nogą o biegnący na ukos przewód.

Vigor usłyszał jakiś brzęk. Nie było czasu na ostrzeżenia.

Ładunek zapalający eksplodował, odrzucając od drzwi Jacoba, którzy poleciał na Vigora.

Obaj zwalili się na podłogę, kiedy ściana ognia z rykiem przetoczyła się na zewnątrz, prześlizgując się po nich jak oddech piekielnego smoka.

4

Proch do prochu

24 lipca, 12.14
Waszyngton, D.C.

Misja otrzymała karmazynowy priorytet, czarny przydział i srebrne protokoły bezpieczeństwa. Szef Sigmy, Painter Crowe, pokręcił głową, patrząc na ten zestaw kolorów. Niektórzy biurokraci stanowczo zbyt często odwiedzają domy towarowe Sherwin--Williams.

Wszystkie te oznaczenia sprowadzały się w zasadzie do jednego: nie możecie nas zawieść. Kiedy w grę wchodziła sprawa bezpieczeństwa narodowego, nie było czegoś takiego jak drugie miejsce, srebrny medal czy dobiegnięcie do mety tuż za zwycięzcą.

Painter usiadł przy biurku i przejrzał raport swojego dyrektora operacyjnego. Wszystko wydawało się w porządku. Dokumenty wyrobione, kody do tajnych kwater uaktualnione, sprawdzanie wyposażenia zakończone, rozkład połączeń satelitarnych skoordynowany, tysiące innych drobiazgów załatwione... Painter przesunął palcem po projektowanej analizie kosztów. W następnym tygodniu miał spotkanie z Połączonym Kolegium Szefów Sztabów.

Potarł oczy. Tak właśnie od pewnego czasu wyglądało jego życie: mnóstwo papierkowej roboty, arkuszy kalkulacyjnych i stresu. Dziś był naprawdę wyczerpujący dzień. Najpierw zasadzka Gildii, a potem nieoczekiwany start międzynarodowej operacji.

Mimo wszystko czuł się trochę podekscytowany nowym wyzwaniem i odpowiedzialnością. Odziedziczył Sigmę po jej założycielu, Seanie McKnigcie, który obecnie był dyrektorem generalnym DARPA. Painter za nic nie chciał rozczarować swojego mentora. Obaj cały ranek dyskutowali na temat zasadzki w Fort Detrick i nadchodzącej misji, omawiając strategię jak za dawnych czasów. Sean był zaskoczony, słysząc, kogo Painter wybrał na szefa zespołu, ale całkowicie pozostawił to jego decyzji.

Tak więc operacja ruszyła.

Teraz pozostała jeszcze odprawa agentów. Czas odlotu został ustalony dokładnie na godzinę drugą. Prywatny odrzutowiec był teraz tankowany i ładowany na lotnisku Dullesa, dzięki uprzejmości Kensington Oil, która to firma stanowiła idealną przykrywkę. To ostatnie Painter załatwił osobiście, prosząc o przysługę lady Karę Kensington. Najwyraźniej ubawiło ją to, że znów będzie pomagać Sigmie.

„Czy wy, Amerykanie, naprawdę nie możecie niczego zrobić sami?" — wyraziła swoją dezaprobatę.

Rozległo się brzęczenie interkomu.

Painter nacisnął guzik.

— Tak?

— Dyrektorze Crowe, przyszli doktor Kokkalis i doktor Bryant.

— Przyślij ich tutaj.

Przy wejściu rozległ się dzwonek, sygnalizujący, że zamek został otwarty. Monk Kokkalis wepchnął się pierwszy, ale przytrzymał drzwi dla Kathryn Bryant. Kat przewyższała o głowę krępego kolegę, dawnego żołnierza Zielonych Beretów. Poruszała się z kocią gracją, jak lwica, która stara się kontrolować swoją siłę. Ciemnorude włosy, długie do ramion i splecione w warkocz, wyglądały tak samo skromnie i zachowawczo jak jej strój — ciemnoniebieski garnitur, biała bluzka i skórzane pantofle. Jedynym kolorowym akcentem była ozdobna szpilka wpięta w klapę marynarki — maleńka żabka. Szmaragd osadzony w złocie. Pasowała do zielonego błysku oczu Kat.

Painter wiedział, dlaczego ją nosiła. Żabka była prezentem od zespołu wodno-desantowego, z którym kiedyś została wysłana na akcję rozpoznawczą, przeprowadzaną dla wywiadu marynarki.

Uratowała wówczas dwóch mężczyzn i dowiodła swojej odwagi w walce wręcz. Lecz jeden z członków zespołu nie powrócił z tamtej akcji. Kat nosiła tę szpilkę dla uczczenia jego pamięci. Painter przypuszczał, że kryło się za tym coś więcej, ale akta Kathryn Bryant nie informowały o takich szczegółach.

— Usiądźcie, proszę. — Powitał ich oboje skinieniem głowy. — Gdzie komandor Pierce?

Monk przysunął bliżej swoje krzesło.

— Gray... To znaczy komandor Pierce miał pilną sprawę rodzinną do załatwienia. Już wrócił i będzie tu lada moment.

Kryje go, pomyślał Painter. To dobrze. To był właśnie jeden z powodów, dla których wybrał do tej misji Monka Kokkalisa i połączył go z Graysonem Pierce'em. Uzupełniali się pod względem umiejętności, ale najważniejsze, że ich charaktery też się uzupełniały. Monk był bardziej powściągliwy i stateczny, podczas gdy Grayson często działał pod wpływem impulsu. Mimo wszystko Grayson słuchał Monka bardziej niż kogokolwiek innego z zespołu Sigmy. Monk potrafił łagodzić nastroje kolegi. Miał poczucie humoru i umiał żartować, co czasami okazywało się skuteczniejsze niż gwałtowna sprzeczka. Z pewnością we dwóch stanowili dobraną parę.

Ale z drugiej strony...

Painter zauważył, jak sztywno siedzi Kat Bryant. Nie sprawiała wrażenia zdenerwowanej, raczej nieufnej, ale na granicy podekscytowania. Wydawała się pewna siebie, może nawet aż za bardzo. Painter zdecydował się włączyć ją do zespołu raczej ze względu na podstawy zdobyte w służbach wywiadowczych niż na jej obecne studia inżynierskie. Poza tym Kat świetnie orientowała się w protokołach dyplomatycznych obowiązujących na terenie Unii Europejskiej, a zwłaszcza w rejonie Morza Śródziemnego. Potrafiła obsługiwać elektroniczne urządzenia podsłuchowe i miała doświadczenie w działaniach kontrwywiadowczych. Ale chyba najważniejsze było to, że współpracowała już kiedyś z jednym z agentów watykańskich, monsiniorem Veroną, który wspólnie z nimi miał nadzorować prowadzone w Kolonii śledztwo. We dwoje rozpracowywali wówczas międzynarodowy gang handlarzy kradzionymi dziełami sztuki.

— Czekając na komandora Pierce'a, równie dobrze możemy odwalić część papierkowej roboty. — Painter posunął w stronę Bryant i Kokkalisa dwa egzemplarze grubych akt oprawionych w czarne okładki. Trzeci czekał na Pierce'a.

Monk zerknął na srebrną Σ wytłoczoną na folderze.

— To wprowadzi was we wszystkie szczegóły dotyczące tej operacji. — Painter dotknął opuszkami palców monitora dotykowego, który był wmontowany w blat jego biurka. Z trzech płaskich, ciekłokrystalicznych ekranów Sony — jeden z nich znajdował się za plecami Crowe'a, drugi po prawej, a trzeci po lewej stronie — zniknęła panorama gór, zastąpiona przez tę samą srebrną Σ. — Sam poprowadzę odprawę, zamiast wzywać tu szefa operacyjnego.

— Chodzi o utajnienie informacji — powiedziała cicho Kat. Zmiękczała lekko końcówki spółgłosek, zdradzając w ten sposób swoje południowe pochodzenie. Painter wiedział jednak, że jeśli zajdzie taka potrzeba, Kat potrafi pozbyć się tego akcentu w ciągu kilku sekund. — Ze względu na zasadzkę, prawda?

Painter skinął głową.

— Przepływ informacji został znacznie ograniczony ze względu na szeroko zakrojoną kontrolę naszych systemów zabezpieczeń.

— Ale mimo to jedziemy na akcję? — zdumiał się Monk.

— Nie mamy wyboru. Polecenie nadeszło...

Przerwało mu brzęczenie interkomu.

— Dyrektorze Crowe — odezwał się głos sekretarki. — Przyszedł doktor Pierce.

— Wpuść go.

Drzwi otworzyły się bezszelestnie i do środka wkroczył Grayson Pierce. Miał na sobie czarne dżinsy i czarne skórzane półbuty oraz wykrochmaloną na sztywno białą koszulę. Jego włosy, wciąż mokre po kąpieli, były starannie przyczesane.

— Przepraszam — odezwał się, stając pomiędzy dwojgiem przybyłych wcześniej agentów. Pewna hardość w jego wzroku maskowała kryjący się tam prawdziwy smutek. Stał bez ruchu, czekając na słowa reprymendy.

Na pewno na nią zasłużył. To nie była najlepsza pora na lekceważenie poleceń przełożonego, zaraz po tym, jak beztrosko naruszył obowiązujące standardy bezpieczeństwa. Mimo wszystko dowództwo Sigmy zawsze przymykało oko na pewną dozę niesubordynacji. Ci mężczyźni i kobiety byli najlepszymi z najlepszych. Nie można żądać, aby podczas akcji podejmowali śmiałe i niejednokrotnie ryzykowne decyzje, a potem oczekiwać, że ugną się pod naciskami dowództwa. Zawsze należało zgrabnie wyważyć proporcje między jednym a drugim.

Painter przypatrzył się uważnie Graysonowi. Mimo podwyższonego stopnia bezpieczeństwa wierzył bez zastrzeżeń, że ten człowiek naprawdę otrzymał alarmujący telefon od swojej matki i dlatego w takim pośpiechu opuścił centrum dowodzenia. Za niewzruszonym spojrzeniem krył się szklany, beznamiętny wzrok, świadczący o zmęczeniu i wyczerpaniu. Czy to reakcja na zasadzkę, z której ledwo udało mu się ujść z życiem, czy też skutek sytuacji rodzinnej? I czy w związku z tym Grayson był odpowiednim kandydatem do nowego zadania?

Grayson nie zrywał kontaktu wzrokowego. Po prostu czekał.

Dzisiejsze spotkanie miało także inny cel poza odprawą. Było testem.

W końcu Painter kiwnął ręką, żeby wszyscy usiedli.

— Rodzina to ważna sprawa — powiedział. — Tylko żeby twoje spóźnienia nie stały się regułą.

— Tak jest — odparł Grayson. Jego wzrok przeskakiwał od srebrnej litery na płaskich ekranach do grubych teczek spoczywających na kolanach kolegów. Między jego brwiami pojawiła się gruba zmarszczka. Brak nagany zdecydowanie był niepokojący.

Painter podsunął w jego kierunku trzecie dossier.

— Właśnie zaczęliśmy odprawę.

Grayson bez słowa wziął teczkę. Zmrużył oczy, wyraźnie zbity z tropu, ale o nic nie zapytał.

Dyrektor odchylił się do tyłu i popukał w monitor na blacie biurka. Na lewym ekranie pojawił się masyw gotyckiej katedry; na prawym zdjęcie wykonane wewnątrz niej. Wszędzie dokoła leżały rozciągnięte ciała. Za plecami Paintera ukazał się obraz zaznaczonego kredą kształtu spoczywającego obok spryskanego krwią ołtarza. Ciała zamordowanego księdza, ojca Georga Breitmana.

Painter obserwował, jak spojrzenia trojga agentów wędrują od zdjęcia do zdjęcia.

— To masakra w Kolonii — odezwała się w końcu Kat Bryant.

Painter skinął głową.

— Wydarzyła się, kiedy dobiegała końca msza, odprawiana o północy ku czci biblijnych Mędrców w dniu ich święta. Zginęło osiemdziesiąt pięć osób. Motywem zbrodni była chyba zwykła kradzież, bo włamano się do bezcennego relikwiarza znajdującego się przy głównym ołtarzu.

Painter pstryknięciem przesunął kilka zdjęć złotego sarkofagu i roztrzaskanych resztek klatki, która miała go chronić.

— Wydaje się, że zginęła jedynie zawartość relikwiarza. Podobno były to kości biblijnych Mędrców.

— Kości? — zapytał Monk. — Chce nam pan powiedzieć, że tamci zostawili skrzynię z litego złota, a zabrali jedynie garść jakiegoś próchna? Kto przy zdrowych zmysłach zrobiły coś podobnego?

— Niestety tego na razie nie wiemy. Jest jednak ktoś, komu udało się przeżyć masakrę.

Painter przywołał na ekrany wizerunek młodego mężczyzny leżącego na noszach, a potem tego samego mężczyznę na szpitalnym łóżku. Chłopak miał otwarte oczy, ale zastygł w nich wyraz przerażenia.

— Jason Pendleton. Amerykanin, lat dwadzieścia jeden. Znaleziono go ukrywającego się w konfesjonale. Był ledwo przytomny, ale po solidnej dawce środków uspokajających doszedł do siebie na tyle, żeby złożyć wstępne zeznania. Napastnicy byli ubrani w habity i udawali mnichów. Zasłonili twarze maskami, więc żadna identyfikacja nie wchodzi w grę. Wzięli katedrę szturmem. Kilka osób zostało zastrzelonych, między innymi ksiądz odprawiający mszę i arcybiskup.

Przez ekrany przemknęło parę następnych zdjęć. Rany postrzałowe, więcej kształtów obrysowanych kredą, sieć czerwonych nici zaznaczających trajektorie lotu pocisków. Na pierwszy rzut oka wyglądało to jak typowe miejsce zbrodni, tylko okoliczności, w jakich została popełniona, były raczej niezwykłe.

— Dlaczego Sigma została w to zaangażowana? — spytała Kat.

— Bo zdarzyły się tam zgony, które trudno wytłumaczyć. Żeby włamać się do zabezpieczenia grobowca, zamachowcy zastosowali jakieś urządzenie, które nie tylko roztrzaskało w drobny mak kuloodporną gablotę, ale także — zgodnie z zeznaniami jedynego ocalałego — wywołało śmiertelną falę, która przeszła przez katedrę.

Painter wyciągnął rękę i wcisnął klawisz. Na wszystkich trzech ekranach ukazały się zbliżenia ofiar, ale wyraz twarzy agentów nie zmienił się ani trochę. Podczas służby nieraz ocierali się o śmierć. Ciała były powykręcane, a głowy odrzucone do tyłu. Na jednym ze zdjęć pojawiło się zbliżenie twarzy nieboszczyka. Szeroko otwarte oczy, zmętniałe rogówki, poczerniałe ślady po krwawych łzach. Ściągnięte w grymasie, zamarłe w agonii usta, obnażone zęby i krwawiące dziąsła. Napuchnięty język, popękany i poczerniały na brzegach.

Monk, jedyny w tym gronie absolwent studiów medycznych, na dodatek ze specjalizacją medycyny sądowej, poprawił się na krześle, nie odrywając oczu od ekranu. Mógł zgrywać roztargnionego głupka, ale tak naprawdę był bystrym obserwatorem, a przenikliwość umysłu należała do jego mocnych stron.

— Wyniki pełnej autopsji znajdują się w waszych folderach — oznajmił Painter. — Wstępna ocena koronerów jest taka, że te zgony spowodowane zostały przez coś w rodzaju napadu epilepsji. Wyjątkowo silne konwulsje w połączeniu z hipertermią wywołały podniesienie temperatury rdzenia kręgowego i w konsekwencji upłynnienie zewnętrznych części mózgu. Wszyscy zmarli w chwili, gdy ich serce się skurczyło, a ten skurcz był tak silny, że w komorach serc nie znaleziono śladów krwi. U jednego z mężczyzn rozrusznik dosłownie eksplodował. Z kolei kobieta, która miała wszczepioną metalową protezę w kość udową, została znaleziona wiele godzin później z wciąż tlącą się nogą.

Agenci nadal mieli niewzruszone miny, ale Monk wyraźnie zmrużył jedno oko, a cera Kat wydawała się teraz kredowobiała. Nawet Grayson uporczywie wpatrywał się w ekran, co samo w sobie było dość niezwykłe.

Właśnie on odezwał się pierwszy.

— Czy to pewne, że zgony miały związek z użyciem przez napastników tego urządzenia?

— Tak pewne, jak tylko może być. Chłopak, który przeżył, opowiedział nam o ogromnym ciśnieniu, jakie poczuł w głowie, kiedy urządzenie zostało włączone. Porównał to z uczuciem, które towarzyszy pasażerom w czasie, gdy samolot podchodzi do lądowania. Czuł napięcie w uszach. Te zgony zdarzyły się właśnie w tym momencie.

— Ale Jason przeżył — powiedziała Kat, wciągając przedtem w płuca potężny haust powietrza.

— Nie tylko on. Ale ci, którym się udało, byli później zabijani przez napastników. Mordowani z zimną krwią, jak powiedział Jason.

Monk poruszył się na krześle.

— A więc jedni okazali się podatni na działanie urządzenia, inni zaś nie. Dlaczego? Czy ludzie, którzy padli ofiarą ataku podobnego do epilepsji, mieli ze sobą coś wspólnego?

— Tylko jedno. Ten fakt zauważył nawet Jason Pendleton. Wydaje się, że byli to jedynie ci, którzy wcześniej przystąpili do komunii.

Monk zamrugał ze zdumienia.

— Właśnie z tego powodu Watykan nawiązał kontakt z rządem Stanów Zjednoczonych. I w konsekwencji ta sprawa trafiła w nasze ręce.

— Watykan... — powtórzyła Kat.

Painter dostrzegł w jej wzroku zrozumienie. Już wiedziała, dlaczego ją wybrał do tej misji, chociaż wiązało się to z przerwaniem pracy doktorskiej w dziedzinie inżynierii.

A Painter kontynuował:

— Watykan obawia się reperkusji, jeśli stanie się ogólnie wiadome, że jakaś grupa przestępcza obrała sobie za cel ataku sakrament komunii. Prawdopodobnie odbywa się to poprzez zatruwanie opłatka. Władze żądają natychmiastowej odpowiedzi, nawet jeśli wiązałoby się to z koniecznością naginania prawa międzynarodowego. Wasz zespół będzie pracował z dwoma agentami wywiadu powiązanymi ze Stolicą Apostolską. Ich celem jest rozwikłanie zagadki, dlaczego te zgony prawdopodobnie miały stanowić przykrywkę dla kradzieży kości Mędrców. Czy był to czysto symboliczny gest, czy może za tą kradzieżą kryje się coś więcej?

— A jaki jest nasz ostateczny cel? — spytała Kat.

— Odkrycie, kto popełnił tę zbrodnię i jakiego typu urządzenie zostało wykorzystane. Jeśli rzeczywiście potrafi ono zabijać w tak określony i wybiórczy sposób, musimy wiedzieć, jak je unieszkodliwić i kto nim steruje.

Grayson dalej się nie odzywał. Patrzył na makabrycznie wykrzywione twarze, a w jego wzroku kryło się coś więcej niż tylko beznamiętne zainteresowanie.

— Binarna trucizna — mruknął w końcu.

Painter odwrócił się ku niemu. Ich oczy się spotkały, odbijając się w sobie nawzajem, jedne i drugie w kolorze zachmurzonego błękitu.

— O co chodzi? — spytał Monk.

— O te zgony — wyjaśnił Grayson, zwracając się do Monka. — Nie zostały wywołane przez pojedynczy czynnik. Przyczyna musiała być podwójna, a efekt wywołało współdziałanie dwóch czynników — zewnętrznego i wewnętrznego. Urządzenie, o którym mówiliśmy, wywołało masowy napad drgawek. Ale ulegli mu tylko ci, którzy przystąpili do komunii. Musi więc w grę wchodzić coś jeszcze, jakiś wewnętrzny czynnik, dotychczas nierozpoznany.

Grayson znów odwrócił się do Paintera.

— Czy w czasie mszy wierni pili też wino mszalne?

— Tylko nieliczni. Zresztą oni także przystępowali do komunii.

Painter czekał, obserwując z zainteresowaniem, jak Grayson wytęża umysł. Widział, jak powoli dochodzi do wniosków, na których wyciągnięcie nawet eksperci potrzebowali więcej czasu. Ostatecznie były pewne powody — oprócz tężyzny fizycznej i niesamowitego refleksu — dla których Gray zwrócił na siebie uwagę Paintera.

— Opłatek, z którego została zrobiona komunia, musiał być zatruty — oznajmił Grayson. — Nie ma innego wytłumaczenia. Coś zostało potajemnie wprowadzone do organizmów ofiar w hostii i wtedy stali się podatni na działanie siły generowanej przez urządzenie.

Spojrzenia Graya i Paintera znów się skrzyżowały.

— Czy opłatek komunijny został przebadany pod kątem zanieczyszczenia?

— Niestety, w żołądkach ofiar znajdowała się zbyt mała ilość, żeby przeprowadzić prawidłową analizę, ale po mszy zostało kilka opłatków. Wysłano je do laboratoriów w całej Unii Europejskiej.

— I...?

Szkliste spojrzenie świadczące o zmęczeniu znikło bezpowrotnie. Zastąpiła je wyostrzona jak promień lasera uwaga. Ten człowiek z pewnością był wystarczająco kompetentny, żeby powierzyć mu tę misję.

Ale test jeszcze nie został zakończony.

— Niczego nie znaleziono — kontynuował Painter. — Wszystkie analizy wskazywały, że znajduje się tam jedynie mąka pszenna, woda i dodatki używane zwykle przy wypieku bezdrożdżowych wafli.

Zmarszczka między brwiami Graysona wyraźnie się pogłębiła.

— To niemożliwe — oświadczył stanowczo.

Painter usłyszał w jego głosie zdecydowany upór, graniczący z wojowniczością. Ten człowiek był absolutnie pewien, że się nie myli.

— Tam musi być coś jeszcze — naciskał Grayson.

— Przeprowadzono konsultacje z laboratoriami DARPA. Rezultaty były te same.

— To znaczy, że są w błędzie.

Monk wyciągnął rękę, żeby go powstrzymać. Kat skrzyżowała ramiona.

— To znaczy, że musi istnieć inne wytłumaczenie dla... — zaczęła.

— Bzdura — przerwał jej Grayson. — W tych wszystkich laboratoriach zwyczajnie się pomylili.

Painter powstrzymał uśmiech. Ten człowiek jest urodzonym przywódcą, pomyślał. Przenikliwy w osądach, absolutnie pewny swego, chętny do słuchania innych, ale niedający się łatwo zbić z tropu.

— Masz rację, Grayson — powiedział w końcu.

Oczy Monka i Kat rozszerzyły się ze zdumienia, Grayson zaś jedynie oparł się wygodnie o zagłówek krzesła.

— Nasze laboratoria coś tam znalazły.

— Co?

— Zwęglili próbkę i oddzielili wszystkie składniki organiczne. Potem usunęli każdy pierwiastek śladowy i resztę wsadzili do spektrometru masowego. Ale po tych wszystkich zabiegach pozostała jedna czwarta suchej masy hostii. Białawy proszek.

— Nie rozumiem — powiedział Monk.

Grayson pośpieszył z wyjaśnieniami.

— Po prostu nasze urządzenia analityczne nie wykryły tego proszku.

— Aparatura nie wykryła tej substancji — powiedział zamyślony Painter.

— To niemożliwe — oświadczył Monk. — Mamy tu najlepsze wyposażenie na świecie.

— A mimo to nasi laboranci nie potrafili go wykryć.

— Więc ta sproszkowana substancja musi być całkowicie obojętna — zauważył Grayson.

Painter przytaknął.

— Nasi chłopcy zaczęli ją testować. Ogrzali proszek do temperatury topnienia, to znaczy do tysiąca stu sześćdziesięciu stopni. Utworzył przezroczysty płyn, który, gdy temperatura spadła, stężał i przypominał z wyglądu przezroczyste bursztynowe szkło. Potem włożyli to szkło do moździerza i po stłuczeniu znów otrzymali formę białawego proszku. Jednak niezależnie od stanu, w jakim znajdowała się ta substancja, pozostawała ona całkowicie obojętna, niewykrywalna przez nowoczesne urządzenia analityczne.

— No i co to było? — spytała Kat.

— Coś, co wszyscy świetnie znamy, ale w stanie, jaki odkryto dopiero kilka dziesięcioleci temu.

Painter przeszedł do następnego zdjęcia. Na ekranie ukazała się elektroda węglowa w komorze zawierającej gaz obojętny.

— Jeden z techników pracował na Uniwersytecie Cornell, kiedy przeprowadzano właśnie ten test. Polegał on na frakcjonowanym odparowywaniu połączonym z analizą widma emisyjnego. Przy użyciu techniki galwanizacji udało im się przywrócić ten proszek do stanu, w jakim zwykle jest spotykany.

Popukał w ostatnie zdjęcie. Ukazywało ono zbliżenie czarnej elektrody, tyle tylko że elektroda nie była już czarna.

— Spójrzcie, przekształcona substancja przylgnęła do węglowego pręta.

Oblepiona tajemniczą substancją elektroda błyszczała w świetle lampy tak, że trudno było mieć jakiekolwiek wątpliwości.

Grayson, dotąd siedzący wygodnie na krześle, pochylił się do przodu.

— To złoto — powiedział.

18.24
Rzym, Włochy

Zawodzenie syren dzwoniło w uszach Rachele. Siedziała na fotelu pasażera w samochodzie patrolu karabinierów, posiniaczona, obolała i z pulsującą z bólu głową. Jednak wszystkie uczucia zdominowała ścinająca krew w żyłach pewność, że wuj Vigor nie żyje. Strach o niego dusił ją, odbierał oddech i zawężał pole widzenia.

Rachele tylko w połowie słyszała to, co mówił do nadajnika policjant z patrolu. Jego wóz zjawił się pierwszy na miejscu zdarzenia, zaraz po tym, jak Rachele wydostała się z pułapki. Odmówiła stanowczo zgody na badanie lekarskie; musiała użyć całego swojego autorytetu porucznika, żeby policjant z patrolu odwiózł ją prosto do Watykanu.

Samochód dojechał do mostu, który spina brzegi Tybru. Rachele nie odrywała spojrzenia od miejsca, do którego zmierzali. Po drugiej stronie kanału ukazała się lśniąca kopuła Bazyliki Świętego Piotra, przewyższająca wszystkie rzymskie budowle. Zachodzące słońce micniło się na niej odcieniami srebra i złota, ale Rachele nie zwróciła na to najmniejszej uwagi. Jej wzrok przykuło coś, co ukazało się za bazyliką; uniosła się z fotela, a palce zacisnęła kurczowo na krawędzi tablicy rozdzielczej.

Kolumna gęstego czarnego dymu zwijała się wokół własnej osi, podążając w stronę nieba pomalowanego na kolor indygo.

— Wuj Vigor...

Rachele usłyszała dźwięk następnych syren, który odbijał się echem wzdłuż rzeki — wozów straży pożarnej i samochodów innych służb ratowniczych.

Chwyciła za ramię siedzącego za kierownicą policjanta. Kusiło ją, żeby wypchnąć go z miejsca i samej poprowadzić, ale ciągle czuła się zbyt roztrzęsiona.

— Czy może pan jechać odrobinę szybciej? — zapytała.

Karabinier Norre skinął głową. Był młodym człowiekiem i niedawno został przyjęty do służby. Miał na sobie czarny mundur z czerwonymi lampasami na nogawkach i srebrną szarfę, która na ukos przecinała jego pierś. Zdecydowanym ruchem zakręcił kierownicą i wjechał na chodnik, żeby ominąć korek. Im bardziej zbliżali się do Watykanu, tym większy tłok panował na jezdniach. Pojawienie się w jednym miejscu tylu uprzywilejowanych pojazdów praktycznie zablokowało ruch w tej części miasta.

— Proszę skierować się do Bramy Świętej Anny — rozkazała.

Zawrócił i jakimś cudem zdołał przecisnąć się przez aleję. Od Bramy Świętej Anny dzieliły ich teraz tylko trzy skrzyżowania. Stąd było już wyraźnie widać źródło ognia. Wieża Wiatrów była drugą co do wysokości budowlą w całym Watykanie i to właśnie z jej górnych pięter buchały płomienie, zmieniając całą konstrukcję w olbrzymią kamienną pochodnię.

Och, nie...

W wieży mieściła się część watykańskich archiwów, Rachele zaś wiedziała, że wuj Vigor miał prowadzić poszukiwania w bibliotekach Stolicy Apostolskiej. Po zamachu na jej osobę ten pożar nie mógł być jedynie zwykłym przypadkiem.

Samochód nagle zahamował; Rachele poleciała w przód, ale zatrzymały ją pasy bezpieczeństwa. Natychmiast oderwała wzrok od płonącej wieży.

Na trasie prowadzącej do Watykanu wstrzymano ruch.

Rachele nie mogła czekać ani chwili dłużej. Szarpnęła za klamkę i otworzyła drzwi.

Nagle palce towarzyszącego jej karabiniera zacisnęły się na jej ramieniu.

— *Tenente Verona* — powiedział Norre. — Proszę to wziąć. Może się pani przydać.

Rachele patrzyła na czarną berettę, służbową broń policjanta. Wzięła ją, dziękując skinieniem głowy.

— Proszę zaalarmować posterunek. I zawiadomić generała Rendego z TPC, że wróciłam do Watykanu. Może połączyć się ze mną przez biuro sekretariatu.

Karabinier skłonił głowę.

— Proszę uważać na siebie, *tenente*.

W akompaniamencie dźwięku syren Rachele pieszo wyruszyła w dalszą drogę. Pistolet wcisnęła za pasek, a następnie tak włożyła bluzkę, żeby zwisała luźno i zakrywała berettę. Była bez munduru, więc chyba lepiej, żeby nikt nie widział, jak biegnie w stronę miejsca zamachu z bronią w ręku.

Tłumy ludzi szczelnie wypełniały chodniki. Rachele zaczęła przemykać między stojącymi w korku samochodami, posuwając się nawet do tego, że prześlizgnęła się po masce czyjegoś auta. Przed sobą ujrzała czerwony wóz straży pożarnej, który przepychał się właśnie przez Bramę Świętej Anny. Ledwie mu się udało. Postawiony w stan pogotowia kontyngent Gwardii Szwajcarskiej uformował barykadę po obu stronach bramy. Żaden z gwardzistów nie miał przy sobie uroczystej halabardy, za to każdy trzymał w ręku odbezpieczony karabin.

Rachele przepchnęła się do linii straży.

— Porucznik Verona z korpusu karabinierów! — wrzasnęła, unosząc ręce i wymachując identyfikatorem. — Muszę się zobaczyć z kardynałem Sperą.

Jednak jej słowa nie wywarły najmniejszego wrażenia. Najwyraźniej Szwajcarzy otrzymali rozkaz, żeby zablokować wszystkie wejścia do Stolicy Apostolskiej i zatrzymywać wszystkich poza personelem służb ratunkowych. Jako porucznik karabinierów nie miała żadnej władzy nad Gwardią Szwajcarską.

Ale z tylnego rzędu wysunął się jakiś strażnik ubrany w granatowy mundur. Rachele rozpoznała go — był to ten sam człowiek, z którym rozmawiała wcześniej. Przecisnął się między kolegami i podszedł do niej.

— Porucznik Verona — powiedział. — Otrzymałem rozkaz, aby eskortować panią wewnątrz Watykanu. Proszę za mną.

Odwrócił się i poprowadził ją do środka.

Musiała bardzo się śpieszyć, by dotrzymać mu kroku, kiedy przechodzili przez bramę.

— Mój wuj... Monsinior Verona...

— Niczego nie wiem poza tym, że mam panią odprowadzić do *eliportu* — skierował się w stronę elektrycznego wózka, jakim zwykle poruszali się dozorcy. — To polecenie kardynała Spery.

Rachele wdrapała się do środka. Tuż przed ich nosami przetoczył się ciężko wóz straży pożarnej i wjechał na szeroki plac przed wejściem do Muzeów Watykańskich. Zatrzymał się obok innych wozów ratowniczych, wśród których były dwa pojazdy wojskowe wyposażone w lekkie karabiny maszynowe.

Kiedy droga była już wolna, strażnik skręcił w prawo, omijając w ten sposób samochody stłoczone przed frontem muzeów. Wieża ciągle płonęła. Gdzieś daleko wytrysnął strumień wody, starając się dotrzeć do górnych pięter. Płomienie buchały z trzech ostatnich poziomów, a dookoła kłębił się czarny, gryzący dym. Pożar bez trudu pożerał potężną ilość zgromadzonych tu ksiąg, pergaminów i zwojów.

To była katastrofa na wielką skalę. To, czego nie strawił ogień, niszczyły woda i dym. Zbierane przez stulecia archiwa — dokumentacja historii Zachodu — przepadły.

Mimo to wszystkie myśli Rachele pochłaniała tylko jedna sprawa.

Wuj Vigor.

Wózek minął watykańskie garaże i jechał dalej brukowaną drogą. Biegła ona równolegle do murów obronnych wzniesionych przez papieża Leona — stromego klifu składającego się z kamieni połączonych zaprawą murarską, który szczelnym pierścieniem zamykał Watykan. Następnie okrążyli kompleks muzeów i dotarli do olbrzymiej połaci ogrodów, zajmujących prawie połowę powierzchni tego miasta-państwa. W oddali widać było błysk tańczącej w fontannach wody. Tutaj cały krajobraz mienił się odcieniami zieleni i wydawał się oazą nieziemskiego spokoju w porównaniu z piekłem, które zostawili za plecami, gdzie świat wypełniał ogień, dym i wycie syren.

W absolutnej ciszy podążali ku tylnej części ogrodów.

Wkrótce przed nimi pojawił się cel ich podróży. W otoczonym murami zakątku znajdowało się lądowisko dla helikopterów, utworzone na miejscu dawnego kortu tenisowego. Całe lotnisko stanowił akr betonowej powierzchni i kilka budynków gospodarczych.

Na asfaltowym pasie, z dala od panującego wszędzie zgiełku, stał samotny, biały helikopter. Jego łopaty obracały się z wolna, żeby rozgrzać się przed startem, a silnik wydawał podobne do skomlenia dźwięki. Rachele znała ten samolocik. To był prywatny helikopter papieża, nazywany również papakopterem.

Z dala dostrzegła również czarny płaszcz z purpurową szarfą, należący bez wątpienia do kardynała Spery. Kardynał stał w otwartych drzwiach prowadzących do przedziału dla pasażerów, pochylony nieco w przód, jedną ręką przytrzymywał na głowie szkarłatną piuskę.

Kątem oka musiał dostrzec ich pojazd, bo odwrócił się i podniósł rękę w powitalnym geście. Elektryczny wózek zatrzymał się w pewnej odległości, a Rachele wyskoczyła i pobiegła w stronę kardynała.

Jeśli ktokolwiek wiedział, jaki los spotkał jej wuja, to tym kimś był właśnie kardynał Spera.

Albo ktoś jeszcze...

Z wnętrza helikoptera wyłoniła się jakaś postać i żwawo ruszyła w jej kierunku. Na ten widok Rachele pomknęła jak sarna, a potem rzuciła się w ramiona tej osoby i mocno ją przytuliła, nie zważając na bliskość wirujących leniwie łopat.

— Wujek Vigor...

Gorące łzy ciekły jej po policzkach, rozpuszczając lód, który dotąd mroził serce.

Odsunął się o krok.

— Spóźniłaś się, dziecko.

— Coś mi przeszkodziło — odparła.

— Właśnie tak słyszałem. Generał Rende o wszystkim nam powiedział.

Rachele obejrzała się na strzelającą płomieniami wieżę. Czuła, że włosy wuja przesycone są zapachem dymu i dostrzegła jego przypalone brwi.

— Coś mi się zdaje, że nie tylko mnie spotkała nieprzyjemna niespodzianka. Dzięki Bogu, że jesteś cały i zdrowy.

Twarz Vigora pociemniała.

— Niestety, nie wszyscy mieli tyle szczęścia — rzekł.

Spojrzała mu prosto w oczy.

— Ten wybuch zabił Jacoba. To właśnie jego ciało mnie zasłoniło... W ten sposób zdołałem się uratować. — Mimo ryku silnika wyraźnie słyszała w jego głosie cierpienie. — Chodź, musimy już lecieć.

Pociągnął ją w stronę helikoptera.

Kardynał Spera skinął głową w stronę wuja Vigora.

— Za wszelką cenę trzeba ich powstrzymać — powiedział tajemniczo.

Rachele wsiadła do śmigłowca w ślad za wujem. Przypięli się pasami, a drzwi zostały zamknięte. Gruba izolacja wytłumiła część hałasu silnika, lecz Rachele wyraźnie słyszała, że zwiększył obroty. A potem maszyna w jednej chwili oderwała się od podłoża i gładko poszybowała w górę.

Wuj Vigor usadowił się w fotelu, pochylił głowę i zamknął oczy. Jego wargi poruszały się bezgłośnie w cichej modlitwie. Za Jacoba... A może za nich i ich misję.

Rachele poczekała, aż spojrzy na nią. Ale wówczas znajdowali się już poza Watykanem, daleko nad Tybrem.

— Ci ludzie, którzy na mnie napadli... — zaczęła. — Mieli samochody z watykańskimi tablicami rejestracyjnymi.

Jej wuj zrobił taką minę, jakby ta nowina w żaden sposób go nie zaskoczyła.

— Zdaje się, że Watykan nie tylko utrzymuje szpiegów za granicą, ale sam jest szpiegowany, i to od wewnątrz.

— Przez kogo?

Wuj Vigor jęknął i przerwał jej ruchem ręki. Wyprostował się, sięgnął do kieszeni kurtki i wyciągnął stamtąd złożony kawałek papieru. Podał go Rachele.

— Chłopak, który uratował się z masakry w Kolonii, opisał nam ten znak, a nasz rysownik go wykonał. Podobno chłopak widział taki haft na piersi jednego z zamachowców.

Rachele rozwinęła papier. Ujrzała zaskakująco dokładną w szczegółach figurę czerwonego smoka, z buchającymi ze skrzydeł płomieniami i ogonem w kształcie serpentyny, okręconym wokół własnej szyi.

Opuściła rysunek na kolana i spojrzała na wuja.

— To pradawny symbol — powiedział. — Pochodzi z czternastego wieku.

— Kto nim się posługiwał? — spytała.

— Trybunał Smoka.

Pokręciła głową, bo ta nazwa niczego jej nie mówiła.

— Tak nazywała się średniowieczna sekta alchemików utworzona podczas schizmy, która dokonała się we wczesnym okresie działania Kościoła. To ta sama schizma, po której rozpoczął się okres papieży i antypapieży.

Rachele była zaznajomiona z panowaniem watykańskich antypapieży — mężczyzn, którzy zasiadali na tronie jako głowy Kościoła katolickiego, lecz których elekcje uznane zostały później za niezgodne z prawem kanonicznym. Pojawienie się tego zjawiska miało różne przyczyny, lecz najbardziej oczywistą była chęć zdobycia władzy. Wygnanie legalnie wybranych papieży zwykle odbywało się przy militarnym wsparciu jakiegoś króla lub cesarza. Między trzecim a piętnastym stuleciem na tronie papieskim zasiadało czterdziestu antypapieży, niemniej najbardziej obfitującym w gwałty okresem był wiek czternasty, kiedy prawomocne papiestwo zostało na dobre wygnane z Rzymu i znalazło schronienie we Francji. Przez siedemdziesiąt lat papieże pozostawali na emigracji, podczas gdy w Rzymie rządziła seria skorumpowanych antypapieży.

— A co wspólnego z obecną sytuacją ma taka stara sekta? — zdziwiła się.

— Trybunał Smoka działa również w dzisiejszych czasach. Jego suwerenność została uznana przez Unię Europejską, podobnie jak zakonu kawalerów maltańskich, który ma status obserwatora przy Organizacji Narodów Zjednoczonych. Pozostający w ukryciu Trybunał Smoka ma powiązania z Europejską Radą Książąt, zakonem templariuszy i różokrzyżowcami. Poza tym otwarcie przyznaje, że jego członkowie pozostają w strukturach Kościoła katolickiego. Są obecni nawet tu, w Watykanie.

— Tu?! — Rachele nie zdołała ukryć szoku, jakiego doznała, słysząc te słowa. Ona i jej wuj stali się celem ataku, a mocodawcą zamachowców był ktoś z Watykanu...

— Kilka lat temu doszło do prawdziwego skandalu — kontynuował Vigor. — Były jezuita, ojciec Malachi Martin, założył „sekretny Kościół" wewnątrz Kościoła katolickiego. Był naukowcem znającym siedemnaście języków, autorem wielu rozpraw i bliskim współpracownikiem papieża Jana Dwudziestego Trzeciego. Przez dwadzieścia lat pracował w samym sercu Stolicy Apostolskiej. Jego ostatnia książka, napisana tuż przed śmiercią, mówi o sekcie alchemików, która istnieje w sercu Watykanu i tu odprawia swoje tajemne obrządki.

Rachele poczuła, jak przez jej żołądek przetacza się fala mdłości, co nie miało nic wspólnego z przechylaniem się helikoptera, który zmierzał do międzynarodowego portu lotniczego w pobliskim Fiumicino.

— Sekretny Kościół wewnątrz Kościoła... Czy to właśnie ta sekta może mieć coś wspólnego z masakrą w Kolonii? I dlaczego? Co chcą osiągnąć?

— Kradnąc kości Mędrców? Nie mam pojęcia.

Rachele zamilkła, żeby te rewelacje miały czas wniknąć w jej umysł. Schwytanie przestępców wymagało najpierw dokładnego ich poznania, a ustalenie motywu często okazywało się bardziej użyteczne niż posiadanie materialnego dowodu.

— A co jeszcze wiesz na temat Trybunału?

— Prawdę mówiąc niewiele, mimo że istnieje on od tak dawna. W ósmym wieku cesarz Karol Wielki w imieniu świętego Kościoła podbił część Europy, przemocą niszcząc pogańskie wierzenia w siły natury i wprowadzając w to miejsce katolicyzm.

Rachele przytaknęła, bo świetnie orientowała się w brutalnych metodach nawracania stosowanych przez Karola Wielkiego.

— Ale fala się odwróciła — kontynuował Vigor. — To, co kiedyś było niemodne lub wręcz zakazane, powróciło do łask. W dwunastym wieku zaczęło się odrodzenie gnostycyzmu i mistycznych wierzeń, w sekrecie popieranych przez tych samych cesarzy, którzy wcześniej tak gorliwie starali się je wyplenić. Kościół powoli zmierzał w stronę katolicyzmu, jaki znamy dzisiaj, ale kiedy cesarze uprawiali swoje gnostyczne praktyki, rodziła się schizma. Jej rozkwit przypadł na koniec czternastego wieku. Z Francji powracali właśnie przebywający tam na wygnaniu papieże. Żeby zaprowadzić pokój, koronowany w tysiąc czterysta trzydziestym trzecim roku na cesarza Świętego Cesarstwa Rzymskiego Zygmunt Luksemburski wsparł państwo papieskie, na zewnątrz znosząc gnostycyzm wśród niższych klas społecznych.

— Tylko wśród niższych klas?

— Arystokracja została oszczędzona. Cesarz zwalczał heretyckie wierzenia wśród pospólstwa, lecz jednocześnie tworzył wśród królewskich rodów Europy tajemne stowarzyszenie, poświęcone alchemicznym i mistycznym praktykom. Ta organizacja zwała się *Ordo Draconis*. Cesarsko-Królewski Trybunał Smoka. Istnieje ona do dnia dzisiejszego i jej odłamy funkcjonują w wielu krajach. Niektóre z nich są niegroźne i zajmują się jedynie krzewieniem braterstwa lub odprawianiem ceremonii. Jednak zaczęły kiełkować i inne, prowadzone przez fanatycznych przywódców. Jestem gotów założyć się, że jeśli rzeczywiście w tym wypadku chodzi o Trybunał Smoka, to mamy do czynienia właśnie z jedną z takich fanatycznych sekt.

Rachele instynktownie zaczęła myśleć tak jak podczas przesłuchania.

— A co może być celem tych sekt?

— Wywodzą się z arystokracji, więc ich liderzy uważają, że jedynie oni i ich wyznawcy są prawdziwymi i wybranymi przywódcami rodzaju ludzkiego. Że zostali urodzeni do tego, by rządzić, bo tylko w ich żyłach płynie prawdziwie czysta krew.

— To brzmi jak teoria Hitlera o rasie panów.

Vigor skinął głową.

— Ale tu chodzi o coś więcej. Nie tylko o panowanie. Oni szukają wszelkich źródeł wiedzy tajemnej, żeby przeprowadzić swoją wizję dominacji i apokalipsy.

— Czyli dążą tam, gdzie nawet Hitler bał się pójść — mruknęła Rachele.

— Głównie roztaczają wokół siebie atmosferę wyższości, manipulując politykami za zasłoną sekretów i rytuałów. Działają wśród tak elitarnych grup jak bractwo Skull and Bones w Ameryce czy Bilderburg w Europie. A teraz ktoś odsłonił ich prawdziwe oblicze, bezwstydne i krwawe.

— Ale co to może oznaczać?

Wuj Vigor pokręcił głową.

— Boję się, że ta sekta odkryła coś o wielkim znaczeniu... Coś tak ważnego, że wyszli z ukrycia i zdecydowali się ujawnić.

— A te zabójstwa?

— To ostrzeżenie dla Kościoła. Tak samo jak ataki na nas. Jednoczesne próby zamordowania nas dwojga nie mogą być czystym przypadkiem. Musiały zostać przeprowadzone na rozkaz Trybunału Smoka, żeby nas przestraszyć i opóźnić nasze działania. Powtarzam, to nie może być przypadek. To celowa demonstracja siły, żeby przestraszyć Kościół i wymusić pewne ustępstwa.

— Lecz co chcą przez to osiągnąć?

Vigor westchnął i oparł się o zagłówek fotela.

— To, co jest celem wszystkich szaleńców na tej ziemi.

Rachele wpatrywała się w niego bez słowa.

— Armagedon.

16.04
Gdzieś nad Atlantykiem

Gray potrząsnął szklaneczką. Zabrzęczały kostki lodu.

Kat Bryant zerknęła ze swojego fotela, który znajdował się po przeciwnej stronie luksusowej kabiny prywatnego odrzutowca. Nie odezwała się, ale znacząco zmarszczyła brwi. Właśnie próbowała się skupić na dossier ich misji — po raz drugi zresztą. Gray zdążył je przeczytać od deski do deski i nie widział powodu, żeby miał to robić jeszcze raz. Zamiast czytać, przyglądał się szaroniebieskiej powierzchni oceanu i próbował wykombinować, dlaczego właśnie jego wyznaczono na dowódcę zespołu. I tu, piętnaście kilometrów nad ziemią, ciągle nie mógł znaleźć odpowiedzi na to pytanie.

Obrócił się razem z krzesłem, wstał i powędrował w stronę zabytkowego barku z mahoniu, ustawionego z tyłu kabiny. Spoglądając na bogactwo wnętrza, znów pokręcił głową z podziwem: kryształy z Waterfold, wykończenie z drewna orzechowego, obite skórą fotele... Miał wrażenie, że znajduje się w ekskluzywnym angielskim pubie.

Przynajmniej barman nie był całkowicie obcy.

— Jeszcze jedną colę? — zapytał Monk.

Gray postawił szklaneczkę na barze.

— Chyba już mam dosyć.

— Widzę, że niedużo ci trzeba — mruknął jego przyjaciel.

Gray odwrócił się przodem do kabiny. Ojciec powiedział mu kiedyś, że odgrywanie pewnej roli to połowa drogi do tego, by się kimś takim stać. Oczywiście, miał na myśli pracę Graya przy wierceniu szybu na polu naftowym, które było nadzorowane przez jego ojca. Gray miał wówczas zaledwie szesnaście lat i spędzał wakacje pod upalnym słońcem wschodniego Teksasu. To była paskudna robota, a w tym czasie jego przyjaciele ze szkoły wylegiwali się na plażach wyspy South Padre. Ciągle brzmiały mu w uszach napomnienia ojca: „Żeby stać się mężczyzną, najpierw trzeba zacząć zachowywać się jak mężczyzna".

Być może to samo można powiedzieć o pełnieniu funkcji szefa zespołu.

— Okej, już dosyć tego czytania — powiedział głośno, znów ściągając na siebie spojrzenie Kat. Odwrócił się do Monka. — Moim zdaniem już wystarczająco długo badałeś zawartość barku.

Monk wzruszył ramionami i wyszedł zza kontuaru do głównej części kabiny.

— Zostało nam mniej niż cztery godziny lotu — dodał.

W tym samolocie — wyprodukowanym na indywidualne zamówienie odrzutowcu Citation X, poruszającym się tuż poniżej prędkości dźwięku — dotrą do lotniska w Niemczech gdzieś około drugiej w nocy.

— Proponuję, żeby wszyscy spróbowali się trochę zdrzemnąć. Kiedy już znajdziemy się na miejscu, nie będzie czasu na takie sprawy.

Monk ziewnął szeroko.

— Nie musisz mi dwa razy tego powtarzać, komandorze.

— Ale najpierw porównajmy notatki. Czeka nas ciężka robota.

Wskazał na fotele. Monk opadł na pierwszy z brzegu, a Gray dołączył do nich i usiadł naprzeciw Kat.

Podczas gdy Gray znał Monka, odkąd wstąpił do Sigmy, kapitan Kathryn Bryant była mu osobą względnie obcą. Poświęcała studiom tak wiele czasu, że zaledwie kilku ludzi zdołało nawiązać z nią bliższy kontakt i wiedziano o niej mniej więcej to samo, co w chwili gdy została zwerbowana. Któryś z agentów operacyjnych określił ją jako chodzący komputer. Jednak reputacja Kat była nieco nadszarpnięta przez jej dawną działalność agentki wywiadu. Krążyły plotki, że kierowała tajnymi operacjami, choć nikt nie wiedział niczego na pewno. Do grzebania w jej przeszłości nie byli uprawnieni nawet koledzy z Sigmy. Ta tajemniczość jeszcze bardziej izolowała ją od mężczyzn i kobiet, którzy powoli wspinali się po szczeblach kariery w oddziałach, zespołach i plutonach.

Przeszłość Kat stanowiła dla Graya pewien problem. Miał osobiste powody, żeby nie lubić pracowników wywiadu. Działali dyskretnie, z dala od pól bitewnych, zapuszczali się dalej nawet niż piloci bombowców, ale ich działalność mogła przynieść równie śmiercionośne skutki. Gray miał na swoich rękach krew, którą przelał dlatego, że zawiódł ktoś z wywiadu. Niewinną krew. Nie mógł więc pozbyć się pewnej dozy nieufności.

Popatrzył uważnie na Kat. Spojrzenie zielonych oczu było twarde jak skała, a całe ciało wydawało się napięte i sztywne. Zdecydował, że musi zapomnieć o jej przeszłości. Teraz była członkiem zespołu.

Wziął głęboki oddech. Ostatecznie był jej szefem.

„Musisz działać jak...".

Odchrząknął, żeby oczyścić gardło. Najwyższy czas zabrać się do roboty. Podniósł palec wskazujący.

— Okej, po pierwsze: co wiemy?

— Nie za wiele — odparł Monk ze śmiertelnie poważną miną.

Kat zachowała obojętną twarz.

— Wiemy, że napastnikami byli ludzie związani z sektą znaną jako Trybunał Smoka.

— To zabrzmiało mniej więcej tak, jakbyś powiedziała, że są związani z Hare Kriszna — sprzeciwił się Monk. — Ta grupa jest utajniona, a jej macki znajdują się niemal wszędzie, jak chwasty na trawniku. I tak naprawdę nie mamy pojęcia, kto konkretnie się za tym kryje.

Gray przytaknął. Tę informację otrzymali faksem, gdy byli już w drodze. Ale bardziej niepokojąca wydawała się wieść o tym, że przeprowadzono atak na ich sojuszników w Watykanie. To znów musiała być robota Trybunału Smoka. Ale czemu? W jakiego rodzaju potajemnej wojnie przyjdzie im brać udział? Na te wszystkie pytania nie było odpowiedzi.

— Musimy to rozłożyć na czynniki pierwsze — oświadczył Gray, dochodząc do wniosku, że zachowuje się zupełnie jak dyrektor Crowe. Dwoje podwładnych spoglądało na niego wyczekująco. Odchrząknął i wyjaśnił, o co mu chodziło. — Trzeba wrócić do punktu wyjścia. Rozpoznać środki, motywy i możliwości.

— Jeśli chodzi o możliwości, to mieli ich aż nadto — zauważył Monk. — Atak przeprowadzili po północy, kiedy ulice są przeważnie puste. Ale dlaczego nie poczekali z tą kradzieżą, aż ludzie wyjdą z katedry?

— Bo chcieli przekazać w ten sposób wiadomość — odpowiedziała mu Kat. — To miało być uderzenie wymierzone w Kościół katolicki.

— Nie możemy przyjąć takiego założenia — zaoponował Monk. — Spójrzmy na to z szerszej perspektywy. Może to tylko strategiczny wybieg. Pomyślany, żeby nas zmylić. Może ktoś założył, że jeśli popełni tak potworny mord, to uwaga wszystkich odwróci się od raczej mało znaczącej kradzieży jakichś tam zakurzonych kosteczek.

Kat nie wyglądała na przekonaną, choć trudno było się domyślić czegokolwiek z wyrazu jej twarzy. Swoje uczucia zachowywała dla siebie, tak jak ją uczono.

Gray rozstrzygnął sprawę.

— W każdym razie, przynajmniej do tej pory, badanie hasła „możliwości" nie prowadzi nas do rozwiązania zagadki, kto był sprawcą tej masakry. Przejdźmy więc do motywu.

— Dlaczego skradziono kości? — Monk pokręcił głową i oparł się o oparcie fotela. — Może żeby dostać okup od Kościoła katolickiego za ich zwrot?

Tym razem to Kat pokręciła głową.

— Gdyby chodziło o pieniądze, skradziono by także złoty relikwiarz. Musi być inny powód. Coś, o czym nie mamy pojęcia. Według mnie lepiej będzie, jeśli to śledztwo pozostawimy naszym kolegom z wywiadu watykańskiego.

Grayson zmarszczył brwi. Ciągle było mu nie w smak, że będzie musiał współpracować z instytucją taką jak Watykan, gdzie wszystko opierało się na sekretach i dogmatach religijnych. Sam został wychowany w wierze katolickiej i choć ciągle doświadczał mocnych przeżyć związanych z wiarą, to jednak studiował także inne religie i filozofie: buddyzm, taoizm, judaizm.

124

Dowiedział się mnóstwa ciekawych rzeczy, ale nigdy nie znalazł odpowiedzi na jedno zasadnicze pytanie: czego właściwie szuka?

Pokręcił głową.

— Na razie możemy przy „motywacji" postawić wielki znak zapytania. Będziemy się nad tym zastanawiać głębiej, kiedy spotkamy naszych współpracowników. Tak więc do przedyskutowania pozostały nam tylko „środki".

— I w ten sposób wracamy do całej sprawy finansowej — zauważył Monk. — Ta operacja została starannie zaplanowana i zręcznie przeprowadzona. Jednak biorąc pod uwagę choćby tylko liczbę zaangażowanych w nią ludzi, to musiała być kosztowna imprcza. Pieniądze umożliwiły dokonanie tej kradzieży.

— Pieniądze i poziom technologii, który wykracza poza naszą wiedzę — wtrąciła Kat.

Monk przytaknął.

— A co z tym dziwnym złotem, które zostało odnalezione w opłatku?

— Złoto jednoatomowe — mruknęła Kat i od razu zamilkła.

Gray wyobraził sobie pokrytą złotem elektrodę. W ich dossier znajdowało się mnóstwo danych na temat tego dziwnego złota, dostarczonych przez laboratoria na całym świecie — British Aerospace, Argonne National Laboratories, Boeing Labs w Seattle i Niels Bohr Institute w Kopenhadze.

Odnaleziony proszek nie był zwykłym złotym pyłem, to znaczy startym na proch metalem. Wyszło na jaw, że to całkiem nowy, stan tego pierwiastka, określany jako „stan m". W przeciwieństwie do metalicznej, dobrze znanej formy biały proszek okazał się złotem rozbitym na pojedyncze atomy. Jednoatomowym lub znajdującym się w stanie m. Aż do niedawna uczeni nie mieli pojęcia, że złoto może do tego stopnia zmieniać swoją naturę i przybierać formę białawego pyłu, chemicznie obojętnego.

Ale co to mogło znaczyć?

— Dobrze — powiedział Gray. — Wszyscy czytaliśmy akta. Możemy trochę porozmawiać na ten temat i zobaczymy, czy uda się nam wyciągnąć jakieś wnioski.

Monk przemówił pierwszy.

— Na początku warto zwrócić uwagę, że nie tylko złoto potrafi przybierać taką formę. Powinniśmy cały czas mieć to na uwadze. Wydaje się, że wszystkie metale przejściowe z tablicy Mendelejewa — platyna, rod, iryd i inne — także mogą przechodzić w stan takiego proszku.

— Nie „przechodzić" — przerwała mu Kat i zerknęła do dossier. Znajdowały się tam kserokopie artykułów z „Platinum Metals Review", „Scientific American", a nawet z „Jane's Defense Weekly" — dziennika wydawanego przez Ministerstwo Obrony Wielkiej Brytanii. Gray i Monk spostrzegli je, kiedy teczka Kat otworzyła się szeroko.

— Tu użyty został termin dezagregacja — mówiła dalej. — Metale znajdujące się w stanie m rozpadają się na pojedyncze atomy i miniskupiska atomów. Z punktu widzenia fizyka takie formy powstają, kiedy elektrony gromadzą się dookoła jądra atomu, wskutek czego traci on zdolność tworzenia z sąsiadami wiązania metalicznego.

— Chciałaś powiedzieć, że przestają się kleić jeden do drugiego? — W oczach Monka pojawiły się iskierki rozbawienia.

— Pozwól, że wytłumaczę ci to w bardzo prosty sposób — westchnęła Kat. — Zniknięcie wiązania metalicznego powoduje, że metal traci swój normalny wygląd i tworzy proszek, którego nie można wykryć zwykłymi metodami laboratoryjnymi.

— Ach tak... — mruknął Monk.

Gray spojrzał na niego groźnie, a Monk tylko wzruszył ramionami. Gray wiedział, że jego przyjaciel uwielbia zgrywać durnia.

— Moim zdaniem napastnicy wiedzieli o tym braku aktywności chemicznej — mówiła Kat, nieświadoma niemej wymiany zdań między panami. — Wierzyli, że złoty proszek nigdy nie zostanie wykryty. I to był ich drugi błąd.

— Drugi? — zainteresował się Monk.

— Pierwszym było to, że zostawili przy życiu świadka. Tego chłopaka, Jasona Pendletona. — Kat znów otworzyła dossier. Wydawało się, że wręcz nie może oprzeć się pokusie popisania się swoją wiedzą. — A wracając do złota... przeglądaliście ten referat na temat nadprzewodnictwa?

Gray skinął głową. Musiał udzielić Kat kredytu zaufania. W jego skali dzięki naprawdę intrygującej wzmiance na temat metali w stanie m osiągnęła poziom zero. Nawet Monk siedział teraz prosto i słuchał.

A Kat kontynuowała wykład.

— Ten proszek jest nie do wykrycia przez znane nam metody analityczne, ale przecież atomom daleko do stanów niskoenergetycznych. Wygląda więc na to, że każdy atom pochłania energię, którą zwykle zużywa do utworzenia wiązania z sąsiadem, i zwraca ją do własnego wnętrza. Ta energia deformuje jądro atomu, zmieniając jego kształt na wydłużony, co określane jest jako... — koniuszkiem palca przesunęła po tekście artykułu. Gray zauważył, że niektóre ustępy zaznaczone były żółtym flamastrem — ...jako asymetryczny stan wysokospinowy. Fizycy odkryli, że atom wysokospinowy może przekazywać energię do następnego atomu, nic z niej nie tracąc.

— Nadprzewodnictwo — tym razem w głosie Monka nie było ani śladu kpiny.

— Prąd będzie przesyłany nadprzewodnikiem bez żadnych strat. Doskonały nadprzewodnik będzie przekazywał energię stale, aż do końca czasu.

Zapadła cisza; każde z nich w myślach rozważało, jakie kłopoty mogą stąd wyniknąć.

Wreszcie Monk się przeciągnął.

— No wspaniale. Sprowadziliśmy całą tajemnicę do poziomu jądra atomowego. Proponuję trochę się cofnąć. Co wspólnego może to mieć z morderstwami w katedrze? Dlaczego zatruto opłatki za pomocą tego dziwnego proszku? W jaki sposób on zabija?

To wszystko były dobre pytania. Kat zamknęła akta, bo słusznie doszła do wniosku, że na żadne z nich nie znajdzie tam odpowiedzi.

Gray powoli zaczynał rozumieć, dlaczego dyrektor wyznaczył mu tych dwoje na partnerów. Zadanie, jakie otrzymali, wykraczało poza umiejętności nabyte w służbie wywiadowczej, a także poza wiedzę eksperta od spraw medycyny sądowej. Kat miała wrodzoną zdolność koncentrowania się na drobnych sprawach i potrafiła wyłowić szczegóły, które komu innemu by umknęły. Z kolei Monk, nie mniej od niej przenikliwy, miał skłonność do postrzegania spraw jako całości i zawsze na wszystko patrzył z szerszej perspektywy.

Co w takim razie zostało dla niego?

— Zdaje się, że wciąż mamy mnóstwo roboty — powiedział nieprzekonująco.

Monk uniósł brew.

— Jak mówiłem od samego początku, nie bardzo mamy się na czym oprzeć.

— I właśnie dlatego dostaliśmy to zadanie. Żeby dokonać niemożliwego. — Gray sprawdził godzinę, dusząc w zarodku ziewnięcie. — A jeśli mówimy o zadaniu, to powinniśmy maksymalnie wypocząć, zanim wylądujemy w Niemczech.

Pozostała dwójka zgodnie kiwnęła głowami. Gray wstał i poszedł do jednego z dalszych foteli, Monk zaś złapał poduszki i koce. Kat zaciągnęła rolety. Gray obserwował bez słowa ich poczynania.

Jego zespół. Jego odpowiedzialność.

„Żeby być mężczyzną, najpierw musisz zacząć się zachowywać jak mężczyzna".

Gray wziął z rąk Monka swoją poduszkę i opadł na fotel. Nie rozkładał go do pozycji leżącej, bo pomimo wyczerpania czuł, że nie pośpi długo. Monk przygasił górne światła i na kabinę spłynął mrok.

— Dobranoc, komandorze — usłyszał z drugiego końca głos Kat.

Kiedy tamci dwoje mościli się na swoich miejscach, Gray siedział i patrzył w ciemność, zastanawiając się, jak do tego doszło, że się tutaj znalazł. Czas wydłużał się w nieskończoność. Silniki mruczały cichutko. A mimo to odeszła mu cała ochota na sen.

Korzystając z chwili samotności, sięgnął do kieszeni dżinsów i wyciągnął stamtąd różaniec, ścisnął krucyfiks tak mocno, że prawie poranił sobie przy tym dłoń. To był prezent od dziadka z okazji otrzymania dyplomu. Od dziadka, który umarł dwa miesiące później. Gray był wówczas w obozie dla rekrutów i nie zdołał przyjechać na pogrzeb. Oparł się wygodnie o zagłówek fotela, żeby powspominać tamte czasy. Po dzisiejszej odprawie zadzwonił do rodziców i żeby wytłumaczyć nieobecność, nakłamał coś o podróży służbowej, o której dowiedział się w ostatniej chwili.

„Biegnąc znowu...".

Palce Graya bezwiednie przesuwały się po paciorkach różańca, ale nie towarzyszyła im modlitwa.

22.24
Lozanna, Szwajcaria

Château Sauvage przysiadł na górskiej przełęczy w Alpach Sabaudzkich jak nieruchomy kamienny gigant. Jego blanki były grube na trzy metry, a pojedyncza wieża zbudowana na planie kwadratu wystrzeliwała ponad mury. Jedyna droga wiodąca do środka prowadziła przez kamienny most, który potężnym łukiem spinał dwie krawędzie przełęczy. Chociaż nie był największym zamkiem w kantonie, z pewnością należał do grona najstarszych, bo zbudowano go w dwunastym stuleciu. Jednak jego korzenie sięgały znacznie głębiej w mrok historii. Mury Château Sauvage zostały wzniesione na ruinach rzymskiego *castra* pochodzącego z pierwszego wieku — antycznej fortyfikacji wojskowej.

Był również jednym z zamków najdłużej pozostających w prywatnych rękach, bo należał do rodziny Sauvage od piętnastego wieku, kiedy to w czasach reformacji armia berneńska wydarła kontrolę nad Lozanną z rąk dekadenckich biskupów. Gzymsy zamku wychodziły na leżące u jego stóp Jezioro Genewskie i przepiękne, położone na zboczu urwiska miasto. Lozanna — niegdyś osada rybacka — teraz urosła do rozmiarów metropolii, pełnej parków przytulonych do brzegów jeziora, muzeów, ośrodków sportowych, klubów i kafejek.

Obecny właściciel zamku, baron Raoul de Sauvage, całkowicie zignorował olśniewający krajobraz oświetlonego tysiącami lamp miasta i ruszył w dół schodami, które prowadziły do podziemi znajdujących się pod zamkiem. Otrzymał wezwanie. W ślad za nim podążał olbrzymi berneński pies pasterski, pokryty skołtunioną sierścią i na oko ważący przynajmniej siedemdziesiąt kilogramów. Czarno-brązowe zmierzwione kudły zamiatały stare kamienne stopnie.

Raoul miał także hodowlę psów przeznaczonych do walki — sprowadził z Gran Canaria masywne, stukilogramowe monstra o krótkiej sierści i grubych karkach, i torturował je do granic okrucieństwa. W ten sposób wychowywał mistrzów krwawego sportu.

Ale teraz musiał się zająć bardziej krwawymi sprawami.

Minął zamkowe lochy, pełne kamiennych grot. Obecnie te komory zostały przystosowane do przechowywania olbrzymich zapasów wina, ale jedna część wyglądała zupełnie jak za dawnych dobrych czasów... Co prawda cztery kamienne pomieszczenia unowocześniono poprzez zamontowanie nierdzewnych stalowych bram, elektronicznych zamków i kamer wideo, ale tuż obok w ogromnej sali wciąż mieściła się kolekcja dawnych narzędzi tortur... i kilku całkiem nowych. Po drugiej wojnie światowej rodzina Raoula pomogła w ucieczce z Austrii kilku nazistowskim przywódcom — głównie tym, którzy pochodzili z rodzin związanych z Habsburgami. Ukrywali się właśnie tutaj. Jako zapłatę dziadek Raoula dostał swój udział, swój „czynsz", jak to nazywał, co pomogło utrzymać w rękach rodziny dawną rezydencję.

A teraz, w wieku trzydziestu trzech lat, Raoul przewyższył swojego dziadka. Raoul, urodzony jako nieślubne dziecko, odziedziczył po ojcu zarówno posiadłość, jak i majątek, kiedy miał zaledwie szesnaście lat. Wśród rodziny Sauvage więzy krwi znaczyły więcej niż związki małżeńskie. Nawet narodziny Raoula były wynikiem pewnego układu.

Pewnego rodzaju „czynszem", jaki otrzymał jego dziadek.

Baron Sauvage zagłębił się jeszcze bardziej w górskie zbocze; schylił głowę, żeby uniknąć uderzenia o sufit. Za nim sunął jego pies. Drogę oświetlał im rząd nagich żarówek.

Kamienne stopnie zmieniły się w naturalnie wyrzeźbione skalne progi. Tędy w zamierzchłych czasach stąpali rzymscy legioniści, prowadząc ofiarnego byka lub kozła do położonej jeszcze niżej jaskini. Cała pieczara została przekształcona przez Rzymian w *mithraeum* — świątynię ku czci Mitry, boga słońca, który zawędrował do cesarstwa z Iranu i stał się ulubionym bogiem legionistów. Mitraizm poprzedzał chrześcijaństwo, ale mimo to obie religie łączyło mnóstwo niesamowitych podobieństw. Narodziny Mitry świętowano dwudziestego piątego grudnia. Cześć, jaką mu oddawano, obejmowała rytuał chrztu i spożywanie świętego posiłku, składającego się z chleba i wina. Mitra także miał dwunastu uczniów, nakazywał święcić niedzielę i opisywał wiernym niebo oraz piekło. Po śmierci, podobnie jak Chrystus, został pochowany w grobie, skąd powstał po trzech dniach.

Odnosząc się do tych danych, naukowcy twierdzili, że chrześcijaństwo wchłonęło mitologię mitrajską i włączyło część obrzędów do własnych rytuałów. Podobnie rzecz się miała z tutejszym zamkiem — nowy stanął na fundamentach starego, a moc przewyższyła słabość. Raoul nie widział w tym nic niestosownego, ten porządek budził w nim nawet coś na kształt podziwu.

Taka była naturalna kolej rzeczy.

Zstąpił z kilku ostatnich stopni i wkroczył do obszernej podziemnej groty. Jej sklepienie stanowiła naturalna skalna kopuła, prymitywnie rzeźbiona w gwiazdy i stylizowane słońce. W odległym końcu wznosił się stary ołtarz, na którym składano w ofierze młode byki. Zaraz za nim tryskało lodowate źródło, dając początek podziemnemu strumieniowi. Raoul wyobraził sobie, jak martwe ciała zwierząt były ciskane w wodę, która unosiła je daleko stąd. On sam zresztą także pozbył się w ten sposób kilku ciał... tych, które z różnych względów nie nadawały się do karmienia psów.

Przy wejściu zrzucił z ramion skórzaną pelerynę. Pod spodem miał na sobie starą, grubo tkaną szatę, z wyhaftowanym na piersi zwiniętym smokiem. Symbolem *Ordo Draconis*, którego narodziny datowały się wiele pokoleń wstecz.

— Stój, Drakko — rozkazał psu.

Olbrzymi pies posłusznie przysiadł na zadzie. Wiedział dobrze, że lepiej nie okazywać nieposłuszeństwa.

Tak samo jak jego właściciel...

Raoul skinieniem głowy powitał osobę, która przebywała w grocie, a potem postąpił kilka kroków do przodu.

Imperator Trybunału czekał na niego przed ołtarzem, odziany w czarny skórzany strój motocyklisty. Chociaż starszy od Raoula o dwie dekady, nie widać było po nim śladów starzenia, bo pozostał silny i umięśniony. Na głowie miał kask, którego osłona pozostała opuszczona.

Przywódca dostał się do groty tajemnym tylnym wejściem... razem z jakimś nieznajomym, który stał teraz obok.

Poza członkami Trybunału nie wolno było nikomu patrzeć w twarz imperatora, ale nieznajomy dla większej pewności miał zasłonięte przepaską oczy.

Raoul zauważył także obecność pięciu ochroniarzy stojących jak posągi w głębi pieczary. Każdy z nich uzbrojony był w broń automatyczną. Elitarna gwardia przyboczna imperatora.

Raoul ruszył przed siebie, krzyżując na piersi ręce, a następnie upadł przed imperatorem na kolana. Był dowódcą niesławnych *adepti exempti*, militarnej formacji Trybunału — ten honor zawdzięczał Władowi Palownikowi, przodkowi rodu Sauvage. Ale przed imperatorem kłaniali się wszyscy. Raoul miał nadzieję, że pewnego dnia on sam włoży imperatorski płaszcz.

— Wstań — padł rozkaz.

Raoul podniósł się z ziemi.

— Amerykanie są już w drodze — oznajmił imperator. Jego głos, aczkolwiek przytłumiony przez kask, brzmiał donośnie i rozkazująco. — Czy twoi ludzie są gotowi?

— Tak jest, panie. Osobiście wybrałem tuzin najlepszych. Czekają na twoje rozkazy.

— Bardzo dobrze. Sprzymierzeńcy przysłali nam kogoś, kto będzie nas wspierał. Kogoś, kto doskonale zna tych amerykańskich agentów.

Raoul się skrzywił. Nie potrzebował niczyjej pomocy.

— Masz jakiś problem?

— Nie, panie.

— Samolot czeka na ciebie i twoich ludzi na lotnisku w Yverdon. Jeśli zawiedziesz mnie po raz drugi, nie zostanie ci to wybaczone.

Raoul skulił się w sobie. To on poprowadził misję, która zakończyła się skradzeniem kości w Kolonii, lecz spaprał sprawę, jeśli chodziło o wyczyszczenie sanktuarium. Chłopcy przeoczyli jednego świadka. Kogoś, kto naprowadził śledztwo na ich ślad. W konsekwencji Raoul popadł w niełaskę.

— Tym razem nie zawiodę — zapewnił zwierzchnika.

Imperator uporczywie wpatrywał się w niego; to spojrzenie spod opuszczonej osłony zupełnie wytrącało Raoula z równowagi.

— Znasz swoje obowiązki.

Ostatnie skinienie głową.

Imperator ruszył przed siebie, obojętnie mijając Raoula. Za nim poszli jego ochroniarze. Kierował się w stronę zamku; brał go we władanie, dopóki finałowa rozgrywka nie dobiegnie końca. Ale najpierw Raoul musi posprzątać bałagan, który po sobie zostawił. A to oznaczało kolejną wyprawę do Niemiec.

Poczekał, aż imperator opuści jaskinię. Drakko podreptał za ochroniarzami, jakby wyczuwał, kto ma tutaj prawdziwą władzę. Wódz często odwiedzał ten zamek w ciągu ostatnich dziesięciu lat, odkąd w ich ręku znalazły się klucze do potępienia i zbawienia.

A wszystko to dzięki przypadkowemu odkryciu w kairskim muzeum...

Teraz byli tak blisko celu.

Kiedy wódz zniknął mu z oczu, Raoul odwrócił się ku nieznajomemu. To, co ujrzał, zupełnie mu nie odpowiadało, więc pozwolił sobie na grymas niezadowolenia. Jedynie strój tej osoby — cały czarny — zyskał jego aprobatę.

Tak samo jak nieduży srebrny drobiazg.

Na szyi kobiety wisiał malutki srebrny smok.

DZIEŃ DRUGI

DZIEŃ DRUGI

5

Szaleństwo

25 lipca, 2.14
Kolonia, Niemcy

Zdaniem Graya kościoły nocą zawsze miały w sobie coś złowrogiego. Ale żaden z dotychczas widzianych nie wydawał się równie przerażający jak ten dom modlitwy. Gotyckie mury emanowały namacalną grozą, bo właśnie one stały się świadkami masowego morderstwa.

Kiedy cały zespół przemierzał na ukos plac przed katedrą, Gray przyglądał się uważnie masywnej sylwetce, nazywanej po niemiecku *der Dom*. Jej mury oświetlał rząd punktowych reflektorów, które rzucały na gmach na przemian srebrne smugi i cień. Większą część zachodniej fasady stanowiły dwie ogromne wieże. Bliźniaczo podobne iglice pięły się ku niebu blisko siebie, po obydwóch stronach głównej bramy. Dzieliła je tylko odległość kilku metrów — aż do miejsca, gdzie zaczynały zwężać się ku górze. Na samym czubku każdej z nich znajdował się malutki krzyż. Kolejne kondygnacje liczącej sto pięćdziesiąt metrów konstrukcji ozdabiały skomplikowane płaskorzeźby, a wygięte w łuk okna kierowały się ku górze — w stronę nocnego nieba i zawieszonego wysoko księżyca.

— Wygląda, jakby te światła zostawili specjalnie dla nas — mruknął Monk, gapiąc się na katedrę. Poprawił swój plecak na ramionach.

Wszyscy mieli na sobie ciemne cywilne ubrania, dobrane tak, by nie rzucali się w oczy. Ale pod spód każde z nich włożyło

137

przylegającą do ciała specjalną bieliznę — miękką zbroję. Ich plecaki, czarne arcteriksy, wyładowane były przydatnymi w pracy narzędziami, włączając w to broń przekazaną przez człowieka z CIA, który czekał na nich na lotnisku — kompaktowe glocki M-27 wyposażone w celowniki optyczne z trytem*, a do nich pociski z wydrążonym czubkiem, kalibru .40.

Monk miał ponadto samopowtarzalną strzelbę, którą przytwierdził do lewego uda i ukrył pod długą marynarką. Ta broń została zaprojektowana specjalnie do takich zadań; z krótką lufą, nieduża, wyglądała zupełnie jak Monk. Dodatkowo zamontowano w niej system Ghost Ring, który umożliwiał uzyskanie maksymalnej dokładności strzału nawet przy marnym oświetleniu. Kat zadowoliła się mniej zaawansowanymi technicznie wynalazkami — w jakiś sposób zdołała ukryć przy sobie osiem sztyletów, i to tak, że ostrze każdego miała tuż pod palcami, niezależnie od pozycji, w jakiej się znajdowała.

Gray sprawdził godzinę na swoim wodoszczelnym zegarku Breitlinga. Fosforyzujące wskazówki pokazywały właśnie kwadrans po drugiej. Dotarli tutaj w niezwykle krótkim czasie.

Szli na ukos przez plac. Gray przeszukał wzrokiem ciemne zakamarki, czy nie kryje się tam coś podejrzanego, ale wszędzie panował spokój. O tej godzinie w środku tygodnia to miejsce świeciło pustkami. Po drodze dostrzegł tylko kilku maruderów, ale oni kiwali się sennie, wypuszczając z siebie opary wypitego w pubach piwa. Na placu zostały jedynie ślady po zgromadzonym tu całkiem niedawno tłumie. Przy krawężnikach walały się stosy zwiędłych kwiatów, które zostawili żałobnicy, jak również puste butelki porzucone przez gapiów. Wzgórki stopionego wosku zaznaczały miejsca, gdzie odbywała się msza żałobna, a wśród nich tkwiły zdjęcia ofiar, przyniesione przez krewnych. Kilka świec wciąż się paliło, a ich drobne płomyki migotały w ciemności, samotne i opuszczone.

---

* W celownikach tych krzyż celowniczy jest podświetlany za pomocą światła wytwarzanego przez kapsułki zawierające promieniotwórczy tryt oraz światła wychwyconego przez system światłowodów. Kapsułka z trytem jest pokryta związkami fosforu, który zaczyna emitować światło pod wpływem promieniowania.

Całonocne czuwanie przy świecach odbywało się w innym pobliskim kościele; trwała tam msza w intencji ofiar, gdzie wiernym przekazywano specjalne błogosławieństwo od samego papieża. Z pewnością zostało to tak ustalone, by dzisiejszej nocy plac przed katedrą świecił pustkami.

Mimo to Gray widział, że jego towarzysze zwracają baczną uwagę na to, co dzieje się dokoła. Nikt nie miał zamiaru ryzykować.

Przed samą katedrą stała zaparkowana półciężarówka z policyjnym logo na bocznych drzwiach. Służyła jako główna baza dla pracujących tu speców od medycyny sądowej. Jeszcze na lotnisku Gray został uprzedzony przez szefa operacyjnego ich misji, Logana Gregory'ego, który w Sigmie był osobą numer dwa, że miejscowe zespoły śledcze zostaną wycofane z miejsca zdarzenia około północy, ale powrócą rano. O szóstej. Aż do tego czasu oni będą mieć katedrę wyłącznie dla siebie.

No zgoda, może nie całkiem dla siebie.

Gdy się zbliżali, jedne z bocznych drzwi prowadzących do katedry stanęły otworem, a na tle padającego z wnętrza światła pojawiła się wysoka, szczupła postać mężczyzny. Podniósł rękę, jakby chciał przekonać się, kto się zbliża.

— Monsinior Verona — wyszeptała Kat, na pierwszy rzut oka rozpoznając tego mężczyznę.

Ksiądz podszedł do policyjnych barierek rozstawionych dookoła świątyni. Zamienił kilka słów z jednym z dwóch strażników, których zadaniem było odstraszanie ciekawskich, a potem gestem wskazał trójce Amerykanów, że mają przejść przez barykadę.

Poszli w ślad za nim aż do otwartych drzwi.

— Kapitan Bryant... — odezwał się monsinior i obdarzył Kat ciepłym uśmiechem. — Pomimo tragicznych okoliczności miło znów panią widzieć.

— Dziękuję, profesorze. — Kat odwzajemniła uśmiech. Pod wpływem przyjaznych uczuć rysy jej twarzy złagodniały.

— Proszę mówić do mnie Vigor.

Weszli do frontowego przedsionka. Monsinior zamknął drzwi i starannie je zaryglował, a potem badawczym spojrzeniem obrzucił dwóch towarzyszy Kat.

Gray zdawał sobie sprawę z wagi tego badania. Stojący przed

nim mężczyzna był prawie tego samego wzrostu co on, ale mocniejszej budowy ciała. Lekko falujące włosy w kolorze pieprzu zmieszanego z solą miał zaczesane w tył i nosił starannie przystrzyżoną bródkę. Ubrany był zwyczajnie — w granatowe dżinsy i czarny sweter wycięty w literę V, i tylko koloratka świadczyła o jego kapłańskim stanie.

Graya najbardziej uderzyło jego baczne i pełne opanowania spojrzenie. Pomimo światowych manier ten człowiek sprawiał wrażenie kogoś obdarzonego stalowym charakterem. Nawet Monk to wyczuł, bo wyprostował się pod taksującym wzrokiem księdza.

— Wejdźcie — powiedział w końcu Vigor. — Musimy zacząć jak najszybciej.

Monsinior wskazał zamknięte drzwi prowadzące do nawy, otworzył je i gestem zaprosił nowo przybyłych do środka.

Przekraczając próg tego kościoła, Gray natychmiast zwrócił uwagę na dwie rzeczy. Przede wszystkim na smród. W powietrzu, mimo że wciąż przepojone było zapachem kadzidła, unosiła się woń spalenizny.

Jednak nie tylko zapach przykuł uwagę Graya. Z ławki podniosła się jakaś kobieta i podeszła do nich, żeby się przywitać. Z wyglądu przypominała młodą Audrey Hepburn: biała cera, krótkie, kruczoczarne włosy rozdzielone na czubku głowy przedziałkiem i założone za uszami, oczy w kolorze karmelu. Nie uśmiechnęła się. Przesunęła po nich spojrzeniem, na moment zatrzymując dłużej wzrok na sylwetce Graya.

On zaś od razu dostrzegł rodzinne podobieństwo między nią a monsiniorem. Bardziej wynikało ono z intensywności badawczego spojrzenia niż z fizycznych cech obojga.

— Moja siostrzenica — przedstawił ją Vigor. — Porucznik Rachele Verona.

Szybko wymienili uściski dłoni. I chociaż nie było między nimi otwartej wrogości, to jednak oba obozy pozostały oddzielone. Rachele zachowywała ostrożny dystans, jakby była gotowa w każdej chwili sięgnąć po broń, gdyby zaistniała taka potrzeba. Gray zauważył pistolet, ukryty w kaburze pod rozpiętą kamizelką. Dziewięciomilimetrową berettę.

— Powinniśmy zaczynać — ponaglił Vigor. — Watykanowi

udało się uzyskać dla nas nieco prywatności, bo zażądał czasu na poświęcenie i pobłogosławienie kościoła po wyniesieniu ciał.

Monsinior poprowadził ich do środkowej nawy.

Poszczególne sekcje ławek zostały oznaczone za pomocą taśmy. Do każdej z nich przyczepiono kartkę z nazwiskami znalezionych tu zmarłych. Gray obszedł dookoła zaznaczony kredą kształt. Krew została już usunięta, ale plamy pozostały na zaprawie między kamiennymi płytami posadzki. Żółtymi markerami oznaczono miejsca, gdzie leżały łuski po pociskach, dawno zabrane już przez specjalistów od medycyny sądowej.

Gray popatrzył wzdłuż nawy, wyobrażając sobie, jak to musiało wyglądać, kiedy weszła tu policja. Wszędzie powyginane konwulsyjnie martwe ciała, a woń przypalonej krwi znacznie ostrzejsza. Miał wrażenie, że jego zmysły rejestrują echo krzyków pełnych boleści, zamkniętych w kamiennych ścianach tak samo wyraźnie jak wszechobecny smród. Na samą myśl przeszył go dreszcz. Był katolikiem, więc uważał, że taki mord wykracza poza granice zwykłej zbrodni. To był afront wyrządzony samemu Bogu. Dzieło szatana.

Czy to także należało do zbrodniczego planu?

Zamienienie święta wiary w czarną mszę.

Monsinior przemówił, przyciągając znowu jego uwagę.

— Tam ukrył się chłopak.

I wskazał na budkę konfesjonału, umiejscowioną w połowie długiej nawy.

Jason Pendleton. Jedyny, któremu udało się przeżyć.

Gray poczuł coś w rodzaju ponurej satysfakcji, że nie wszyscy umarli tej krwawej nocy. Napastnicy popełnili błąd. Byli omylni. Byli ludźmi. Skoncentrował się na tej myśli. Chociaż sam czyn wydawał się dziełem demona, ręka, która go popełniła, należała do człowieka. Oczywiście nie znaczyło to, że nie były to demony, które przybrały ludzką postać.

Ale ludzie mogą zostać złapani i ukarani.

Dotarli do znajdującego się na podwyższeniu sanktuarium i wyłożonego marmurowymi płytami ołtarza, obok którego znajdowała się *cathedra* — fotel z wysokim oparciem, przeznaczony dla biskupa. Vigor i jego siostrzenica uczynili znak krzyża. Vigor przykłęknął na jedno kolano i po chwili wstał. Następnie przeprowadził ich przez bramkę do otoczonego metalowymi prętami prezbiterium. Stojący wewnątrz ołtarz także był obrysowany kredą, a wapienne i marmurowe wypełnienia poplamione krwią. Policyjne taśmy oddzielały całą część prezbiterium znajdującą się po prawej stronie.

Leżał tam na boku, roztrzaskany o kamienną podłogę, złoty sarkofag. Jego górna część spoczywała dwa stopnie niżej. Gray zrzucił plecak i przyklęknął obok.

Złoty relikwiarz — kiedy jeszcze był w całości — przedstawiał miniaturę rzeczywistego kościoła; na bokach widniały zwieńczone łukami okna oraz wyrzeźbione w złocie sceny z życia Chrystusa, od adoracji Trzech Króli aż do Męki i Ukrzyżowania, zdobione rubinami i szmaragdami.

Gray naciągnął parę lateksowych rękawiczek.

— Czy tu właśnie schowane były kości Mędrców?

Vigor skinął głową.

— Od trzynastego wieku.

Kat dołączyła do Graya.

— Widzę, że policja szukała już odcisków palców — powiedziała, wskazując na białawy proszek w pęknięciach i załamaniach powierzchni relikwiarza.

— Ale niczego nie znaleźli — dorzuciła Rachele.

Monk podniósł głowę i popatrzył wzdłuż nawy.

— I nic innego nie zostało stąd zabrane?

— Zrobiono pełną inwentaryzację — ciągnęła Rachele. — Już mieliśmy okazję porozmawiać z ludźmi, którzy tu pracują, nie wyłączając księży.

— Być może też będę chciał z nimi zamienić parę słów — mruknął Gray, nie odrywając uwagi od rozbitej skrzyni.

— Ich pokoje mieszczą się po drugiej stronie klasztornego podwórca. — W głosie Rachele pojawiła się hardość. — Nikt niczego nie widział ani nie słyszał. Ale jeśli masz ochotę tracić czas, to proszę bardzo.

Gray podniósł głowę.

— Powiedziałem tylko, że może będę chciał z nimi zamienić parę słów — powtórzył spokojnie.

Spoglądała na niego bez mrugnięcia.

— A ja odniosłam wrażenie, że to śledztwo ma być wspólne.

Jeśli będziemy nawzajem sprawdzać każdy swój krok, do niczego nie dojdziemy.

Gray odetchnął głęboko. Na razie pracowali razem zaledwie kilka minut, a już pannica pozwalała sobie na pouczenia. Powinien był właściwie odczytać jej uprzednią powściągliwość i mniej się nią przejmować.

Vigor położył rękę na ramieniu siostrzenicy.

— Zapewniam cię, że księża zostali dokładnie przesłuchani. Od moich kolegów, u których rozwaga w mowie często bierze górę nad zdrowym rozsądkiem, raczej nie udałoby ci się dowiedzieć niczego innego, zwłaszcza że przepytywałby ich ktoś, kto nie nosi koloratki.

Za ich plecami odezwał się Monk.

— Wszystko pięknie, ale czy możemy wrócić do mojego pytania?

Wszystkie oczy zwróciły się w jego stronę. Uśmiechał się od ucha do ucha, ale był to cierpki uśmiech.

— Wydaje mi się, że pytałem, czy zabrano stąd również coś innego?

Gray poczuł, że uwaga obecnych skupiła się na koledze. Jak zwykle Monk pośpieszył z odsieczą. Prawdziwy dyplomata w płynnej zbroi.

Rachele wbiła w Monka bezkompromisowe spojrzenie.

— Jak już wspomniałam, nic...

— Tak jest, poruczniku. Ale byłem po prostu ciekawy, czy w katedrze przechowywano jakieś inne relikwie? Jakiekolwiek relikwie, których złodzieje nie zabrali.

Rachele zmarszczyła brwi, zupełnie zbita z tropu.

— Pomyślałem — wytłumaczył Monk — że wiedza o tym, czego złodzieje nie zabrali, może być równie pouczająca jak informacja o tym, co zginęło.

Twarz dziewczyny nieco złagodniała. Widocznie rozważyła w myślach słowa Monka. Jej gniew ulotnił się bez śladu.

Gray pokręcił głową. Jak ten Monk to robił?

— Na zewnątrz nawy znajduje się skarbiec — rzekł monsinior. — Tam przechowywane są relikwie z pierwotnego romańskiego kościoła, który kiedyś stał w tym miejscu: laska i łańcuch świętego Piotra oraz kilka drzazg z krzyża Chrystusa. Tak samo

gotycki pastorał z czternastego wieku i inkrustowany szlachet‑
nymi kamieniami miecz elektorski z piętnastego wieku.

— I jak rozumiem, nic ze skarbca nie zginęło.

— Wszystko zostało już spisane — odpowiedziała za wuja
Rachele. Jej spojrzenie pozostało czujne i skoncentrowane. —
Niczego nie skradziono.

Kat przykucnęła obok Graya, ale nie spuszczała oczu z tych,
którzy stali.

— Więc okazuje się, że zabrano tylko kości. Dlaczego?

Gray ponownie skupił uwagę na otwartym sarkofagu. Wyjął
z plecaka latarkę ołówkową i uważnie przyglądał się wnętrzu.
Nie było tam żadnych kresek ani rys. Po prostu gładka złota
powierzchnia. Na samym dnie leżało trochę białawego pyłu. Czy
to resztka proszku do szukania odcisków? A może odrobina
zmiażdżonych kości?

Był tylko jeden sposób, żeby się o tym przekonać.

Gray odwrócił się do plecaka i wyciągnął stamtąd zestaw do
zbierania próbek. Następnie miniaturowym odkurzaczem na
baterie wciągnął pył do sterylnej probówki.

— Co robisz? — zainteresowała się Rachele.

— Jeśli ten pył pochodzi z kości, to może znajdziemy od‑
powiedź na kilka pytań.

— Na przykład...?

Wyprostował się i obejrzał zawartość probówki.

— Może będziemy mogli przeprowadzić test sprawdzający
wiek tych kości. Żeby się przekonać, czy rzeczywiście pochodzą
od kogoś, kto żył w czasach Chrystusa. Bo może nie. Może tę
zbrodnię popełniono po to, żeby odzyskać szczątki kogoś, kto
niegdyś należał do Trybunału Smoka. Na przykład jakiegoś
dawnego lorda albo księcia.

Gray opieczętował próbkę i schował do plecaka.

— Tak samo chcę zebrać kawałki szkła z gabloty chroniącej
relikwiarz. To pozwoli nam znaleźć odpowiedź na pytanie, w jaki
sposób urządzenie, które mieli ze sobą napastnicy, strzaskało
kuloodporną szybę. Nasze laboratoria zbadają mikrostrukturę
krystaliczną, żeby poznać wzór pęknięć.

— Ja się tym zajmę — oświadczył Monk, ciskając na podłogę
swój plecak.

— A kamień? — spytała Rachele. — Albo inne materiały, które znajdują się w katedrze?

— Co masz na myśli? — zdziwił się Gray.

— Cokolwiek spowodowało śmierć wiernych, mogło wpłynąć również na strukturę kamienia, marmuru, drewna czy plastiku. I wywołać jakieś zmiany, których nie widać gołym okiem.

Nie wpadło mu to do głowy, chociaż powinno. Monk napotkał jego spojrzenie i uniósł lekko brwi. Pani porucznik karabinierów udowadniała, że jest kimś więcej niż tylko ładną laleczką.

Gray poszukał wzrokiem Kat, żeby zlecić jej zebranie próbek, ale ona była zajęta własną pracą. Kątem oka zauważył, że zaczęła oglądać relikwiarz, aż w końcu przykucnęła i wsadziła głowę do środka, żeby przyjrzeć się czemuś z bliska.

— Kat?

Uniosła malutką szczotkę z włosia norki.

— Chwileczkę... — powiedziała.

W drugim ręku trzymała palnik w kształcie pistoletu. Nacisnęła spust i z lufy z sykiem wytrysnął drobny płomyczek. Po kilku sekundach szarawy proszek zaczął się topić, wrzeć i pienić, aż przeistoczył się w przezroczystą ciecz o bursztynowym odcieniu. Parę kropli spadło na zimną marmurową podłogę i zastygło. Poblask żółtawych kropli na białym marmurze nie pozostawiał wątpliwości.

— Złoto... — szepnął Monk.

Oczy wszystkich obecnych w napięciu śledziły wynik eksperymentu.

Kat wyprostowała się i zdmuchnęła zapalniczkę.

— To resztki prochu z relikwiarza... To ten sam proszek, którym zanieczyszczono opłatki. Jednoatomowe złoto.

Grayson przypomniał sobie słowa dyrektora Crowe'a, który opowiadał o wynikach laboratoryjnych testów i o tym, jak proszek pod wpływem temperatury przeistoczył się w szklistą substancję będącą w rzeczywistości czystym złotem.

— To złoto? — spytała niepewnie Rachele.

Sigma dostarczyła Watykanowi pobieżnych informacji o zatrutych opłatkach, tak żeby można było pod tym kątem sprawdzić watykańskie piekarnie i dostawy. Dwoje szpiegów zostało o tym powiadomionych, ale najwyraźniej wciąż nie pozbyli się wątpliwości.

— Jesteście pewni? — dodała po chwili.

Kat w międzyczasie zajęła się przygotowaniem potwierdzającego badania. Wyciągnęła z plecaka zakraplacz i jego zawartość umieściła na szklanej płytce. Gray doskonale wiedział, jaka substancja znajduje się w zakraplaczu. Cyjanek. Właśnie z myślą o takiej okazji zostali wyposażeni w odczynniki z laboratoriów Sigmy. Od wieków poszukiwacze złota stosowali zabieg zwany odzyskiwaniem kruszcu, polegający na rozpuszczaniu w cyjanku złota zmieszanego ze żwirem i innymi zanieczyszczeniami.

Kiedy kropla roztworu zetknęła się z proszkiem, szkło jakby uległo wytrawieniu. Ale zamiast mlecznego śladu po chwili uformowała się wąziutka złota ścieżka, wyrzeźbiona przez cyjanek, jak żyłka metalu zaklęta w szkle. Ta próba nie pozostawiała żadnych wątpliwości.

Monsinior Verona patrzył na to bez mrugnięcia okiem, a jego palce bezwiednie dotykały koloratki.

— I rynek Miasta to czyste złoto jak szkło przeźroczyste... — zamruczał w pewnej chwili.

Gray rzucił na niego zagadkowe spojrzenie.

— To z Apokalipsy... — Ksiądz pokręcił głową. — Nie zwracaj na mnie uwagi.

Uwadze Graysona nie umknęło jednak, że ksiądz nagle zamknął się w sobie, jakby popadł w głęboką zadumę, i to, co dzieje się dookoła, docierało do niego zaledwie w połowie. Czy wiedział coś więcej? Gray wyczuwał, że ksiądz nie tyle ma zamiar zatrzymać swoją wiedzę dla siebie, ile po prostu potrzebuje czasu na przemyślenie pewnych spraw.

Milczenie przerwała Kat. Przez dłuższą chwilę pochylała się nad próbką ze szkłem powiększającym w jednym ręku, a lampą ultrafioletową w drugim.

— Wydaje mi się, że tu jest coś więcej niż złoto. Moim zdaniem te drobinki to okruchy srebra.

Gray przysunął się bliżej. Kat wręczyła mu szkło powiększające i osłoniła próbkę ręką, żeby błękitna poświata ultrafioletu lepiej ją ogarniała. Faktycznie, w żyłkach metalicznego złota gdzieniegdzie błyszczały srebrne drobiny.

— Równie dobrze to może być platyna — zauważyła Kat. — Zwróć uwagę, że w stanie jednoatomowym może występować każdy pierwiastek przejściowy z tablicy Mendelejewa. Dotyczy to również platyny.

Gray skinął głową.

— Być może wcale nie mamy do czynienia z czystym złotem, lecz z jego mieszaniną z platyną. Z amalgamatem rozmaitych metali w stanie m.

Rachele nie odrywała wzroku od poprzecinanego złotymi żyłkami szkła.

— Czy ten pył powstał na skutek starcia się części sarkofagu? Może złoto kruszy się z wiekiem albo dzieje się z nim coś podobnego?

Gray pokręcił przecząco głową.

— Proces przemiany metalicznego złota w złoto jednoatomowe jest dość skomplikowany. Sam upływ czasu by tego nie dokonał.

— Ale porucznik mówi o czymś innym — zauważyła Kat. — Może urządzenie wpłynęło jakoś na złoto z relikwiarza i częściowo je przeistoczyło. Ciągle nie mamy pojęcia, jaki jest mechanizm tego...

— Chyba mam pewien pomysł — odezwał się Monk.

Stał właśnie przy roztrzaskanej gablocie ze szkła kuloodpornego i zbierał jego odłamki. Teraz jednak ruszył w stronę masywnego żelaznego krzyża, który wisiał na wsporniku kilka metrów dalej.

— Zdaje się, że spece od zabezpieczania śladów przeoczyli łuskę — powiedział.

Spod stóp ukrzyżowanego Chrystusa ostrożnie wyjął łuskę. Następnie odsunął się o krok, wyciągnął rękę z łuską w kierunku krzyża i po prostu ją puścił. Szybowała w powietrzu dwa metry, a następnie z brzęczącym „ping" przylgnęła do krzyża.

— Jest namagnetyzowana — oznajmił Monk.

Gdzieś obok rozległo się następne „ping". Głośne, ostrzejsze. Krzyż przekręcił się dookoła wspornika o sto osiemdziesiąt stopni.

Przez pół sekundy Gray nie mógł zrozumieć, co się właściwie stało.

Monk dał nura pod ołtarz.

— Padnij! — ryknął z całej siły.

Zaraz za pierwszym strzałem zadźwięczały kolejne.

Gray poczuł, jak coś silnie kopnęło go w ramię, o mały włos nie zwalając z nóg, ale płynna zbroja ochroniła go przed poważniejszymi obrażeniami. Rachele chwyciła go za rękę i wciągnęła między rzędy ławek. Pociski odłupywały drzazgi z drewnianych elementów i w potoku iskier odbijały się od marmuru i kamienia.

Kat schroniła się na podłodze razem z Vigorem i osłoniła go własnym ciałem. Dostała postrzał w udo, prawie upadła, ale zaraz potem skoczyli za ołtarz, gdzie czekał na nich Monk.

Gray zdołał kątem oka dostrzec napastników.

Mężczyzn w długich habitach, z kapturami nasuniętymi głęboko na czoło.

Nagle rozległ się głuchy trzask. Gray podniósł wzrok i zauważył czarny przedmiot wielkości pięści, który szybował na ukos przez całą szerokość kościoła.

— Granat! — wrzasnął.

Chwycił swój plecak i wepchnął Rachele w przejście między rzędami ławek. Na czworakach zaczęli uciekać w stronę południowej ściany katedry.

3.20

Kiedy Monk usłyszał wrzask Graya, miał zaledwie ułamek sekundy na reakcję. Jednocześnie powalił na ziemię Kat i monsiniora, a sam rozpłaszczył się na nich, osłonięty przez kamienny ołtarz.

Granat uderzył o najdalszą ze ścian i eksplodował, co w tych murach zabrzmiało jak wystrzał z moździerza. Kaskada marmurowych odłamków posypała się na wszystkie strony, zasypując obficie drewniane ławki. Kłęby dymu wzbiły się w górę.

Na wpół ogłuszony hukiem Monk jednym szarpnięciem postawił Kat i Vigora na nogi.

— Za mną! — rzucił.

Tu czekała ich pewna śmierć. Wystarczyłby jeden granat wrzucony za ołtarz, a zostałaby z nich sieczka. Musieli koniecznie znaleźć dogodniejszą pozycję do obrony.

Monk rzucił się w kierunku północnej ściany, a za jego plecami rozległa się kanonada. Tymczasem Gray przedzierał się ku przeciwległej ścianie. Po prostu znakomicie. Jeśli uda im się tam dotrzeć, będą mogli wziąć w krzyżowy ogień centralną część katedry.

Wydostawszy się zza osłony ołtarza, Monk parł co sił na ukos przez sanktuarium. Kierował się w stronę najbliższej kryjówki, którą — jak sądził — znajdzie za szerokimi drewnianymi drzwiami. Strzelcy dostrzegli jego manewr. Pociski zagrzechotały o marmurową posadzkę, rykoszetowały od kolumn i rozdzierały drewniane ławki. Tym razem strzelano ze wszystkich stron. Najwyraźniej większa liczba zamachowców wtargnęła do wnętrza kościoła, otaczając ich ciasnym kręgiem i odcinając drogę ucieczki.

Jak najszybciej musieli znaleźć bezpieczne schronienie.

Monk wyszarpnął zza pasa broń. Strzelbę z obciętą lufą. W biegu oparł ją w zgięciu lewego łokcia i nacisnął spust. Razem z hukiem dobiegło ich jakieś donośne chrząknięcie od strony ławek. Przy tego typu broni, jaką miał w ręku Monk, precyzyjne celowanie było sprawą drugorzędną.

Wysuwając naprzód lufę, skierował ją w stronę klamki. Nie liczył na to, że te drzwi okażą się upragnionym wyjściem na zewnątrz, ale sądził, że przynajmniej pozwolą im wydostać się z nawy głównej. Z odległości kilku kroków wpakował w zamek kilka pocisków, nie zważając na nieśmiały protest monsiniora Verony.

Po prostu nie było czasu na dyskusję.

Pociski wyrwały dziurę wielkości pięści, rozwalając całą klamkę i zamek. Nie zatrzymując się ani na chwilę, Monk uderzył w drzwi. Pod naporem jego ramienia ustąpiły, otwierając się na oścież. Wpadł do środka, a zaraz za nim Kat i monsinior. Kat odwróciła się, kulejąc, i próbowała zamknąć drzwi.

— Nie — odezwał się ksiądz.

I nagle Monk zrozumiał sprzeciw Verony.

Zamknięte łukowatym sklepieniem pomieszczenie przypominało wielkością garaż dla jednego samochodu. Monk gapił się na szklane urny, wypełnione starymi szatami liturgicznymi i insygniami oraz fragmentami rzeźb. W przyćmionym świetle niektóre ze skrzyń lśniły od złota.

To był katedralny skarbiec.
Stąd nie było wyjścia.
Znajdowali się w pułapce.
Kat przyjęła odpowiednią pozycję i ściskając w ręku glocka, wyjrzała przez wyrwaną w drzwiach dziurę.
— Idą tutaj — wyszeptała.

3.22

Zanim Rachele dotarła do końca rzędu, dostała zadyszki. Nadlatujące ze wszystkich stron pociski uderzały tuż nad jej głową, odłupując z osłaniających ją ławek kawałki drewna.

Wybuch granatu wciąż odbijał się echem w głowie dziewczyny, ale powoli powracał jej słuch. Z pewnością księża i ludzie z obsługi zaniepokojeni hałasem zdążyli już zadzwonić na policję.

Strzelanina na moment ustała, kiedy zakapturzeni napastnicy zmienili pozycje, żeby otoczyć środkowy rząd.

— Biegnij do tamtej ściany — ponaglił ją Gray. — Za kolumnami. Będę cię osłaniał.

Rachele dostrzegła trzy filary stojące w półkolu, na których wspierało się sklepienie. Na pewno było tam bezpieczniej niż między dwoma rzędami ławek. Na wszelki wypadek znów zerknęła na Amerykanina.

— Na mój sygnał — powiedział, kucając. Ich spojrzenia się spotkały. Dostrzegła w jego wzroku odrobinę zdrowego strachu, ale również pełną determinacji koncentrację. Skinął głową w jej stronę, obejrzał się dookoła, przygotował, a potem krzyknął: — Już!

Rachele wyfrunęła z końca rzędu. Za jej plecami rozległa się seria głośnych wystrzałów, o wiele donośniejsza niż strzały zamachowców. Najwyraźniej komandor zapomniał założyć tłumik.

Uderzyła w marmurową podłogę. Przetoczyła się za kolumny i natychmiast poderwała na równe nogi, przyciskając plecy do olbrzymiego filara. Następnie ostrożnie wychyliła się zza kamiennej osłony i ujrzała jak komandor Pierce wycofuje się w jej kierunku, naciskając jednocześnie spusty obu pistoletów.

Przyodziana w habit postać na końcu tego samego rzędu upadła w tył, odrzucona przez pociski. Inny napastnik, w środkowym rzędzie, krzyknął przeraźliwie i złapał się za gardło, z którego trysnęła fontanna krwi. Na ten widok pozostali rzucili się na ziemię. Po drugiej stronie katedry Rachele spostrzegła pięciu czy sześciu mężczyzn, zgromadzonych przy drzwiach, które prowadziły do skarbca. Ci strzelali non stop.

W końcu komandor Pierce dopadł do grupy kolumn, dysząc ciężko. Rachele zwinnie przesunęła się na drugą stronę, żeby rzucić okiem na to, co działo się przy ścianie. Do tej pory żaden z zamachowców nie zdołał się tam przedrzeć, choć Rachele była pewna, że to tylko kwestia czasu.

— I co teraz? — spytała, wyszarpując broń z kabury przewieszonej przez ramię. Była to ta sama beretta, którą dostała od karabiniera podczas wariackiej jazdy do Watykanu.

— Ten rząd kolumn biegnie równolegle do zewnętrznej ściany. Będziemy posuwać się pod ich osłoną wzdłuż nawy i strzelać do wszystkiego, co się rusza.

— Ale po co?

— Żeby wyrwać się z tej pułapki, do cholery!

Rachele zmarszczyła brwi. A pozostali?

Komandor Pierce chyba wyczuł jej zaniepokojenie.

— Kiedy ruszymy w kierunku ulicy, przy okazji postaramy się odciągnąć tylu tych sukinsynów, ilu się da.

Skinęła głową. Ich zadaniem było teraz odegrać rolę przynęty.

— No to do dzieła.

Kolumny rozstawione wzdłuż południowej ściany dzieliła jedną od drugiej odległość mniej więcej dwóch metrów. Ruszyli śmiało, schyleni, starając się wykorzystać wystające z nawy głównej rzędy ławek jako dodatkową ochronę. Pierce strzelał w górę, podczas gdy Rachele skutecznie zniechęcała napastników do wślizgnięcia się pomiędzy rząd kolumn a ścianę, bez zastanowienia biorąc na cel każdy cień.

Na razie ich taktyka zdawała egzamin. Ściągali na siebie ogień przeciwnika, co niestety opóźniało marsz. Ponadto znów mógł polecieć w ich stronę granat. Zdołali przebyć zaledwie połowę drogi, kiedy przeskakiwanie od filara do filara stało się wręcz niewykonalne.

W pewnym momencie Amerykanin otrzymał cios w plecy, tak silny, że rozpłaszczył się na podłodze. Rachele wstrzymała oddech, ale on zdołał podnieść się o własnych siłach.

Teraz ona przesuwała się wzdłuż alei jak najbliżej ściany, kierując pistolet to w tył, to przed siebie. Tak skupiła się na tym, co dzieje się przed nią, że popełniła ten sam błąd co zamachowcy zeszłej nocy.

Nagle drzwi konfesjonału otworzyły się z trzaskiem i zanim zdołała wykonać jakikolwiek ruch, czyjeś ramię owinęło się jej wokół szyi. Ktoś wytrącił jej z dłoni pistolet, a w następnej chwili poczuła na karku chłód lufy.

— Nie ruszaj się — rozkazał głęboki bas, kiedy komandor próbował przyjść jej z pomocą. Ramię napastnika trzymało ją w stalowym uścisku; ledwie mogła oddychać. Miała wrażenie, że ten człowiek musi być gigantycznego wzrostu, bo tak ciągnął ją w górę, że praktycznie stała na czubkach palców.

Kanonada ucichła. Teraz stało się jasne, dlaczego nikt nie rzucił w ich stronę granatu. Jak ostatni głupcy sądzili, że torują sobie drogę ucieczki, a tymczasem strzelcy przeciwnika krok po kroku wciągali ich w pułapkę.

— Rób, jak ci kazano — rozległ się jedwabisty głos, dobiegający z przylegającej do konfesjonału budki dla penitenta. Drzwi stanęły otworem i wysunęła się z nich jakaś smukła postać, ubrana w kombinezon z czarnej skóry.

To nie był żaden z mnichów, lecz kobieta. Szczupła, o azjatyckiej urodzie.

Uniosła na wysokość oczu swój pistolet, czarny sig sauer, i wycelowała prosto w twarz Graya.

— *Déjà vu*, komandorze Pierce?

3.26

Największym problemem były drzwi. Kiedy zabrakło zamka, każde uderzenie pocisku groziło tym, że w końcu staną otworem. Nie odważyli się jednak blokować ich własnymi ciałami, bo choć większość pocisków grzęzła w solidnych deskach, to jednak kilka trafiło w słabsze miejsca i zdołało je przebić. Solidne drzwi przypominały teraz ser szwajcarski.

Monk trzymał jedną nogę opartą o framugę i blokował skrzydło obcasem, sam schowany za sąsiednią ścianą. Pociski uderzały bez przerwy i grzechotały tuż obok jego kolana.

— No chodźcie bliżej, sukinsyny — ponaglił.

Wsadził lufę swojej broni w jedną z dziur i wystrzelił na oślep. Dymiąca jeszcze łuska wysunęła się z magazynka, uderzyła w jedną ze szklanych gablot ze skarbami, a następnie odbiła się od niej jak piłka. Seria strzałów sprawiła, że napastnicy zaczęli być ostrożniejsi. Teraz prowadzili ostrzał z bezpiecznej odległości, jakby wiedzieli, że ich ofiary znalazły się w pułapce bez wyjścia.

Na co czekali?

Monk spodziewał się, że lada moment pod drzwi potoczy się granat, i modlił się, żeby kamienna ściana zapewniła im wystarczającą osłonę. Tylko co dalej? Jeśli drzwi zostaną rozwalone, ich szanse będą równe zeru.

I raczej nie mogli oczekiwać, żeby ktoś pośpieszył im na ratunek. Monk słyszał grzechotanie broni Graya, które odbijało się głośnym echem po całym wnętrzu. Wyglądało na to, że Pierce wycofuje się w kierunku głównego wejścia. Monk był przekonany, że komandor robi to po to, żeby ściągnąć na siebie ogień i w ten sposób im pomóc. Chyba tylko tym należało tłumaczyć fakt, że wciąż jeszcze pozostawali przy życiu.

Ale teraz broń Graya zamilkła.

Mogli liczyć jedynie na siebie.

Nowa fala pocisków uderzyła w drzwi, trafiając w opartą o framugę nogę Monka. Z wysiłku paliło go całe udo; czuł, jak zaczynają drżeć mu mięśnie.

— Chłopaki, teraz albo nigdy!

Nagle jego uwagę zwróciło jakieś pobrzękiwanie. To monsinior Verona walczył z pękiem kluczy, które dostał od dozorcy katedry, starając się otworzyć trzecią z kuloodpornych gablot. Chyba wreszcie znalazł właściwy klucz, bo Monk usłyszał okrzyk ulgi, a zaraz potem przednia część gabloty otworzyła się szeroko jak brama.

Kat sięgnęła ponad jego ramieniem i chwyciła długi miecz. Ozdobna broń, na oko pochodząca z piętnastego wieku, miała rękojeść wysadzaną złotem i drogimi kamieniami, ale jej ostrze, długie na metr, wykonane było z błyszczącej stali. Kat wyszarpnęła ją z pochwy i ciągnąc za sobą, przemierzyła kilka kroków, a potem jednym zręcznym ruchem wbiła miecz pomiędzy drzwi a framugę i zablokowała skrzydło, starając się przy tym nie wchodzić w pole rażenia.

Monk wycofał nogę i zaczął rozcierać obolałe kolano.

— W samą porę... — mruknął.

Ponownie wepchnął lufę swojej strzelby w którąś z dziur w drzwiach i wypalił — bardziej ze złości niż w nadziei, że trafi któregoś z napastników.

Kiedy seria strzałów zmusiła atakujących do odsunięcia się o krok, Monk zaryzykował i na ułamek sekundy wyjrzał na zewnątrz. Jeden z zamachowców leżał tuż obok na plecach w kałuży krwi, tylko z połową głowy. Któryś z oddanych na ślepo strzałów okazał się celny.

Ale napastnikom znudziła się już zabawa w kotka i myszkę.

Czarny błyszczący przedmiot w kształcie ananasa, podskakując między rzędami, zmierzał prosto w stronę drzwi. Na ten widok Monk rozpłaszczył się na kamiennej ścianie.

— Strzelajcie w dziurę!

3.28

Wybuch przyciągnął oczy wszystkich — poza Grayem. Nie mógł zrobić niczego, żeby tamtym pomóc.

Ponury uśmiech rozświetlił twarz wysokiego mężczyzny.

— Zdaje się, że wasi przyjaciele...

Rachele drgnęła. Pod wpływem chwilowego roztargnienia jej porywacz rozluźnił uścisk, być może nie doceniając siły szczupłej dziewczyny. Rachele opuściła głowę, by następnie uderzyć nią przeciwnika; trafiła go w żuchwę i do uszu obecnych doleciał trzask zębów.

Następnie z zadziwiającą szybkością uderzyła w opasujące ją ramię, jednocześnie zsuwając się w dół. Łokciem wymierzyła celny cios w brzuch przeciwnika i korzystając z elementu zaskoczenia, dodatkowo wbiła mu pięść w krocze.

Gray momentalnie wycelował broń w stronę kobiety w czarnym kombinezonie, ale ona była szybsza. Posunęła się o krok i lufa jej pistoletu znalazła się przed oczyma Pierce'a.

Wysoki mężczyzna upadł na kolana i zwinął się z bólu. Rachele jednym celnym kopnięciem odrzuciła daleko jego pistolet.

— Uciekaj! — syknął Gray, nie spuszczając oczu ze Smoczycy.

Agentka Gildii napotkała jego spojrzenie, a potem zrobiła zaskakującą rzecz. Odwróciła lufę sig sauera w kierunku wyjścia, a temu ruchowi towarzyszyło ponaglające kiwnięcie głową.

Pozwalała mu odejść.

Gray cofnął się o krok. Nie strzeliła do niego, ale trzymała go na muszce, gotowa do działania, gdyby zamierzał zaatakować.

Zamiast zastanawiać się nad konsekwencjami, Gray okręcił się wokół własnej osi i wypalił w stronę dwóch najbliższych zakapturzonych postaci. Najwidoczniej wybuch granatu nieco rozproszył napastników i dlatego nie dostrzegli dokonanej w okamgnieniu zmiany ról.

Nie zastanawiając się dłużej, Gray chwycił Rachele za ramię i pociągnął w kierunku wyjścia.

Tuż za nim rozległ się pojedynczy wystrzał. Pocisk ukąsił go w ramię; Gray obejrzał się, przeskakując jednocześnie kilka stopni naraz. Z lufy broni Smoczycy unosił się dym. Pomagała właśnie wysokiemu mężczyźnie podnieść się z podłogi, a po jej twarzy spływały strużki krwi. Sama się zraniła, żeby ukryć swój podstęp. I celowo spudłowała, celując do Graya.

Rachele podtrzymała go, żeby się nie przewrócił, a następnie dała nura za ostatnią kolumnę. Drzwi do przedsionka były już w zasięgu ręki. Nikt nie stał im na drodze.

Gray zaryzykował pośpieszne spojrzenie w głąb katedry, skąd dobiegały odgłosy ostrej strzelaniny. Zza wyrwanych drzwi do skarbca buchały kłęby czarnego dymu. Kilku zamachowców prowadziło ciągły ostrzał, żeby mieć pewność, że tym razem nikt się nie wymknie. Potem któryś z nich podbiegł i wrzucił do środka jeszcze jeden granat — dokładnie w sam środek ziejącego czernią wejścia.

Pozostali schylili się, kiedy nastąpił wybuch.

Z wnętrza wyleciały nowe kłęby dymu i resztki gruzu.

Gray odwrócił się z powrotem. Rachele także była świadkiem tej sceny i w jej oczach wezbrały łzy. Poczuł, jak nogi się pod nią uginają i jak na moment opiera się o niego całym ciężarem ciała. Na widok cierpienia dziewczyny poczuł w głębi serca ukłucie bólu. W przeszłości zdarzało się, że tracił towarzyszy broni i nauczył się odkładać żałobę na później.

Ale ona straciła właśnie kogoś z rodziny.

— Rusz się — powiedział szorstko. Przede wszystkim musiał znaleźć dla niej bezpieczne miejsce.

Podniosła na niego wzrok. Z jego zdecydowanej miny zdawała się czerpać siłę, jakby właśnie tego było jej trzeba. Nie współczucia, lecz siły. Widywał już wcześniej takie spojrzenie u walczących mężczyzn. Rachele wyprostowała się.

Wtedy ścisnął znacząco jej ramię.

W odpowiedzi skinęła głową. Była gotowa.

Ruszyli razem i uderzyli w drzwi, które prowadziły do przedsionka.

Okupowała go para zamachowców. Pilnowali zwłok dwóch ludzi ubranych w mundury niemieckiej policji — tych samych, którzy pełnili nocną straż przy ogrodzonym policyjną taśmą kościele. Dwóch terrorystów przebranych w mnisie habity nie dało się zaskoczyć. Jeden z nich w mgnieniu oka oddał serię strzałów, zmuszając Rachele i Graya do uskoczenia w bok. Nie udało im się dopaść do drzwi prowadzących na zewnątrz, lecz trafili do jakiegoś bocznego wejścia, które znajdowało się tuż przy nich po lewej stronie.

Drugi z mnichów wycelował i w ich kierunku wystrzeliła ściana ognia. Facet miał miotacz płomieni. Gray zdążył zatrzasnąć drzwi, ale języki ognia zaczęły lizać od spodu ościeżnicę. Odskoczył w tył, lecz zdążył spostrzec, że w drzwiach nie było zamka.

Obejrzał się przez ramię.

Tuż za nim pięły się w górę spiralne schody.

— Prowadzą na wieżę — wyjaśniła Rachele.

W drzwi uderzył grad pocisków.

— Idziemy — zdecydował.

Popchnął Rachele przed sobą i pobiegli po schodach, które kręciły się w nieskończoność. Gdzieś z dołu, za ich plecami rozległ się trzask otwieranych drzwi, a potem znajomy głos wrzasnął po niemiecku:

— Dostać mi tych skurwysynów! Spalić ich żywcem!

Bez wątpienia dźwięczny bas należał do wysokiego mężczyzny, przywódcy mnichów.

Na kamiennych schodach zatupały czyjeś pośpieszne kroki.

Ze względu na kształt klatki schodowej żadna ze stron nie miała możliwości oddania celnego strzału, ale mimo wszystko przewaga znajdowała się po stronie goniących. Gray i Rachele pędzili w górę, a tuż za nimi podążała ściana ognia, tryskając snopem iskier i błyskawicznie ogarniając spiralne schody.

Biegli wyżej i wyżej. W miarę jak wspinali się w zwężające się gardło strzelistej wieży, schody stawały się coraz bardziej strome. Teraz drogę znaczyły wysokie witrażowe okna, zbyt wąskie jednak, by mogli przecisnąć się przez któreś z nich na zewnątrz.

W końcu dotarli na poziom dzwonnicy. Masywny dzwon kołysał się łagodnie nad stalową kratą umieszczoną nad przepaścią, a dookoła niej znajdował się kamienny podest.

Przynajmniej tutaj okna były wystarczająco szerokie, żeby mogli się w nich zmieścić, i nie miały szyb, które tłumiłyby donośne dźwięki dzwonu — ale drogę do wolności zagradzały stalowe pręty osadzone we framugach.

— To taras widokowy dla zwiedzających — powiedziała Rachele.

Kurczowo trzymała pistolet — ten, który dostała od Graya — wycelowany w otwór klatki schodowej.

Pierce pośpiesznie rozglądał się dookoła. Stąd nie było innego wyjścia. U jego stóp otwierała się zapierająca dech w piersiach panorama miasta: migotały wody Renu, złączone wygiętym w łuk mostem Hohenzollerna, tysiącami światełek mieniło się Ludwig Museum, połyskiwał błękitny łuk Musical Dome Köln... Ale na leżące w dole ulice nie wiodła stąd żadna inna droga poza tą, którą przyszli.

Gdzieś w oddali rozlegało się wycie policyjnych syren, samotne i niesamowicie obce.

Gray podniósł oczy, nad czymś się zastanawiając.

Nagle z piersi Rachele wyrwał się okrzyk przerażenia. Gray odwrócił się ku niej, a w tym momencie z głębi klatki schodowej

157

wystrzelił słup ognia. Rachele odskoczyła w tył i przylgnęła do niego.

Ich czas dobiegł końca.

3.34

Poniżej, w katedrze, Jäger Grell z pistoletem w dłoni wkroczył do zbombardowanego skarbca. Przedtem musiał trochę poczekać, żeby dym po wybuchu drugiego granatu zdążył się ulotnić. Jego dwaj partnerzy dołączyli do grupy, która właśnie zakładała ładunki samozapalające przy głównym wejściu.

On też miał z nimi pójść — ale wcześniej chciał rzucić okiem na to, co zostało z ludzi, którzy zabili Renarda, jego towarzysza broni. Śmiało przekraczał próg, przygotowany na odór świeżej krwi i widok rozrzuconych dookoła wnętrzności.

Dyndające na zawiasach resztki drzwi sprawiały, że wchodzenie do środka mogło okazać się niebezpieczne. W wyciągniętej dłoni Grell dzierżył pistolet. Kiedy zrobił drugi krok, coś uderzyło go w rękę. Cofnął się, oniemiały ze zdziwienia, nie bardzo wiedząc, co się właściwie stało. Spoglądał na równo obcięty kikut w miejscu, gdzie przed chwilą była dłoń, i na tryskający zeń strumień krwi. Nie czuł wcale bólu, tylko bezgraniczne zdumienie.

Grell popatrzył w górę, akurat na czas, by ujrzeć miecz — miecz! — który ze świstem przecinał powietrze. Trafił go w szyję, zanim wyraz zdumienia zdążył zniknąć z jego twarzy.

Nie czuł kompletnie nic, kiedy jego ciało pochyliło się w przód, a głowa jakimś dziwnym trafem poleciała do tyłu.

A potem upadał, upadał, upadał... Aż cały świat odpłynął w bezdenną czerń.

3.35

Kat cofnęła się i opuściła wysadzany klejnotami miecz. Schyliła się, chwyciła trupa za ramię i odciągnęła, żeby nie leżał na widoku. W głowie wciąż jej dudniło od huku eksplozji.

Zaczęła coś szeptać do Monka — albo przynajmniej miała nadzieję, że zaczęła. Nie słyszała swoich własnych słów.

— Pomóż monsiniorowi.

Monk szeroko otwartymi oczyma gapił się to na pozbawione głowy zwłoki, to na miecz, który wciąż trzymała w ręku, a w jego wzroku oprócz przerażenia pojawiło się coś na kształt pełnego urazy szacunku. Posłusznie podszedł do jednej z kuloodpornych szklanych gablot i uwolnił stamtąd monsiniora Veronę, który zaplątał się w jakiś eksponat. Wszyscy troje schowali się w gablotach zaraz po wybuchu pierwszego granatu, podejrzewając, że to jeszcze nie koniec.

Jak widać, słusznie.

Kuloodporne gabloty spełniły swoje zadanie, bo dzięki nim udało się ocalić najcenniejszy skarb — życie całej trójki. Granat rozerwał się nad ich głowami, ale mocne szkło ich osłoniło. Dzięki temu przeżyli.

To Kat wpadła na ten pomysł.

Zaraz po drugim wybuchu, czując się tak, jakby doznała wstrząsu mózgu, Kat wygramoliła się ze swojej gabloty i znalazła na posadzce miecz. W tych okolicznościach okazał się znacznie bardziej przydatną bronią niż pistolet. Kat nie chciała strzelać, żeby nie zaalarmować pozostałych napastników.

Mimo wszystko ręka jej drżała. Pamiętała ostatnią walkę na noże, w jakiej brała udział... i jej następstwa. Zacisnęła palce na rękojeści, jakby chciała z twardej stali wyciągnąć trochę siły.

Za jej plecami monsinior Verona potykał się o własne stopy. Przyglądał się sobie ze zdumieniem, jakby nie mógł uwierzyć, że wszystkie kończyny znajdują się wciąż na właściwym miejscu.

Kat powróciła do drzwi. Poza tym martwym nieszczęśnikiem nikt ze strzelców nie zwracał na nich najmniejszej uwagi. Wszyscy tłoczyli się przy wejściu.

— Powinniśmy się stąd ruszyć. — Kat ponagliła gestem swoich towarzyszy.

Przyklejając się do ściany, poprowadziła ich w stronę przeciwną do głównego wejścia i zgromadzonych tam napastników.

159

Dotarli do miejsca, gdzie nawa krzyżowała się z transeptem. Kat dała znak, żeby obeszli to miejsce.

Kiedy już znaleźli się poza zasięgiem wzroku strzelców, monsinior machnął ręką, pokazując drogę wzdłuż transeptu.

— Tamtędy — szepnął.

Tam znajdowały się drugie tylne drzwi. Drugie wyjście. Niestrzeżone.

Ściskając w dłoni piętnastowieczny miecz, Kat pośpieszyła w tamtą stronę. Im udało się przeżyć.

A co z resztą?

3.38

Rachele strzeliła z pistoletu w paszczę spiralnej klatki schodowej, licząc w myślach naboje. Dziewięć. Mieli zapas amunicji, tylko nie było czasu na wymianę magazynka. Komandor Pierce był zbyt zajęty.

W końcu zaczęła strzelać na oślep, sporadycznie, i tylko po to, żeby trzymać atakujących na dystans. Jęzor ognia co chwila lizał skraj podestu.

Ta patowa sytuacja nie mogła dłużej trwać.

— Gray! — krzyknęła, nie zważając na formalności i stopnie.

— Jeszcze sekunda — odpowiedział ukryty za dzwonem.

Kiedy jęzor ognia zaczął maleć, podniosła pistolet i nacisnęła spust. Musiała ich jakoś powstrzymać. Pocisk uderzył w kamienną ścianę i zrykoszetował.

A potem otworzył się magazynek jej pistoletu.

Koniec amunicji.

Rachele cofnęła się i biegiem okrążyła dzwon.

Gray zdążył w tym czasie zdjąć plecak i teraz był zajęty przywiązywaniem liny do stalowego pręta w jednym z okien. Drugi koniec owinął sobie dookoła pasa, a luźno zwiniętą pętlę zarzucił na ramię. Za pomocą ręcznego lewarka z zestawu narzędzi odciągnął dwa pręty na tyle, żeby można było przecisnąć się między nimi na zewnętrzny parapet.

— Potrzymaj linę — polecił.

Posłusznie wzięła z jego rąk nylonowy zwój mniej więcej

pięciometrowej długości. Z czeluści klatki schodowej buchnął świeży kłąb dymu i ognia. Tamci wciąż badali sytuację, ale ostrożnie posuwali się w górę.

Gray chwycił swój plecak i przecisnął się między prętami. Kiedy już znalazł się na zewnątrz, założył go z powrotem i odwrócił się do Rachele.

— Lina — powiedział krótko.

Podała mu ją.

— Uważaj na siebie.

Zaśmiał się.

— Chyba ciut za późno na takie gadki.

Wpatrzył się w dół, między palce stóp. To chyba niezbyt mądre, pomyślała Rachele. Widok stumetrowej przepaści mógł zmiękczyć kolana każdemu... a teraz właśnie siła nóg mogła zdecydować o powodzeniu akcji.

Stojąc na zewnętrznym parapecie południowej iglicy Gray spojrzał przed siebie.

Zaledwie cztery metry dalej, nad śmiertelnie niebezpieczną przepaścią, wznosiła się północna iglica, bliźniacza siostra południowej. Zamknięta dla turystów, nie miała w oknach stalowych prętów ani innych zabezpieczeń. Ale i tak nie było najmniejszych szans, żeby przeskoczyć z okna na okno. Na pewno nie ze stojącej pozycji. Gray planował, że zanurkuje na wprost przed siebie i spróbuje uchwycić się jakiegokolwiek elementu z bogato dekorowanej fasady, który mógłby utrzymać jego ciężar.

Ryzyko było olbrzymie, ale inna droga ucieczki po prostu nie istniała.

Musieli się stąd wydostać.

Gray zgiął kolana. Rachele wstrzymała oddech, a zwiniętą w pięść dłoń przycisnęła do szyi.

Bez sekundy zawahania Gray pochylił się i skoczył, wyginając w łuk ciało i odrzucając jak najdalej zwój liny. Przeleciał nad przepaścią i uderzył w ścianę północnej wieży, tuż pod oknem. Wyrzucił w górę ramiona, jakimś cudem natrafił na krawędź parapetu i mocno zacisnął na nim palce. Ale siła uderzenia odrzuciła go od ściany, a ręce nie były wystarczająco mocne, by utrzymać ciężar ciała. Gray zaczął się obsuwać.

— Lewa stopa! — wrzasnęła do niego Rachele.

Usłyszał jej krzyk. Końcem lewej stopy przejechał po kamiennej powierzchni, trafił na gargulca o twarzy demona i oparł nogę o jego głowę.

Kiedy już udało mu się zatrzymać, z powrotem uchwycił krawędź parapetu na wyższym piętrze i znajdując kolejną rzeźbę dla oparcia prawej nogi, przykleił się do ściany jak mucha. Wziął głęboki oddech, żeby się uspokoić, a potem zaczął się podciągać, aż w końcu wygramolił się na parapet.

Rachele zaryzykowała szybkie spojrzenie w tył, schylając się, żeby zerknąć pod dzwonem. Zdawała sobie sprawę, że napastnicy z pewnością zrozumieli, dlaczego jej broń nagle zamilkła.

Nie mogła czekać ani chwili dłużej. Bez zastanowienia przecisnęła się pomiędzy prętami. Parapet na zewnątrz był śliski od gołębich odchodów, a porywy wiatru zdradliwe i niebezpieczne.

Po drugiej stronie przepaści Gray kończył przywiązywać linę, tworząc w ten sposób prowizoryczny most.

— Szybciej! Uda się, zaufaj mi!

Napotkała jego spojrzenie i dostrzegła w nim pełne przekonanie.

— Zaufaj mi — powtórzył.

Przełknęła ślinę i wyciągnęła rękę. Nie patrz w dół, powtarzała sobie, chwytając linę. Raz jedna ręka, raz druga. To wszystko, co musisz zrobić.

Wychyliła się i zacisnęła na linie obie dłonie tak mocno, że zbielały kostki. Palcami stóp wciąż dotykała brzegu parapetu. Nagle z tyłu dobiegło metaliczne pobrzękiwanie. Zaskoczona odwróciła się w tamtym kierunku i ujrzała srebrzysty, cylindryczny przedmiot przypominający sztangę, który podskakiwał po kamieniach podestu zmierzając w jej stronę.

Nie miała pojęcia, co to jest — wiedziała jednak, że z pewnością nic dobrego.

Bez dalszej zachęty zakołysała się na linie i wymachując w powietrzu nogami, posuwała się szybko w przód. Po chwili Gray złapał ją w talii.

— Bomba... — wyszeptała bez tchu i głową wskazała na sąsiednią wieżę.

— Co?

Dalsze słowa zagłuszył huk wybuchu. Rachele poczuła, jak jakaś potworna siła wpycha ją przez okiennice prosto w ramiona Graya. Trzymając się w objęciach, upadli na kamienną posadzkę, a za nimi do wnętrza wtargnęła niebieskawa ściana ognia, gorąca jak rozpalony piec hutniczy.

Gray trzymał mocno Rachele, okrywając ją własnym ciałem. Porywisty wiatr szybko rozproszył płomienie.

Wtedy Gray przetoczył się na bok, a Rachele wsparła się na łokciu. W niemym przerażeniu przyglądała się południowej wieży. Cała iglica stała w ogniu, języki ognia buchały z czterech okien. Ze środka pożogi dobiegały uderzenia dzwonu.

Gray przysunął się do niej i zaczął wciągać do środka linę. Węzeł, który zrobił na drugim końcu, spalił się doszczętnie. Stalowe pręty w oknach po przeciwnej stronie przepaści żarzyły się ognistą czerwienią.

— To bomba zapalająca — stwierdził.

Płomienie drgały w coraz gwałtowniejszym wietrze — jak świeczka, którą ktoś zostawił w ciemnościach. Jak ostatnie wspomnienie o tych, którzy zginęli, zarówno zeszłej, jak i dzisiejszej nocy. Rachele przywołała z pamięci obraz pełnego fantazji uśmiechu wuja. Już nigdy go nie zobaczy. Żal wezbrał w niej na nowo... razem z czymś o wiele gorętszym i ostrzejszym. Zachwiała się i byłaby upadła w tył, gdyby Gray nie zdążył jej złapać.

Zawodzenie syren policyjnych dobiegało ze wszystkich stron, odbijając się na górze głośnym echem.

— Musimy się stąd zbierać — powiedział.

Przytaknęła bez słowa.

— Oni myślą, że nas już nie ma. I lepiej nie wyprowadzać ich z błędu.

Bez oporu pozwoliła się pociągnąć w stronę klatki schodowej. Pobiegli po schodach, które zdawały się nie mieć końca. Syreny rozbrzmiewały teraz znacznie bliżej — ale jeszcze bliżej rozległo się pokasływanie silnika, który wchodząc na wysokie obroty, wydawał z siebie gardłowe prychnięcia. Po chwili dołączył do niego drugi.

Gray wychylił się przez okno, żeby sprawdzić, co się dzieje.

— Uciekają.

Rachele wpatrywała się w niego bez słowa. Trzy kondygnacje niżej dwa czarne vany ruszyły z piskiem opon, przejeżdżając na ukos przez plac przeznaczony dla pieszych.

— Chodź — zawołał Gray. — Mam złe przeczucia.

Przeskakując po dwa stopnie, popędził w dół. Rachele pośpieszyła za nim, całkowicie ufając jego instynktowi.

Co sił w nogach wpadli do przedsionka katedry. Jedne z drzwi prowadzących do wnętrza stały otworem. Rachele rzuciła okiem w głąb nawy — na miejsce, gdzie zginął wuj Vigor. Ale jej wzrok przyciągnęło coś, co znajdowało się na posadzce nawy środkowej.

Srebrzyste sztangi.

Tuzin albo więcej. Połączone ze sobą czerwonymi drutami.

— Zwiewamy! — wrzasnęła, obracając się na pięcie.

Razem wypadli przez główną bramę na plac przed katedrą.

Bez słowa skierowali się w stronę jedynego schronienia. Policyjna półciężarówka wciąż parkowała w tym samym miejscu co wczorajszego wieczoru. Zdążyli dać za nią nura, dokładnie w chwili gdy nastąpiła eksplozja.

Brzmiało to jak seria następujących po sobie fajerwerków. Jeden po drugim. Bomby rozrywały się przy akompaniamencie trzasku tłuczonego szkła, tak głośnego, że słychać go było mimo huku wybuchów. Rachele odważyła się zerknąć w górę. Pochodzący jeszcze z czasów średniowiecza olbrzymi bawarski witraż, który znajdował się nad centralną bramą, wystrzelił mieniącą się wszystkimi kolorami kaskadą ognia i ozdobnych szkiełek.

W mgnieniu oka wsunęła się głębiej pod samochód, a deszcz śmiercionośnych odłamków zasypywał plac przed katedrą.

Coś z głuchym łoskotem upadło obok półciężarówki. Rachele skuliła się i wyjrzała spomiędzy kół. Na bruku leżała masywna, drewniana brama katedry i paliła się jasnym płomieniem.

Nagle do jej uszu dotarł jakiś nowy dźwięk. Głosy. Pełne zdziwienia i przytłumione. Najwyraźniej dobiegały z wnętrza wozu. Rachele spojrzała na Graya. W jego ręku, jak za dotknięciem czarodziejskiej różdżki, pojawił się nóż.

Ostrożnie okrążyli ciężarówkę.

Jednak zanim zdążyli dotknąć klamki, drzwi otworzyły się na oścież.

Rachele gapiła się z niedowierzaniem na przysadzistego Amerykanina z zespołu Graya, który właśnie wytoczył się na zewnątrz. Za nim wysunęła się jego partnerka, niosąc w ręku długi miecz. Aż wreszcie Rachele ujrzała znajomą, drogą jej sercu postać.

— Wujek Vigor!

Zamknęła go w ramionach i przytuliła się z całej siły. Odwzajemnił jej uścisk.

— Dlaczego wszyscy się uwzięli, żeby wysadzić mnie w powietrze? — zapytał.

4.45

Godzinę później Gray przechadzał się wielkimi krokami po hotelowym pokoju. Ciągle nie mógł się uspokoić, a nerwy miał napięte do ostateczności. Do zameldowania w hotelu użyli fałszywych dokumentów, bo lepiej było zniknąć z ulic miasta tak szybko, jak to tylko możliwe. Hotel Cristal przy Ursulaplatz znajdował się siedemset metrów od katedry; przeznaczony dla przedstawicieli małego biznesu urządzony był w dziwnym, pseudoskandynawskim stylu.

Musieli się tu zatrzymać, żeby ustalić plan dalszego działania. Jednak przede wszystkim potrzebowali więcej informacji.

W zamku zazgrzytał klucz. Gray odruchowo położył rękę na broni, ale okazało się, że to monsinior Verona wraca z wyprawy, na którą wysłano go jak skauta na zwiad.

Vigor wepchnął się do pokoju, ale jego ponura mina nie wróżyła dobrych wieści.

— I co?

— Chłopak nie żyje — poinformował zwięźle.

Wszyscy przysunęli się bliżej.

— Jason Pendleton. Chłopak, któremu udało się przeżyć wczorajszą masakrę. Właśnie mówiono o nim w BBC. Zmarł w szpitalu, w swoim pokoju. Przyczyna zgonu wciąż jest nieznana, ale istnieją podejrzenia, że w grę wchodzi morderstwo. Zwłaszcza że stało się to w czasie, gdy w katedrze doszło do kolejnego zamachu.

Rachele smutno pokręciła głową.

Nieco wcześniej Gray czuł niezmierną ulgę na myśl, że wszystkim udało się wyjść cało z opresji, że zarobili jedynie po parę siniaków i najedli się strachu... Zapomniał zupełnie o chłopcu, który przeżył pierwszą masakrę. Ale jego śmierć wydawała się absolutnie logiczna. Drugi atak w katedrze miał poprawić niedociągnięcia i zatrzeć ewentualne ślady, które pozostały po pierwszym zamachu. A to, oczywiście, oznaczało uciszenie jedynego świadka.

— Czy poza tym dowiedziałeś się jeszcze czegoś? — spytał sztywno Gray.

Wysłał monsiniora na dół do recepcji, gdy tylko się zameldowali, żeby wybadał, co się mówi na mieście o wypadkach ostatniej nocy. Vigor znakomicie nadawał się do tego zadania. Po pierwsze, mówił płynnie po niemiecku, a po drugie, koloratka stawiała go poza wszelakimi podejrzeniami.

Bo nawet teraz wszędzie słychać było dźwięk klaksonów i zawodzenie syren. Z okien ich pokoju roztaczał się widok na katedralne wzgórze — cały zestaw wozów strażackich i innych służb ratowniczych wciąż stał pod katedrą, migając światłami na niebiesko i czerwono. Nocne niebo zasnuwał ciężki obłok dymu, a na sąsiadujących z katedrą ulicach tłoczno było od gapiów i następnych vanów.

— Nie dowiedziałem się niczego ponad to, co już wiemy — odparł Vigor. — Ogień wewnątrz katedry nie został jeszcze ugaszony, ale się nie rozprzestrzenia. Widziałem wywiad z jakimś księdzem z plebanii. Na szczęście nic nikomu się nie stało, ale mocno się niepokoją, gdzie podziałem się ja i moja siostrzenica.

— Dobrze... — mruknął Gray, a Rachele rzuciła mu pośpieszne spojrzenie. — Jak już mówiłem, tamci będą myśleć, że wyeliminowali nas z gry. Powinniśmy to wykorzystać tak długo, jak się da. Dopóki się nie zorientują, że udało się nam przeżyć, nie będą ciągle oglądać się za siebie.

— Ani na nas polować — zauważył Monk. — Przydałoby się nam trochę spokoju.

Kat pracowała przez cały czas na laptopie podłączonym do kamery cyfrowej.

— Właśnie ładują się zdjęcia — oznajmiła.

Gray podniósł się i podszedł do biurka. Okazało się, że Monk i reszta nie tylko zdołali wymknąć się z katedry i postarać o bezpieczną kryjówkę, ale także wykorzystali okazję, żeby z ukrycia pstryknąć napastnikom parę zdjęć. Ich zaradność i zimna krew wywarły na Grayu ogromne wrażenie.

Czarno-białe fotki wielkości paznokcia wypełniły cały ekran.

— To on! — zawołała Rachele. — To ten gość, który mnie złapał.

— Przywódca grupy — dodał Gray.

Kat dwa razy kliknęła w fotkę i zdjęcie wypełniło cały ekran. Mężczyznę uchwycono w pół kroku, gdy wychodził z katedry. Miał ciemne włosy, długie prawie do ramion, i gładko ogoloną twarz z haczykowatym nosem, na której trudno byłoby doszukać się jakichkolwiek emocji. Nawet na fotografii roztaczał wokół siebie aurę wyższości.

— Ale nadęty dupek — prychnął Monk. — Wygląda jak kot, który właśnie zeżarł kanarka.

— Czy ktoś wie, kto to jest? — spytał Gray.

Odpowiedziało mu kręcenie głowami.

— Mogę to przesłać do Sigmy. W biurze mają oprogramowanie do rozpoznawania twarzy — zaproponowała Kat.

— Na razie nie — odpowiedział zdecydowanie, a widząc, jak zmarszczyła brwi, dodał: — Nie wolno nam się z nikim kontaktować.

Rozejrzał się po pokoju. Zwykle wolał pracować sam, bez Wielkiego Brata spoglądającego mu przez ramię, ale tym razem nie mógł odgrywać roli samotnego wilka. Teraz był szefem zespołu i odpowiadał nie tylko za własną skórę. Jego wzrok spoczął na Rachele i Vigorze. W dodatku jego zespół powiększył się o dwie osoby. Wzrok wszystkich obecnych kierował się ku niemu, a on nagle poczuł, że ten ciężar po prostu go przytłacza. Niczego bardziej nie pragnął, niż zameldować się w Sigmie i naradzić z dyrektorem Crowe'em, zrzucając w ten sposób z siebie część odpowiedzialności.

Ale właśnie tego nie mógł zrobić... a przynajmniej nie teraz.

Pozbierał myśli i podjął postanowienie. Odchrząknął, a następnie odezwał się zdecydowanym tonem:

— Ktoś wiedział, że będziemy tej nocy w katedrze sami. Albo wcześniej przysłali kogoś do kościoła na przeszpiegi, albo dostali skądś tę informację.

— Jakiś przeciek... — mruknął Vigor, drapiąc się w bródkę tuż pod dolną wargą.

— Być może. Ale nie potrafię stwierdzić, w którym miejscu nastąpił. — Gray spojrzał na Vigora. — U was czy u nas.

Vigor westchnął ciężko.

— Obawiam się, że to nasza wina. Trybunał Smoka zawsze utrzymywał, że ma wtyczki wewnątrz Watykanu. A biorąc pod uwagę, że zasadzkę urządzono zaraz po tym, jak przeprowadzono ataki na Rachele i na mnie, muszę przyjąć założenie, że przeciek nastąpił po stronie Stolicy Apostolskiej.

— Niekoniecznie — odparł Gray. Odwrócił się do laptopa i wskazał na ekranie inne malutkie zdjęcie. — Powiększ to, Kat.

Kat kliknęła dwa razy. Na monitorze pojawiła się podobizna szczupłej kobiety, która wchodziła właśnie do jednego z vanów. Jej twarz widoczna była jedynie z profilu.

Gray zerknął na pozostałych.

— Czy ktoś z was ją zna?

I znów odpowiedziało mu kręcenie głowami.

Monk pochylił się bliżej.

— Ale osobiście nie miałbym nic przeciwko temu.

— To jest ta sama kobieta, która zaatakowała mnie w Fort Detrick.

Monk odskoczył; najwyraźniej sama informacja wystarczyła, by nieznajoma wydała mu się zdecydowanie mniej pociągająca.

— To jest agentka Gildii?

Rachele i Vigor wydawali się mocno zmieszani. Gray nie miał czasu wyjaśniać im całej historii Gildii, ale w krótkich słowach przedstawił ogólnie założenia tej organizacji: w strukturze przypominała komórkę terrorystyczną, miała bliskie powiązania z rosyjską mafią i była zainteresowana zdobywaniem nowych technologii.

Gdy skończył, odezwała się Kat.

— Więc twoim zdaniem przeciek mógł nastąpić po naszej stronie?

— Po Fort Detrick... — zasępił się Gray. — Kto może wiedzieć na pewno, skąd wyciekła informacja? Ale zważywszy na to, że agentka Gildii jest tutaj i działa ramię w ramię z członkami

168

Trybunału Smoka... Myślę, że została zaproszona do gry ze względu na nas. Ale sądzę, że tak jak my nie jest na bieżąco.

— Dlaczego tak uważasz? — spytała Kat.

Gray wskazał palcem na ekran.

— Bo to właśnie ona pozwoliła mi uciec.

Nastąpiła chwila pełnej niedowierzania ciszy.

— Jesteś pewien? — odezwał się w końcu Monk.

— Jak cholera.

Gray podrapał się po posiniaczonym ramieniu, w które ugodził go pocisk z jej pistoletu.

— Ale dlaczego miałaby to zrobić? — Rachele wciąż wyrażała wątpliwości.

— Bo ona także prowadzi grę z Trybunałem Smoka. Jak już mówiłem, jedynym powodem, dla którego wezwano tu Gildię, jest fakt, że Sigma włączyła się do akcji. Trybunał chce, żeby Gildia pomogła mu nas schwytać albo wyeliminować.

Kat skinęła głową.

— Czyli jeśli zginiemy, Gildia już nie będzie im potrzebna. Układ na zasadach partnerstwa dobiegnie końca, a Gildia nigdy nie dowie się, jak cenne informacje zdobył Trybunał Smoka.

— Ale przecież teraz Trybunał uważa, że zostaliśmy zabici — zauważyła Rachele.

— Oczywiście. I właśnie z tego powodu trzeba się trzymać tej strategii tak długo, jak się da. Bo jeśli jesteśmy martwi, Trybunał zerwie związki z Gildią.

— Jeden przeciwnik mniej — mruknął Monk.

Gray skinął głową.

— Więc co robimy dalej? — zainteresowała się Kat.

To właśnie była niewiadoma. Nie mieli żadnego tropu... poza jednym. Gray rzucił okiem na swój plecak.

— Ten proszek, który odzyskaliśmy z relikwiarza... Musi być kluczem do wszystkiego. Ale jeszcze nie wiem, do którego zamka pasuje. A ponieważ nie możemy wysłać go do laboratorium Sigmy...

Tym razem przemówił Vigor.

— Sądzę, że masz rację. Odpowiedź zapewne kryje się w składzie tego proszku, ale lepszym pytaniem niż „co to jest"...

Nagle monsinior urwał i tajemniczo zmrużył oczy. Podniósł rękę do czoła, mamrocząc po nosem: „Co to jest...".

— Wuju? — W głosie Rachele zabrzmiał niepokój.

— Nic takiego... Coś mi się kołacze...

Gray przypomniał sobie podobny wyraz wewnętrznej koncentracji na twarzy monsiniora wówczas, gdy cytował wersy z Apokalipsy świętego Jana.

Wreszcie ksiądz zwinął dłoń w pięść.

— Nie potrafię poskładać tego w całość. Zupełnie jakbym próbował złapać mydlaną bańkę... — Pokręcił ze smutkiem głową. — Może po prostu jestem za bardzo zmęczony.

Gray wyczuł, że ten człowiek mówi prawdę... choć nie całą prawdę. Coś zatrzymywał dla siebie — coś, co prawie wymknęło mu się ze słowami „Co to jest...". Przez mgnienie oka Gray dostrzegł strach, który krył się za zasłoną zmieszania.

— No więc, co jest z tym lepszym pytaniem? — spytał Monk. — Zaczął ksiądz mówić coś o tym, że można postawić lepsze pytanie niż to, czym jest ten proszek.

Vigor skinął głową i znów się skoncentrował.

— Racja. Może powinniśmy się przede wszystkim zastanowić, jak ten proszek tam się znalazł. Co kilka lat kości są pieczołowicie wyjmowane ze środka, a relikwiarz oraz sarkofag starannie czyszczone. Jestem przekonany, że wnętrze także zostaje odkurzone i wytarte.

Kat usiadła prosto.

— Pamiętacie, tuż przed atakiem zastanawialiśmy się, czy działanie tajemniczego urządzenia miało jakiś wpływ na sarkofag i czy przypadkiem nie przemieniło w białawy proszek złota, którym wyłożone było jego wnętrze.

— Więc myślicie, że w taki właśnie sposób tam się znalazł? — spytała Rachele.

— Niewykluczone — odparł Monk. — Pamiętacie ten namagnesowany krzyż? Tam się wydarzyło naprawdę coś dziwnego. Coś, co podziałało na metale. Dlaczego więc złoto miałoby stanowić wyjątek?

Gray pożałował, że nie miał więcej czasu na zebranie próbek i przeprowadzenie jeszcze kilku testów. Ale kiedy zaczął się atak...

Kat westchnęła z rozdrażnieniem.

— Nie. Zwróć uwagę, że ten proszek nie składał się tylko

i wyłącznie ze złota. Zawierał coś jeszcze. Może platynę albo jakiś inny pierwiastek przejściowy.

Gray wolno skinął głową, bo przypomniał sobie srebrzyste drobinki w rozpuszczonym złocie.

— Moim zdaniem ten proszek wcale nie pochodzi z sarkofagu — zakończyła Kat.

Monk się nachmurzył.

— Ale jeśli nie pochodzi z sarkofagu, a skrzynia jest czyszczona co kilka lat... To skąd miałby się tam wziąć?

Nagle oczy Graya rozszerzyły się, kiedy coś do niego dotarło. Zrozumiał natychmiast konsternację Kat.

— Ten proszek pochodzi z kości — oświadczył z mocą.

— Nie ma innego wytłumaczenia — zgodziła się Kat.

Monk wzdrygnął się i pokręcił głową.

— Łatwo wam mówić. Nie mamy tych kości, żeby zrobić porównanie. Zabrali wszystkie, co do jednej.

Rachele i Vigor wymienili znaczące spojrzenia.

— O co chodzi? — zainteresował się Gray.

Rachele wbiła w niego wzrok, a w jej oczach wyczytał podekscytowanie.

— Jednak nie wszystkie kości Mędrców dostały się w ich ręce — oznajmiła.

Zmarszczył brwi.

— A gdzie...?

— W Mediolanie — odpowiedział Vigor.

6

Niewierny Tomasz

25 lipca, 10.14
Como, Włochy

Gray i reszta kompanii wysypali się z pożyczonego mercedesa E55 na centralny deptak w położonej nad jeziorem miejscowości Como. Kilkoro porannych spacerowiczów i parę osób, które dla zabicia czasu gapiły się na sklepowe wystawy, przechadzało się po wyłożonym kamienną kostką placu, który prowadził w dół, do promenady graniczącej z wiecznie błękitnymi wodami.

Kat ziewnęła i zaczęła się przeciągać, zupełnie jak budzący się ze snu kot. Zerknęła na zegarek.

— No ładnie — mruknęła. — Trzy kraje w cztery godziny.

Jechali przez całą noc. Przez Niemcy do Szwajcarii, a potem na ukos przez Alpy do Włoch. Podróżowali samochodem, nie zaś pociągiem czy samolotem, żeby łatwiej zachować anonimowość; przy przekraczaniu granic posługiwali się fałszywymi paszportami. Lepiej było nie ryzykować, że ktoś się dowie, iż ich zespół wyszedł z zamachu w Kolonii praktycznie bez szwanku.

Gray planował nawiązać kontakt z dowództwem Sigmy dopiero wówczas, gdy bezpiecznie zabiorą kości Mędrców z mediolańskiej bazyliki i dotrą do Watykanu. Kiedy już zadomowią się w Rzymie, będą mogli pomyśleć o przegrupowaniu i opracować dalszą strategię w zależności o tego, co zdecydują ich przełożeni. Pomimo niebezpieczeństwa przecieku Gray musiał wysłać do Waszyngtonu sprawozdanie z wydarzeń w Kolonii.

W drodze z Kolonii do Mediolanu mieli się zmieniać za kierownicą, tak żeby każdy mógł choć na trochę przymknąć oczy. Jednak ta część planu zupełnie nie wypaliła.

Monk wytoczył się z wnętrza auta i stanął tuż przy krawężniku, zielony na twarzy, zgięty wpół, z rękoma opartymi na kolanach.

— Tak, tak, ten styl jazdy... — odezwał się Vigor i ze współczuciem poklepał Monka po ramieniu. — Trochę za bardzo pędziła, prawda?

— Zdarzyło mi się bywać na pokładzie samolotów bojowych, które kręciły pętle jak cholera — jęknął Monk. — Ale to... To było coś gorszego.

Rachele wysunęła się z fotela kierowcy i zatrzasnęła drzwi. Całą drogę pokonała w zawrotnym tempie; przelatywała przez niemieckie autostrady i ciasne zakręty na alpejskich drogach z prędkością, która przeczyła prawom fizyki.

Teraz miękkim ruchem przesunęła na czoło okulary przeciwsłoneczne z niebieskimi szkłami i zwróciła się do Monka:

— Po prostu musisz zjeść śniadanie. Znam całkiem miłe bistro niedaleko stąd, przy Piazza Cavour.

Pomimo pewnych obiekcji Gray zdecydował się zatrzymać na posiłek. I tak musieli zatankować, a to miejsce sprawiało wrażenie dość odludnego. Poza tym od ataku upłynęło zaledwie sześć godzin i w Kolonii wciąż panował chaos. Zanim stanie się ogólnie wiadome, że ich ciał nie ma wśród ofiar znalezionych w katedrze, oni od dawna będą już w Rzymie. Za kilka następnych godzin udawanie, że zginęli w zamachu, przestanie mieć jakikolwiek sens.

Zresztą wszyscy byli zmęczeni podróżą i wygłodniali.

Rachele poprowadziła ich na ukos przez plac aż do brzegów jeziora. Gray nie spuszczał z niej oka. Mimo całonocnej jazdy nie widać było po niej śladu znużenia. Jeśli już, to gonitwa po alpejskich zakrętach miała na Rachele zbawienny wpływ, jakby była dla niej pewną formą jogi. Z jej oczu zniknął znękany i pełen udręki wyraz, wywołany przez tę pełną terroru noc; bladł z każdym przejechanym kilometrem i w końcu rozmył się zupełnie.

Na widok jej ożywienia i sprężystego kroku poczuł zarówno coś w rodzaju ulgi, jak i rozczarowania. Pamiętał, jak mocno ściskała jego dłoń w czasie tej wariackiej ucieczki. Niepokój w jej oczach, gdy siedziała okrakiem na parapecie katedralnej wieży. Sposób, w jaki wówczas na niego patrzyła, jej ufność i wiarę w niego.

Tamta kobieta zniknęła.

Wspaniały widok na jezioro przyciągnął jego wzrok i rozproszył myśli. Niebieskawa toń wyglądała jak kunsztowne dzieło jubilera, osadzone w surowej zieleni szczytów niższych partii Alp. Na kilku z nich wciąż spoczywały białe czapy śniegu, odbijając się w niczym niezmąconej wodzie.

— *Lago di Como*. — Vigor pojawił się tuż obok niego. — Wergiliusz określił je niegdyś jako najwspanialsze jezioro świata.

Dotarli do ukwieconej nadbrzeżnej promenady, którą otaczały rzędy kamelii, azalii, rododendronów i magnolii. Wyłożony kostką chodnik ciągnął się dalej wzdłuż brzegu jeziora, a tuż przy nim rosły rozłożyste orzechy, smukłe cyprysy włoskie i wawrzyny o białej korze. Daleko na wodzie w porannej bryzie ślizgały się malutkie łódeczki. Wyżej, na zielonych wzgórzach, nad urwistymi brzegami niepewnie przysiadły skupiska domów, mieniąc się w słońcu odcieniami złota, jasnej żółci i wpadającej w brąz czerwieni.

Gray spostrzegł, że świeże powietrze i piękny widok wpłynęły ożywczo na Monka, a przynajmniej na stabilność jego kroków. Wzrok Kat również błądził po okolicy.

— *Ristorante Imbarcadero* — oznajmiła Rachele, wskazując w poprzek placu.

— Lepsza byłaby knajpka dla kierowców — mruknął Gray, kiedy zerknął na zegarek.

— Może dla ciebie — odgryzł się Monk.

Vigor przysunął się bliżej.

— Mamy dobry czas. W ciągu godziny powinniśmy znaleźć się w Mediolanie.

— Ale te kości...

Vigor uciszył go, marszcząc czoło.

— Komandorze, Watykan jest w pełni świadomy, jakie zagrożenia czyhają na relikwie złożone w Bazylice Świętego Eustorgiusza. Już wcześniej dostałem rozkaz, żeby zatrzymać się tam w drodze powrotnej i przywieźć je do Rzymu. Tymczasem Watykan zatroszczył się o to, żeby kości znalazły się w sejfie, kościół został zamknięty, a miejscowa policja postawiona w stan gotowości.

— To niekoniecznie musi powstrzymać Trybunał Smoka — zauważył Gray, mając przed oczyma zniszczenia w Kolonii.

— Szczerze mówiąc, wątpię, czy zdecydowaliby się na atak w biały dzień. Ta organizacja zawsze czai się w cieniu i ciemności. A my będziemy w Mediolanie jeszcze przed południem.

— Nie stracimy dużo czasu, przekąsimy coś szybko i wrócimy na autostradę — wtrąciła Kat.

Choć daleki od satysfakcji, Gray ustąpił. Jego zespół potrzebował chwili odpoczynku, a wóz należało zatankować.

Rachele otworzyła bramę prowadzącą na taras z widokiem na jezioro, otoczony kwitnącymi krzewami bugenwilli.

— W *Imbarcadero* dostaniemy najlepsze potrawy regionalnej kuchni. Powinniście spróbować *risotto con pesce persico*.

— Złoty okoń z risotto — wyjaśnił Vigor. — Jest naprawdę znakomity. Filety obtoczone w mące z szałwią, smażone w niewielkiej ilości oleju i podawane na krucho na podkładce z ryżu, nasączonej masłem.

Rachele poprowadziła ich do stołu. Atmosfera wyraźnie złagodniała. Nawet Gray docenił wreszcie entuzjazm Rachele. Mówiła coś szybko po włosku do starszawego mężczyzny w fartuchu, który wyszedł, żeby ich powitać. Uśmiechała się przy tym radośnie, a w końcu objęli się serdecznie.

Odwróciła się i gestem zaprosiła ich, by usiedli.

— Jeśli macie ochotę na coś lżejszego, spróbujcie cukinii nadziewanej chlebem i ogórecznikiem. Ale koniecznie zamówcie mały talerz agnolotti.

Vigor skinął głową.

— A ja polecam ravioli z oberżyną i mozzarellą. — Cmoknął z ukontentowaniem koniuszki palców.

— Wygląda na to, że kilka razy coś już tu jedliście. — Monk opadł ciężko na fotel. Popatrzył na Graya.

No to tyle, jeśli chodzi o zachowanie anonimowości.

Vigor poklepał go po ramieniu.

— Właściciele są przyjaciółmi naszej rodziny, i to od kilku

pokoleń. Możesz być spokojny, oni dobrze wiedzą, co to znaczy dyskrecja.

Machnął ręką w stronę pulchniutkiego służącego.

— *Ciao, Mario! Bianco secco di Monteccia, per favore!*

— Natychmiast, *padre*. Mamy także *chiaretto* z Bellaggio. Dopiero wczoraj przywieźli je promem.

— *Perfetto!* Daj po butelce każdego, póki czekamy.

— Jakieś przystawki?

— Oczywiście, Mario, przecież nie jesteśmy barbarzyńcami.

Ich zamówienie zostało wykonane brawurowo i przy salwach śmiechu: na stole znalazła się sałatka łososiowa z octem jabłkowym, potrawka z kaszą jęczmienną, cielęcina w cieście, makaron tagliatelle z bieługą i coś, co nazywało się pappardelle.

Mario wyniósł z kuchni talerz wielkości stołu, wypełniony oliwkami i zestawem zakąsek... Do tego podał dwie butelki wina, jedną czerwonego, drugą białego.

— *Buon appetito!* — zawołał głośno.

Gray odniósł wrażenie, że Włosi mają zwyczaj celebrować każdy posiłek. Wino lało się strumieniami. Szklanki wciąż były napełniane. Kawałki salami i sera krążyły dookoła stołu.

— *Salute*, Mario — wzniosła toast Rachele, kiedy półmisek świecił już pustkami.

Monk pochylił się w tył, żeby zdławić beknięcie, ale mu się nie udało.

— To najlepiej świadczy, że zbiornik został napełniony do granic — oświadczył lekko.

Kat zjadła dokładnie tyle samo, ale mimo to zabrała się do studiowania spisu deserów. Robiła to z takim samym zaangażowaniem, z jakim poprzedniego dnia czytała dossier czekającej ich misji.

— *Signorina?* — Mario dostrzegł jej zainteresowanie.

Palcem wskazała jedną pozycję w menu.

— *Macedonia con panna.*

Monk wydał z siebie głuchy jęk.

— To przecież tylko sałatka owocowa ze śmietaną. — Szeroko otwierając oczy, spojrzała na pozostałych. — To bardzo lekki deser.

Gray oparł się o zagłówek fotela. Nie miał zamiaru zakazywać im uciechy, bo czuł, że potrzebują chwili wytchnienia. Kiedy ruszą w drogę, ten ranek będzie już tylko mglistym wspomnieniem. Wpadną do Mediolanu, zabiorą relikwie, a potem złapią szybkobieżny pociąg do Rzymu, żeby znaleźć się tam przed zapadnięciem zmroku.

Gray wykorzystał ten czas również do tego, by zastanowić się nad Vigorem Veroną. Mimo świątecznego nastroju monsinior znów wydawał się pogrążony w rozmyślaniach. Gray niemalże widział, jak w jego głowie obracają się maleńkie trybiki.

Nagle Vigor spojrzał mu prosto w oczy i odsunął krzesło.

— Komandorze Pierce, skoro i tak czekamy na jedzenie, czy moglibyśmy zamienić kilka słów sam na sam? Może trochę rozprostujemy kości i przejdziemy się kawałek promenadą?

Gray odstawił szklankę i wstał. Reszta towarzystwa spojrzała na nich z zainteresowaniem, ale dał im znak, żeby zostali na miejscach.

Vigor wyprowadził go z tarasu i skierował się w stronę szerokiego chodnika, który ciągnął się wzdłuż brzegów jeziora.

— Chciałbym coś przedyskutować i być może zasięgnąć pańskiej opinii.

— Proszę bardzo.

Przemaszerowali przez skrzyżowanie i Vigor skręcił na kamienny podest otoczony metalową barierką, który graniczył z pustym dokiem. Tutaj na pewno nikt nie mógł ich słyszeć.

Monsinior spoglądał na jezioro i pukał palcami w balustradę.

— Jak przypuszczam, Watykan przede wszystkim koncentruje się na kradzieży relikwii. I podejrzewam, że kiedy powrócimy do Rzymu, planuje pan zerwanie wszelkich związków z nami i ściganie Trybunału Smoka na własną rękę.

Gray zastanowił się, czy nie lepiej wymigać się od odpowiedzi, ale doszedł do wniosku, że ten człowiek zasługuje na szczerość. Nie chciał narażać dłużej na niebezpieczeństwo jego i jego siostrzenicy.

— Myślę, że tak będzie lepiej — odrzekł ostrożnie. — I sądzę, że nasi przełożeni podzielą moje zdanie.

— A ja sądzę, że wręcz przeciwnie. — W głosie monsiniora pojawiła się zapalczywość.

Gray zmarszczył brwi.

— Jeśli okaże się, że miał pan rację i ten białawy amalgamat rzeczywiście pochodził z kości, to być może nasza współpraca będzie o wiele bardziej ścisła, niż podejrzewa to którakolwiek z organizacji.

— Nie bardzo rozumiem dlaczego.

Vigor spojrzał na niego z tym samym pełnym intensywności skupieniem, które wydawało się wspólną cechą rodziny Verona.

— Spróbuję pana przekonać, komandorze. Po pierwsze: wiemy, że Trybunał Smoka jest arystokratycznym stowarzyszeniem, które zaangażowało się w poszukiwanie sekretnej lub utraconej wiedzy, koncentrując się na tekstach starożytnych gnostyków i innych tajemnicach.

— To zwykłe paplanie o niczym. Mistyczne bla-bla.

Vigor zwrócił się w jego stronę, znacząco unosząc głowę.

— Komandorze Pierce, wydaje mi się, że pan także studiował zasady innych wiar i rozmaite filozofie. Od taoizmu do wierzeń hinduskich.

Gray oblał się rumieńcem. Zbyt łatwo wyleciało mu z głowy, że monsinior również był doświadczonym, czynnym agentem watykańskiej *intelligenza*. Najwyraźniej w dossier, jakie otrzymał Verona, zebrano również informacje o amerykańskich partnerach.

— Szukanie prawdy duchowej nie jest niczym nagannym — mówił dalej monsinior. — Wszystko jedno, jaką obierzemy drogę. Prawdę mówiąc, określenie *gnosis* oznacza „szukać prawdy, znaleźć Boga". Nie mogę więc nawet obwiniać Trybunału Smoka, że prowadzi poszukiwania. Gnostycyzm był częścią Kościoła od momentu jego powstania. A właściwie narodził się jeszcze wcześniej.

— No pięknie. — Gray nie umiał ukryć irytacji. — Tylko co to ma wspólnego z masakrą w Kolonii?

Z piersi Verony wyrwało się westchnienie.

— W pewnym sensie dzisiejszy atak mógł mieć swoje źródło w konflikcie, jaki wiele wieków temu zrodził się między dwoma apostołami, Tomaszem i Janem.

Gray pokręcił głową, całkiem osłupiały.

— O czym pan mówi, monsinior Verona?

— Na samym początku chrześcijaństwo było religią pozostającą poza prawem, lecz przy tym tak ważną, jak żadna inna w owym czasie. Bo inaczej niż pozostałe religie, które regularne wpływy finansowe traktowały jako fundamentalną część wiary, młoda chrześcijańska wspólnota z własnego wyboru wydawała pieniądze. Fudusze były wykorzystywane na zapewnienie utrzymania i mieszkania sierotom, kupowanie lekarstw dla chorych, płacenie za trumny ubogich. Takie wsparcie najbardziej poniewieranych przyciągało rzesze ludzi, pomimo że przynależność do nielegalnego wyznania wiązała się z pewnym ryzykiem.

— Tak, tak, wiem. Dobre ziarno zasiane przez chrześcijan wydało plon i tak dalej. Mimo wszystko, co...

Monsinior przerwał mu, unosząc dłoń.

— Jeśli pozwoli mi pan mówić dalej, może dowie się pan czegoś istotnego.

Gray żachnął się, ale nic nie powiedział. Ostatecznie Vigor był nie tylko watykańskim szpiegiem, lecz także profesorem uniwersytetu. I wyraźnie nie lubił, kiedy mu przerywano.

— We wczesnym okresie chrześcijaństwa najważniejsze pozostawało utrzymywanie wszystkicgo w sekrecie, urządzano potajemne spotkania w grotach i kryptach. To doprowadziło do tego, że poszczególne grupy zostały odcięte jedna od drugiej. Pierwszym powodem była odległość, bo największe sekty powstały w Aleksandrii, Antiochii, Kartaginie i Rzymie. A potem w izolacji zaczęły się rodzić indywidualne praktyki, razem z odmiennymi filozofiami. Jak grzyby po deszczu powstawały ewangelie. Te, które weszły w skład Biblii: Mateusza, Marka, Łukasza i Jana, ale także inne: *Sekretna ewangelia Jakuba, Ewangelia Marii Magdaleny, Ewangelia Filipa... Ewangelia prawdy. Apokalipsa Piotra.* I wiele, wiele innych. Wokół tych ewangelii zaczęły rozwijać się rozmaite sekty. Młody Kościół zaczynał się rozszczepiać.

Gray skłonił głowę. Uczęszczał przecież do średniej szkoły prowadzonej przez jezuitów, gdzie jego matka pracowała jako nauczycielka i wówczas zdążył poznać co nieco z tego obszaru historii.

— Ale w drugim wieku... — mówił dalej Vigor — ...biskup Lyonu, święty Ireneusz, napisał pięć ksiąg pod tytułem *Adversus Haereses*. Pełny tytuł brzmiał: *Odrzucenie i zbicie fałszywej gnozy*. To właśnie wtedy wczesne wierzenia gnostyczne zostały oddzielone od wiary chrześcijańskiej; stworzono wówczas kanon czterech ewangelii, ograniczony do Mateusza, Marka, Łukasza i Jana. Wszystkie inne uznano za przejaw herezji. Parafrazując Ireneusza, tak jak wszechświat dzieli się na cztery regiony i jak istnieją cztery główne wiatry, tak Kościół powinien się wspierać jedynie na czterech filarach.

— Ale dlaczego wybrano właśnie te spośród tylu innych?

— No właśnie, dlaczego? To moje zmartwienie.

Gray zorientował się, że coraz bardziej koncentruje się na słowach monsiniora. Pomimo początkowej irytacji, że ktoś zaczyna go pouczać, ciekaw był, dokąd ten wywód zmierza.

Vigor wpatrzył się w przestrzeń ponad tonią jeziora.

— Trzy z tych wybranych ewangelii — Mateusza, Marka i Łukasza — mówią nam mniej więcej to samo. Ale czwarta — Jana — nawiązuje do całkiem innych historii. Nawet wydarzenia z życia Chrystusa nie pasują chronologicznie do tych, o których wspominają pozostałe ewangelie. Ale był pewien powód o fundamentalnym znaczeniu, dla którego właśnie Ewangelia świętego Jana została włączona w skład Biblii.

— Jaki?

— Stało się tak ze względu na jego towarzysza, apostoła Tomasza.

— Znanego jako niewierny Tomasz?

Gray dobrze znał opowieść o jednym z apostołów, który nie chciał uwierzyć, że Chrystus zmartwychwstał, dopóki nie zobaczył go na własne oczy.

Vigor przytaknął.

— Ale czy wiedział pan, że jedynie Ewangelia świętego Jana w ogóle opowiada historię niewiernego Tomasza? Tylko Jan przedstawia Tomasza jako ograniczonego niedowiarka. Pozostałe ewangelie odnoszą się do niego z czcią. Czy wie pan, czemu Jan odnosi się do Tomasza z takim lekceważeniem?

Grayson pokręcił głową. Przez wszystkie lata, kiedy uczęszczał do kościoła rzymskokatolickiego, nigdy nie zauważył tej różnicy w postrzeganiu sylwetki świętego Tomasza.

— Jan szukał okazji, by zdyskredytować Tomasza, a właściwie następców Tomasza, którzy w tamtych czasach byli dość liczni.

180

Nawet dzisiaj wciąż można znaleźć jego wyznawców wśród chrześcijan w Indiach. Ale we wczesnym Kościele rozdźwięk miedzy ewangeliami Jana i Tomasza dotyczył spraw o fundamentalnym znaczeniu. Różnica była tak wielka, że tylko jedna z ewangelii mogła przetrwać.

— Co ma pan na myśli, monsinior? W jaki sposób mogły się aż tak różnić?

— To odnosi się do samego początku Biblii, do wersu Księgi Rodzaju. „Niech się stanie światłość". Obaj, Jan i Tomasz, postrzegali Jezusa jako uosobienie przedwiecznej światłości, światłości stworzenia. Ale od tego momentu ich interpretacje zasadniczo się różnią. Według Tomasza ta światłość nie tylko powołała do życia wszechświat, lecz wciąż istnieje w każdej istocie, zwłaszcza rodzaju ludzkiego. Bo człowiek został stworzony na obraz i podobieństwo Boga, a ta światłość tkwi głęboko w każdym z nas i czeka, aż zostanie odkryta.

— A co na to Jan?

— Jan reprezentuje skrajnie odmienne poglądy. Jak Tomasz uważa, że przedwieczna światłość znalazła odzwierciedlenie w Jezusie Chrystusie, ale jasno stwierdza, że tylko w Nim. Cała reszta świata dalej pogrążona jest w ciemnościach, włączając w to rodzaj ludzki. A drogę, która wiedzie do tej światłości, do zbawienia i Boga, odnaleźć można jedynie poprzez uwielbienie boskości Chrystusa.

— To o wiele bardziej ograniczony punkt widzenia.

— I o wiele bardziej pragmatyczny z punktu widzenia młodego Kościoła. Jan proponuje ortodoksyjne metody zbawienia, wejścia w przedwieczną światłość. Jedynie przez uwielbienie Chrystusa. Właśnie ta prostota i jasność zyskała aprobatę przywódców Kościoła w tamtym okresie pełnym chaosu. W przeciwieństwie do Tomasza, który głosił, że każdy z racji swojego urodzenia ma zdolność poznania Boga jedynie poprzez wniknięcie w głąb własnej duszy, bez konieczności oddawania boskiej czci Chrystusowi.

— I to musiało zostać wyplenione.

Odpowiedziało mu wzruszenie ramion.

— A który z nich miał rację?

Vigor uśmiechnął się szeroko.

181

— Któż to może wiedzieć? Nie znam odpowiedzi na wszystkie pytania. Ale jak mówił Jezus: „Szukajcie, a znajdziecie".

Gray ściągnął brwi. Według niego to zdanie brzmiało, jakby jego autorem był któryś z gnostyków. Zapatrzył się na jezioro i na śmigające po nim żaglówki. Słońce odbijało się od powierzchni wody tysiącami iskierek. *Szukajcie, a znajdziecie...* Czy właśnie dlatego sam poświęcił tak wiele czasu na studiowanie tylu różnych filozofii? Jeśli tak, to nie znalazł satysfakcjonującej odpowiedzi.

A jeśli już mówimy o niesatysfakcjonujących odpowiedziach...

Gwałtownie odwrócił się do Vigora, bo nagle przyszło mu do głowy, jak daleko odbiegli od zasadniczego tematu.

— A co to ma wspólnego z masakrą w Kolonii? — spytał.

— Proszę pozwolić, że panu powiem. — Vigor uniósł znacząco palec. — Po pierwsze, moim zdaniem ten atak nawiązuje do zamierzchłego konfliktu pomiędzy ortodoksyjną wiarą Jana a gnostyczną tradycją Tomasza.

— Z Kościołem katolickim po jednej stronie, a Trybunałem Smoka po drugiej?

— Nie, to nie takie proste. Zastanawiałem się nad tym przez całą dzisiejszą noc. Trybunał Smoka, mimo iż szuka wiedzy poprzez misteria gnostyków, nie dąży w ostateczności do odnalezienia Boga, lecz pragnie jedynie siły. Oni chcą nowego porządku świata, chcą powrotu do feudalizmu, kiedy sami znajdowali się u steru władzy, gdyż wierzą, że są genetycznie predestynowani do roli władców ludzkości. A więc nie sądzę, żeby Trybunał Smoka reprezentował w tym pradawnym konflikcie stronę gnostyków. Raczej wypacza ich poglądy. Jednak jego korzenie z pewnością sięgają tamtych tradycji.

Gray dał za wygraną, aczkolwiek niechętnie; daleki był jednak od tego, by pozwolić sobą sterować.

Vigor chyba musiał to wyczuć, bo uniósł drugi palec.

— Po drugie, w *Ewangelii świętego Tomasza* jest wzmianka o tym, jak pewnego dnia Jezus zabrał Tomasza na stronę i powierzył mu w sekrecie trzy sprawy. Kiedy inni apostołowie wypytywali go, o co chodziło, Tomasz odrzekł: „Jeśli zdradziłbym wam choćby jedną z tych rzeczy, podnieślibyście kamienie i zaczęli we mnie rzucać. A wtedy z tych kamieni wyszedłby wielki ogień i spalił was".

Vigor przerwał i wpatrywał się w Graya, jakby był to rodzaj testu.

Ale Gray był gotów.

— Ogień z kamieni, który pali... Właśnie coś takiego przytrafiło się wiernym w katedrze.

Vigor skinął głową.

— Pomyślałem o tym cytacie natychmiast, gdy tylko usłyszałem o tych morderstwach.

— Ale te dwie sprawy raczej nie mają wiele wspólnego. — Gray nie sprawiał wrażenia przekonanego.

— Owszem, tak by było, gdyby nie jeszcze jedna rzecz — Vigor uniósł kolejny palec.

Gray poczuł się jak owca prowadzona na rzeź.

— Zgodnie z tym, co podają historyczne źródła, Tomasz udał się z misją ewangelizacyjną na Wschód i dotarł aż do Indii — wyjaśnił Vigor. — Ochrzcił tysiące ludzi, budował kościoły, szerzył wiarę i w końcu zmarł na terenie Indii. Ale w tamtym regionie stał się sławny dzięki jednemu jedynemu czynowi. Dzięki pewnej ceremonii chrztu.

Gray czekał.

Vigor milczał, chcąc wywrzeć większe wrażenie.

— Tomasz ochrzcił Trzech Mędrców — dokończył wreszcie z naciskiem.

Oczy Graya rozszerzyły się ze zdumienia. W głowie wirowały mu trzy wątki: święty Tomasz i jego gnostyczne praktyki, sekrety powierzone mu przez Chrystusa, śmiertelny ogień pochodzący z wnętrza kamieni, a to wszystko powiązane z osobami Trzech Króli. Czy ten związek rozciąga się także dalej? Ujrzał przed sobą zdjęcia zabitych w Niemczech. Zniszczone doszczętnie ciała. A raport koronera donosił o upłynnieniu zewnętrznych struktur mózgu. Przypomniał sobie wszechobecny smród przypalonego ciała, który uderzył go, gdy tylko przekroczył próg katedry.

W tajemniczy sposób kości Mędrców miały z tym coś wspólnego.

Tylko co?

Jeśli istniał jakiś historyczny trop wiodący do jakiejkolwiek wskazówki, to znajdował się on poza zasięgiem wiedzy i doświadczeniem Graya.

Vigor przemówił, pewny siły swoich argumentów:

— Jak twierdziłem od samego początku, w tej fali śmierci, jaka przeszła przez katedrę, musi być coś więcej niż tylko sama technologia. Cokolwiek się tam wydarzyło, jest mocno związane z Kościołem katolickim i jego wczesną historią, a być może nawet z okresem poprzedzającym jego powstanie. I jestem przekonany, że mam w ręku wszelkie atuty, żeby nadal prowadzić śledztwo w tej sprawie.

Gray w zamyśleniu skłonił głowę, ale powoli przyznawał Vigorowi rację.

— Ale to, co powiedziałem, nie dotyczy mojej siostrzenicy — powiedział, w końcu ujawniając, dlaczego chciał rozmawiać na osobności. — Kiedy będziemy w Rzymie, chcę, żeby wróciła do oddziału karabinierów. Nie mam zamiaru znów narażać jej na niebezpieczeństwo.

Gray wyciągnął rękę i uścisnął dłoń monsiniora.

Przynajmniej w tej jednej sprawie zgadzali się bez zastrzeżeń.

10.45

Rachele usłyszała za sobą czyjeś kroki, ale pomyślała, że to Mario wraca z zamówionymi daniami. Spojrzała w górę i o mało nie spadła z fotela, kiedy zobaczyła wspartą na laseczce starszą panią, ubraną w ciemnoniebieskie spodnie i błękitne letnie wdzianko w żonkile. Kręcone siwe włosy były starannie zaczesane do tyłu, a w oczach migotały iskierki rozbawienia.

Tuż za jej plecami stał Mario, uśmiechnięty od ucha do ucha.

— Ale niespodzianka, co?

Rachele zerwała się z fotela, a dwoje partnerów Graya podniosło na nią zdumiony wzrok.

— *Nonna*? Co ty tutaj robisz?

Na powitanie babcia pogładziła ją po policzku i odezwała się po włosku.

— To przez tę twoją zwariowaną matkę. — Zatrzepotała

palcami w powietrzu. — Poleciała do Rzymu, bo chciała się z tobą zobaczyć, i zostawiła mnie z tym signorem Barbarim, żeby się mną opiekował. Tak jakbym potrzebowała niańki. W dodatku od niego ciągle zalatuje serem.

— Nonna...

Przerwało jej niecierpliwe machnięcie ręką.

— Więc pojechałam z powrotem do naszej willi. Pociągiem. A potem Mario zadzwonił, że ty i Viggie jesteście tutaj. Powiedziałam, żeby się nie zdradził, bo chciałam wam zrobić niespodziankę.

— Prawdziwa niespodzianka, co? — powtórzył rozpromieniony Mario. Chyba musiał przez cały czas gryźć kciuk, żeby bez przerwy nie wtrącać się do rozmowy.

— A kim są twoi przyjaciele? — spytała *nonna*.

Rachele przedstawiła Kat i Monka.

— To jest moja babcia.

Starsza pani uścisnęła po kolei ich dłonie i gładko przeszła na angielski.

— Możecie mówić do mnie Camilla. — Obejrzała Monka od stóp do głów. — Czemu obciąłeś sobie wszystkie włosy? To wstyd. Ale masz miłe oczy. Jesteś *italiano*?

— Nie, jestem Grekiem.

Kiwnęła głową z mądrą miną.

— Całkiem nieźle — zwróciła się do Kat. — Czy signor Monk jest twoim chłopakiem?

Kat ze zdziwieniem zmarszczyła brwi.

— Nie — odparła odrobinę zbyt cierpkim tonem. — Oczywiście, że nie.

— Hej! — sprzeciwił się Monk.

— Pasujecie do siebie — zawyrokowała *nonna* Camilla w taki sposób, jakby jej zdanie przesądzało sprawę, po czym odwróciła się do Maria. — Szklaneczkę tego znakomitego *chiaretto, per favore*, Mario.

Natychmiast pobiegł do kuchni.

Rachele usadowiła się wygodniej w fotelu, bo zauważyła, że wuj i Gray wracają ze swojej narady w cztery oczy. Kiedy przechodzili obok, dostrzegła, że Gray unikał jej spojrzenia, i natychmiast się domyśliła, dlaczego wuj koniecznie chciał porozmawiać z komandorem Pierce'em na osobności. Z zachowania tego ostatniego bez trudu wyczytała, jaka była jego odpowiedź.

Nagle straciła zainteresowanie dla wina, które stało przed nią.

Wuj Vigor już z daleka dostrzegł nowego gościa przy stole. Kiedy podszedł bliżej, zaskoczenie zmieniło się w szeroki uśmiech.

Wyjaśnienia, skąd babcia się tu wzięła, zostały powtórzone, a po nich nastąpiły kolejne powitania.

Ściskając dłoń Graysona Pierce'a, babcia spojrzała pytająco na Rachele; uniosła przy tym brew i przesunęła spojrzenie na Amerykanina. Najwidoczniej spodobało jej się to, co zobaczyła: broda pokryta ciemną szczeciną, nachmurzone błękitne oczy i proste czarne włosy. Rachele wiedziała, że jej babcia uwielbia bawić się w swatkę, co było chyba genetyczną przypadłością wszystkich włoskich matron.

Nonna pochyliła się w stronę Rachele.

— Już widzę te wasze przepiękne dzieciaczki — szepnęła konspiracyjnie, nie spuszczając oczu z Graya. — *Bellissimi bambini.*

— *Nonna...* — ostrzegła ją Rachele.

Jej babcia wzruszyła ramionami.

— Signor Pierce, czy jest pan *italiano*? — spytała głośno.

— Nie, obawiam się, że nie.

— A czy chciałby pan nim zostać? Bo widzi pan, moja wnuczka...

Rachele natychmiast jej przerwała.

— *Nonna*, mamy mało czasu. — Wymownym gestem wskazała na zegarek. — W Mediolanie czekają na nas pilne sprawy.

Babcia od razu się rozpromieniła.

— Rozumiem, jak to w policji. Znowu skradziono jakieś dzieło sztuki? — Spojrzała na wuja Vigora. — Z jakiegoś kościoła?

— Coś w tym stylu, *nonna*. Ale wiesz, że nie możemy ci niczego opowiadać o śledztwie, które właśnie jest w toku.

Babcia przeżegnała się.

— Boże, cóż to za okropieństwo... Kradzież w kościele. Czytałam o tych morderstwach w Germanii. Straszne, po prostu straszne...

186

Rozejrzała się dookoła, przesuwając spojrzenie po nieznajomych. Kiedy dotarła do Rachele, lekko zmrużyła oczy.

Rachele spostrzegła, że starsza pani doskonale orientuje się, o co chodzi. Pomimo skłonności do gadania i jowialnego sposobu bycia niewiele spraw umykało bystremu oku babci. O kradzieży relikwii Mędrców pisały wszystkie gazety. A teraz jej wnuczka nieoczekiwanie pojawiła się z grupą Amerykanów w pobliżu szwajcarskiej granicy, wracając skądś do Włoch. Czy *nonna* odgadła prawdziwy cel ich podróży?

— Straszne... — powtórzyła babcia.

Z zaplecza wytoczył się służący, uginając się pod ciężarem toreb z jedzeniem. Z każdej z nich sterczał kawał bagietki, podobny do masztu. Na ten widok Monk uśmiechnął się od ucha do ucha i wstał, żeby odebrać zapasy.

Wuj Vigor pochylił się, żeby ucałować różowiutkie policzki starszej damy.

— *Nonna*, zobaczymy się w Gandolfo. Wpadnę tam za parę dni, jak tylko zakończymy tę sprawę.

Gray chciał przemknąć się bokiem, ale babcia złapała go za rękę i przyciągnęła do siebie.

— Uważaj na moją wnuczkę — szepnęła.

Gray podniósł wzrok na Rachele.

— Oczywiście, chociaż ona doskonale potrafi zadbać o siebie sama.

Ich spojrzenia się spotkały i Rachele poczuła nagłą falę gorąca. Jak skończona idiotka uciekła wzrokiem w bok, choć przecież nie była jakąś naiwną pensjonarką. O nie!

Jej *nonna* poufale uszczypnęła Graya w policzek.

— My, kobiety z rodziny Verona, zawsze umiemy zatroszczyć się o siebie. Pamiętaj o tym, chłopcze.

Gray uśmiechnął się lekko.

— Na pewno nie zapomnę.

Na pożegnanie zdążyła go jeszcze pogłaskać po plecach.

— *Ragazzo buono.*

Kiedy reszta towarzystwa ruszyła w drogę powrotną, babcia kiwnęła na Rachele, żeby przez chwilkę dotrzymała jej towarzystwa. A potem wyciągnęła rękę, odchyliła brzeg rozpiętej kamizelki wnuczki i spojrzała na pustą kaburę.

— Chyba coś zgubiłaś, prawda?

Rachele na śmierć zapomniała, że wciąż ma przy pasku kaburę, choć pożyczona beretta została w katedrze. Ale *nonna* zdążyła to zauważyć.

— Moja droga, kobieta nigdy nie powinna wychodzić z domu naga.

Zgarnęła z fotela swoją torebkę, otworzyła ją i wysunęła ze środka matową, czarną rączkę zdobycznego nazistowskiego lugera P-08.

— Weź to — powiedziała.

— *Nonna!* Nie powinnaś nosić przy sobie takich rzeczy!

Babcia machnęła tylko ręką.

— Pociągi nie są bezpiecznym miejscem dla samotnych kobiet. Za dużo tam Cyganów. Ale chyba tobie on będzie bardziej potrzebny niż mnie.

Jej ciężkie spojrzenie spoczęło na Rachele i od razu stało się jasne, że starsza pani doskonale zdaje sobie sprawę, w jak niebezpiecznej misji bierze udział wnuczka.

Rachele wyciągnęła rękę, a potem zamknęła z trzaskiem torebkę.

— *Grazie, nonna*. Nic mi nie będzie, zobaczysz.

Starsza dama znacząco przewróciła oczyma.

— To straszna sprawa tam, w tej Germanii — mruknęła. — Lepiej bądź ostrożna.

— Na pewno będę, babciu. — Rachele już miała odwrócić się na pięcie, ale koścista dłoń jeszcze raz złapała jej nadgarstek.

— On cię lubi... Signor Pierce.

— *Nonna!*

— Mielibyście *bellissimi bambini*.

Rachele westchnęła. Nawet kiedy nad jej głową wisiało niebezpieczeństwo, babcia wciąż wracała do jednego jedynego tematu. Dzieci. Prawdziwe skarby każdej *nonny* na całym świecie.

Uratował ją Mario, który właśnie przyniósł rachunek. Rachele odsunęła się na bok i położyła na stole gotówkę, wystarczająco dużo, żeby starczyło także na lunch *nonny*. Potem zebrała swoje rzeczy, ucałowała na pożegnanie staruszkę i skierowała się w stronę placu, dokąd podążało całe towarzystwo.

Jednak teraz miała w sobie odwagę i fantazję swojej babci.

188

Tak, kobiety z rodziny Verona z pewnością umieją sobie ze wszystkim poradzić. Zastała wuja i całą resztę czekających na nią przy samochodzie. Bez ostrzeżenia wbiła w Graya najbardziej jadowite spojrzenie, na jakie było ją stać.

— Jeśli masz zamiar wykopać mnie z tego śledztwa, to możesz sobie iść do Rzymu na piechotę — oświadczyła bez ogródek.

Z kluczykami w ręku obeszła mercedesa, dziko usatysfakcjonowana jego zaskoczoną miną i niespokojnym spojrzeniem, które rzucił Vigorowi.

Najpierw wpadła w zasadzkę, a potem ktoś do niej strzelał i próbował wysadzić ją w powietrze. Nie miała zamiaru dać się teraz odstawić na boczny tor jak pierwsza lepsza nowicjuszka.

Otworzyła drzwi kierowcy, ale nie odblokowała pozostałych.

— To dotyczy też ciebie, wujku Vigorze.

— Rachele... — próbował oponować.

Bez słowa wsunęła się do wnętrza, wsadziła kluczyki do stacyjki i uruchomiła silnik.

— Rachele! — Vigor zapukał w szybę.

Wrzuciła bieg.

— *Va bene!* — wrzasnął w końcu wuj, żeby przekrzyczeć ryczący silnik. — Zostajemy razem!

— Przysięgnij! — odkrzyknęła, nie zdejmując ręki z dźwigni.

— *Dio mio...* — jęknął i wzniósł oczy do nieba. — A ty się dziwisz, czemu zostałem księdzem...

Silnik wszedł na wysokie obroty.

Wuj Vigor przycisnął otwartą dłoń do szyby.

— Poddaję się. Przysięgam. Nigdy nie wolno sprzeciwiać się kobiecie z rodu Verona.

Rachele odwróciła się i przeniosła wzrok na Graya. Nie odzywał się słowem, ale na jego twarzy malował się zacięty upór. Wyglądało na to, że za chwilę sam wskoczy za kierownicę i zewrze przewody. Czyżby przeceniła własne możliwości? Ale instynkt podpowiadał jej, że właśnie teraz nie wolno jej ustąpić ani na krok.

Powoli błękitne oczy Graya przesunęły się na jej wuja, obrzucił go lodowatym spojrzeniem, a potem znów popatrzył na Rachele. Kiedy ich spojrzenia się skrzyżowały, Rachele poczuła nagle, że bardzo pragnie pozostać w zespole i że to pragnienie jest wręcz przejmujące. I Gray chyba zrozumiał. Niemal niezauważalnie skinął głową.

To zupełnie jej wystarczyło.

Odblokowała drzwi i wpuściła wszystkich do środka.

— Wiecie co, ja chyba wolałbym iść na piechotę — oznajmił Monk.

11.05

Siedząc z tyłu, Gray obserwował Rachele.

Wsunęła na nos przeciwsłoneczne okulary o niebieskich szkłach, wskutek czego wyraz jej twarzy stał się zupełnie nieprzenikniony. Wciąż jednak zaciskała usta, a kiedy rozglądała się, żeby sprawdzić, co dzieje się na jezdni obok ich wozu, uwidaczniały się ścięgna na długiej szyi. Mimo niezbitego faktu, że jej ustąpili, wyglądało na to, że ciągle jest na nich zła.

Jak to się stało, że w ogóle się domyśliła, co ustalił z jej wujem? Miała niesamowitą intuicję, potrafiła też postawić na swoim. Ale Gray pamiętał również wrażliwość, jaką okazała, gdy znaleźli się na szczycie wieży, i jej oczy wpatrzone w niego ponad dzielącą ich przepaścią. Ale nawet tam, uwięziona między gradem pocisków a językami ognia, nie okazała słabości.

Przez ułamek sekundy dojrzał w lusterku wstecznym oczy Rachele, choć patrzyły spoza przyciemnianych szkieł. Wiedział, że mu się przygląda. Poczuł się niezręcznie i odwrócił wzrok.

Żeby jakoś to odreagować, zacisnął spoczywającą na kolanie dłoń.

Nigdy dotąd nie spotkał kobiety, która wprawiłaby go w zakłopotanie. Miewał różne przyjaciółki, ale żadna z tych znajomości nie trwała dłużej niż sześć miesięcy, a poza tym wszystko to działo się jeszcze w czasach szkoły średniej. Potem nie miał głowy do tego typu rzeczy, zbyt zajęty własną karierą — najpierw w armii, a potem w rangerach. Nigdy nie nazywał domem jednego miejsca dłużej niż przez pół roku, toteż każdy romans kończył się zwykle po długim weekendzie. Zresztą podczas wszystkich miłosnych podbojów nie trafił na kobietę, która byłaby w takim samym stopniu frustrująca jak intrygująca; kobietę, która śmiałaby się do rozpuku podczas lunchu, a potem okazała się twarda jak oszlifowany diament.

Oparł się o zagłówek i wpatrywał w migający za oknem krajobraz. Zostawili za sobą krainę jezior w północnej części Włoch i zjechali do podnóża Alp. Zresztą ta podróż była dość krótka. Mediolan znajdował się w odległości zaledwie czterdziestu pięciu minut jazdy od Como.

Gray wiedział wystarczająco dużo na swój temat, by zrozumieć, skąd się wzięła ta nagła fascynacja osobą Rachele. Nigdy nie pociągała go przyziemność i niezdecydowanie. Nie gustował także w ekstremalnych zachowaniach: zuchwałości, natarczywości czy braku opanowania. Zawsze był zwolennikiem pewnej harmonii i łączenia skrajności, kiedy udawało się zachować stan równowagi.

Zasadniczo odpowiadała mu wizja kosmosu zawarta w taoizmie, która opierała się na współistnieniu jin i jang.

Nawet przebieg zawodowej kariery był odzwierciedleniem poglądów Graya, który łączył w sobie cechy naukowca i żołnierza. Interesował się takimi dziedzinami nauki jak biologia i fizyka. Kiedyś uzasadniał ten wybór, pisząc do Paintera Crowe'a: „Cała chemia, biologia i matematyka sprowadzają się do pozytywu i negatywu, do zera i jedności, do ciemności i światła".

Zorientował się, że jego myśli znów dryfują w stronę Rachele. Dla niego była uosobieniem tej właśnie filozofii, zamkniętej w nadzwyczaj kształtnym ciele.

Przyglądał się, jak podnosi rękę i masuje sobie kark. Jej usta rozchyliły się lekko, jakby trafiła od razu na właściwe miejsce. Gray zaczął się zastanawiać, jaki jest ich smak.

Zanim jednak zdążył posunąć się dalej w swych rozważaniach, Rachele wjechała tak gwałtownie w ostry zakręt, że poleciał na drzwi mercedesa. Położyła rękę na dźwigni, zredukowała bieg i wcisnęła pedał gazu, a potem wzięła kolejny zakręt jeszcze ostrzej.

Gray postanowił wziąć na przeczekanie, za to Monk jęknął rozdzierająco.

Na ustach Rachele pojawił się cień uśmiechu.

Kto potrafiłby się oprzeć urokowi tej kobiety?

6.07
Waszyngton, D. C.

Osiem godzin i ani słowa.

Painter niespokojnie spacerował po biurze. Był tutaj od wczoraj, od dziesiątej wieczorem — bo właśnie wtedy dotarły do niego wieści o eksplozjach w katedrze w Kolonii. Od tamtej chwili informacje sączyły się wolno.

Stanowczo zbyt wolno.

Źródłem zniszczeń okazały się bomby wypełnione czarnym prochem, białym fosforem i olejem zapalającym LA-60. Trzy godziny upłynęły, zanim ogień udało się stłumić na tyle, by można było wejść do środka. Z całego wnętrza pozostała jedynie wypalona do cna, pełna dymu i toksycznych wyziewów skorupa. Ocalały tylko gołe kamienne ściany i posadzki. Odkryto także kilka zwęglonych ciał.

Czy tak zakończył misję jego zespół?

Minęły kolejne dwie godziny, zanim nadszedł raport, że przy dwóch ciałach odnaleziono szczątki broni. Niezidentyfikowanych karabinów, którymi prawdopodobnie posługiwali się zamachowcy. Zespół Sigmy nie został wyposażony w tego typu broń, więc przynajmniej niektóre ze zwłok musiały należeć do nieznanych dotąd napastników.

Ale w takim razie co się stało z jego ludźmi?

Inwigilacja satelitarna Narodowego Biura Rozpoznania (NRO) okazała się całkowicie bezużyteczna. Żaden z satelitów nie był skierowany w tamtym czasie na interesujący Paintera obszar. Jeśli zaś chodzi o nadzór na ziemi, to wszystkie kamery sklepowe i miejskie znajdujące się w pobliżu były akurat wyłączone, a zawartość nagrań przeglądali właśnie analitycy z policji. Naocznych świadków odnalazło się zaledwie kilku. Jeden z bezdomnych, który spał obok Wzgórza Katedralnego, zeznał, że widział grupkę osób uciekających z płonącej katedry. Ale potem wyszło na jaw, że miał we krwi ponad półtora promila alkoholu. Pijany jak bela.

Poza tym panowała całkowita cisza. Kryjówka Sigmy na terenie Kolonii nie została wykorzystana i jak dotąd z obszaru operacji nie napłynęła żadna wiadomość.

Po prostu nic.

W końcu Painter zaczął obawiać się najgorszego.

Przerwało mu pukanie do na wpół uchylonych drzwi.

Odwrócił się i machnięciem ręki zaprosił do środka Logana Gregory'ego. Drugi w dowództwie Sigmy człowiek taszczył pod pachą stertę papieru, a pod oczami miał ciemne półksiężyce. Stanowczo odmówił udania się do domu i dzielnie trwał przez całą noc u boku Paintera.

Szef popatrzył na niego z oczekiwaniem, w nadziei na dobre wieści.

Ale Logan pokręcił tylko głową.

— Ciągle ani śladu kogokolwiek o tych nazwiskach.

Co godzina sprawdzano pobliskie lotniska, dworce kolejowe i linie autobusowe.

— A przejścia graniczne?

— Też nic. Zresztą granice w Unii Europejskiej są dziurawe jak sito. Mogli wyjechać z Niemiec na tysiąc różnych sposobów.

— I Watykan także nie otrzymał żadnego sygnału?

Kolejne kręcenie głową.

— Rozmawiałem z kardynałem Sperą nie dalej niż dziesięć minut temu.

Nagle z komputera dobiegł dźwięk dzwonka. Painter obszedł dookoła biurko i wstukał szyfr, żeby zainicjować wideokonferencję. Następnie stanął przed plazmowym ekranem wiszącym na ścianie po lewej stronie, na którym pojawiła się podobizna jego szefa, dowódcy DARPA.

Doktor Sean McKnight przebywał w swoim biurze w Arlington. Wyjątkowo nie miał dziś na sobie marynarki, a mankiety koszuli podwinął aż do łokci. I nie założył krawata. Ręką przeczesał siwiejące rudawe włosy; ten znajomy gest świadczył o tym, jak bardzo McKnight czuje się zmęczony.

— Dostałem twoją prośbę — zaczął bez wstępów.

Painter wyprostował się, nie ruszając się z miejsca, Logan zaś dyskretnie wycofał się w stronę drzwi, żeby nie wchodzić w zasięg kamery. Zrobił taki ruch, jakby w ogóle chciał wyjść, by jego szef mógł porozmawiać ze swoim przełożonym na osobności, ale Painter dał mu znak, żeby został. Jego prośba nie miała nic wspólnego ze sprawami bezpieczeństwa.

Sean pokręcił głową.

— Nie mogę jej spełnić — powiedział.

Painter zmarszczył brwi. Poprosił o wydanie paszportu w trybie awaryjnym, żeby osobiście udać się na miejsce akcji. Żeby być pod ręką w Niemczech podczas śledztwa. Tylko tam mógł znaleźć wskazówki, gdzie zniknęli jego ludzie. W przypływie nagłej frustracji zacisnął pięść.

— Logan może nadzorować bieżące sprawy — wyraził swój sprzeciw. — A ja będę w stałym kontakcie z dowództwem.

Sean wyraźnie zesztywniał.

— Painter, teraz to ty jesteś dowódcą.

— Ale...

— Nie jesteś już agentem operacyjnym.

Na twarzy Paintera musiało się odmalować autentyczne cierpienie, bo Sean westchnął ciężko.

— Czy masz pojęcie, ile razy siedziałem w biurze, czekając na jakąkolwiek informację od ciebie? Pamiętasz ostatnią operację w Omanie? Byłem wówczas pewien, że nie żyjesz.

Painter zerknął na biurko. Wszędzie piętrzyły się sterty papierzysk i segregatorów. Fakt, że znalazł się między nimi, nie przyniósł żadnej ulgi. Nigdy nie podejrzewał, jak męczącą pracę miał jego dowódca.

Pokręcił ze smutkiem głową.

— Takie sprawy można załatwiać tylko w jeden sposób — odezwał się jego szef. — I możesz mi wierzyć, co chwila będziesz się znajdował w tego typu sytuacji.

Painter spojrzał prosto w ekran. Gdzieś za mostkiem poczuł nagłe ukłucie bólu, piekące i pulsujące.

— Musisz zaufać swoim agentom. To ty zdecydowałeś się wysłać ich w teren i kiedy już znaleźli się poza twoją kontrolą, musisz mieć do nich zaufanie. Sam wybrałeś szefa zespołu i ludzi, którzy mają być dla niego wsparciem. Czy wierzysz, że poradzą sobie w niesprzyjającej sytuacji?

Painter wyobraził sobie twarze Graysona Pierce'a, Monka Kokkalisa i Kat Bryant. To byli najlepsi i najbystrzejsi ludzie, jakich miał. Jeśli ktokolwiek mógł przeżyć...

Powoli skinął głową. Ufał im.

— Więc pozwól im prowadzić własną grę. Tak jak ja pozwalałem tobie. Wystarczy jedynie delikatne dotknięcie lejców, żeby konie pobiegły najlepiej, jak potrafią. — Sean pochylił się do przodu. — Teraz możesz jedynie czekać, aż nawiążą kontakt. Na tym polega twoja praca. Żeby być gotowym i zareagować. A nie uciekać do Niemiec.

— Rozumiem — odpowiedział, choć wcale go to nie pocieszyło. Ból nadal wgryzał się we wnętrze jego klatki piersiowej.

— Czy dostałeś paczkę, którą ci wysłałem w zeszłym tygodniu?

Painter podniósł wzrok i uśmiechnął się lekko. Owszem, dostał od dyrektora starannie zapakowaną przesyłkę. Pudełko ze środkami zobojętniającymi kwasy żołądkowe. Wtedy myślał, że to miał być dowcip, ale teraz nie był już tego taki pewien.

Sean oparł się wygodnie o zagłówek fotela.

— To jedyna ulga, na jaką możesz liczyć w tym biznesie.

Te słowa zabrzmiały niezwykle szczerze i prawdziwie. Pełnienie funkcji dowódcy wymagało pewnych poświęceń.

— Chyba już łatwiej było jechać na akcję — mruknął.

— Nie zawsze — przypomniał mu Sean. — Na dłuższą metę nie zawsze.

12.10
Mediolan, Włochy

— Tylko pamiętaj, masz zamknąć za nami drzwi — powiedział Monk. — Tak jak każe monsinior.

Gray nie mógł się dłużej sprzeciwiać. Wyglądało na to, że wszystko w porządku. Kusiło go, żeby wpaść do środka, porwać relikwie i wynieść się stąd jak najszybciej.

Stali właśnie na ocienionym chodniku przy Bazylice Świętego Eustorgiusza, tuż obok jednego z bocznych wejść. Skromny fronton bazyliki zdobiły obramowania z czerwonej cegły, a tuż za nim wznosiła się strzelista wieża zegarowa, zakończona krzyżem. Maleńki, zalany słońcem plac przed katedrą świecił pustkami.

Kilka minut wcześniej przejechał obok nich policyjny patrol; posuwał się wolno, najwyraźniej obserwując to, co działo się dookoła katedry. Ale cała okolica wydawała się nadzwyczaj spokojna.

Idąc za radami Kat, obserwowali z bezpiecznej odległości wszystkie zakamarki kościoła. Gray użył nawet swojego teleskopu, żeby przez kilka okien dyskretnie zajrzeć do środka. Zarówno pięć bocznych kaplic, jak i nawa środkowa robiły wrażenie kompletnie opustoszałych.

Słoneczny blask wdzierał się coraz dalej w głąb chodnika. Dzień robił się upalny.

Ale Gray wciąż czuł dziwny chłód. Ciągle dręczył go niepokój. Czy zachowywałby się tak samo ostrożnie, gdyby był tutaj sam?

— No to ruszajmy — zdecydował wreszcie.

Vigor podszedł do bocznych drzwi i sięgnął po wielką, żelazną kołatkę — metalowe kółko z prostym krzyżem.

Ale Gray chwycił go za rękę.

— Nie — powiedział. — Przybyliśmy tutaj po cichu i lepiej dalej bądźmy cicho.

Odwrócił się do Kat i wskazał zamek.

— Potrafisz go otworzyć?

Kat przyklękła na jedno kolano, a Gray i Monk ustawili się tak, żeby ją zasłonić. Oglądając zamek, grzebała jednocześnie w zestawie narzędzi, a potem ze skrupulatnością chirurga przystąpiła do dzieła.

— Komandorze... — odezwał się Vigor. — To jest pogwałcenie świątyni.

— Jeśli wasze przybycie zostało już zaanonsowane przez Watykan, to nie ma żadnego gwałtu.

Trzask zasuwki przerwał tę konwersację. Drzwi uchyliły się o centymetr.

Kat podniosła się z ziemi i założyła plecak.

Gray machnął ręką na pozostałych, żeby się odsunęli.

— Monk i ja idziemy tam sami. Rozpoznać teren. — Sięgnął do kołnierzyka i włożył do ucha słuchawkę. — Połączymy się z wami przez radio, jeśli będzie taka możliwość. Kat, zostaniesz tu z Rachele i Vigorem.

Umocował na szyi mikrofon. Vigor wysunął się do przodu.

— Jak już wspominałem, księża chętniej rozmawiają z kimś, kto nosi koloratkę. Pójdę z wami.

Gray zastanowił się. Monsinior miał rację.

— Tylko proszę przez cały czas trzymać się za nami — polecił. Kat nie protestowała, że ma pilnować drzwi, ale w oczach Rachele tlił się gniew.

— Musimy mieć kogoś, kto będzie nas osłaniał, jeśli coś się nie uda — wyjaśnił Gray, zwracając się bezpośrednio do Rachele.

Zacisnęła usta, ale posłusznie skinęła głową.

Usatysfakcjonowany, odwrócił się i otworzył drzwi na tyle, by dało się przez nie wślizgnąć do środka. W ciemnym przedsionku panował chłód. Nie dostrzegł tam nic podejrzanego. Cisza sanktuarium była wręcz przytłaczająca, jakby nagle znalazł się pod wodą.

Monk odrzucił na bok połę długiego płaszcza i oparł dłoń na kolbie pistoletu. Vigor, posłuszny poleceniom Graya, jak cień posuwał się za nim.

Gray zbliżył się do środkowych drzwi, prowadzących do nawy środkowej. Popchnął je otwartą dłonią, trzymając w drugim ręku odbezpieczonego glocka.

Wewnątrz było jaśniej niż w przedsionku, bo z okien wlewało się do środka światło dnia. Lśniąca marmurowa posadzka w promieniach słońca wydawała się prawie mokra. Inaczej niż większość bazylik, ta nie została wzniesiona na planie krzyża, lecz prostokąta, który kończył się na głównym ołtarzu.

Gray zamarł i czekał na jakieś poruszenie. Mimo jasnego światła było tu dość zakamarków, w których ktoś łatwo mógł się ukryć. Długi rząd kolumn podpierał łukowate sklepienie. Z prawą ścianą łączyło się pięć malutkich kaplic, gdzie stały sarkofagi pochowanych tu świętych i męczenników.

Wszędzie panował całkowity bezruch. Jedynym dźwiękiem był daleki pomruk ruchu ulicznego, który w tym wnętrzu brzmiał jak odgłosy z innego świata.

Gray wszedł do środka i ruszył wzdłuż nawy, nie wypuszczając z ręki pistoletu.

Monk ustawił się tak, by mieć na oku całe wnętrze kościoła. W całkowitym milczeniu przemierzali bazylikę; wciąż nie widzieli znaku życia.

— Może wszyscy wyszli na późny lunch — wymamrotał Monk do radia.

— Kat, słyszysz mnie? — odezwał się Gray.

— Całkiem wyraźnie, komandorze.

Dotarli do końca nawy. Vigor wskazał na prawo, na kaplicę położoną najbliżej ołtarza.

Wetknięty w sam narożnik, w półcieniu, stał olbrzymi sarkofag. Podobnie jak w Kolonii, relikwiarz zawierający kości Mędrców miał kształt kościoła — tyle tylko że wykonany był nie ze złota i drogich kamieni, lecz wyrzeźbiony z jednego bloku marmuru.

Gray bez wahania skręcił w tamtą stronę.

Relikwiarz wznosił się na wysokość czterech metrów; miał dwa metry szerokości i trzy i pół długości. Do wnętrza można było się dostać jedynie przez małe zakratowane okienko, umieszczone nisko w przedniej ścianie sarkofagu.

— *Finestra confessionis* — szepnął Vigor, wskazując okienko. — Na relikwie można patrzeć tylko wówczas, gdy się uklęknie.

Gray podszedł bliżej, zostawiając na straży Monka. Wciąż dręczył go dziwny niepokój. Pochylił się i zerknął przez małą szybkę. Ujrzał wnętrze wyłożone białym jedwabiem.

Kości zostały już zabrane, dokładnie tak jak przewidywał monsinior. Watykan nie zamierzał podejmować ryzyka, podobnie zresztą jak on sam.

— Plebania znajduje się na zewnątrz po lewej stronie — odezwał się Vigor, odrobinę za głośno. — Tam właśnie mieszczą się biura i mieszkania. Do bazyliki można się stamtąd dostać przez zakrystię.

Wskazał ręką na przeciwległą ścianę kościoła.

Jakby w odpowiedzi na dany sygnał drzwi po drugiej stronie nawy otworzyły się z lekkim zgrzytnięciem. Gray opadł na kolano, Monk zaś jednym ruchem popchnął monsiniora za kolumnę, a sam poderwał swoją strzelbę.

W drzwiach pojawiła się samotna postać i weszła do środka, najwyraźniej nie mając pojęcia o obecności intruzów.

Był to młody mężczyzna w czarnej sutannie, z koloratką.

Ksiądz.

Był sam. Przeszedł na ukos przez nawę i zaczął zapalać świece na głównym ołtarzu.

Gray zaczekał, aż mężczyzna znajdzie się dwa metry od nich. Ciągle oprócz niego w kościele nie pojawił się nikt inny. Gray powoli podniósł się i stanął tak, żeby tamten go zauważył.

Ksiądz zamarł z uniesioną w pół drogi ręką, bo właśnie miał zapalić następną świecę. Gdy dostrzegł wycelowany w siebie pistolet, zaskoczenie na jego twarzy ustąpiło miejsca przerażeniu.

— *Chi sei?*

Grayson zawahał się, ale zza kolumny wysunął się Vigor.

— *Padre...*

Na ten widok ksiądz aż podskoczył z wrażenia, a jego wzrok momentalnie przesunął się na monsiniora. Natychmiast dostrzegł koloratkę na szyi Vigora i strach zmienił się w zmieszanie.

— Jestem monsinior Verona — oznajmił Vigor, występując krok do przodu. — Niech się ksiądz nie boi.

— Monsinior Verona? — Na twarzy księdza malowało się zaniepokojenie. Odsunął się o krok.

— O co chodzi? — odezwał się po włosku Gray.

Ksiądz pokręcił głową.

— Pan nie może być monsiniorem Veroną — powiedział stanowczo.

Vigor wyciągnął dokument tożsamości wydany przez Watykan.

Ksiądz obejrzał go dokładnie i niepewnie popatrzył na Vigora.

— Ale... Dziś wcześnie rano, tuż po wschodzie słońca, przyjechał tu pewien człowiek. Wysoki. Bardzo wysoki. Miał dokumenty na nazwisko Verona i papiery z autentycznymi pieczęciami Watykanu. Upoważniające go do zabrania relikwii.

Gray i Vigor wymienili spojrzenia. Dali się podejść jak dzieci. Trybunał Smoka tym razem posunął się do sprytnego wybiegu, zamiast użyć brutalnej siły. Z konieczności. Ze względu na wzmocnioną ochronę katedry. Sądząc, że prawdziwy monsinior Verona nie żyje, Trybunał postanowił kogoś podstawić. Tak jak poprzednio, musieli już wcześniej wiedzieć o dodatkowej misji Vigora, podczas której miał zabrać stąd relikwie, i użyli służby wywiadowczej, żeby wykraść ostatnie fragmenty kości pomimo wzmocnienia ochrony.

Gray pokręcił głową. Ciągle byli o krok za tamtymi.

— Niech to diabli. — wykrzyknął Monk.

Ksiądz zmarszczył brwi. Najwidoczniej znał angielski na tyle, by słowa Monka wypowiedziane w domu Pana Boga odebrać jako afront.

— *Scusi* — odpowiedział Monk na pełne wyrzutu spojrzenie.

Gray świetnie rozumiał frustrację Monka. Zresztą jako szef operacji miał podwójne powody do zmartwienia, jednak w porę ugryzł się w język i powstrzymał potok przekleństw. Jak dotąd poruszali się za wolno, grali zbyt zachowawczo.

Jego radio zabrzęczało.

Na linii była Kat. Musiała słyszeć wystarczająco dużo z poprzedniej konwersacji.

— Komandorze, czy wszystko się wyjaśniło?

— Wyjaśniło... — odparł kwaśno. — Ale za późno.

Kat i Rachele weszły do środka. Vigor przedstawił je księdzu.

— A więc kości przepadły na dobre — mruknęła Rachele.

Ksiądz skinął głową.

— Monsinior Verona, jeśli chciałby ksiądz zobaczyć dokumenty, to zapraszam do zakrystii. Trzymamy je w sejfie. Może to coś wam pomoże.

— Możemy je sprawdzić pod kątem odcisków palców — odezwała się pełnym znużenia głosem Rachele. W końcu dopadło ją zmęczenie. — Być może nie byli wystarczająco ostrożni, bo nie spodziewali się, że ktoś depcze im po piętach. To mogłoby spłoszyć tego, kto nas zdradził w Watykanie. W ten sposób znajdziemy nowy trop.

Gray skinął głową.

— Spróbuj je zdjąć, a my zobaczymy, co nam się uda tutaj znaleźć.

Rachele i Verona ruszyli w poprzek nawy.

Gray odwrócił się i podszedł do sarkofagu.

— Jakieś pomysły? — spytał Monk.

— Wciąż mamy ten proszek, który zebraliśmy z relikwiarza w Kolonii... — powiedział Gray. — Jak dotrzemy do Watykanu, zrobimy przegrupowanie, zaalarmujemy odpowiednie służby, a następnie dokładniej zbadamy ten proszek.

Kiedy drzwi do zakrystii się zamknęły, Gray znów ukląkł przy maleńkim okienku, zastanawiając się, czy modlitwa mogłaby tu pomóc.

— Powinniśmy oczyścić odkurzaczem wnętrze — rzekł, starając się zachować spokój. — Zobaczymy, czy również tutaj znajdziemy choć odrobinkę tego amalgamatu.

Pochylił się bliżej, przechylając głowę, choć nie bardzo wiedział, czego właściwie szuka. Ale tak czy owak coś znalazł. Na białym jedwabnym obiciu we wnętrzu relikwiarza widniał jakiś znak. Czerwona pieczęć odbita na bieli jedwabiu. Maleńki smok z zawiniętym dookoła szyi ogonem... Atrament wyglądał na świeży. Zbyt świeży...

Bo to nie był atrament.

Krew...

Ostrzeżenie pozostawione przez Smoczycę.

Gray wyprostował się gwałtownie, bo nagle wszystko zrozumiał.

7

Łut szczęścia

25 lipca, 12.38
Mediolan, Włochy

Rachele i Vigor weszli do niewielkiej zakrystii, a ksiądz delikatnie zamknął za nimi drzwi. To tutaj duchowni i ministranci przebierali się do mszy.

Rachele usłyszała za sobą znajome kliknięcie.

Obróciła się nieznacznie i ujrzała lufę pistoletu wycelowanego prosto w pierś. Pistoletu, który nie wiadomo skąd pojawił się w ręku księdza. Jego oczy były teraz lodowate i twarde jak wypolerowany marmur.

— Nie ruszać się — powiedział ostro.

Rachele cofnęła się o krok. Vigor powoli uniósł ręce.

Po obu stronach zakrystii stały rzędy szaf, w których wisiały szaty liturgiczne i ornaty używane codziennie przez księży od-prawiających msze. Srebrne kielichy, ustawione na chybił trafił, zajmowały cały stół, a drąg z kutego żelaza zakończony wielkim pozłacanym krucyfiksem — przypuszczalnie służący podczas procesji — stał oparty o ścianę w jednym z kątów.

Nagle drzwi znajdujące się na przeciwległej ścianie stanęły otworem.

Znajoma sylwetka postawnego mężczyzny wypełniła całe światło przejścia. To był ten sam człowiek, który zaatakował Rachele w Kolonii. Teraz trzymał w ręku ociekający krwią długi nóż. Wszedł do środka, wziął z szafy jedną ze stuł i zaczął wycierać w nią broń.

Rachele kątem oka zauważyła grymas na twarzy stojącego obok niej Vigora.

Krew. Dziwna nieobecność księży. O Boże...

Wysoki mężczyzna nie nosił już stroju mnicha, lecz zwykłe ubranie: spodnie khaki, czarny T-shirt, a na to luźną marynarkę w ciemnym kolorze, która zakrywała kaburę z pistoletem. W uchu miał słuchawkę, a na szyi przenośny mikrofon.

— A więc jakimś cudem udało się wam ujść z życiem z katedry w Kolonii — powiedział, taksując przy tym Rachele takim wzrokiem, jakby była cielęciem przeznaczonym na rzeź. — Co za szczęśliwy zbieg okoliczności. Teraz będziemy mieli okazję lepiej się poznać.

Podniósł nieco mikrofon, żeby wydać komuś polecenie.

— Oczyśćcie kościół.

Rachele usłyszała za sobą trzaśnięcie drzwi prowadzących do bazyliki. Gray i pozostali z pewnością dadzą się zaskoczyć. W napięciu czekała na serię strzałów albo wybuch granatu, ale nic podobnego nie nastąpiło. Słyszała jedynie tupot butów uderzających o marmurową posadzkę. W kościele nadal panowała cisza.

Chyba to samo zwróciło uwagę jej porywacza.

— Raport — powiedział do mikrofonu rozkazującym tonem.

Rachele nie słyszała odpowiedzi, ale z wyrazu jego twarzy domyśliła się, że chyba wieści nie były zbyt pomyślne.

Przepchnął się do wyjścia, omijając Vigora i Rachele.

— Pilnuj ich — warknął do fałszywego księdza. Inny członek bandy zajął miejsce przy tylnym wyjściu z zakrystii.

Ich przywódca jednym szarpnięciem otworzył drzwi prowadzące do nawy i do środka wszedł uzbrojony po zęby człowiek w towarzystwie kobiety o azjatyckich rysach twarzy, która trzymała w ręku sig sauera.

— Nikogo tam nie ma — doniósł nowo przybyły.

Rachele przez szparę dostrzegła gwałtowny ruch w nawie głównej i bocznych kaplicach.

— Wszystkie wyjścia były pilnowane?

— Tak jest.

— Cały czas?

— Tak jest.

Badawcze spojrzenie olbrzyma spoczęło na kobiecie.

A ona tylko wzruszyła ramionami.

— Pewnie znaleźli jakieś niedomknięte okno.

Burknął coś pod nosem. Raz jeszcze rozejrzał się po bazylice, a potem okręcił się na pięcie.

— Szukać dalej. Wyślijcie trzech chłopaków, żeby przeczesali okolice. Przecież nie mogli uciec daleko.

Z tymi słowami odwrócił się do Rachele, która błyskawicznie przystąpiła do akcji.

W jednej chwili chwyciła pastorał zakończony srebrnym krzyżem i wbiła jego podstawę w splot słoneczny mężczyzny. Jęknął głucho i upadł w tył, prosto na stojącego tuż za nim księdza. Wtedy bez namysłu szarpnęła pastorałem i trzasnęła krzyżem prosto w twarz stojącego przy wyjściu strażnika.

Jego pistolet wypalił, ale pocisk poleciał gdzieś w górę, strzelec zaś stracił równowagę i wypadł przez drzwi.

Jak furia rzuciła się za nim i wylądowała w wąskim korytarzyku. Vigor deptał jej po piętach, zatrzasnęła więc za nim drzwi, a potem podparła skrzydło drągiem i zablokowała go o przeciwną ścianę korytarzyka.

Wuj, nie zastanawiając się ani chwili, nadepnął z całej siły na dłoń leżącego mężczyzny, a zaraz potem kopnął go z całej siły w twarz. Rozległ się trzask pękającej kości. Głowa podskoczyła jak piłka, z głuchym łoskotem rąbnęła w kamienną posadzkę, a ciało nieszczęśnika w jednej chwili zwiotczało, jakby nagle uszło z niego życie.

Rachele schyliła się i podniosła pistolet.

Kucając, spojrzała w obie strony pozbawionego okien korytarza. Nigdzie ani śladu pozostałych bandziorów. Widocznie wszystkie siły zostały użyte do zastawienia pułapki na Graya i jego ludzi.

Ktoś uderzył od środka w drzwi tak silnie, że aż skrzydło zagrzechotało o framugę. Olbrzym próbował wydostać się na zewnątrz.

Rachele położyła się płasko na posadzce i zerknęła w szparę nad progiem. Przez sekundę obserwowała przesuwające się plamy cienia i światła, a potem wycelowała pistolet w ciemniejsze miejsce i wypaliła.

Pocisk odbił się od marmurowej posadzki, ale do uszu Rachele dobiegł okrzyk zaskoczenia. Ten drobny żart powinien nieco opóźnić pościg.

Zerwała się na równe nogi. Tymczasem wuj Vigor zdążył już przebiec kilka kroków w głąb holu.

— Słyszę czyjeś jęki — wyszeptał. — Tam.

— Nie mamy na to czasu.

Ale wuj Vigor zupełnie ją zignorował. Zapuścił się jeszcze głębiej w korytarz, a Rachele, chcąc nie chcąc, poszła za nim. Zresztą i tak przecież nie znali układu budynku, więc każda droga była tak samo dobra. Po chwili dotarli do otwartych na oścież, skrzypiących na zawiasach drzwi. Właśnie zza nich dobiegał czyjś cierpiący głos.

Podparła skrzydło ramieniem, trzymając w pogotowiu broń.

Niewielkie pomieszczenie, w którym się znaleźli, pełniło niegdyś funkcję jadalni. Teraz przypominało raczej rzeźnię. Jeden z księży leżał na podłodze w kałuży krwi; tył jego głowy był krwawą miazgą, w której tkwiły fragmenty mózgu, kawałki kości i resztki włosów. Inna postać w czarnym habicie spoczywała na stole, rozciągnięta i przywiązana za ręce i nogi do ławy. Jakiś starszy ksiądz został obnażony do pasa. Zamiast piersi miał jedną krwawą ranę; brakowało mu uszu. W powietrzu unosił się smród przypalonego ciała.

Ktoś go torturował.

Do samego końca.

Z lewej strony znowu rozległ się szloch. Na podłodze siedział młody chłopiec, w samych bokserkach, ze związanymi rękoma i nogami i kneblem w ustach. Miał podbite oko, a z nosa sączyły się dwie strużki krwi. Na widok tej na wpół obnażonej postaci stało się jasne, skąd fałszywy ksiądz zdobył strój.

Vigor obszedł stół dookoła. Więzień go zauważył i szarpnął się rozpaczliwie. W jego oczach pojawił się obłędny strach, a z zakneblowanych ust pociekła piana.

Rachele cofnęła się o krok.

— Wszystko w porządku — odezwał się uspokajającym tonem Vigor.

Oczy więźnia zatrzymały się na koloratce monsiniora. Przestał się szarpać, ale nadal wstrząsał nim żałosny szloch. Vigor wyciągnął rękę i rozluźnił knebel. Chłopiec wypluł go, a po jego policzkach pociekły strumienie łez.

— *Molte... grazie...* — wyszeptał słabym głosem.

Vigor zaczął przecinać nożem plastikowe więzy.

Gdy się tym zajmował, Rachele zamknęła drzwi na zamek i dla większej pewności podstawiła pod gałkę krzesło. Tu także nie było żadnych okien, jedynie drzwi prowadzące w głąb plebanii. Trzymając pistolet wycelowany w te drzwi, skierowała się do wiszącego na ścianie telefonu. Żadnego sygnału. Przewody zostały przecięte.

Wygrzebała z kieszeni komórkę Graya i wybrała numer sto dwanaście — uniwersalny numer ratunkowy, obowiązujący w całej Unii Europejskiej. Uzyskawszy połączenie, przedstawiła się jako porucznik karabinierów — choć nie podała nazwiska — i zażądała natychmiastowej pomocy medycznej, a także wezwania policji i wojska.

Kiedy już zaalarmowała kogo trzeba, zamknęła telefon i ponownie wsunęła go do kieszeni.

W obliczu przytłaczających sił wroga tylko tyle mogła zrobić. Dla siebie... I dla innych.

12.45

Kroki zbliżały się do kryjówki Graya. Trwał w całkowitym bezruchu, starając się prawie nie oddychać. Ten ktoś zatrzymał się, i to całkiem blisko. Gray wytężył słuch.

Odezwał się męski głos. Znajomy, pełen gniewu. Należał do przywódcy mnichów.

— Ktoś powiadomił władze Mediolanu o tym, co tu się dzieje.

Zapadła cisza, choć Gray był pewien, że słyszał kroki dwóch osób.

— Seichan? — odezwał się jeszcze raz głos. — Słyszysz, co mówię?

Odpowiedział mu pełen znudzenia głos, równie łatwy do rozpoznania. To była Smoczyca, lecz teraz miała już imię. Seichan.

— Musieli uciec przez okno, Raoul. Agenci Sigmy to szczwa-

206

ne lisy, ostrzegałam cię tyle razy. Najważniejsze, że udało się nam zdobyć resztę kości. Moim zdaniem powinniśmy się stąd zbierać, zanim Sigma sprowadzi nam na kark gliny. Być może już są w drodze.

— Ale ta suka...

— Później załatwisz osobiste porachunki.

Kroki się oddaliły. Po odgłosach sądząc, cięższy z nich dwojga utykał na jedną nogę. Jednak w uszach Graya wciąż brzmiały słowa Smoczycy.

„Później załatwisz osobiste porachunki".

Czy to znaczyło, że Rachele zdołała umknąć?

Sam był zaskoczony, jak wielką ulgę sprawiła mu ta wiadomość.

Z daleka dobiegło trzaśnięcie drzwiami. Kiedy echo przebrzmiało, Gray nadstawił uszu. Nie słyszał żadnych kroków, tupania buciorów ani odgłosów rozmów.

Na wszelki wypadek odczekał jeszcze pełną minutę.

Kiedy nadal nic nie zmąciło ciszy kościoła, trącił wreszcie Monka, który leżał tuż obok wygięty w paragraf. Kat zwinęła się w kłębek po drugiej stronie kolegi. Obydwoje przekręcili się na plecy, co zaowocowało przyprawiającym o mdłości chrzęstem gniecionych na proch kosteczek, i sięgnęli w górę. Podźwignięcie kamiennego wieka grobowca wymagało wspólnego wysiłku.

Do wnętrza ich prowizorycznego bunkra wlało się światło.

Kiedy Gray spostrzegł naznaczone krwią ostrzeżenie, jakie pozostawiła im Smoczyca, wiedział już, że znaleźli się w pułapce. I że wszystkie drzwi wiodące na zewnątrz bazyliki z pewnością są pilnowane. W dodatku w żaden sposób nie mógł pomóc Rachele i jej wujowi, którzy zniknęli za drzwiami zakrystii.

Razem z Monkiem i Kat wkroczyli do sąsiedniej kaplicy, gdzie stał masywny marmurowy grobowiec, wsparty na skręconych gotyckich kolumnach. We trójkę uchylili jego wieko na tyle, by wśliznąć się do środka, i zasunęli je akurat w chwili, gdy wszystkie drzwi prowadzące do kościoła otworzyły się z trzaskiem.

Kiedy polowanie dobiegło końca, Monk wygramolił się na zewnątrz ze strzelbą w ręku i zaczął się otrzepywać, wydając przy tym zdegustowane pomruki. Ludzkie prochy posypały się obficie.

— Może więcej tego nie róbmy, co?

Gray trzymał broń w pogotowiu.

Na marmurowej posadzce, dosłownie o kilka kroków od ich kryjówki, leżał jakiś mały przedmiot. Miedziana moneta, łatwa do przeoczenia. Gray podniósł ją. To był chiński *fen*.

— Co to? — zaciekawił się Monk.

Gray zamknął dłoń i wsadził do kieszeni.

— Nic. Chodźmy już.

Skierował się w poprzek nawy wprost do zakrystii, ale jeszcze raz rzucił okiem w stronę krypty. Czyli Seichan wiedziała.

12.48

Rachele wciąż stała na straży, podczas gdy Vigor pomagał księdzu wstać.

— Oni... zabili wszystkich — wyszeptał chłopak. Musiał wesprzeć się na ramieniu Vigora, żeby zachować równowagę. Uparcie odwracał wzrok od zakrwawionej postaci spoczywającej na stole, ale w końcu zakrył twarz ręką i wydał z siebie rozdzierający jęk.

— Ojciec Belcarro...

— Jak to się stało? — pytał Vigor.

— Przyszli godzinę temu. Mieli ze sobą papieskie pieczęcie, papiery, identyfikatory... Ale ojciec Belcarro miał zdjęcie, które przesłano mu faksem. — Oczy księżulka rozszerzyły się, kiedy spojrzał na Vigora. — Twoje zdjęcie. Z Watykanu. Więc ojciec Belcarro natychmiast zorientował się, że to kłamstwo. Ale wtedy wpadły tu te diabły... Przewody telefoniczne zostały przecięte, a my zamknięci w środku. Chcieli, żeby ojciec Belcarro podał im szyfr do sejfu.

Młody człowiek odwrócił się do zakrwawionego ciała, jakby poczucie winy przepełniło go na nowo.

— Zaczęli go torturować... Ale nic nie powiedział. Zaczęli robić jeszcze gorsze rzeczy... O wiele gorsze. I zmusili mnie, żebym na to patrzył.

208

Ksiądz nagle złapał Vigora za łokieć.

— Nie mogłem pozwolić, żeby nadal to robili. Ja... Ja im powiedziałem.

— I zabrali kości z sejfu?

Ksiądz skinął głową.

— Zatem wszystko stracone — powiedział ze smutkiem Vigor.

— Mimo to chcieli mieć pewność — ciągnął ksiądz, jakby nie słyszał uwagi Vigora. Co chwila spoglądał na umęczone ciało, wiedząc, że jemu przeznaczony był ten sam los. — A potem usłyszeli, że przyjechaliście, więc skrępowali mnie i zakneblowali.

Rachele przywołała z pamięci obraz fałszywego księdza, który włożył na siebie sutannę należącą do tego człowieka. Wszystko po to, żeby wywabić ją i Kat z ulicy i skłonić do wejścia do kościoła.

Ksiądz zatoczył się w stronę ciała ojca Belcarro. Nasunął z powrotem jego habit, zakrywając okaleczoną twarz, jakby chciał ukryć tam własną hańbę. A potem sięgnął do kieszeni przesiąkniętego krwią odzienia i wyciągnął stamtąd napoczętą paczkę papierosów. Wyglądało na to, że starszy duchowny nie zdołał pozbyć się wszystkich złych przyzwyczajeń. Podobnie jak młody.

Drżącymi palcami młody człowiek odgiął wieko i wytrząsnął na dłoń zawartość pudełka. Sześć papierosów... i kawałek ułamanej kredy. Ksiądz upuścił papierosy i wyciągnął na otwartej dłoni żółtobrunatną kredę.

Vigor wziął ją do ręki.

To nie była kreda, lecz kość.

— Ojciec Belcarro bał się wysyłać wszystkie relikwie — wyjaśnił młody ksiądz. — Na wypadek gdyby przytrafiło się im coś złego, odłożył jedną z nich. Dla kościoła.

Rachele zastanawiała się, dlaczego tak postąpił? W jakim stopniu ten wybieg umotywowany był absolutnie altruistyczną chęcią zachowania relikwii dla macierzystej świątyni, a w jakim stało się tak z powodu dumy i wspomnienia o dawno minionym dniu, gdy kości Mędrców wykradziono z Mediolanu, żeby zabrać je do Kolonii. Bazylika Świętego Estorgiusza cieszyła się sławą głównie ze względu na tych kilka kości. Ale i tak nie zmieniało to faktu, że ojciec Belcarro umarł jak męczennik. Zniósł okrutne tortury, mimo że świętą relikwię ukrywał przy sobie.

Głośny wystrzał sprawił, że wszyscy troje podskoczyli.

Ksiądz z powrotem upadł na podłogę.

Ale Rachele rozpoznała ten dźwięk.

— To strzelba Monka — powiedziała, a w jej oczach rozbłysła nadzieja.

14.04

Gray przedarł się przez dymiącą dziurę w drzwiach zakrystii. Monk zarzucił strzelbę na ramię.

— Chyba będę musiał oddać im całą pensję, żeby naprawili stolarkę — mruknął.

Gray przecisnął się obok drąga blokującego przejście i otworzył drzwi. Po hałasie spowodowanym przez strzelbę Monka, nie było potrzeby uciekać się do dalszych wybiegów.

— Rachele! Vigor! — krzyknął z całej siły, wchodząc głębiej w korytarz.

Gdzieś z dalszego pomieszczenia dobiegły odgłosy szarpania, a potem drzwi stanęły otworem. Rachele pojawiła się na progu, z bronią gotową do strzału.

— Tutaj! — ponagliła ich.

Wuj Vigor i na wpół rozebrany nieznajomy młodzieniec wytoczyli się na korytarz. Młody człowiek był blady jak upiór i ledwie przytomny z przerażenia, ale ich obecność zdawała się dodawać mu sił.

A może sprawiło to coraz głośniejsze zawodzenie policyjnych syren.

— Ojciec Giustino Menelli — przedstawił go Vigor.

Szybko wymienili informacje.

— A więc jednak mamy jedną z kości — skonstatował Gray ze zdziwieniem.

— Proponuję odwieźć ją do Rzymu tak szybko, jak to tylko możliwe — powiedział Vigor. — Te zbiry na razie nie wiedzą, że ją mamy, a wolałbym się znaleźć za murami Watykanu, zanim ktoś ich poinformuje o tym fakcie.

Rachele skinęła głową.

— Ojciec Menelli powie policji, co tu się stało. Pominie tylko szczegóły dotyczące naszej obecności... i oczywiście nie wspomni ani słówkiem o relikwii, którą zabraliśmy.

— *Elettrico Treno Rapido* wyjeżdża z Mediolanu za dziesięć minut. — Vigor zerknął na zegarek. — Możemy być w Rzymie o szóstej wieczorem.

Gray przytaknął. Im szybciej, tym lepiej.

— To chodźmy — zdecydował.

Skierowali się do wyjścia. Ojciec Menelli poprowadził ich do bocznych drzwi niedaleko miejsca, gdzie zostawili samochód. Rachele tak jak poprzednio ulokowała się za kierownicą i ruszyli z piskiem opon, zanim policyjne wozy zdążyły zajechać pod katedrę.

Siedzący z tyłu Gray włożył rękę do kieszeni i palcami odszukał małą chińską monetę. Instynkt podpowiadał mu, że coś przeoczył.

Coś ważnego.

Ale co?

15.39

Rachele wyszła z łazienki i skierowała się do przedziału pierwszej klasy pociągu ETR 500. Towarzyszyła jej Kat. Wspólnie zdecydowali, że nie będą poruszali się pojedynczo. Rachele przemyła twarz zimną wodą, uczesała włosy i wyszczotkowała zęby, podczas gdy Kat czekała na zewnątrz.

Po horrorze przeżytym w Mediolanie Rachele potrzebowała tej chwili samotności. Przez pełną minutę po prostu patrzyła na własne odbicie, walcząc to z gniewem, to z napływającymi do oczu łzami. Opryskała twarz wodą.

Tylko tyle mogła zrobić.

Ale nawet ta prosta czynność sprawiła, że Rachele poczuła się lepiej. Zupełnie jakby w ten sposób zmyła z siebie poczucie winy.

Zmierzając z powrotem w stronę przedziału, ledwie czuła pod stopami drżenie. *Elettrico Treno Rapido* był najnowocześniejszym i najszybszym pociągiem na terenie Włoch. Łączył Mediolan z Neapolem, poruszając się z niewiarygodną prędkością trzystu kilometrów na godzinę.

— A więc jak to jest z waszym komandorem? — spytała Rachele, bo nagle postanowiła wykorzystać okazję, że znalazła się sam na sam z tą drugą kobietą. Poza tym dobrze było porozmawiać o czymś innym niż morderstwa i kości.

— A co konkretnie masz na myśli? — Kat nawet nie pofatygowała się, żeby podnieść głowę.

— Czy jest z kimś związany? Może ma jakąś dziewczynę? To pytanie zasługiwało już na odrobinę zainteresowania.

— Doprawdy nie rozumiem, w jaki sposób jego prywatne życie... — Kat obrzuciła Rachele pośpiesznym spojrzeniem.

— A ty i Monk? — przerwała jej Rachele, bo poniewczasie zrozumiała, jak niewłaściwe było poprzednie pytanie. — Biorąc pod uwagę wasze zajęcie, czy macie w ogóle czas na prywatne sprawy? I co z ewentualnym ryzykiem?

Rachele była ciekawa, w jaki sposób ci ludzie znajdują równowagę między normalnym życiem a życiem spod znaku płaszcza i sztyletu. Sama przeżyła dość trudny okres, kiedy starała się znaleźć mężczyznę, który pogodziłby się z tym, że jego dziewczyna jest porucznikiem karabinierów.

Kat ciężko westchnęła.

— Lepiej się zbytnio nie angażować — powiedziała. Jej palce powędrowały do maleńkiej żabki z zielonej emalii, którą nosiła przypiętą do kołnierzyka. Mówiła teraz z dziwną zaciętością, choć bardziej wyglądało to na pozę niż na demonstrację prawdziwej siły. — Zaprzyjaźniasz się, ale lepiej się zbytnio nie angażować. Tak jest znacznie łatwiej.

Łatwiej? Zależy dla kogo, pomyślała Rachel.

Przestała drążyć ten temat, gdy tylko doszły do przedziału. Wykupili dwa przedziały, żeby na zmianę mogli uciąć sobie krótką drzemkę. Ale na razie nikt nie poszedł spać. Wszyscy zgromadzili się w drugim przedziale i zajęli miejsca wokół stolika, opuściwszy rolety w oknach.

Rachele wślizgnęła się na fotel obok wuja, Kat zaś zajęła miejsce obok kolegów.

Gray wyciągnął z pudełka podręczny zestaw do analizy i podłączył laptop. Pozostałe narzędzia leżały już starannie poukładane na blacie stolika. Na samym środku, na nierdzewnej tacce do próbek, spoczywała kość jednego z Mędrców.

— Całe szczęście, że nie znaleźli tego kawałeczka palca — mruknął Monk.

— Szczęście nie ma tu nic do rzeczy. — Rachele się wzdrygnęła. — Kilku dobrych ludzi przypłaciło to życiem. I gdybyśmy nie przybyli na czas, podejrzewam, że ta kostka też by przepadła.

— Wszystko jedno, czy to było szczęście, czy nie — zauważył Gray. — Najważniejsze, że mamy w ręku resztkę relikwii. Sprawdźmy, czy dzięki niej uda nam się rozwikłać jakąś tajemnicę.

Wsunął na nos okulary o potężnych jubilerskich szkłach powiększających i nałożył lateksowe rękawiczki. Małym wiertłem wywiercił otwór na samym środku kości, a potem w moździerzu rozkruszył próbkę na proch.

Rachele obserwowała tę pracę. Patrzyła, jak żołnierz zmienia się w dociekliwego naukowca. Przyglądała się jego ruchom, precyzyjnym i sprawnym, z których każdy miał swój cel. Gray koncentrował się teraz wyłącznie na tym, co robił. Dwie idealnie równoległe zmarszczki przecięły czoło i nie wygładziły się ani na chwilę. Oddychał głęboko przez nos.

Nigdy nie podejrzewała, że istnieje taka strona jego osobowości, bo dotąd widziała w nim tylko człowieka, który nie zawahał się przeskoczyć z jednej wieży na drugą. Rachele nagle poczuła nieodpartą chęć, by koniuszkami palców ująć go za podbródek i obrócić ku sobie jego twarz, żeby spojrzał na nią z tą samą intensywnością i skupieniem. Ciekawe, jak by to było... Wyobraziła sobie głębię jego błękitnych oczu, przypomniała dotyk jego ręki, gdy ściskał w dłoni jej dłoń. Mocno, a zarazem delikatnie. W jakiś sposób potrafił połączyć jedno z drugim.

Nagła fala gorąca przebiegła przez jej ciało. Czuła, że zaczyna się czerwienić, i musiała odwrócić wzrok.

Kat przyglądała się jej spod oka; nagle Rachele ogarnęło poczucie winy, bo przypomniała sobie słowa tamtej. „Lepiej się zbytnio nie angażować. Tak jest znacznie łatwiej".

Może ta kobieta rzeczywiście miała rację...

— Teraz spektrometrem masowym zbadamy, czy w tych kościach faktycznie znajduje się jakiś metal w stanie m — mruknął w końcu Gray, co na nowo przyciągnęło jej uwagę. — Spróbujemy wykluczyć — albo potwierdzić — możliwość, że znaleziony w złotym relikwiarzu proch pochodził z kości Mędrców.

Mówiąc to, zmieszał roztarty fragment kości z wodą destylowaną i pipetką przeniósł go do probówki. Tę próbkę wsunął do przenośnego spektrometru, a sam przygotował drugą probówkę, tym razem jedynie z destylowaną wodą.

— To standardowe kalibrowanie — wyjaśnił i umieścił probówkę w drugim otworze. Nacisnął zielony guzik i tak odwrócił laptop, żeby wszyscy mogli obserwować rezultaty badania. Na ekranie pojawił się wykres, a jego środek przecinała płaska linia. W kilku jej miejscach pojawiły się niewysokie sygnały.

— To woda. Te nieregularne piki to jakieś śladowe zanieczyszczenia. Widać, że nawet woda destylowana nie jest w stu procentach czysta.

Teraz przełączył urządzenie tak, żeby wskazywało dane z drugiej próbki, i znów wcisnął zielony przycisk.

— A to jest analiza mieszaniny wody i sproszkowanej kości.

Wykres na ekranie zniknął, a po chwili pokazały się nowe sygnały.

Wyglądały identycznie jak poprzednie.

— Nic się nie zmieniło — stwierdziła Rachele.

Ze ściągniętymi brwiami Gray powtórzył test. Posunął się nawet do tego, że wyjął probówkę i porządnie wymieszał jej zawartość. Ale rezultat za każdym razem był taki sam. Linia prosta.

— Spektrometr wciąż odczytuje tę próbkę jako wodę destylowaną — oznajmiła Kat.

— A nie powinien — wtrącił Monk. — Nawet jeśli dostojni starcy cierpieli na osteoporozę, wapń znajdujący się w kościach powinien zmienić nieco rezultaty badania. Nie wspominając już o związkach węgla czy kilku innych pierwiastkach.

Gray skinął głową, przyznając mu rację.

— Kat, czy masz jeszcze resztkę tego roztworu cyjanku?

Odwróciła się do plecaka, pogrzebała w środku i wyciągnęła stamtąd mały szklany pojemnik.

214

Gray nasączył roztworem wacik na patyczku i przez rękawiczkę ostrożnie ujął dwoma palcami kość. Zaczął pocierać wacikiem jej środek, dość mocno naciskając, jakby miał zamiar wypolerować srebro.

Tyle że to nie było srebro.

W miejscach, gdzie wacik zetknął się z jej powierzchnią, brązowożółtawa kość zaczynała błyszczeć.

Gray podniósł głowę i popatrzył na pozostałych.

— To wcale nie jest kość.

Rachele nie zdołała się opanować.

— To czyste złoto! — zawołała zaskoczona.

17.12

Gray poświęcił połowę czasu spędzonego w pociągu na obalanie twierdzenia Rachele. Kość nie składała się tylko ze złota. Poza tym nie była to zwykła, metaliczna postać złota, lecz znów ta dziwna forma złotego szkła. Teraz próbował odkryć dokładny skład próbki.

Równocześnie zastanawiał się nad jeszcze jednym problemem. Mediolan. Wciąż wracał myślami do tego, co wydarzyło się w bazylice. Wprowadził swój zespół prosto w pułapkę. Mógł sobie wybaczyć zasadzkę zastawioną na nich poprzedniej nocy w Niemczech, bo tam napastnicy zaskoczyli ich podczas pracy, na dodatek wykonywanej potajemnie. Poza tym nikt nie przypuszczał, że ponownie dojdzie do tak brutalnego aktu jak w katedrze kolońskiej.

Ale o tym, że w Mediolanie ledwo uszli z życiem, Gray nie mógł zapomnieć. Wkroczyli do bazyliki świetnie przygotowani, a mimo to niewiele brakowało, a wszyscy by zginęli.

Gdzie popełnili błąd?

Gray znał odpowiedź. To on wszystko spieprzył. Nie powinien był się godzić na postój w Como. I nie trzeba było słuchać ostrzeżeń Kat i tracić tyle czasu na badanie okolic bazyliki. To wtedy zostali namierzeni i dali przeciwnikowi sposobność przygotowania zasadzki.

Kat nie była niczemu winna. Ostatecznie ostrożność i rozpoznanie terenu są podstawą w pracy agenta wywiadu. Ale działanie w terenie wymaga także zręczności i pewności siebie, a nie zastanawiania się bez końca.

Ostatnia uwaga dotyczyła zwłaszcza dowódcy zespołu.

Aż do teraz Gray postępował zgodnie z przepisami — zachowywał maksymalną ostrożność i starał się prowadzić swoich ludzi tak, jak się tego po nim spodziewano. Ale może to właśnie było błędem. Niezdecydowanie i zastanawianie się nad wszystkim dwa razy nie należało do wrodzonych cech męskiej części rodziny Pierce'ów. Nie charakteryzowało ani ojca, ani syna. Tylko gdzie przebiegała granica pomiędzy nadmierną ostrożnością a podejmowaniem zbytniego ryzyka? I czy kiedykolwiek uda mu się zachować właściwe proporcje?

Od tego zależał sukces misji, a być może nawet ich życie.

Gray skończył rozmyślać i oparł się o zagłówek fotela. Oparzył się w kciuk, a w całym przedziale śmierdziało alkoholem metylowym.

— To nie jest czyste złoto — zawyrokował.

Pozostali spojrzeli na niego. Dwoje pracowało, a dwoje ucięło sobie drzemkę.

— Fałszywa kość jest mieszanką różnych platynowców — wyjaśnił Gray. — Ten, kto to zrobił, zmieszał sproszkowany amalgamat rozmaitych metali przejściowych i przetopił go do postaci szkła. Kiedy ostygło, wymodelował je i tak starł powierzchnię, żeby zrobiło się matowe i nierówne, dzięki czemu szkło zaczęło z wyglądu przypominać kość.

Gray zaczął zbierać sprzęt.

— Faktycznie, ta substancja głównie składa się ze złota, ale jest w niej również sporo platyny i niewielkie domieszki irydu, rodu, a nawet osmu i palladu.

— Słowem, normalna mieszanka. — Monk ziewnął.

— Ale jej dokładny skład może na wieki pozostać nieznany — powiedział Gray, przyglądając się zmaltretowanej kosteczce. Zachował trzy czwarte nietknięte, a do serii prób wykorzystał jedynie pozostałą część. — Biorąc pod uwagę, że nie można przeprowadzić analizy pierwiastka w stanie m, nie da się precyzyjnie określić proporcji. Nawet samo badanie zmienia skład próbki.

— Jak w zasadzie nieoznaczoności Heisenberga. — Kat oparła stopy na przeciwległej ławeczce, a na udach postawiła laptop.

Mówiła, nie przerywając stukania w klawiaturę. — Nawet sam fakt obserwowania oddziałuje na to, co jest obserwowane.

— Ale jeśli nie można przeprowadzić kompleksowych badań... — Rozdzierające ziewnięcie przerwało wypowiedź Monka.

Gray pogładził go po ramieniu.

— Będziemy w Rzymie dopiero za godzinę. Może jednak pójdziesz do sąsiedniego przedziału i pośpisz trochę?

— Nic mi nie jest — próbował się opierać, jednocześnie tłumiąc kolejne ziewnięcie.

— To rozkaz.

Monk wstał i przeciągnął się.

— No cóż, jeśli tak...

Potarł zaczerwienione oczy i skierował się do wyjścia.

Ale zatrzymał się jeszcze na chwilę.

— Wiesz... A może wszyscy się mylą. Może tradycja źle zinterpretowała słowa „kości Mędrców”... Może wcale nie chodziło o ich szkielety, tylko o kości, które zostały przez nich wykonane. A w źródłach historycznych nazwano je tak, jakby należały do nich. Kości Mędrców.

Pozostali gapili się na niego szeroko otwartymi oczyma.

Monk tylko wzruszył ramionami i niemal wyskoczył z przedziału.

— Zresztą, do diabła, co ja gadam. Ledwie mogę pozbierać myśli — mruknął i zamknął za sobą drzwi.

— Być może wasz kolega wcale tak bardzo nie mija się z prawdą — zauważył Vigor, gdy w kabinie znów zapadła cisza.

Rachele poruszyła się. Aż do ostatniej wymiany zdań drzemała oparta o ramię wuja. Gray kątem oka obserwował, jak oddycha. Pod wpływem snu jej rysy złagodniały i wydawała się teraz znacznie młodsza.

Wyprostowała rękę i przeciągnęła się.

— Co masz na myśli?

Vigor od dłuższej chwili pracował na laptopie Monka. Podobnie jak Kat, podłączył się do linii DSL, w którą zostały wyposażone przedziały pierwszej klasy tego nowoczesnego pociągu. Obydwoje szukali dalszych informacji, tyle że Kat skoncentrowała się na naukowych doniesieniach dotyczących białego złota, podczas gdy Vigor usiłował znaleźć jakieś historie łączące Mędrców z tym amalgamatem.

Vigor nie odrywał oczu od monitora.

— Ktoś podrobił te kości. Ktoś, kto dysponuje rzadko spotykanymi umiejętnościami. Tylko kto? I dlaczego ukrył tę fałszywkę w sercu katedry?

— Czy może być to osoba w jakiś sposób powiązana z Trybunałem Smoka? — spytała Rachele. — Przecież ta organizacja istnieje od średniowiecza.

— Albo ktoś wewnątrz samego Kościoła? — zasugerowała Kat.

— Nie — Vigor sprzeciwił się zdecydowanie. — Moim zdaniem tu chodzi o inną grupę. O jakąś bratnią organizację, która istniała jeszcze wcześniej.

— A skąd ta pewność? — zainteresował się Gray.

— W tysiąc dziewięćset osiemdziesiątym drugim roku poddano testom niektóre z szat pogrzebowych należących do Mędrców. Pochodzą z drugiego wieku, a więc na długo przedtem, nim powstał Trybunał Smoka. Nim Helena, matka cesarza Konstantyna, odnalazła te kości gdzieś na Wschodzie.

— A kości nikt nie badał?

Vigor zerknął na Graya.

— Kościół tego kategorycznie zabronił.

— Dlaczego?

— Żeby przeprowadzić testy kości — zwłaszcza relikwii — potrzebna jest dyspensa papieska. A jeśli chodzi o kości Mędrców, ewentualne badania wymagałyby nadzwyczajnego zezwolenia.

— Po prostu Kościół nie życzy sobie, żeby sprawdzano, czy jego największe skarby są autentyczne — wyjaśniła Rachele.

Vigor spojrzał na nią, marszcząc brwi.

— Kościół przywiązuje wielką wagę do wiary..

Wzruszyła ramionami, a potem zamknęła oczy i wtuliła się w fotel.

— Skoro nie Kościół i nie Trybunał, to kto dopuścił się fałszerstwa? — dopytywał się Gray.

— Według mnie pański przyjaciel Monk miał rację. Prawdopodobnie wytworzyło je jakieś starożytne bractwo. Grupa,

218

która istniała jeszcze przed narodzinami chrześcijaństwa, być może nawet w czasach starożytnego Egiptu.

— Egiptu?

Vigor kliknął myszką i otworzył jakiś plik.

— Proszę posłuchać. W tysiąc czterysta pięćdziesiątym roku przed Chrystusem faraon Tutmozis Trzeci zebrał swoich najlepszych rzemieślników, tworząc liczące trzydziestu dziewięciu członków Wielkie Białe Bractwo. Nazwa wzięła się od badań, jakie prowadzili nad tajemniczym białym proszkiem. Ów proszek został otrzymany ze złota, i formowano go w piramidki, nazywane „białym chlebem". W świątyni w Karnaku znajdowały się takie piramidki, niekiedy emitujące światło.

— A co z nimi robili?

— Przygotowywano je wyłącznie dla faraonów. Do jedzenia. Przypuszczalnie po to, żeby zwiększyć siłę ich umysłu.

Kat wyprostowała się i opuściła stopy na podłogę.

Gray odwrócił się do niej.

— Masz coś?

— Czytałam co nieco na temat własności metali w stanie wysokospinowym. Zwłaszcza złota i platyny. Wystawione na działanie soków żołądkowych, stymulują układ dokrewny, wywołując stan podwyższonej świadomości. Pamiętacie te artykuły na temat nadprzewodników?

Gray skinął głową. Metale w stanie wysokospinowym były doskonałymi nadprzewodnikami.

— Wydział Badań Morskich Marynarki Stanów Zjednoczonych potwierdził, że komunikacja pomiędzy komórkami mózgu nie może być tłumaczona na drodze czysto chemicznego przekazu między synapsami. Komórki mózgu przekazują impulsy zbyt szybko. Naukowcy doszli do wniosku, że w grę wchodzi jakaś forma nadprzewodnictwa, ale ten mechanizm ciągle nie został do końca zbadany.

Gray zmarszczył brwi. On sam także zajmował się nadprzewodnictwem podczas studiów doktoranckich. Najlepsi fizycy wierzyli, że badania w tej dziedzinie doprowadzą do kolejnego przełomu w globalnych technologiach, a ich zastosowanie będzie miało wpływ na losy każdego człowieka. Ze względu na swój stopień naukowy z biologii Gray był również zaznajomiony

219

z aktualnymi teoriami na temat myśli, pamięci i budowy mózgu. Tylko co to wszystko miało wspólnego z białym złotem?

Kat pochyliła się nad laptopem. Stuknęła w klawisz i na ekranie pojawił się następny artykuł.

— Proszę. Zaczęłam szukać informacji na temat platynowców i ich zastosowania. I znalazłam jakąś publikację o mózgach cieląt i świń. Analiza mózgu ssaków wskazuje, że cztery do pięciu procent jego suchej masy stanowi rod i iryd. Rod i iryd w stanie jednoatomowym — dodała, wskazując podbródkiem na resztki kości leżące na stoliku Graya.

— Sądzisz więc, że te pierwiastki w stanie m mogą być źródłem nadprzewodnictwa w mózgu? Że są szlakiem komunikacyjnym? I że jedzenie przez faraonów proszku zawierającego te pierwiastki zwiększało ich wydolność umysłową?

Kat wzruszyła ramionami.

— Trudno powiedzieć. Badania nadprzewodnictwa ciągle są jeszcze na wczesnym etapie.

— A jednak samo zjawisko znano już w czasach starożytnego Egiptu. — Gray się zaśmiał.

— Wcale nie — sprzeciwił się Vigor. — Może dowiedzieli się czegoś na temat tych pierwiastków metodą prób i błędów albo przez czysty przypadek. Zresztą jakkolwiek do tego doszli, przykłady zainteresowania białym proszkiem i próby eksperymentów odnajdujemy na przestrzeni dziejów. Ta wiedza przekazywana była od jednej cywilizacji do drugiej i z biegiem lat stawała się coraz konkretniejsza.

— Do którego momentu potrafiłby pan ją prześledzić?

— Do tego. — Vigor wskazał na spoczywające na stole pozostałości relikwii.

Zainteresowanie Graya natychmiast wzrosło.

— Naprawdę?

Vigor skinął głową, gotów do podjęcia wyzwania.

— Jak już mówiłem, zaczniemy od Egiptu. Biały proszek nazywany jest tam na różne sposoby. Wspominałem o „białym chlebie", ale również występuje określenie „biała karma" lub *mfkzt*. Ale najdawniejszą nazwę możemy odnaleźć w egipskiej *Księdze umarłych*. Interesująca nas substancja wymieniona została tam setki razy, razem z opisem swoich zdumiewających właściwości. Nazywana jest całkiem prosto — „co to jest".

Gray przypomniał sobie, że duchownemu wymknęło się to określenie już wcześniej. Wtedy, gdy po raz pierwszy zmienili proszek w szkło.

— Ale po hebrajsku — ciągnął Vigor — „co to jest" tłumaczy się jako *Ma Na*.

— Manna — odezwała się Kat.

Vigor skinął głową.

— Święty chleb Izraelitów. Zgodnie ze Starym Testamentem manna spadła z nieba, żeby nakarmić umierających z głodu Żydów uciekających z Egiptu, których prowadził Mojżesz.

Monsinior zamilkł, żeby mogli przemyśleć tę informację. Przez chwilę bawił się przełączaniem plików.

— Jeszcze w Egipcie Mojżesz okazał się tak mądry i utalentowany, że brano go pod uwagę jako ewentualnego kandydata do objęcia tronu. Estyma, jaką się cieszył, z pewnością umożliwiła mu branie udziału w najtajniejszych egipskich misteriach.

— Czy chce pan powiedzieć, że Mojżesz wykradł tajemnicę białego proszku? Egipskiego „białego chleba"?

— W Biblii ten „chleb" wymieniany jest na wiele sposobów. Manna. Święty chleb. Chleb przenikliwości. Chleb obecności. Był tak drogocenny, że przechowywano go w Arce Przymierza, razem z tablicami, na których wypisano Dziesięcioro Przykazań. Wszystko to znajdowało się zamknięte w złotej skrzyni.

Gray dostrzegł znaczące zmarszczenie brwi, kiedy monsinior podkreślił podobieństwo do złotego relikwiarza, w którym przechowywano kości Mędrców.

— Chyba trochę naciąga pan fakty — mruknął w końcu. — Ostatecznie określenie „manna" mogło być czysto przypadkowe.

— Kiedy ostatnio czytał pan Biblię?

Gray nie zadał sobie trudu, żeby odpowiedzieć.

— Tam jest wiele rzeczy, które wprawiają w zakłopotanie historyków i teologów w związku z ową tajemniczą manną. Biblia opisuje, jak Mojżesz podłożył ogień pod złotego cielca. Ale on, zamiast stopić się, spalił się na proch, którym Mojżesz nakarmił rzeszę Izraelitów.

Gray uniósł brwi. Uderzyło go podobieństwo do „białego chleba" faraonów.

— W dodatku kogo Mojżesz poprosił, żeby przygotował ten święty chleb, tę mannę z nieba? Według Biblii nie był to piekarz, lecz Besalel.

Gray czekał spokojnie na wyjaśnienia. Nie bardzo orientował się w biblijnych imionach.

— Besalel był złotnikiem. To właśnie on zbudował Arkę Przymierza. Dlaczego więc złotnik miałby wypiekać chleb? Chyba że chodziło o coś innego niż zwykły wypiek...

Gray zastanowił się głęboko. Czy to mogła być prawda?

— Są jeszcze teksty z kabały, które wręcz mówią o białym proszku ze złota i przypisują mu magiczne właściwości. Tyle że magia ta może być użyta zarówno do czynienia dobra, jak i zła.

— Co więc stało się z tą wiedzą? — spytał Gray.

— Większość żydowskich źródeł podaje, że została bezpowrotnie utracona, kiedy w szóstym wieku przed Chrystusem Nabuchodonozor zburzył Świątynię Salomona.

— A potem kiedy się o niej wspomina?

— Żeby napotkać kolejne wzmianki, musimy przeskoczyć dwa wieki do następnej sławnej postaci, która również większą część życia spędziła w Babilonie, zdobywając wiedzę razem z uczonymi i mistykami. — Vigor zamilkł na moment, żeby podkreślić wagę swych słów. — Do Aleksandra Wielkiego.

Gray usiadł prosto.

— Tego macedońskiego króla?

— Aleksander zdobył Egipt w trzysta trzydziestym drugim roku przed Chrystusem, zresztą razem z większą częścią ówczesnego świata. Zawsze interesował się wiedzą ezoteryczną. Przez cały okres podbojów ze wszystkich stron słał Arystotelesowi naukowe podarunki. Tak samo kolekcjonował heliopolitańskie zwoje, dotyczące sekretnych zdobyczy naukowych starego Egiptu oraz magii. Jego sukcesor, Ptolemeusz Pierwszy, po śmierci Aleksandra zgromadził te skarby w Bibliotece Aleksandryjskiej. Jeden z tekstów Aleksandra mówi o przedmiocie zwanym Rajskim Kamieniem. Podobno miał on mistyczne właściwości. Kiedy był ciałem stałym, jego masa przekraczała masę identycznego kamienia zrobionego ze złota, ale rozkruszony do postaci proszku ważył mniej niż piórko i mógł unosić się w powietrzu.

— Jednym słowem lewitacja — wtrąciła się Kat.

Gray odwrócił się do niej.

— Taka właściwość nadprzewodników została dobrze udokumentowana. Nadprzewodniki mogą unosić się w powietrzu w silnym polu magnetycznym. Nawet te proszki zawierające pierwiastki w stanie m mają zdolność lewitacji. W tysiąc dziewięćset osiemdziesiątym czwartym roku laboratoria w Teksasie i Arizonie wykazały, że nagłe oziębienie jednoatomowego proszku czterokrotnie zwiększa jego masę. Mimo to, jeśli zostanie ponownie ogrzany, jego masa zmniejsza się do mniej niż zera.

— Co to znaczy „mniej niż zero"?

— Płytka laboratoryjna waży więcej bez substancji, jak gdyby dzięki niej zaczynała unosić się w powietrzu.

— Rajski Kamień został ponownie odkryty — oświadczył Vigor.

Gray powoli zaczynał pojmować prawdę. Sekretną wiedzę, która przekazywana była z pokolenia na pokolenie.

— Dokąd dalej prowadzi nas trop?

— Do czasów Chrystusa — odparł Vigor. — W Nowym Testamencie także można odnaleźć wzmianki o tajemniczym złocie. Rozdział drugi z Apokalipsy świętego Jana: „Zwycięzcy dam manny ukrytej i dam mu biały kamyk"*. Tak samo Apokalipsa opisuje domy w Nowym Jeruzalem: „to czyste złoto do szkła czystego podobne"**.

Gray przypomniał sobie, że Vigor mamrotał podobny werset, kiedy kałuża roztopionego szkła twardniała na marmurowej posadzce katedry w Kolonii.

— Powiedzcie mi, kiedy złoto przypomina wyglądem szkło? — mówił dalej Vigor. — To przecież nie ma sensu, chyba że weźmiemy pod uwagę, że chodzi o złoto w stanie m... „Czyste złoto do szkła czystego podobne", które opisuje Biblia. A to sprowadza nas na powrót do biblijnych Mędrców. — Wskazał na stolik. — Do perskiej legendy, którą relacjonuje Marco Polo.

---

* Apokalipsa św. Jana (2;17), Biblia Tysiąclecia.
** Apokalipsa św. Jana (21;18), Biblia Tysiąclecia.

Dotyczy ona przypowieści, jakoby Trzej Królowie otrzymali podarunek od Dzieciątka Jezus. Pewnie ma ona wyłącznie symboliczny wymiar, ale sądzę, że to istotna sprawa. Chrystus dał Mędrcom zwykły biały kamień, Święty Kamień. Przypowieść mówi, że miał on utwierdzać ich w wierze. Lecz podczas podróży do domu kamień zapłonął jasnym ogniem, którego nie można było ugasić. Ten wieczny płomień symbolizuje często wyższy stopień oświecenia.

Vigor musiał zauważyć zmieszanie na twarzy Graya, ale kontynuował:

— W Mezopotamii, gdzie narodziła się ta opowieść, na „wiecznie płonący kamień" mówiono *shemanna*. Jeśli używano określenia „płonący kamień" brzmiało to *manna*.

Vigor rozparł się na fotelu i skrzyżował ramiona.

Gray powoli skinął głową.

— W ten sposób zatoczyliśmy pełny krąg. Znów znaleźliśmy się przy mannie i biblijnych Mędrcach.

— Raczej znowu znaleźliśmy się w czasach, w których zrobiono te kości. — Vigor ponownie wskazał na stół.

— I czy wtedy to się skończyło?

Monsinior pokręcił głową.

— Muszę jeszcze trochę pogrzebać, ale wydaje się, że trwało nadal. Sądzę, że to, co opisałem jako pojedyncze odkrycie, w rzeczywistości jest częścią nieprzerwanego łańcucha badań prowadzonych nad tym proszkiem na przestrzeni wieków przez sekretne stowarzyszenia alchemików. I teraz główny nurt społeczności naukowej tylko odkrywa go na nowo.

Gray zwrócił spojrzenie na Kat, ich sieciowego łącznika ze światem nauki.

— Monsinior ma rację. Mamy do czynienia z nieprawdopodobnymi odkryciami, które dotyczą nadprzewodników w stanie m. Od lewitacji do oddziaływań na przestrzeń. Ale dopiero teraz są badane ich praktyczne właściwości. Związki cisplatyny są dziś wykorzystywane w leczeniu raka jąder i jajników. Sądzę, że Monk, będący po studiach z zakresu medycyny sądowej, mógłby wprowadzić nas w dalsze szczegóły. Ale w ciągu kilku ostatnich lat zdarzyły się jeszcze bardziej intrygujące odkrycia.

Gray ruchem ręki zachęcił ją do kontynuacji.

— Bristol-Meyers Squibb ogłosił sukces w wykorzystywaniu jednoatomowego rutenu do naprawiania struktur komórki rakowej. To samo dotyczy platyny i irydu, według „Platinum Metals Review". Dzięki oddziaływaniu tych atomów nici DNA naprawiają się same, bez konieczności stosowania leków czy chemioterapii. Okazało się, że iryd potrafi stymulować szyszynkę, i wszystko wskazuje na to, że pobudza do pracy „stare" fragmenty DNA, co prowadzi do długowieczności, bo pozwala ponownie otworzyć te połączenia w mózgu, które były niewydolne z powodu wieku.

Kat pochyliła się w przód.

— O, tu jest coś z sierpnia dwa tysiące czwartego roku. Uniwersytet Purdue donosi, że odniesiono sukces w niszczeniu wirusów rodem za pomocą światła emitowanego z wnętrza ciała chorego. Dotyczy to nawet wirusa Zachodniego Nilu.

— Światła? — Vigor spojrzał z ukosa.

Gray zerknął na niego. Zauważył, jak bardzo monsinior interesuje się tym tematem.

Kat przytaknęła.

— Tu jest mnóstwo artykułów o atomach w stanie m i emitowanym przez nie świetle. Od zmiany DNA w nici o właściwościach nadprzewodników... do komunikacji międzykomórkowej za pośrednictwem światła... i działania energii pola zerowego.

W końcu odezwała się Rachele. Przez cały czas siedziała z zamkniętymi oczyma, przysłuchując się dyskretnie, i nie uroniła ani słowa z całej rozmowy.

— To nie powinno nikogo dziwić.

— Co? — Gray odwrócił się w jej stronę.

Powoli odemknęła powieki. W jej spojrzeniu dostrzegł czujność i ożywienie.

— Naukowcy mówią teraz o wzrastającej świadomości, lewitacji, transmutacji, cudownych ozdrowieniach i przeciwdziałaniu starzeniu. To brzmi jak lista cudów z czasów biblijnych. Dlatego zaczęłam się zastanawiać, czemu tyle cudów zdarzało się w tamtych czasach, a teraz się nie zdarza. W ciągu kilku minionych stuleci byliśmy szczęśliwi, jeśli udało nam się ujrzeć na tortilli podobiznę Marii Panny. Jeszcze dziś nauka odkrywa na nowo tamte wielkie cuda. A znaczna ich część miała coś wspólnego z białym proszkiem — substancją, którą znano wówczas lepiej niż dzisiaj. Czy sekretna wiedza o niej mogła być źródłem tej epidemii cudownych zdarzeń, do których doszło w czasach biblijnych?

Gray rozważał przez chwilę tę kwestię.

— Może po prostu ci pradawni mędrcy wiedzieli więcej niż my? — zaczął snuć domysły. — A jeśli tak, co to zaginione bractwo mądrych ludzi zrobiło z tamtą wiedzą? I do jakiego stopnia zdołali ją udoskonalić?

Rachele podjęła ten wątek.

— Może Trybunał Smoka podąża właśnie tym tropem? Może znaleźli jakąś wskazówkę, coś związanego z kośćmi Mędrców, co doprowadzi ich do czystego, końcowego produktu, niezależnie od tego, czym on będzie? Jakiegoś ostatecznego punktu, który dotąd osiągnęli tylko mędrcy?

— Kontynuując ten tok myślenia, Trybunał przeprowadził w Kolonii morderczy eksperyment, żeby wypróbować, jak ten proszek zabija. — Gray przypomniał słowa z kabały, że ów proszek może być użyty do czynienia dobra lub zła.

Rachele spoważniała.

— Jeśli osiągną jeszcze większą siłę, uzyskają dostęp do kryjówki tamtych mądrych mężów, będą w stanie zmienić świat i ukształtować go ponownie według swoich chorych wizji.

Gray popatrzył na pozostałych. Kat siedziała z nieprzeniknionym wyrazem twarzy, a Vigor wydawał się pogrążony we własnych myślach, choć szybko zauważył tę nagłą ciszę.

Popatrzył na nich.

— A co ty o tym sądzisz, monsinior? — spytał Gray.

— Sądzę, że musimy ich powstrzymać. Ale żeby to zrobić, będzie trzeba znaleźć wskazówki, które zaprowadzą nas do tamtych starożytnych alchemików. A to oznacza, że będziemy iść ślad w ślad za Trybunałem Smoka.

Gray pokręcił głową. Przywołał z pamięci własne zaniepokojenie, że posuwają się zbyt ostrożnie i bojaźliwie.

— Mam dosyć posuwania się po śladach tych sukinsynów. Teraz musimy ich wyprzedzić, żeby dla odmiany to oni zmiatali po nas kurz.

— Ale skąd zaczniemy? — spytała Rachele.

Lecz zanim ktokolwiek zdążył się odezwać, z interkomu rozległ się nagrany na taśmę komunikat.

— *Roma... Stazione Termini... quindici minuti!*

Gray spojrzał na zegarek. Piętnaście minut.

Rachele wpatrywała się w niego uporczywie.

— *Benvenuto a Roma* — powiedziała, kiedy podniósł na nią wzrok. — *Sia il giocco cominciera!*

Na ustach Graya pojawił się cień uśmiechu, gdy tłumaczył na angielski jej słowa. Zupełnie jakby czytała w jego myślach.

— Witajcie w Rzymie... Niech zacznie się gra!

18.05

Seichan niedbale zsunęła srebrno-czarne okulary przeciwsłoneczne od Versacego.

Kiedyś w Rzymie...

Wysiadła z pośpiesznego autobusu na Piazza Pia. Miała na sobie zwiewną białą sukienkę i nic więcej, z wyjątkiem trzewików na wysokich obcasach, ozdobionych srebrnymi sprzączkami które pasowały do naszyjnika.

Autobus odjechał. Za plecami Seichan samochody tłoczyły się na jezdni i z rykiem klaksonów kierowały się w dół Via della Conciliazione. Gorąco i smród spalin równocześnie dały się jej we znaki. Odwróciła się twarzą ku zachodowi. Przy końcu ulicy wznosiła się Bazylika Świętego Piotra, a jej sylwetka rysowała się wyraźnie na tle zachodzącego słońca. Kopuła, mistrzowskie dzieło autorstwa Michała Anioła, lśniła złotym blaskiem.

Ale na Seichan ten widok nie wywarł wielkiego wrażenia. Odwróciła się tyłem do Wiecznego Miasta.

Dziś nie ono było jej celem.

Tuż przed nią stała budowla, która od wieków rywalizowała wielkością z bazyliką. Masywna, w kształcie olbrzymiego bębna, wypełniała sobą całą linię horyzontu. Twierdza wzniesiona nad brzegami Tybru. Zamek Świętego Anioła. Na jego szczycie gigantyczny, wykonany z brązu archanioł Michał wznosił ku niebu obnażony miecz, płonąc w czerwonawych promieniach słońca jak pochodnia. Przy nim kamienna budowla wydawała się czarna jak sadza, poplamiona sączącymi się tu i ówdzie po murach drobnymi strumyczkami, które z daleka wyglądały jak strużki czarnych łez.

Stosownie do okoliczności, pomyślała Seichan.

To miejsce wzniesiono w drugim stuleciu jako Mauzoleum Hadriana, ale wkrótce potem zostało przejęte przez papiestwo. Mimo to na przestrzeni wieków zamek zdążył zyskać zarówno dobrą, jak i złą sławę. Pod rządami Watykanu służył jako forteca, więzienie, biblioteka, a nawet dom publiczny. Był także miejscem sekretnych spotkań kilku papieży o wyjątkowo złej opinii, którzy w jego murach trzymali konkubiny i metresy, często wbrew woli nieszczęśnic.

Seichan uznała, że to zabawne, iż randkę wyznaczono jej właśnie tutaj. Przecięła na ukos ogrody prowadzące do wejścia i przeszła między ścianami grubości sześciu metrów, żeby dostać się na pierwszy poziom. Wewnątrz panował chłód i półmrok. O tak późnej porze turyści zaczynali powoli kierować się do wyjścia. Śmiało wkroczyła do środka i wspięła się na szerokie, kręcone rzymskie schody.

Zamek składał się z labiryntu komnat i korytarzy. Wielu gości natychmiast traciło orientację, gdzie się znajdują.

Ale Seichan podążała jedynie na średni poziom, do restauracji położonej na tarasie, z której rozciągał się widok na Tybr. Właśnie tutaj miał się z nią spotkać jej informator. Po zamachu bombowym spotkania na terenie Watykanu uznano za zbyt ryzykowne. Tak więc jej informator miał skorzystać z Passetto del Borgo — ukrytego przejścia umieszczonego na szczycie jednego ze starych akweduktów, które wiodło z Pałacu Apostolskiego prosto do fortecy. Przejście to zostało zbudowane w trzynastym wieku i pierwotnie służyło jako droga ucieczki papieży, lecz przez stulecia o wiele częściej chadzano nim na miłosne schadzki.

Choć akurat w dzisiejszym spotkaniu nie było nic romantycznego.

Seichan szła za wskazówkami prowadzącymi do restauracji. Zerknęła na zegarek. Przyszła o dziesięć minut za wcześnie. Doskonale. Powinna jeszcze gdzieś zadzwonić.

228

Wyciągnęła z torebki komórkę, nacisnęła przycisk odblokowujący klawiaturę, a potem przycisk szybkiego łączenia. Prywatny, zastrzeżony numer. Oparła się biodrem o ścianę, podniosła słuchawkę do ucha i czekała na sygnał międzynarodowego połączenia.

Linia zabrzęczała, coś kliknęło, a potem odezwał się rzeczowy, beznamiętny głos.

— Dzień dobry. Połączyłeś się z dowództwem Sigmy.

8

Kryptografia

— Dajcie mi pióro i papier — powiedział Gray, ściskając w ręku telefon satelitarny.

Cała grupa czekała w trattorii naprzeciwko centralnego dworca kolejowego w Rzymie. Zaraz po przyjeździe Rachele zadzwoniła, żeby przysłano tu dwa samochody karabinierów, które miały ich stąd zabrać i bezpiecznie odwieźć do Watykanu. Gray zdecydował, że pora przerwać milczenie i trzeba nawiązać kontakt z komendą główną. Natychmiast połączono go z dyrektorem Crowe'em.

Po wysłuchaniu krótkiej relacji z wydarzeń w Kolonii i Mediolanie dyrektor przekazał Grayowi zaskakujące nowiny.

— Dlaczego ona do pana dzwoniła? — pytał Gray, kiedy Monk szukał w plecaku kawałka papieru i czegoś do pisania.

— Seichan usiłuje nastawić jedną grupę przeciw drugiej, żeby w ten sposób osiągnąć własne cele — odparł Painter. — Nawet nie stara się tego ukryć. To, co nam przekazała, zostało wykradzione Raoulowi, agentowi operacyjnemu Trybunału Smoka.

Gray nachmurzył się, gdy przypomniał sobie, do czego ten człowiek posunął się w Mediolanie.

— Nie sądzę, żeby udało się jej odszyfrować ten tekst na własną rękę — mówił dalej Painter. — Dlatego przekazała to nam. Z dwóch powodów — żebyśmy to dla niej rozwiązali i żebyś deptał Trybunałowi po piętach. Ona nie jest głupia, a poza

230

tym musi być mistrzynią manipulacji, skoro Gildia właśnie ją wybrała do tego zadania... Zresztą miałeś już okazję ją poznać. Moim zdaniem nie ufaj jej ani trochę, mimo że pomogła ci w Kolonii i Mediolanie. W końcu będzie chciała wyrównać rachunki.

Gray czuł niewielki ciężar monety spoczywającej w jego kieszeni. Nikt nie musiał go ostrzegać. Sam wiedział, że ta kobieta jest ze stali, a przy tym potrafi chłodno kalkulować.

— Okej. — Wziął do ręki papier i pióro, a słuchawkę przycisnął do ucha ramieniem. — Jestem gotów.

Painter zaczął dyktować, a Gray zapisywał każde słowo.

— Więc to jest podzielone na zwrotki, tak jak wiersz? — spytał.

— Tak. — Dyrektor mówił dalej, a Gray notował. Po skończeniu dodał jeszcze:

— Szyfranci już nad tym pracują. U nas i w NSA.

Gray ze zmarszczonym czołem przyglądał się zapiskom na kartce.

— Zobaczę, co się da z tym zrobić — powiedział. — Może przy wykorzystaniu zasobów watykańskich uda nam się coś wykombinować.

— Tymczasem miej się na baczności — jeszcze raz ostrzegł Painter. — Ta Seichan może być bardziej niebezpieczna niż cały Trybunał Smoka.

Gray nie zamierzał podważać słuszności ostatniego zdania. Wyjaśnił jeszcze kilka spraw, rozłączył się i odłożył telefon. Reszta zespołu patrzyła na niego z oczekiwaniem.

— No i o co chodziło? — Monk nie wytrzymał.

— Smoczyca zadzwoniła do Sigmy i przekazała pewien tajemniczy zapis, który my mamy odczytać. Wydaje się, że ona nie ma pojęcia, co Trybunał zamierza teraz zrobić, ale chce, byśmy deptali im po piętach... Przekazała pewien starożytny tekst, coś, co Trybunał odkrył w Egipcie zaledwie dwa miesiące temu. Twierdzi, że właśnie jego treść — cokolwiek to jest — zapoczątkowała obecną operację.

Vigor podniósł się zza stolika stojącego na zewnątrz trattorii i z malutką filiżanką espresso w dłoni pochylił się nad kartką, żeby razem z pozostałymi rzucić okiem na zapisane tam słowa.

Kiedy księżyc w pełni łączy się ze słońcem
Rodzi się najstarszy.
Co to jest?
Tam gdzie tonie,
Unosi się w ciemnościach i wypatruje zaginionego króla.
Co to jest?
Bliźnię czeka na wodę,
Lecz zostanie przez kości spalone do kości na ołtarzu.
Co to jest?

— Och, to rzeczywiście bardzo nam pomoże — mruknął z przekąsem Monk.

Kat pokręciła głową.

— A co to ma wspólnego z Trybunałem Smoka, metalami w stanie wysokospinowym czy zaginionym towarzystwem alchemików?

Rachele popatrzyła na ulicę.

— Może stypendyści w Watykanie będą mogli nam pomóc. Kardynał Spera obiecał, że w miarę swoich możliwości będzie nas wspierał.

Gray zwrócił uwagę, że Vigor tylko rzucił okiem na papier, a potem odwrócił się i najspokojniej na świecie popijał espresso.

Miał już dość milczenia tego człowieka i szanowania granic cudzej prywatności. Jeśli Vigor chciał nadal pozostać w jego zespole, to nadszedł najwyższy czas, by zaczął zachowywać się jak pozostali.

— Pan coś wie — zwrócił się do monsiniora oskarżycielskim tonem.

Wszyscy podnieśli na nich wzrok.

— Pan też powinien to wiedzieć — odparował Vigor.

— Co pan ma na myśli?

— Już opisywałem tę rzecz, kiedy siedzieliśmy w pociągu. — Vigor odwrócił się i popukał palcem w karteczkę. — Słowa refrenu powinny być wam znane. Mówiłem o książce, w której powtarza się podobny wzór. Chodzi mi o repetycję frazy „Co to jest".

Kat przypomniała sobie pierwsza.

— To z egipskiej *Księgi Umarłych* — powiedziała.

— A dokładnie z Papirusa Aniego — kontynuował Vigor. — Ten papirus jest podzielony na wiersze pełne zagadkowych opisów, a po każdym z nich następuje powtarzająca się w kółko fraza: „co to jest".

— Czyli po hebrajsku *manna* — przypomniał Gray.

Monk przejechał dłonią po szczecince pokrywającej jego łysą czaszkę.

— Ale skoro ten fragment pochodzi z dobrze znanej egipskiej księgi, to czemu dopiero teraz wywołał takie poruszenie wśród członków Trybunału?

— Te ustępy nie pochodzą z *Księgi Umarłych* — odparł Vigor. — Dość dobrze znam Papirus Aniego i wiem, że tych fragmentów z pewnością tam nie ma.

— Więc skąd się wzięły? — spytała Rachele.

Vigor odwrócił się do Graya.

— Powiedział pan, że Trybunał odkrył je w Egipcie... zaledwie parę miesięcy temu.

— Tak jest.

Vigor spojrzał na Rachele.

— Jestem pewien, że jako porucznik oddziału karabinierów TPC zostałaś poinformowana o chaosie, jaki w ostatnich czasach zapanował w Muzeum Egipskim w Kairze? Muzeum rozesłało ostrzeżenia przez Interpol.

Rachele skinęła głową i wytłumaczyła pozostałym, o co chodzi.

— Najwyższa Rada Egipska do spraw Dziedzictwa Starożytności rozpoczęła w dwa tysiące czwartym roku uciążliwy proces opróżniania podziemi muzeum ze względu na planowaną renowację. Ale po otwarciu piwnic w labiryncie korytarzy odkryto setki tysięcy eksponatów z czasów faraonów i innych — archeologiczne wysypisko, o którym zupełnie zapomniano.

— Oszacowano, że samo skatalogowanie ich potrwa przynajmniej pięć lat — podjął Vigor. — Ale ponieważ jestem profesorem archeologii, dotarły do mnie wieści o kilku smakowitych kąskach. Na przykład odnaleziono tam pomieszczenie wypełnione pokruszonymi pergaminami, które zdaniem uczonych mogły pochodzić z zaginionych zbiorów Biblioteki Aleksandryjskiej, a ona — jak wiadomo — była głównym ośrodkiem studiów gnostycznych.

Gray przywołał z pamięci dyskusję o gnostycyzmie i pogoni za tajemną wiedzą.

— Takie odkrycie z pewnością przyciągnęło tam Trybunał Smoka.

— Jak ogień wabi ćmy — wtrąciła Rachele.

A Vigor mówił dalej.

— Jeden ze skatalogowanych przedmiotów pochodził z kolekcji Abd al-Latifa, poważanego egipskiego lekarza i odkrywcy, który żył w Kairze w piętnastym wieku. W jego przechowywanych w skrzynce z brązu zbiorach znajdowała się czternastowieczna, bogato zdobiona kopia egipskiej *Księgi Umarłych*, z pełnym tłumaczeniem Papirusa Aniego. — Vigor wpatrzył się w Graya surowo. — I to właśnie ta księga została skradziona cztery miesiące temu.

Gray poczuł, jak serce zaczyna mu szybciej bić.

— Przez Trybunał Smoka.

— Albo kogoś, kto pozostaje w ich służbie. Oni mają wtyczki dosłownie wszędzie.

— Ale jeśli ta księga jest tylko kopią, to na czym polega jej znaczenie? — spytał Monk.

— Papirus Aniego zawiera setki strof. Jestem gotów się założyć, że ten, kto zrobił kopię, ukrył konkretne wersy w jakiejś strofie pochodzącej z jeszcze dawniejszych czasów. — Vigor popukał w kartkę leżącą przed Grayem.

— Może zrobili to nasi zaginieni alchemicy — zasugerowała Kat.

— To jakby ukryć igłę w stogu siana — dorzucił Monk.

Gray skinął głową.

— Tak było, dopóki nie znalazło się kilku uczonych związanych z Trybunałem na tyle mądrych, że potrafili wyłowić te fragmenty, odczytać i postąpić zgodnie z zawartymi tam wskazówkami. Ale w takim razie co nam pozostało do zrobienia?

Vigor odwrócił się w stronę ulicy.

— Komandorze, w pociągu wspomniał pan o tym, że chciałby dogonić, a nawet wyprzedzić Trybunał Smoka. Teraz mamy szansę.

— Jaką, monsinior?

— Rozwikłamy tę zagadkę.

— Ale to może potrwać wiele dni.

Vigor zerknął przez ramię.

— Nie, jeśli już znam rozwiązanie.

Machnął ręką, żeby podano mu notatnik, a potem przewrócił kartki aż do czystej strony.

— Pozwólcie, że coś wam pokażę.

I zrobił coś przedziwnego. Umoczył w swoim espresso jeden palec i zwilżył dno filiżanki, a potem przycisnął ją do kartki, pozostawiając na niej ślad idealnego okręgu. Potem powtórzył te czynności, tylko drugi okrąg odbił tak, żeby częściowo zachodził na pierwszy. Teraz na kartce widniało coś, co z grubsza przypominało śnieżnego bałwana.

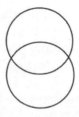

— To jest właśnie księżyc w pełni, który łączy się ze słońcem — rzekł.

— I czego to dowodzi? — spytał Gray.

— *Vesica Pisces* — powiedziała Rachele, a w jej oczach pojawił się błysk zrozumienia.

Vigor uśmiechnął się od ucha do ucha.

— Czy już wam mówiłem, jak bardzo dumny jestem z mojej siostrzenicy?

19.02

Rachele wcale się nie podobało, że muszą zrezygnować z eskorty karabinierów, ale rozumiała podniecenie Vigora. Wuj domagał się, żeby pojechali do Watykanu jakimkolwiek środkiem lokomocji, bo chciał jak najprędzej zbadać nowy trop.

Rachele zadzwoniła więc na posterunek i odwołała wozy patrolowe. Pozostawiła też zaszyfrowaną wiadomość dla generała Rende, informując, że mają pewną sprawę do załatwienia. To ostatnie było wynikiem sugestii Graya. Uważał, że lepiej nie przekazywać przez telefon, dokąd zamierzają się udać. Przynajmniej dopóki nie zbadają dokładniej nowego śladu.

Im mniej osób wiedziało o ich odkryciu, tym lepiej.

Musieli pomyśleć o innym środku transportu.

Rachele poszła za Grayem na tył zwykłego miejskiego autobusu. Kat i Monk zajęli tam kilka miejsc. Klimatyzacja zabrzęczała, a podłoga zaczęła grzechotać na skutek zwiększonych obrotów silnika, gdy autobus wyjechał z zatoczki i włączył się do ruchu.

Rachele usiadła obok Graya, naprzeciwko Kat, Monka i wuja Vigora. Kat była wyraźnie spięta. Od początku sprzeciwiała się odwołaniu eskorty i samodzielnej podróży do Watykanu. Zdanie Graya przeważyło, ale jego decyzja wywołała w niej pewien niepokój.

Rachele kątem oka obserwowała Graya. Najwyraźniej dojrzewało w nim jakieś postanowienie. Przypominał jej teraz tego człowieka, z którym znalazła się na szczycie płonącej wieży. W jego ruchach znów pojawiło się zdecydowanie, a w oczach płonęła ta sama determinacja, która zniknęła bez śladu po pierwszym ataku. Teraz Rachele ponownie ją dostrzegła... Ten widok nieco ją przeraził i przyśpieszył bicie serca.

Autobus wolno toczył się po ulicach miasta.

— No dobrze — odezwał się wreszcie Gray. — Uwierzyłem panu na słowo, że ta dodatkowa wycieczka naprawdę jest konieczna. Proponuję, żebyśmy trochę rozwinęli ten wątek.

Vigor uniósł otwartą dłoń na znak, że ustępuje.

— Gdybym zaczął wtedy wdawać się w szczegóły, to na pewno byśmy się spóźnili na ten autobus.

Znów otworzył notatnik.

— Znak zachodzących na siebie okręgów przewija się przez całe chrześcijaństwo. Widać go w kościołach, katedrach i bazylikach na całym świecie. Z tego jednego kształtu rozwinęła się cała geometria. Na przykład...

236

Ułożył obrazek wzdłuż i zakrył krawędzią dłoni dolną część. Potem wskazał miejsce przecięcia się obu okręgów.

— Tutaj widzicie geometryczny wzór zaostrzonego łuku. Prawie wszystkie gotyckie okna i sklepienia mają ten właśnie kształt.

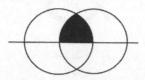

Rachele już jako dziecko słuchała podobnych wykładów. Nie można być spokrewnionym z watykańskim archeologiem i nie wiedzieć, jak wielkie znaczenie mają dwa zachodzące na siebie okręgi.

— Dla mnie wygląda to jak dwa rozgniecione pączki — mruknął Monk.

Vigor odwrócił obrazek do poprzedniej pozycji.

— Albo jak księżyc w pełni, który łączy się ze słońcem — powiedział monsinior, cytując wers z tajemniczego tekstu. — Im bardziej zastanawiam się nad tymi słowami, tym więcej znaczeń w nich odkrywam. Zupełnie jakbym obierał cebulę.

— A więc? — spytał Gray.

— Ta wskazówka pogrzebana została w egipskiej *Księdze Umarłych*. W pierwszej księdze napotykamy określenie „manna", dopiero później egipskie teksty zaczynają nazywać to coś „białym chlebem" i tak dalej... Zatem jeśli chcemy odnaleźć to, co alchemicy ukryli, musimy zacząć od samego początku. Zresztą i tak rozszyfrowanie pierwszej wskazówki cofa nas do czasów wczesnego chrześcijaństwa. Zwielokrotnione początki. Jeden, który staje się wieloma.

Rachele natychmiast pojęła, o czym mówi wuj.

— Rozmnożenie ryb.

Vigor skinął głową.

— Czy ktoś mógłby wyjaśnić to nam, nowicjuszom? — poprosił Monk.

— Połączone okręgi nazywane są *Vesica Pisces*, czyli Naczynie Ryb.

Vigor pochylił się i osłonił rękoma wspólną część okręgów, ukazując w ten sposób kształt podobny do ryby.

Gray przyjrzał się dokładniej.

— Symbol ryby jest znakiem chrześcijaństwa.

— To jest pierwszy symbol chrześcijaństwa — zwrócił uwagę Vigor. — „Kiedy księżyc w pełni łączy się ze słońcem, rodzi się najstarszy". — Wskazał palcem na rybi kształt. — Niektórzy uczeni uważają, że ryba została wybrana z powodu greckiego słowa ICHTHYS, co jest akronimem *Iesous Christos Theou Yios Soter*, czyli „Jezus Chrystus, Boży Syn, Zbawiciel". Ale w rzeczywistości prawda ukryta została tutaj, między dwoma okręgami. Zamknięta w świętej geometrii. Często ujrzycie te połączone okręgi na wczesnochrześcijańskich malowidłach, a w ich wspólnej części dzieciątko Jezus. Jeśli przekręcicie rysunek na bok, ryba stanie się wyobrażeniem żeńskich genitaliów i kobiecej macicy, w której znajduje się dzieciątko.

— Właśnie z tego powodu ryba symbolizuje płodność. Zdolność do wydawania owocu i rozmnażania się. — Vigor spojrzał na swoich towarzyszy. — Jak już mówiłem, w tym tekście odkryć można całe pokłady wielokrotnie złożonych znaczeń.

Gray odchylił się w tył.

— Czy to dokądkolwiek nas doprowadzi?

Rachele także płonęła z ciekawości.

— Przecież symbole ryby można znaleźć w całym Rzymie.

Vigor skinął głową.

— Spójrzcie na drugi wers. „Rodzi się najstarszy". Te słowa kierują nas wyraźnie tam, gdzie znajduje się najdawniej nakreślony znak ryby. Z pewnością chodzi o kryptę Luciny w katakumbach świętego Kaliksta.

— I właśnie tam idziemy? — spytał Monk.

Vigor przytaknął.

Ale Rachele spostrzegła, że Gray nie jest usatysfakcjonowany.

— A jeśli pan się myli, monsinior?

— Na pewno nie. Zresztą pozostałe strofy także wskazują na to miejsce... Oczywiście, kiedy już rozwiąże się zagadkę *Vesica Pisces*. Zobaczcie sami... „Tam gdzie tonie, unosi się w ciemnościach". Ale ryba nie tonie, przynajmniej nie w wodzie, choć może utonąć w ziemi. Poza tym to nawiązanie do ciemności... Wszystko wskazuje na podziemną kryptę.

— W Rzymie jest mnóstwo podziemnych krypt i katakumb.

— Ale niewiele takich, gdzie są dwie ryby bliźniaczo do siebie podobne.

W oczach Graya błysnęło zrozumienie.

— Następna wskazówka jest w ostatniej zwrotce. „Bliźnię czeka na wodę".

— Tak jest. — Vigor skinął głową. — W ten sposób wszystkie trzy kierują nas w jedno miejsce. Do katakumb świętego Kaliksta.

Monk poprawił się na krześle.

— Dobrze, że tym razem nie chodzi o żaden kościół — westchnął. — Mam już dość strzelaniny w kościele.

19.32

Vigor wyczuwał, że tym razem są na właściwym tropie.

Nareszcie.

Przeprowadził pozostałych przez Porta San Sebastiano, jedną z najpiękniejszych bram miasta. Tą drogą można się było dostać na tereny rozległych parków, które otaczały Via Appia — zachowany odcinek słynnego starożytnego rzymskiego traktu. Jednak tuż za murami zwiedzający natykali się na ciąg walących się, nędznych warsztacików.

Vigor starał się rozproszyć niekorzystne wrażenie, jakie wywierał ten śmietnik, kierując uwagę towarzyszących mu osób na to, co znajdowało się przed nimi. A tam na rozwidleniu dróg wznosił się niewielki kościółek.

— Kaplica *Quo vadis, Domine* — oznajmił.

Tak naprawdę słuchała go jedynie Kat Bryant, która szła tuż obok, bo pozostali wlekli się gdzieś z tyłu. Chwilowo między nią a Grayem zapanował rozdźwięk. Ta chwila sam na sam z Kat sprawiała Vigorowi przyjemność. Upłynęły trzy lata od czasu, gdy spotkali się podczas zbierania dowodów przeciwko nazistowskiemu zbrodniarzowi wojennemu, który mieszkał w wiejskiej części stanu Nowy Jork. Podejrzany zajmował się handlem skradzionymi dziełami sztuki i działał na terenie Brukseli. To było długie i trudne śledztwo i wymagało od nich stosowania rozmaitych podstępów. Vigor był wówczas pod wrażeniem zdolności młodej kobiety, bo Kat wcielała się w każdą rolę z taką łatwością, jakby zmieniała pantofle.

Wiedział też, że całkiem niedawno bardzo cierpiała. Choć była dobrą aktorką i potrafiła ukrywać swoje uczucia, to jednak Vigor — który wystarczająco długo służył swoim wiernym jako kapłan, spowiednik i doradca — natychmiast zorientował się, że Kat przeżywa osobistą tragedię. Straciła kogoś bliskiego i jeszcze nie odżałowała tej straty.

Teraz wyciągnął rękę w stronę zbudowanego z kamieni kościółka. W jego murach krył się przekaz, który Kat powinna zrozumieć.

— Ta kaplica została wzniesiona w miejscu, gdzie uciekający z Rzymu przed siepaczami Nerona święty Piotr ujrzał Chrystusa. Chrystus kierował się w stronę miasta, które Piotr właśnie opuścił. I wtedy zadał Jezusowi to słynne pytanie: *Quo vadis, Domine?* „Dokąd idziesz, Panie?". A Chrystus odparł, że wraca do Rzymu, aby tam ukrzyżowano go po raz wtóry. Wówczas Piotr odwrócił się i poszedł z powrotem, aby oddać się w ręce oprawców.

— To tylko legenda — odparła Kat bez cienia złośliwości. — Powinien był uciekać.

— Niepoprawna pragmatyczka z ciebie, Kat. Ale akurat ty ze wszystkich ludzi na świecie powinnaś najlepiej wiedzieć, że czasem czyjeś życie jest mniej ważne niż sprawa, za którą się je oddaje. Wszyscy cierpimy na nieuleczalną chorobę. Nie możemy uciec przed śmiercią. Ale jak dobre uczynki uświęcają czas dany nam na ziemi, tak może go uświęcić nasza śmierć. Poświęcenie życia w imię szlachetnych celów powinno być szanowane i pamiętane.

Kat zerknęła na niego. Była bystra i bez trudu się zorientowała, dlaczego podjął ten temat.

— Ofiara z życia jest ostatnim podarunkiem, jaki my, śmiertelnicy, możemy komuś dać. I nie powinniśmy tak hojnego daru trwonić, lecz przyjąć go z pełnym poważania uznaniem, a nawet z radością, że ktoś przeżył swoje życie w pełni aż do samego końca.

Kat odetchnęła głęboko. Przeszli obok kościółka, a ona uważnie mu się przyjrzała — choć Vigor oczekiwał, że będzie skupiona na swoich myślach.

— Nawet w legendach można znaleźć pewne pouczenia — zakończył wypowiedź i na rozwidleniu dróg skierował się w lewo.

Tutaj droga wyłożona została kamieniem wulkanicznym. I chociaż nie był to ten sam kamień, który niegdyś pokrywał trakt od bram miasta aż do Grecji, to jednak wyglądem go przypominał. Z każdym krokiem rozciągał się przed nimi coraz ładniejszy widok. Zielone, porośnięte trawą pagórki tworzyły wspaniały park, upstrzony bielą pasących się tu i ówdzie owiec i gdzieniegdzie sterczącymi sosnami o kształcie parasolki. Od czasu do czasu krajobraz urozmaicały rozpadające się mury lub grobowce.

O tej godzinie większość atrakcji turystycznych była już zamknięta. Zresztą kiedy słońce zaczynało chylić się ku zachodowi, Droga Appijska świeciła już pustkami. Przypadkowi przechodnie czy pojedynczy rowerzyści na widok koloratki Vigora kiwali im głowami. *Padre...* mruczeli i ruszali w swoją stronę, spoglądając ukradkiem na zmęczoną marszem grupkę turystów z plecakami.

Vigor dostrzegł także kilka skąpo odzianych kobiet, które przechadzały się po poboczach w towarzystwie podobnie wyglądających osób. Po zmroku Drogę Appijską brały we władanie prostytutki i wszelkiego rodzaju męty, i często okazywała się niebezpiecznym miejscem dla przeciętnego turysty. Bandyci i rabusie wciąż grasowali na antycznej drodze, tak samo jak na dawnej Via Appia.

— Już niedaleko — odezwał się Vigor.

Poprowadził ich przez plantację winorośli; zielone pędy przywiązane do drewnianych palików i drutów pokrywały łagodne zbocza pagórków. W końcu stanęli na skraju dziedzińca, przy którym znajdowało się wejście do celu ich wędrówki — katakumb świętego Kaliksta.

— Komandorze — odezwała się Kat, zwalniając kroku. — Czy nie powinniśmy przynajmniej rozejrzeć się dookoła?

— Nie — odparł twardo. — Szkoda czasu.

Vigor usłyszał w jego głosie stanowczość. Komandor nadal słuchał tego, co podwładni mieli do powiedzenia, ale wydawał się o wiele mniej skłonny do ustępstw. Vigor sam nie mógł się zdecydować, czy to dobrze, czy raczej źle.

Gray machnął ręką, żeby szli za nim.

Podziemny cmentarz zamykano o piątej po południu, ale Vigor przywołał dozorcę i załatwił specjalną, dodatkową turę zwiedzania. Niewysoki mężczyzna w szarym kombinezonie i z burzą srebrnych włosów wytoczył się z zacienionego korytarzyka. Kuśtykał w ich stronę, nie wypuszczając z ust fajki i podpierając się drewnianym kijem pasterskim jak laską. Vigor dobrze go znał. Jego rodzina od pokoleń zajmowała się wypasaniem owiec w okolicznych *campagna*.

— Monsinior Verona — powiedział. — *Come sta?*

— *Bene, grazie. E lei, Giuseppe?*

— W porządku, *padre. Grazie.*

Machnął ręką w stronę małego domku, który służył mu jako gospodarstwo podczas pełnienia obowiązków dozorcy.

— Mam tam butelkę grappy. Wiem, że monsinior z chęcią wypije parę łyków. To dar naszych wzgórz.

— Innym razem, Giuseppe. Robi się późno i musimy się pośpieszyć, żeby dziś jeszcze załatwić pewną sprawę.

Człowieczek skierował oskarżycielskie spojrzenie w stronę towarzyszy Verony — jakby ten cały pośpiech był ich wyłączną winą — i dostrzegł Rachele.

— To niemożliwe! *Piccola* Rachele... Tylko że już nie jest taka malutka.

Rachele uśmiechnęła się; to, że została rozpoznana, wyraźnie jej pochlebiło. Nie była z Vigorem w katakumbach od chwili, gdy skończyła dziewięć lat. Szybko objęła człowieczka i cmoknęła go w zarośnięty policzek.

— *Ciao, Giuseppe.*

— No to musimy się chyba napić, żeby uczcić wizytę *piccola* Rachele, nie?

— Może potem, jak skończymy na dole — odparł Vigor. Wiedział, że dozorcy dokucza tu samotność i że pragnie odrobiny towarzystwa.

— *Si... Bene...* — Machnął laską w stronę wejścia. — Wszystko jest otwarte. Ja za wami zamknę, a jak będziecie chcieli wyjść, po prostu zapukajcie. Na pewno usłyszę.

Vigor skierował się w stronę przejścia wiodącego do katakumb i otworzył bramę. Na progu odwrócił się i dał znak pozostałym, żeby szli za nim. Zauważył, że Giuseppe włączył dla nich ciąg żarówek. W ich świetle widzieli prowadzącą w głąb podziemi klatkę schodową.

Monk przysunął się do Rachele i przez ramię rzucił spojrzenie na dozorcę.

— Powinnaś go zapoznać ze swoją babcią. Pasowaliby do siebie jak ulał.

Rachele uśmiechnęła się od ucha do ucha i weszła za Monkiem do środka.

Vigor zamknął za nimi drzwi i znów wysunął się naprzód, żeby służyć za przewodnika.

— Te katakumby należą do najstarszych w Rzymie. Niegdyś był tu niewielki cmentarz dla chrześcijan, ale potem nekropolia znacznie się rozrosła, zwłaszcza kiedy kilku papieży wyraziło życzenie, że chcą być pochowani właśnie tutaj. Teraz ma dziewięćdziesiąt akrów i zajmuje cztery poziomy.

Za plecami usłyszał trzask zasuwanego zamka. W miarę jak schodzili coraz niżej, powietrze stawało się wilgotniejsze, przepojone zapachem iłu i przesączającej się do środka deszczówki. U podstawy schodów znajdował się przedsionek z wykutymi w ścianach *loculi* — poziomymi niszami do układania ciał zmarłych. Na ścianach widniały liczne graffiti, ale nie były one dziełem współczesnych wandali. Niektóre z inskrypcji pochodziły z piętnastego wieku: modlitwy, lamentacje, wyrazy szacunku i uznania.

— Jak daleko musimy iść? — spytał Gray, doganiając Vigora. Od tego miejsca korytarze stawały się tak wąskie, że dwie osoby ledwie mogły się zmieścić obok siebie. Komandor przesunął wzrokiem po niskim sklepieniu.

Atmosfera tej podziemnej, rozpadającej się nekropolii działała przygnębiająco nie tylko na tych, którzy cierpieli na klaustrofobię. Jej wpływ dawał się odczuć zwłaszcza teraz, gdy była pusta i wyludniona.

— Krypta Luciny jest położona znacznie głębiej. W najstarszej części katakumb.

W tym miejscu od głównego korytarza odchodziły galerie, ale najwyraźniej Vigor znał drogę, bo bez wahania skręcił w prawo.

— Trzymajcie się blisko mnie — ostrzegł. — Tu łatwo można się zgubić.

Korytarz zwęził się jeszcze bardziej.

Gray odwrócił się.

— Monk, uważaj na tyły. Trzymaj się dziesięć kroków za nami. Tylko bądź w zasięgu wzroku.

— W porządku, będę was ubezpieczał — odparł Monk, zdejmując z ramienia strzelbę.

Przed nimi otworzyła się większa przestrzeń. W tym pomieszczeniu *loculi* były znacznie obszerniejsze, a oprócz nich znajdowały się tam bardziej dopracowane *arcsololia* — miejsca pogrzebowe zakończone łukowatym sklepieniem.

— To krypta papieska — oznajmił Vigor. — Tu spoczywa szesnastu papieży, od Eutychiana do Seweryna.

— Czyli od E do S — mruknął Gray.

— Naturalnie ciała zostały stąd zabrane — mówił Vigor, wchodząc głębiej i mijając kryptę Cecelii. — Od piątego wieku okolice Rzymu bez przerwy były plądrowane przez obce plemiona: Gotów, Wandalów, Longobardów. Właśnie wtedy większość najbardziej znaczących znakomitości przeniesiono do kościołów i kaplic wewnątrz murów miasta. Prawdę mówiąc, około dwunastego wieku katakumby opustoszały do tego stopnia, że zupełnie o nich zapomniano. Dopiero w szesnastym wieku odkryto je na nowo.

Gray zakasłał znacząco.

— Wygląda na to, że linie czasu wciąż nam się krzyżują.

Vigor rzucił mu pytające spojrzenie.

— Dwunasty wiek — wyjaśnił Gray. — To właśnie wtedy kości Mędrców zostały zabrane z Italii do Niemiec. I także wtedy, jak monsinior był łaskaw wspomnieć, nastąpiło odrodzenie wierzeń gnostycznych, co doprowadziło do rozdźwięku pomiędzy cesarstwem a papiestwem.

Vigor powoli skłonił głowę, jakby rozważał tę myśl.

— To był burzliwy okres, który zakończył się tym, że pod koniec trzynastego wieku papieże uciekli z Rzymu. I wtenczas alchemicy mogli szukać jakiegoś sposobu, żeby uchronić wiedzę, którą zdobyli. Ukryli się głęboko, na wypadek śmierci pozostawiając jedynie kilka wskazówek. Jak okruchy chleba dla wyznawców gnostycyzmu, którzy mieli iść w ich ślady.

— Na przykład dla Trybunału Smoka.

— Nie sądzę, żeby wyobrażali sobie tak przewrotną organizację, która nagle dozna oświecenia i zapragnie poznać wyższe stopnie wtajemniczenia. Błąd w ocenie, i to bardzo niefortunny. W każdym razie myślę, że ma pan rację. Może uda się nam w przybliżeniu ustalić datę, kiedy te wskazówki zostały umieszczone. Zakładam, że musiało się to stać w którymś momencie trzynastego wieku, kiedy konflikt osiągnął apogeum. Wówczas bardzo niewielu ludzi pamiętało o istnieniu katakumb. Czyż można było znaleźć lepsze miejsce do ukrycia wskazówek dla tajnej organizacji?

Rozważając tę możliwość, Vigor prowadził ich poprzez kolejne galerie, krypty i *cubicula*.

— Już niedaleko — pocieszył ich. — Zaraz za Sakramentalnymi Kaplicami.

Machnął ręką w stronę sześciu sąsiadujących ze sobą sal. Pokryte obłażącą farbą i wyblakłe freski ukazywały zawiłe bibilijne sceny, urozmaicone obrazami chrztu i odprawiania eucharystii. Tak wyglądały skarby wczesnochrześcijańskiego dziedzictwa.

Przewędrowali jeszcze przez kilka galerii, aż wreszcie ich oczom ukazał się cel wędrówki. Skromna krypta, na której sklepieniu widniał motyw typowy dla początkowych okresów chrześcijaństwa — obraz Dobrego Pasterza, Chrystusa, niosącego na ramionach owieczkę.

Odwracając wzrok od sufitu, Vigor wskazał dwie sąsiednie ściany.

— A tu jest to, czego szukamy.

20.10

Gray podszedł do bliższej ze ścian. Na zielonym tle ktoś namalował fresk przedstawiający rybę. Ponad nią, tak blisko, że zdawał się oparty o jej grzbiet, znajdował się koszyk pełen chleba. Gray spojrzał na drugą ze ścian. Malowidło było lustrzanym odbiciem pierwszego, tyle że zamiast chleba w koszyku znajdowała się butelka wina.

— To wszystko są symbole pierwszej eucharystii. Chleb, wino i ryba — powiedział Vigor. — Ponadto przypomina nam to o cudzie z rybami, kiedy Chrystus rozmnożył w cudowny sposób bochen chleba i dwie ryby i nakarmił nimi rzesze wyznawców, którzy przyszli słuchać Jego nauk.

— Znowu więc mamy do czynienia ze zwielokrotnionym symbolizmem — zauważyła Kat. — Zupełnie jak w przypadku geometrii w *Vesica Pisces*.

— Ale do czego to nas prowadzi? — zainteresował się Monk. Stał ze strzelbą na ramieniu, twarzą zwrócony w głąb krypty.

— Pomyśl o słowach zagadki — odparł Gray. — W drugiej zwrotce jest napisane: „Tam gdzie tonie, unosi się w ciemnościach i wypatruje zaginionego króla”. Znaleźliśmy miejsce, gdzie ryba unosi się w ciemnościach, więc idźmy teraz tam, gdzie patrzy.

Wskazał stronę, w którą zwracał się pysk pierwszej ryby.

Znajdowało się tam przejście do dalszych galerii.

Gray udał się w tamtym kierunku, rozglądając się pilnie dookoła. Niewiele czasu zabrało mu odnalezienie podobizn królów. Zatrzymał się przed freskiem przedstawiającym pokłon Mędrców. Maryja Dziewica siedziała na tronie, a na jej kolanach Dzieciątko. Przed nimi w ukłonie chyliły się trzy postacie, ofiarowując przyniesione przez siebie dary.

— Trzej Królowie — odezwała się Kat. — Znowu trafiliśmy na Mędrców.

— Cały czas wpadamy na tych facetów — zauważył Monk, stojąc kilka kroków dalej w głębi przejścia.

Rachele zmarszczyła brwi.

— Ale co to znaczy? Dlaczego trafiliśmy właśnie tutaj? I co tu odkrył Trybunał Smoka?

Gray pozwolił, aby wszystkie wydarzenia minionego dnia powoli przesunęły mu się przed oczyma. Nie próbował ich porządkować, lecz zgodził się, by swobodnie przepływały przez jego umysł. Połączenia tworzyły się, zanikały, zmieniały swój kształt... Powoli zaczynał wszystko rozumieć.

— Naprawdę pytanie brzmi, dlaczego ci starożytni alchemicy przywiedli nas tutaj — powiedział. — Do tego konkretnego wizerunku Mędrców. Jak zauważył Monk, w całych Włoszech, gdzie tylko człowiek się odwróci, napotyka przedstawienia Trzech Króli. Dlaczego więc chodziło im o ten fresk?

Nikt nie umiał udzielić sensownej odpowiedzi.

Ale Rachele miała inną propozycję.

— Pamiętajcie, że Trybunał Smoka szukał kości Mędrców. Może powinniśmy spojrzeć na całą sprawę nieco inaczej?

Gray skinął głową. Sam powinien wpaść na ten pomysł. Ostatecznie nie muszą jeszcze raz wynajdywać koła, skoro Trybunał rozwiązał już zagadkę. Muszą jedynie posuwać się po śladach tamtych. Gray zastanowił się raz jeszcze i do głowy przyszła mu jedyna możliwa odpowiedź.

— Może ryba wpatruje się w tych królów, ponieważ właśnie ci zostali pogrzebani. Na cmentarzu. Pod ziemią, gdzie ryba mogłaby utonąć. Bo ta wskazówka nie odnosi się do żywych Mędrców, lecz do umarłych. I pochowanych w krypcie, która niegdyś wypełniona była kośćmi.

Vigor prychnął ze zdziwienia.

— Dlatego Trybunał Smoka ruszył w pogoń za kośćmi — powiedziała Rachele.

— Pewnie już od dawna wiedzieli, że te kości wcale nie są kośćmi — zauważył Gray. — Od stuleci tropili ten ślad, więc musieli wiedzieć. Spójrzcie zresztą, co się stało w katedrze.

Użyli proszku z białego złota, żeby w jakiś sposób pozbawić ludzi życia. W tej grze są daleko przed nami.

— I chcą zdobyć więcej siły — dodała Rachele. — Bo do tego sprowadza się rozwiązanie tajemnicy Mędrców.

Vigor zmrużył oczy, skupiony na własnych myślach.

— Jeśli ma pan rację, komandorze — chodzi mi o to, jak wielkie znaczenie miały kości Mędrców wywiezione z Italii do Niemiec — to może wcale nie chodziło o grabież, jak przekazuje historia, lecz w grę wchodziło coś w rodzaju układu? A celem układu było zabezpieczenie amalgamatu?

— I Trybunał Smoka zezwolił, by kości pozostały w Kolonii — przytaknął Gray. — Bezpieczne i na widoku. Bo wiedział o ich wielkim znaczeniu, ale nie miał pojęcia, co z nimi począć.

— Aż do dnia dzisiejszego — dorzucił stojący kilka kroków dalej Monk.

— Reasumując, do czego doprowadziły nas wszystkie wskazówki? — kontynuował Gray. — Znowu do relikwii znajdujących się w kościele. Nie było ani słowa o tym, co z nimi robić albo do czego mogą służyć.

— O czymś zapominamy — odezwała się Kat. Milczała aż do tej pory, skupiona na studiowaniu fresku. — Strofa z tamtego fragmentu mówi, że ryba „wypatruje zaginionego króla". Króla, nie królów. Tutaj mamy ich trzech. Moim zdaniem umknęło nam jakieś ukryte znaczenie albo symbolika.

Odwróciła się do pozostałych.

— Do czego, waszym zdaniem, może odnosić się wzmianka o „zaginionym królu"?

Gray usiłował wymyślić jakąś odpowiedź. Tu rzeczywiście zagadka kryła zagadkę.

Vigor oparł podbródek na ręku i starał się skoncentrować.

— W sąsiednich katakumbach — mam na myśli katakumby Domitylli — jest pewien fresk. Na nim znajduje się nie trzech Mędrców, lecz czterech. Biblia nigdy nie określiła jasno, ilu ich było, więc artyści w czasach wczesnego chrześcijaństwa zmieniali do woli ich liczbę. Zaginiony król może więc oznaczać Mędrca, którego brakuje na naszym fresku.

— Czwartego? — spytał Gray.

— Przedstawiciela zaginionej wiedzy tajemnej. — Vigor podniósł głowę. — Druga zwrotka sugeruje nam, że kości Trzech Mędrców mogą być wykorzystane do odnalezienia tego czwartego, kimkolwiek był.

Rachele energicznie pokręciła głową, co zwróciło uwagę zarówno Graya, jak i Vigora.

— Nie zapominajcie, że ta wskazówka jest pogrzebana w krypcie. Założę się, że to nie czwartego Mędrca mamy szukać, lecz jego grobowca. Jedne kości mogą posłużyć do odnalezienia pozostałych. Przypuszczalnie będzie to kolejny ukryty zapas amalgamatu.

— Albo nawet coś znacznie większego. Ta możliwość z pewnością ekscytuje Trybunał Smoka.

— Ale w jaki sposób kości Mędrca mogą pomóc w znalezieniu jego zaginionego grobowca? — dziwił się Monk.

Gray zawrócił do krypty Luciny.

— Odpowiedź musi być ukryta w trzeciej strofie — oświadczył.

14.22
Waszyngton, D.C.

Paintera Crowe'a zbudziło pukanie do drzwi. Zasnął jak dziecko w fotelu, odchylając głowę do tyłu. Cholerna ergonomia...

Odchrząknął, żeby pozbyć się resztek chrypki.

— Wejść!

Do środka wkroczył Logan Gregory. Miał mokre włosy, a na sobie świeżą koszulę i czystą marynarkę. Wyglądał, jakby właśnie przyszedł do pracy, a nie przebywał w niej dwadzieścia cztery godziny na dobę, przez siedem dni w tygodniu.

Logan musiał dostrzec uważne spojrzenie szefa, bo przejechał dłonią po wykrochmalonym materiale.

— Poszedłem do siłowni, żeby trochę pobiegać. W szafce zawsze trzymam ubranie na zmianę.

Painter nie odezwał się słowem, bo zupełnie osłupiał. Co to znaczy młodość. On chyba nie zdołałby podnieść się z fotela, nie mówiąc już o przebiegnięciu kilku kilometrów. A przecież Logan był zaledwie pięć lat młodszy. Painter świetnie wiedział, że nadmiar stresu przygniata go bardziej niż przeżyte lata.

— Zamieniłem właśnie parę słów z generałem Rende, naszym współpracownikiem z korpusu karabinierów w Rzymie — powiedział Logan. — Komandor Pierce i reszta znów zapadli się pod ziemię.

Painter pochylił się w przód.

— Czyżby następny atak? O tej porze powinni być już w Watykanie.

— Nie, po pańskiej rozmowie z nimi odwołali eskortę karabinierów i wyruszyli dokądś na własną rękę. Generał Rende koniecznie chciał się dowiedzieć, co takiego pan im powiedział. Jego agentka operacyjna, Rachele Verona, przekazała mu wiadomość, że dowiedzieli się od pana czegoś niezwykle ważnego. Generał Rende nie był zbyt zadowolony, że wyłączono go z przepływu informacji.

— A co mu powiedziałeś?

Logan uniósł brwi.

— Nic, proszę pana. Taka jest oficjalna polityka Sigmy, nieprawdaż? Nigdy nic nie wiemy.

Painter uśmiechnął się. Czasami tak to się odbiera.

— Co z komandorem Pierce'em? Co ma pan zamiar teraz zrobić? Czy powinniśmy ogłosić alarm?

Painter przypomniał sobie wcześniejsze upomnienie Seana McKnighta. Zaufaj swoim agentom, powiedział.

— Zaczekamy na jego telefon. Ostatecznie nie ma żadnych dowodów popełnienia przestępstwa. Musimy dać mu szansę, żeby mógł rozegrać to po swojemu.

Logan nie wydawał się usatysfakcjonowany odpowiedzią szefa.

— To co mam teraz zrobić?

— Sugeruję, Logan, żebyś trochę odpoczął. Wyobrażam sobie, że kiedy komandor Pierce ruszy do akcji, niewiele będziemy mieć czasu na sen.

— Tak jest, proszę pana.

Logan ruszył w stronę drzwi.

Painter rozparł się w fotelu i dłońmi zasłonił oczy. Niech to diabli, ale ten fotel wygodny! Painter znów odpłynął gdzieś w dal, ale tym razem coś nie dawało mu spokoju i nie pozwalało zasnąć. Jakaś dokuczliwa myśl. Coś, co powiedział Gray. O tym, że nie ufa Sigmie. Bo był jakiś przeciek.

Czy to możliwe?

Oprócz niego tylko jedna osoba znała wszystkie szczegóły operacji. Nawet Sean McKnight nie wiedział wszystkiego. Powoli pochylił się w przód i otworzył oczy.

Nie, to na pewno pomyłka.

20.22
Rzym, Włochy

Po powrocie do krypty Luciny Gray zatrzymał się przy drugim fresku z rybą. Koniecznie musieli rozwiązać tę trzecią zagadkę.

I wtedy Monk zadał dobre pytanie.

— Dlaczego Trybunał Smoka nie podłożył tutaj ładunków zapalających? Dlaczego zostawił to wszystko, żeby inni także mogli to odnaleźć?

Rachele stanęła obok niego.

— Jeśli wciąż mają w rękach sfałszowaną kopię *Ksiegi Umarłych*, to właściwie czego mieliby się obawiać? Gdyby Seichan nie wykradła tego tajemniczego tekstu, nikt nie wpadłby na to, że należy tutaj zajrzeć.

— A może Trybunał wcale nie był pewien słuszności swojej interpretacji? Może woleli zachować te malowidła w nietkniętym stanie, dopóki nie przekonają się, że dysponują poprawnym tłumaczeniem?

Gray rozważał przez chwilę tę możliwość, czując presję bezlitośnie upływającego czasu. W końcu odwrócił się z powrotem w stronę fresku.

— Zatem przekonajmy się, co takiego znaleźli. W trzeciej zwrotce jest mowa o rybie czekającej na wodę. Podobnie jak przy pierwszej rybie, spróbujmy pójść tam, gdzie ona nas kieruje.

Gray ruszył w stronę kolejnej galerii, która odchodziła od krypty. Pysk drugiej ryby wskazywał właśnie tamto przejście.

Ale Vigor wciąż studiował obydwa malowidła, przyglądając się uważnie to jednemu, to drugiemu. Miał wrażenie, że spogląda na lustrzane odbicia.

— Bliźnięta — zamruczał.

— Co?

Vigor machnął ręką w przestrzeń między obydwiema rybami.

— Ktokolwiek obmyślił tę grę z zagadkami, uwielbiał wielokrotnie złożone znaczenia. Spójrzcie na te dwie ryby. Są niemal identyczne. Określenie tej drugiej jako „bliźnięcia" nie może być tak całkiem przypadkowe.

— Nie widzę tu żadnego związku — odparł Gray.

— Bo nie zna pan greckiego, komandorze.

Gray zmarszczył brwi.

Nagle do rozmowy wtrącił się Monk i dowiódł, że jego greckie dziedzictwo nie ogranicza się wyłącznie do gustowania w likierze anyżkowym i upodobaniu do tańca.

— Po grecku „bliźnię" to *didymos*.

— Brawo! — zawołał Vigor. — A przekład hebrajski brzmi „Tomasz". Czyli Tomasz Didymos, jeden z dwunastu apostołów.

Gray przypomniał sobie rozmowę z monsiniorem w Como.

— To właśnie Tomasz był tym apostołem, który wszedł w konflikt z Janem.

— I tym, który ochrzcił Mędrców — dorzucił Vigor. — Tomasz reprezentował wierzenia gnostyczne. Myślę, że użycie słowa „bliźnię" nawiązuje do *Ewangelii świętego Tomasza*. Znając jego naukę, zastanawiam się, czy ci alchemicy nie byli przypadkiem Chrześcijanami od świętego Tomasza... Czyli ludźmi uczęszczającymi do Kościoła rzymskiego, lecz w tajemnicy uprawiającymi gnostyczne praktyki. Zawsze krążyły plotki, że taki Kościół istnieje. Kościół Tomaszowy, który funkcjonuje wewnątrz i na obrzeżach kanonicznego Kościoła. To może być dowód.

Gray słyszał w głosie monsiniora wzrastającą eksytację.

— Być może to towarzystwo alchemików, które sięga korzeniami czasów Mojżesza i starożytnego Egiptu, połączyło się w jakiś sposób z Kościołem katolickim. I dalej istniało w historii, nosząc krzyż i zginając kolano przed Kościołem, ale szybko znalazło wspólny język z tymi, którzy w sekrecie wyznawali *Ewangelię Świętego Tomasza*.

— Czyli, krótko mówiąc, ukryło się na widoku — dorzucił Monk.

Vigor skinął głową.

Gray podjął ten tok myślenia. Być może warto było się nad tym głębiej zastanowić, ale na razie musieli rozwiązać inną zagadkę. Wskazał w głąb galerii.

„Bliźnię czeka na wodę...".

Poszedł pierwszy wybraną drogą, rozglądając się pilnie za jakimś freskiem, na którym byłaby woda. Mijał rozmaite biblijne sceny, ale na żadnej z nich nie dostrzegł tego, czego szukał. Co prawda znalazł obraz rodziny zgromadzonej dookoła stołu, ale to, co pili, wyglądało raczej na wino. Następny fresk przedstawiał czterech mężczyzn z wzniesionymi ku niebu rękoma. Żaden z nich nie miał przy sobie flaszki z wodą.

Z tyłu usłyszał wezwanie Vigora. Odwrócił się.

Wszyscy pozostali zgromadzili się przy jednej z nisz. Podszedł do nich, choć już oglądał tamto malowidło. Przedstawiało mężczyznę w długiej szacie, który uderza kijem w skałę. Ani śladu wody.

— To Mojżesz na pustyni — powiedział Vigor.

Gray czekał na dalsze wyjaśnienia.

— Zgodnie z tym, co podaje Biblia, Mojżesz uderzył w skałę znajdującą się na pustyni i wytrysnęło z niej źródło czystej wody, żeby Izraelici uciekający z Egiptu mogli ugasić pragnienie.

— Zupełnie jak nasza ryba — dodał Monk.

— To musi być fresk wskazany w wierszu — zakończył Vigor. — Pamiętajcie, Mojżesz wiedział o tajemnicy manny i znał sekrety cudownego białego proszku. Chyba to wystarczy, żebyśmy zwrócili na niego uwagę.

— A więc jaką wskazówkę kryje to zniszczone malowidło? — spytał Gray.

— „Bliźnię czeka na wodę, lecz zostanie przez kości spalone do kości na ołtarzu" — zacytował z pamięci Vigor. — Pomyślmy na odwrót, tak jak proponowała Rachele. Co zrobił Trybunał Smoka w Kolonii? Parafianie zostali w pewien sposób spaleni poprzez impuls elektryczny o ogromnej mocy, który zniszczył ich mózgi. I zrobiono to za pomocą białego proszku, przypuszczalnie amalgamatu pochodzącego z kości Mędrców.

— Czy właśnie na tym polega przesłanie? — Rachele wyglądała na wstrząśniętą. — Żeby zabijać? I bezcześcić ołtarze krwią i mordem, tak jak w Kolonii?

— Nie — natychmiast odpowiedział Gray. — Ludzie Trybunału Smoka rozpalili kości, ale najwyraźniej niczego się nie dowiedzieli, skoro nadal podążali tym samym śladem. Może Kolonia była tylko czymś w rodzaju próby. A może Trybunał wcale nie był pewien, czy właściwie rozwiązał zagadki, jak sugerował twój wuj. Tak czy owak najwyraźniej znają pewne właściwości białego proszku. Udowodnili, że potrafią za pomocą jakiegoś urządzenia aktywować i w prymitywny sposób manipulować energią zawartą w nadprzewodnikach wysokospinowych. Użyli jej do zabijania, choć nie sądzę, żeby takie właśnie było pierwotne zamierzenie alchemików.

Rachele wciąż miała niepewną minę.

— Prawdziwa odpowiedź jest tutaj — zakończył Gray. — Jeśli Trybunał Smoka mógł rozwiązać tę zagadkę, to my także powinniśmy.

— Ale oni mieli na to całe miesiące, odkąd ukradli tekst w Kairze — zaprotestował Monk. — A poza tym znacznie lepiej się orientują, o co tu chodzi.

Całe towarzystwo jak na komendę pokiwało głowami. Wciąż na wysokich obrotach, prawie bez snu, ludzie ci funkcjonowali tylko dzięki adrenalinie. Zagadki wystawiły na ciężką próbę ich umysły, a widmo porażki stawało się coraz bardziej realne.

Ale Gray nie chciał poddawać się słabości; zamknął na moment oczy i starał się skoncentrować. Jeszcze raz zebrał wszystko, czego do tej pory się dowiedział. Amalgamat składał się z wielu platynowców, ale jego dokładny skład był niemożliwy do rozszyfrowania, nawet za pomocą współczesnych testów laboratoryjnych. Został uformowany w kształt kości i ukryty bezpiecznie w zaciszu katedry.

Ale dlaczego? Czy alchemicy naprawdę należeli do jakiegoś tajnego związku wyznaniowego istniejącego wewnątrz Kościoła rzymskiego? Czy tylko w ten sposób mogli ukryć kości podczas burzliwego okresu dziejów, w czasie ery papieży i antypapieży?

Bez względu na historię Gray był pewien, że urządzenie, jakim dysponuje Trybunał Smoka, w jakiś sposób uaktywniło siłę tkwiącą w amalgamacie. I być może zanieczyszczenie opłatków komunijnych miało jedynie sprawdzić zakres i zasięg owej siły. Lecz jakie było jej pierwotne zastosowanie? Jakieś narzędzie? Broń?

Jeszcze raz zastanowił się nad tym nieodgadnionym kodem chemicznym, ukrytym przez stulecia i pozostawionym potomności jedynie w formie zawoalowanych wskazówek, dzięki którym można było trafić do skarbnicy starożytnej mocy.

Nieodgadniony kod...

Już miał dać sobie spokój, kiedy nagle przyszła mu do głowy odpowiedź, jasna i przeraźliwie oczywista, jak nagły ból za oczami.

To nie był kod.

— To klucz — wymamrotał głośno, wiedząc, że to musi być prawda. Odwrócił się do pozostałych. — Amalgamat to niemożliwy do odcyfrowania chemiczny klucz, którego skopiowanie jest nierealne. W jego wyjątkowym składzie musi kryć się siła zdolna do otwarcia grobowca czwartego Mędrca.

Vigor zaczął coś mówić, ale Gray powstrzymał go ruchem ręki.

— Trybunał Smoka wie, co należy zrobić, żeby ożywić tę siłę i przekręcić klucz. Ale gdzie jest zamek? Na pewno nie w Kolonii. Trybunał poniósł tam klęskę. Ale muszą także podejrzewać inne miejsca. Odpowiedź jest tutaj, na tym fresku.

Przez chwilę wpatrywał się w twarze stojących przed nim ludzi, a potem znów odwrócił się w stronę malowidła.

— Trzeba znaleźć rozwiązanie — oświadczył, wskazując fresk. — Mojżesz uderza w skałę. Ołtarze zwykle zrobione są z kamienia. Czy to coś oznacza? Czy powinniśmy udać się na pustynię Synaj i poszukać Mojżeszowego głazu?

— Nie — odezwał się Vigor, odsuwając od siebie zmęczenie. Wyciągnął rękę i ostrożnie dotknął namalowanego kamienia. — Musimy pamiętać o wielokrotności znaczeń ukrytych w zagadkach. To nie jest kamień Mojżesza, a przynajmniej nie tylko Mojżesza. Tak naprawdę tytuł fresku brzmi: „Mojżesz-Piotr uderzający skałę".

Gray zmarszczył brwi.

— Dlaczego dwa imiona? Mojżesz i Piotr?

— W całych katakumbach święty Piotr często robi to, co robił Mojżesz. To taki sposób gloryfikowania apostoła.

Rachele wpatrzyła się w namalowane oblicze.

— A jeśli to skała świętego Piotra...

— Skała to po grecku *petros* — wyjaśnił Vigor. — Właśnie dlatego apostoł Szymon Bar-Jona przybrał imię Piotr, czyli Skała. Sam Chrystus powiedział: „Ty jesteś Piotr, i na tej Skale zbuduję Kościół mój"*.

Gray próbował złożyć to razem.

— Czy sugeruje pan, monsinior, że ołtarz, o którym jest mowa w zagadce, to ołtarz wewnątrz Bazyliki Świętego Piotra?

Rachele gwałtownie się odwróciła.

— Nie. Musimy spojrzeć na tę symbolikę z odwrotnej strony. W wierszu użyto słowa „ołtarz", ale na malowidle zastąpiło go słowo „skała". To nie ołtarza mamy szukać, lecz skały.

— Wspaniale — mruknął Monk. — To znacznie zawęża pole naszych poszukiwań.

— Owszem — odparła Rachele. — Mój wuj zacytował chyba najbardziej znany wers, w którym osoba świętego Piotra staje się synonimem skały. To Piotr jest skałą, na której zostanie zbudowany Kościół. Pamiętajcie, gdzie się teraz znajdujemy. — Popukała w kamień namalowany na fresku. — W krypcie. To kamień, który znajduje się pod ziemią.

Rachele odwróciła się do pozostałych. W jej oczach płonęła taka ekscytacja, że prawie lśniły w otaczającym ich mroku.

— W jakim miejscu została wzniesiona Bazylika Świętego Piotra? Jaka skała znajduje się pod fundamentami kościoła?

Gray otworzył szeroko oczy.

— Grób świętego Piotra.

— Skała, na której wzniesiono Kościół — jak echo powtórzył Vigor.

Gray czuł, gdzie kryje się prawda. Kości były jedynie kluczem, a zamek znajdował się w grobowcu.

Rachele skinęła głową.

— To właśnie tam uda się w następnej kolejności Trybunał Smoka. Musimy natychmiast skontaktować się z kardynałem Sperą.

— Och, nie... — Vigor aż zesztywniał.

— Co się stało? — spytał Gray.

---

* Ewangelia wg św. Mateusza (16;18), Biblia Tysiąclecia.

— Dziś... O zachodzie słońca... — Vigor zerknął na zegarek i twarz mu spopielała. Odwrócił się na pięcie i popędził w stronę wyjścia. — Musimy się śpieszyć.

Gray i pozostali ruszyli w ślad za nim.

— O co chodzi?

— O mszę żałobną w intencji ofiar z Kolonii. Msza ma się rozpocząć o zachodzie słońca. Wezmą w niej udział tłumy ludzi, nie wyłączając papieża.

Nagle Gray zrozumiał, czego obawia się Vigor. Ujrzał przed sobą masakrę, do jakiej doszło w kolońskiej katedrze. Oczy wszystkich odwrócone będą od Scavi, podziemnej nekropolii położonej pod Bazyliką Świętego Piotra, gdzie odkopano grób pierwszego apostoła.

Skały, na której zbudowano Kościół.

Jeśli Trybunał uaktywni tam kości Mędrców...

Gray wyobraził sobie tłumy wypełniające ciasno bazylikę, zgromadzone na zewnątrz, na placu...

O Boże!

9

Scavi

25 lipca, 20.55
Rzym, Włochy

Letni dzień był naprawdę długi.

Nad Drogą Appijską właśnie zapadał zmierzch, kiedy Gray wygramolił się z katakumb na powierzchnię. Musiał osłonić oczy, bo po półmroku panującym na dole padające ukośnie promienie zachodzącego słońca zupełnie go oślepiały.

Dozorca Giuseppe przytrzymał drzwi, żeby wypuścić całą grupę, a następnie starannie zamknął je na klucz.

— Czy wszystko w porządku, monsinior?

Starszy człowiek musiał zauważyć pośpiech i towarzyszący mu niepokój.

Vigor skinął głową.

— Tak, muszę tylko pilnie gdzieś zadzwonić.

Gray wręczył mu swój telefon satelitarny. Należało jak najszybciej zaalarmować Watykan, a Gray wiedział, że z ich grona to właśnie monsinior najłatwiej uzyska połączenie z kimś z władz Stolicy Apostolskiej.

Stojąca krok za nimi Rachele także wyjęła telefon komórkowy i próbowała dodzwonić się na swój posterunek.

Na dźwięk wystrzału stanęli jak wryci. Pocisk uderzył w krzemienną kostkę, którą wyłożony był dziedziniec, wzniecając w gęstniejącym półmroku snop iskier.

Gray zareagował natychmiast, bo ten atak właściwie wcale go nie zaskoczył.

— Uciekamy! — ryknął, wskazując na domek dozorcy, który jednym bokiem przylegał do placu. Na szczęście Giuseppe zostawił drzwi otwarte na oścież.

Wystrzelili jak z procy w kierunku jedynego schronienia. Gray podpierał starego dozorcę, podczas gdy Rachele biegła z drugiej strony.

Ale zanim zdążyli tam dotrzeć, drzwi eksplodowały w kłębach ognia, odrzucając ich z powrotem. Gray runął na ziemię razem z Giuseppe i Rachele. Siła wybuchu wyrwała wzmocnione skrzydło z zawiasów i roztrzaskała o bruk, a potłuczone szkło rozsypało się po placu.

Gray ukłąkł na jedno kolano, osłaniając własnym ciałem Rachele i dozorcę. Kat postąpiła w ten sam sposób z Vigorem. Gray szybko wyszarpnął z kabury pistolet, wycelował, ale okazało się, że nie ma do kogo strzelać. Żadna postać w habicie nie przemykała w cieniach zapadającego zmierzchu.

Kilometry otaczających ich winnic, upstrzonych tu i ówdzie sosenkami w kształcie parasolki, spowijał mrok. Wszędzie panowała cisza.

— Monk... — wyszeptał Gray.

Jego partner już zdążył odbezpieczyć strzelbę. Przez celownik teleskopowy zamontowany na lufie przyglądał się okolicy.

— Niczego nie zauważyłem — szepnął po chwili.

Nagle rozległ się dźwięk dzwonka. Spojrzenia wszystkich zwróciły się ku Vigorowi, który siedział w kucki, nie wypuszczając z ręki aparatu. Po chwili dzwonek odezwał się jeszcze raz.

Gray pokazał mu na migi, żeby odebrał telefon.

Vigor posłusznie przycisnął słuchawkę do ucha.

— *Pronto* — powiedział. Przez chwilę słuchał, a potem wyciągnął rękę w stronę Graya.

— To do pana.

Gray już wiedział, że celowo zostali unieruchomieni na środku placu. Od dobrych kilku chwil nie padł żaden strzał. Dlaczego? Odebrał od Vigora telefon, ale zanim zdążył cokolwiek powiedzieć, w słuchawce rozległ się znajomy głos.

— Dzień dobry, komandorze Pierce.

— Seichan.

— Widzę, że dowództwo Sigmy przekazało panu moją wiadomość.

W jakiś sposób ich wytropiła, poszła ich śladem i zastawiła pułapkę. I Gray wiedział dlaczego.

— Ta zagadka...

— Sądząc po pośpiechu, z jakim pan i pańscy przyjaciele opuściliście katakumby, przypuszczam, że udało wam się ją rozwiązać.

Gray milczał.

— Raoul także nie był łaskaw podzielić się ze mną swoją wiedzą — oznajmiła spokojnie. — Mam wrażenie, że Trybunał Smoka postanowił trzymać Gildię na uboczu, tylko na wypadek gdyby musiał się bronić. Ale nic z tego. Jeśli będzie pan tak uprzejmy i powie, czego się pan dowiedział, pozwolę wam ujść stąd z życiem.

Gray przykrył dłonią mikrofon.

— Monk?

— Dalej nic, komandorze.

Seichan ukryła się w miejscu, skąd miała doskonały widok na cały plac. Drzewa i gąszcz winorośli pokrywający ciemne zbocza pagórków stanowił doskonałą osłonę. Musiała się zakraść, gdy byli w katakumbach, skoro zdążyła zaminować domek dozorcy, zmuszając ich w ten sposób do pozostania na otwartej przestrzeni.

Teraz byli całkowicie zdani na jej łaskę.

— Zakładam, że czas ma tutaj zasadnicze znaczenie, zważywszy na to, jak bardzo się wam śpieszyło — powiedziała Seichan. — A mogę czekać całą noc, zabijając po kolei pańskich kolegów aż do chwili, gdy zacznie pan mówić. Radzę więc być grzecznym chłopcem.

Pocisk roztrzaskał się tuż u jego stóp, obsypując go fontanną odłamków, co miało przekonać Graya, że jego rozmówczyni nie żartuje.

Tuż obok rozległ się szept Monka.

— Ona chyba ma zamontowany układ odprowadzania gazów wylotowych, bo nic nie zauważyłem.

Nie było wyjścia. Musieli zacząć negocjacje.

— Co chcesz wiedzieć? — spytał Gray.

— Ludzie Trybunału Smoka wyruszyli dziś wieczorem do

akcji. Pewnie już wiecie, dokąd poszli. Powiedzcie mi i będziecie wolni.

— A jaką mam pewność, że dotrzymasz słowa?

— Och, nie masz żadnej pewności, Gray. Ale także nie masz wyboru i wydawało mi się, że świetnie to rozumiesz. Mogę zwracać się do ciebie po imieniu, prawda? — Nie czekając na odpowiedź, mówiła dalej: — Dopóki będę uważała, że jesteś przydatny, pozwolę ci żyć. Ale to oczywiście nie oznacza, że potrzebuję was wszystkich. Jeśli mnie zdenerwujesz, zastrzelę któregoś z twoich towarzyszy.

Rzeczywiście nie miał wyboru.

— W porządku. Zgadza się, rozwiązaliśmy tę cholerną zagadkę.

— Więc gdzie uderzy Trybunał Smoka?

— W kościele — zablefował. — Tuż obok Koloseum jest...

Coś gwizdnęło mu koło lewego ucha i prawie równocześnie rozległ się krzyk zaskoczenia. Dozorca. Gray odwrócił się i zobaczył, jak stary człowiek chwyta się za ramię. Krew sączyła się spomiędzy jego palców. Osunął się na kamienne płyty, a Rachele natychmiast pośpieszyła mu z pomocą.

— Monk, pomóż jej — powiedział, klnąc w duchu.

Jego partner miał podręczną apteczkę i był odpowiednio przeszkolony. Mimo to Monk się zawahał, bo niechętnie rozstawał się ze strzelbą.

Gray ponaglił go niecierpliwym machnięciem ręki. Seichan na pewno nie popełni błędu i nie ujawni swojej kryjówki. Monk w końcu opuścił broń i podszedł do leżącego na bruku dozorcy.

— Wykorzystałeś już jedyną szansę — syknęła mu wprost do ucha. — Przy następnym kłamstwie będziesz miał na sumieniu człowieka.

Gray odruchowo zacisnął dłoń na telefonie.

— Mam własny wywiad, więc wiem, kiedy próbujesz mnie okłamać — mówiła dalej.

Gray gorączkowo szukał jakiegoś sposobu, żeby zbić ją z tropu, ale trudno mu było skupić się na obmyślaniu strategii, gdy słyszał jęki dozorcy. Nie miał czasu... ani wyjścia. Musiał powiedzieć jej prawdę. Właściwie tylko dzięki Seichan nie został dotąd wyeliminowany z gry, a teraz nadarzyła się okazja, żeby odwzajemnić grzeczność. I czy mu się to podobało, czy nie, on i Gildia znaleźli się nagle po tej samej stronie barykady. Zresztą wszelkie ustalenia musiały poczekać na inną okazję. Żeby w ogóle mogło do nich dojść, musieli pozostać przy życiu.

— Wygląda na to, że Trybunał Smoka zaplanował na dzisiejszą noc atak w Watykanie.

— Gdzie?

— W podziemiach bazyliki. Przy grobie świętego Piotra — Gray w krótkich słowach opowiedział, jak do tego doszli, żeby zaświadczyć, że tym razem mówi prawdę.

— Dobra robota — pochwaliła. — Wiedziałam, że nie popełniam błędu, kiedy pomogłam ci się uratować. A teraz bądźcie tak mili i wyrzućcie swoje telefony. Najlepiej do płonącego domku. I tym razem niech pan nie próbuje żadnych numerów, komandorze. Proszę nie sądzić, że jestem ignorantką i nie orientuję się, ile macie telefonów.

Gray posłusznie wypełnił polecenie. Kat zebrała wszystkie telefony, a potem pokazywała po kolei każdy z nich i rzucała w płomienie.

Wszystkie — z wyjątkiem słuchawki, którą Gray przyciskał do ucha.

— No to *arrivederci*, komandorze Pierce.

Telefon, który Gray ściskał w dłoni, nagle eksplodował, wyleciał mu z dłoni i poszybował daleko w powietrze. W uchu dzwoniło mu jak diabli, a po szyi ciekła strużka krwi.

Zamarł, czekając na następny strzał. Zamiast niego usłyszał odgłos włączanego silnika, a potem gardłowe prychanie, które wkrótce zmieniło się w dudniące buczenie. Motor. Znajdował się gdzieś poniżej grzbietu pagórka. Smoczyca odjeżdżała w siną dal z informacją, która z jakichś względów była jej potrzebna.

Gray odwrócił się.

Monk skończył właśnie bandażować ramię dozorcy.

— Tylko draśnięcie. Miał pan sporo szczęścia.

Ale Gray wiedział, że szczęście nie miało tu nic do rzeczy. Ta kobieta z pewnością potrafiłaby każdemu z nich strzelić między oczy, gdyby tylko chciała.

— A jak tam twoje ucho, komandorze? — spytał Monk.

Gray był wściekły jak diabli, więc tylko pokręcił głową.

Ale Monk się nie przestraszył. Obmacał ucho szefa, wcale nie siląc się na delikatność.

— Tylko otarcie naskórka. Zaczekaj chwilę.

Przemył ranę środkiem dezynfekcyjnym, a potem psiknął sprayem z malutkiej butelki.

Zabolało jak użądlenie stada wściekłych os.

— To płynny bandaż — wyjaśnił Monk. — Za parę sekund wyschnie. A gdybym podmuchał, to nawet szybciej, ale nie chcę cię podniecać.

W tym czasie Rachele i Vigor pomogli dozorcy stanąć na nogach. Kat przyniosła kij pasterski, którego stary człowiek używał jako laski. Giuseppe nie odrywał wzroku od domku, z którego potrzaskanych okien wciąż wysuwały się języki ognia.

Vigor położył mu rękę na ramieniu.

— *Mi dispiace...* — powiedział przepraszającym tonem.

Stary człowiek wzruszył ramionami.

— Najważniejsze, że wciąż mam swoją owieczkę — odezwał się zaskakująco mocnym głosem. — Dom zawsze można odbudować.

— Musimy dostać się do telefonu — rzekła cicho Rachele, zbliżając się do Graya. — Trzeba jak najszybciej zaalarmować generała Rende i władze Watykanu.

Gray wiedział, że Seichan nie bez powodu zabrała im telefony. Dzięki temu Gildia i Trybunał Smoka zyskali nieco czasu. Rzucił okiem na zachód.

Słońce zdążyło zniknąć za linią horyzontu i tylko krwistoczerwone smugi znaczyły jego ślad.

Trybunał Smoka z pewnością przystąpił już do akcji.

Gray zwrócił się do dozorcy.

— Giuseppe, masz samochód?

Stary człowiek powoli skinął głową.

— Tak. Z drugiej strony. — Wskazał.

Na tyłach płonącego domku stał kamienny, pokryty gontem garaż, który bardziej przypominał szopę. Nawet nie było w nim drzwi.

W głębi stał jakiś pojazd skryty pod brezentową płachtą.

Giuseppe machnął laską w tamtym kierunku.

— Kluczyki są w stacyjce. W zeszłym tygodniu zatankowałem do pełna.

Monk i Kat rzucili się, żeby przygotować samochód. We dwójkę ściągnęli brezent, pod którym krył się maserati sebring z roku 1966, czarny jak obsydian. Na jego widok Grayowi przypomniały się wczesne wersje forda mustanga. Długa maska i szerokie opony zdradzały, że wóz jest przystosowany do szybkiej jazdy.

Vigor zerknął na Giuseppe.

A on znów wzruszył ramionami.

— To samochód mojej ciotki... Rzadko nim jeździła.

Rachele podbiegła bliżej, pełna radosnego oszołomienia.

Nie tracąc ani chwili, wszyscy władowali się do środka. Giuseppe miał zaczekać na straż pożarną i jako dozorca katakumb wyjaśnić, co tu zaszło.

Bez pytania o zgodę Rachele wślizgnęła się na fotel kierowcy, choć niektórzy nie byli z tego zadowoleni. Ona najlepiej znała rzymskie ulice.

— Monk... — odezwała się, przekornie przekręcając kluczyk w stacyjce. Silnik zaryczał obiecująco.

— Co?

— Może lepiej zamknij oczy.

21.22

Po krótkim postoju przy rzędzie budek telefonicznych Rachele wyjechała z zatoczki. Dodała gazu i wepchnęła się pomiędzy samochody, czym tak zdenerwowała jakiegoś kierowcę, że zatrąbił z irytacją. O co chodzi, koleś? Od sunącego z tyłu fiata dzieliła ją cała szerokość dłoni. Mnóstwo miejsca...

Przednie reflektory maserati rzucały snopy silnego światła. Zapadła już ciemna noc. Przed nimi rząd czerwonych światełek zakręcał w stronę centrum miasta. Rachele mknęła pomiędzy samochodami, wprawnie mijając kolejne przeszkody. Od czasu do czasu dawała nura na pas dla przeciwnego kierunku ruchu, bo wstydem byłoby nie wykorzystać każdego kawałka wolnej przestrzeni.

Z tylnego siedzenia dobiegały rozpaczliwe jęki.

W odpowiedzi wcisnęła mocniej pedał gazu.

Nikt już nie zamierzał się skarżyć.

Kiedy zatrzymali się przy telefonach, Rachele próbowała nawiązać kontakt z generałem Rende, podczas gdy jej wuj dzwonił do kardynała Spery. Żadnemu z nich się nie udało. Zarówno generał, jak i kardynał udali się już na uroczystości. Generał Rende osobiście dowodził oddziałem karabinierów, który pilnował placu Świętego Piotra, a kardynał Spera był jednym z duchownych odprawiających mszę. Co prawda Rachele i Vigor przekazali wiadomości i zaalarmowali odpowiednie służby, ale czy zdążyli na czas?

Wszyscy byli już na mszy żałobnej, dosłownie parę kroków od miejsca, gdzie miał uderzyć Trybunał Smoka, a w gęstym tłumie trudno byłoby kogokolwiek wyśledzić.

— Daleko jeszcze? — spytał siedzący na miejscu pasażera Gray.

Otworzył swój plecak, postawił go na kolanach i zaczął nad czymś pracować. Rachele była zbyt pochłonięta prowadzeniem samochodu, by sprawdzać, co on robi.

Minęła w pędzie Forum Trajana — starożytny odpowiednik współczesnego centrum handlowego. Sypiący się, półokrągły budynek mieścił się na Kwirynale i stanowił doskonały punkt orientacyjny.

— Trzy kilometry — odpowiedziała.

— Nie uda nam się dotrzeć do przednich wejść, bo na placu jest za dużo ludzi — ostrzegł ją siedzący z tyłu Vigor. — Powinniśmy spróbować przy wjeździe kolejowym. Kieruj się na Via Aurelia, wzdłuż południowego muru. Przetniemy na ukos teren za bazyliką i wjedziemy od tyłu.

Rachele skinęła głową. I tak już zdążyli utknąć w korku przy wjeździe na most na Tybrze.

— Proszę mi powiedzieć coś na temat tych wykopalisk pod bazyliką — odezwał się Gray. — Czy są tam jeszcze inne wejścia?

— Nie — odparł Vigor. — Wykopaliska są terenem zamkniętym. Dokładnie pod Bazyliką Świętego Piotra położone są groty, do których wejść można ze świątyni. Tam właśnie znajduje się wiele słynnych krypt i papieskich grobowców. Kiedy w tysiąc dziewięćset trzydziestym dziewiątym roku *sampietrini* kopali grób dla Piusa XI, odkryli przypadkiem warstwę położoną pod grotami — wielką nekropolię pełną starożytnych mauzoleów pochodzących z pierwszego wieku. Nazwano ją po prostu *Scavi*, czyli wykopaliska.

— Jak duży jest ten obszar? I jak wygląda jego układ?

— Czy był pan kiedykolwiek w podziemnym mieście w Seattle? — spytał Vigor.

Gray zerknął przez ramię na monsiniora.

— Kiedyś pojechałem tam na jakąś konferencję archeologiczną — wyjaśnił Vigor. — Pod współczesną metropolią leży dawne Seattle — opuszczone miasto rodem z Dzikiego Zachodu, gdzie można zobaczyć nietknięte sklepy, lampy uliczne, nawet drewniane chodniki dla przechodniów... Ta nekropolia jest właśnie czymś takim — starożytnym rzymskim cmentarzyskiem, pogrzebanym pod watykańskimi grotami i odkopanym przez archeologów. To po prostu labirynt grobowców i kamiennych uliczek.

Rachele w końcu zdołała przebić się do mostu i teraz dzielnie walczyła, żeby jak najszybciej znaleźć się na drugim brzegu. Kiedy wreszcie tam dotarła, wymknęła się z głównego nurtu ulicznego ruchu, zatoczyła koło i kierując się w stronę przeciwną do placu Świętego Piotra, pomknęła na południe.

Po kilku ostrych zakrętach znalazła się na drodze prowadzącej wzdłuż gigantycznych murów obronnych okalających Watykan. Tutaj było zupełnie ciemno, bo całą ulicę oświetlało zaledwie kilka lamp.

— Teraz prosto. — Vigor wyciągnął przed siebie rękę.

Biegnąca po grzbiecie kamiennego mostu linia kolejowa spinała dwie krawędzie drogi. To właśnie tutaj kolej watykańska opuszczała terytorium Stolicy Apostolskiej, żeby połączyć się z rzymskim systemem torów. Przez całe stulecie papieże podróżowali pociągami, korzystając z własnej stacji, która mieściła się wewnątrz państwa papieskiego.

— Skręć jeszcze przed mostem — powiedział Vigor.

O mały włos by ominęła wjazd. W ostatniej chwili szarpnęła kierownicą; samochodem zarzuciło, a spod kół trysnęła fontanna żwiru. Z głównej drogi zjechała w maleńką, biegnącą równolegle dróżkę, która wspinała się stromo pod górę. Dróżka kończyła się przy torach.

— Tędy! — krzyknął Vigor, machając ręką w lewo.

Tutaj nie było już żadnej drogi, jedynie wąski pas murawy porośnięty chwastami, pomiędzy którymi walały się całkiem spore kamienie. Rachele bez namysłu skręciła i wjechała na trawę.

Zmieniając biegi, parła do przodu, w stronę łukowato sklepionego otworu w murze, który stanowił przejście na terytorium Watykanu. Przednie światła wozu podskakiwały na wybojach, ale w końcu dotarła do przejścia i przecisnęła maserati przez wąską przestrzeń pomiędzy torami a murem.

Nagle światło reflektorów padło na bok granatowego służbowego vana, który blokował im dalszą drogę. Dwóch gwardzistów w ciemnoniebieskich mundurach trzymało broń gotową do strzału.

Rachele wcisnęła z całej siły hamulec, jednocześnie wysuwając przez okno rękę z kartą identyfikacyjną.

— Porucznik Rachele Verona! — wrzasnęła. — I monsinior Verona! Zostaliśmy wezwani w nagłej sprawie!

Obaj strażnicy podeszli do samochodu, choć jeden z nich wciąż trzymał karabin wycelowany prosto w głowę Rachele.

Wuj Vigor pośpiesznie wyjął swoje dokumenty.

— Musimy skontaktować się z kardynałem Sperą.

Snop światła latarki omiótł wnętrze wozu i przesunął się po twarzach pozostałych pasażerów. Na szczęście wszyscy zdążyli ukryć broń. Nie trzeba było tracić czasu na wyjaśnienia.

— Ręczę osobiście za tych ludzi — powiedział poważnie monsinior. — Tak samo kardynał Spera.

Van cofnął się, odblokowując im wjazd.

Vigor wciąż wychylał się przez otwarte okno.

— Czy dotarła do was jakaś wiadomość? O tym, że ktoś może przeprowadzić tu zamach?

Gwardzista otworzył szeroko oczy ze zdumienia.

— Nie, monsinior. — Pokręcił głową.

Rachele zerknęła na Graya. Och, nie... Tak jak się obawiali, w zamieszaniu, które towarzyszyło przygotowaniom do mszy żałobnej, wiadomości przez kolejne ogniwa łańcucha dowodzenia przekazywano zbyt opieszale. Kościół był zresztą znany z tego, że zawsze wolno reagował... Bez względu na to, o jaką sprawę chodziło.

— Nie wpuszczajcie tędy nikogo — zarządził Vigor. — Najlepiej od razu zamknąć to przejście.

Gwardzista, słysząc rozkazujący ton w głosie monsiniora, skinął posłusznie głową.

Vigor opadł na fotel.

— Pierwsza przecznica za zabudowaniami stacji. Tylko szybko — rzucił.

Rachele nie trzeba było powtarzać, że powinna się śpieszyć. Przemknęła jak błyskawica przez mały parking przed niedużym, piętrowym budyneczkiem stacji i ostro skręciła w prawo. W pędzie minęła Studio Mozaiki, jedyny zakład, jaki funkcjonował na terenie Watykanu, i przedarła się pomiędzy Pałacem Trybunału a Palazzo San Carlo. Tutaj budynki stały ciasno jeden obok drugiego, a cały widok przysłaniała masywna kopuła bazyliki.

— Zaparkuj przed Hospicjum Świętej Marty — rozkazał wuj.

Rachele podjechała do krawężnika. Po ich lewej stronie znajdowała się zakrystia Bazyliki Świętego Piotra, z której można było dostać się do głównej części świątyni, po prawej zaś papieski Dom Pielgrzyma. Oba budynki łączyło zadaszone przejście. Rachele wyłączyła silnik, bo dalej musieli iść na piechotę.

Cel ich podróży — wejście do Scavi — znajdował się po przeciwnej stronie zakrystii.

Gdy wysiadali z wozu, do ich uszu dotarły przytłumione śpiewy. To chór pontyfikalny zaintonował *Ave Maria*. Msza trwała.

— Za mną — rzucił Vigor.

Przeprowadził ich przez łukowate przejście na otwartą przestrzeń po drugiej stronie. Nigdzie żywego ducha. Nic dziwnego, skoro uwaga służb watykańskich skierowana była przede wszystkim na wnętrze bazyliki, na osobę papieża. Rachele nieraz była już świadkiem podobnych sytuacji. Wielkie uroczystości — jak dzisiejsza specjalna msza żałobna — wyludniały obszar miasta--państwa, bo tylko nieliczni nie brali w nich udziału.

Niski, dudniący dźwięk dołączył do śpiewu chóru. Dolatywał zza Łuku Dzwonów, który prowadził na plac Świętego Piotra. To był pomruk tysięcy głosów, modlitwa wiernych zgromadzonych przed bazyliką. Przez wąskie przejście obok łuku Rachele w przelocie dostrzegła migotanie setek świec.

— To tu — mruknął Vigor, wydobywając pęk kluczy. Poprowadził ich do niczym niewyróżniających się drzwi na skraju malutkiego podwórka. Drzwi wykonanych z solidnej stali. — To jedyna droga do Scavi.

— Nie ma straży — zauważył Gray.

Jedyną ochronę stanowiło dwóch członków Gwardii Szwajcarskiej pełniących wartę przy Łuku Dzwonów. Mieli przy sobie karabiny, lecz byli tak pochłonięci obserwowaniem mszy, że nie zwrócili najmniejszej uwagi na nowo przybyłych.

— Ale drzwi są zamknięte — powiedział Vigor. — Może wreszcie udało nam się ich wyprzedzić.

— Na to bym nie liczył — burknął Gray. — Wiemy przecież, że mają kontakty w Watykanie. Pewnie zdobyli gdzieś klucze.

— Zaledwie garstka ludzi ma do nich dostęp. Ja także, jako szef Papieskiego Instytutu Archeologii. — Vigor odwrócił się do Rachele i wręczył jej dwa pozostałe klucze. — Te otwierają dolne drzwi... i grobowiec Świętego Piotra.

W pierwszej chwili Rachele nie chciała ich wziąć.

— Ale...?

— Znasz rozkład Scavi lepiej niż ktokolwiek inny. Ja muszę dotrzeć do kardynała Spery, bo trzeba zabrać papieża z zagrożonej strefy i opróżnić bazylikę, nie wywołując przy tym paniki. Nikt poza mną nie dostanie się tam wystarczająco szybko. — Wymownym gestem dotknął koloratki.

Rachele skinęła głową i bez sprzeciwu wzięła klucze. Trzeba było kogoś znaczącego, kogoś takiego jak jej wuj, żeby w krótkim czasie uzyskać audiencję u kardynała, zwłaszcza podczas tak ważnej uroczystości. Pewnie dlatego jeszcze nikt nie podniósł alarmu. Przeważyły względy proceduralne. Nawet generał Rende nie kontrolował w pełni tego, co działo się na terytorium Watykanu.

Vigor spojrzał znacząco na Graya, a potem odwrócił się i odszedł. „Pilnuj mojej siostrzenicy", wyczytała w jego oczach Rachele.

Zacisnęła palce na pęku kluczy. Dobrze, że wuj nie wpadł na pomysł, by odesłać ją w bezpieczne miejsce, choć zdawał sobie sprawę z grożącego wszystkim niebezpieczeństwa. W tej grze stawką było życie tysięcy ludzi.

Vigor raźnym krokiem ruszył w stronę głównego wejścia do zakrystii. Tędy można było najszybciej dostać się do serca bazyliki.

Gray odwrócił się do reszty grupy i kazał wszystkim założyć mikrofony i słuchawki. Nawet znalazł jedno zapasowe urządzenie dla Rachele — osobiście przytwierdził mikrofon do jej szyi i zademonstrował, jak słyszalny jest nawet najlżejszy szept. „Półszept", jak to określił. To było coś niesamowitego — każde słowo wydawało się tak ciche, a jednak w pełni zrozumiałe.

Raz i drugi wypróbowała, jak to działa, a tymczasem Monk otwierał skrzypiące drzwi. Na drodze prowadzącej do podziemi panowała kompletna ciemność.

— Zaraz przy wejściu jest włącznik światła — szepnęła Rachele, zdumiona czułością mikrofonu.

— Idziemy po ciemku — zdecydował Gray.

Monk i Kat skinęli głowami i nałożyli gogle, a Gray wręczył Rachele dodatkową parę. Noktowizory. Miała okazję zapoznać się z nimi podczas szkolenia wojskowego. Wsunęła gogle na głowę, a cały świat rozświetlił się natychmiast odcieniami zieleni i srebra.

Gray ruszył pierwszy, Rachele razem z Kat szła tuż za nim. Monk idący ostatni cichutko zamknął za sobą drzwi. Ogarnęła ich zupełna ciemność, mimo że mieli na oczach gogle. Nawet noktowizory potrzebują do pracy pewnej ilości światła. Gray pstryknięciem włączył malutką latarkę i umocował ją tuż pod pistoletem. W mroku jej blask wydawał się wręcz oślepiający.

Rachele odchyliła na moment gogle; prowadząca w dół droga nagle znów zrobiła się całkiem czarna. Latarka Graya musiała emitować ultrafiolet, widoczny jedynie przez specjalne soczewki.

Natychmiast zsunęła gogle z powrotem.

Znajdujący się na tym poziomie przedsionek wypełniało nieziemskie światło. Tu ustawionych było kilka gablot i modeli wykorzystywanych podczas oprowadzania wycieczek. Jeden z nich przedstawiał pierwszy kościół wzniesiony w tym miejscu przez Konstantyna w trzysta dwudziestym czwartym roku. Inny ukazywał *aedicula*, pogrzebowy relikwiarz w kształcie maleńkiej świątyni. To właśnie taka świątynia wskazywała miejsce pochówku świętego Piotra. Według historyków Konstantyn kazał skonstruować sześcian z marmuru i porfiru — rzadkiego kamienia sprowadzanego z Egiptu — zamknął w nim relikwiarz i dookoła niego zbudował kościół.

Krótko po tym, jak archeolodzy zaczęli pracę w tej nekropolii, sześcian Konstantyna został odnaleziony, a następnie umieszczony dokładnie pod papieskim ołtarzem w bazylice. Zachowała się oryginalna ściana świątyni, podrapana, pełna bazgrołów i chrześcijańskich graffiti, gdzie pozostały greckie litery tworzące napis — *Petros eni*. „Piotr jest tutaj".

I rzeczywiście, w otworze wewnątrz tej ściany odnaleziono kości i resztki ubrania, które pasowały do wieku i postury świętego Piotra. Teraz spoczywały bezpiecznie zaplombowane w kuloodpornej plastikowej skrzyni — która dziwnym trafem zrobiona została przez amerykański Departament Obrony — i umieszczone na powrót w otworze w ścianie.

Właśnie tam zmierzali.

— Tędy — szepnęła Rachele, wskazując na strome, kręcone schody, które wiodły na niższy poziom.

Gray znów ruszył przodem.

Dotarli poniżej poziomu piwnic, a potem opuścili się jeszcze głębiej.

Chłód przenikał przez ubranie Rachele. Miała wrażenie, że jest całkiem naga. Gogle zawężały jej pole widzenia, co wywoływało uczucie klaustrofobicznego strachu.

U podnóża schodów dalszą drogę blokowały małe drzwi. By je otworzyć, Rachele musiała przecisnąć się obok Graya, a wtedy ich ciała zetknęły się na moment. Kiedy sztywnymi z emocji palcami usiłowała wyłowić z kieszeni pęk kluczy, doleciała do niej intensywna woń piżma.

Gray zatrzymał jej rękę, zanim zdążyła nacisnąć klamkę i delikatnym, acz stanowczym ruchem wepchnął za siebie. Dopiero wtedy ostrożnie odemknął drzwi i zerknął przez szparę. Rachele i cała reszta czekali w napięciu.

— Droga wolna — szepnął. — Ciemno tam jak w grobie.

— Bardzo śmieszne — zamruczał Monk.

Gray popchnął drzwi, otwierając je na całą szerokość.

Rachele odruchowo przygotowała się na eksplozję, serię z pistoletu maszynowego lub jakąkolwiek inną formę ataku, ale wewnątrz panowała głucha cisza.

Kiedy wszyscy wcisnęli się do środka, Gray się odwrócił.

— Chyba monsinior miał rację — powiedział. — Chociaż raz udało się nam wyprzedzić Trybunał Smoka. Tym razem to my przygotujemy zasadzkę.

— Jaki jest plan? — spytał Monk.

— Nie będziemy ryzykować. Przygotujemy pułapkę i wynosimy się stąd do wszystkich diabłów. — Gray wskazał na drzwi. — Monk, zostaniesz na straży. To jedyna droga. Będziesz nas ubezpieczał i pilnował wyjścia.

— Nie ma sprawy.

Gray wręczył Kat coś, co wyglądało jak dwa kartony wypełnione małymi jajkami.

— Granaty ogłuszające i bomby błyskowe — wyjaśnił. — Spodziewam się, że wejdą tu tak jak my, po ciemku. Zobaczmy, czy uda się nam ich oślepić i ogłuszyć. Kat, rozłóż to po drodze do grobowca. Na całej szerokości przejścia.

Kat skinęła głową.

Wtedy Gray odwrócił się do Rachele.

— A ty mi pokaż grób świętego Piotra.

Skierowała się w głąb pogrążonej w mroku nekropolii, idąc starożytną rzymską drogą. Po obu stronach ścieżki wznosiły się rodzinne grobowce i mauzolea, a każdy z nich zajmował powierzchnię sześciu metrów kwadratowych. Ich ściany pokryte były cienkim cegłami, które w pierwszym wieku stanowiły powszechny materiał budowlany. Większość grobów ozdabiały freski i mozaiki, ale takie szczegóły trudno było dostrzec przez noktowizor. Pozostało także kilka fragmentów nagrobnych figur, które w niesamowitym świetle zdawały się poruszać. Martwi powracali do życia.

Rachele kierowała się ku centrum nekropolii. Metalowa drabinka prowadziła na podest i do prostokątnego okienka. Rachele wskazała na to, co znajdowało się pod spodem.

— Grób świętego Piotra.

21.40

Gray skierował w głąb snop światła z latarki.

Trzy metry dalej, obok masywnego bloku z marmuru, wznosiła się ściana z cegły, a u jej podstawy znajdował się otwór. Gray pochylił się jeszcze bardziej. Wewnątrz otworu ujrzał przezroczystą skrzynkę wypełnioną materiałem na pierwszy rzut oka przypominającym glinę.

Kości.

Kości świętego Piotra.

Poczuł, jak włoski na ramionach stają mu dęba, a całe ciało przeszywa dreszcz uwielbienia zmieszanego ze strachem. Przez moment miał wrażenie, że oto jest archeologiem grzebiącym w ciemnej pieczarze gdzieś w głębi zagubionego kontynentu, nie zaś człowiekiem, który zszedł zaledwie kilka pięter poniżej miejsca, gdzie biło serce Kościoła rzymskokatolickiego. Zresztą, może prawdziwe serce Kościoła znajdowało się właśnie tutaj?

— Komandorze — odezwała się Kat. Wykonywanie powierzonego zadania szło jej dość opornie, ale w końcu do nich dołączyła.

Gray wyprostował się.

— Czy możemy podejść nieco bliżej? — spytał.

Rachele bez słowa wyjęła drugi z kluczy, jakie pozostawił jej wuj, i otworzyła bramę wiodącą do wnętrza sanktuarium.

— Musimy się pośpieszyć — powiedział Gray. Instynktownie czuł, że ich czas dobiega końca. Może Trybunał Smoka nie zaatakuje przed północą, podobnie jak w Kolonii, ale Gray nie miał zamiaru podejmować tak wielkiego ryzyka.

Wyciągnął sprzęt przygotowany w czasie jazdy, a następnie rozejrzał się po okolicy i znalazł miejsce, na które z pewnością nikt nie zwróci uwagi. W szczelinie sąsiedniego mauzoleum umieścił maleńką kamerę wideo i ustawił obiektyw na grobowiec świętego Piotra. Drugą kamerę odwrócił w przeciwną stronę, upewniając się, że tym samym sfilmują całą okolicę sanktuarium.

— Co robisz? — spytała Rachele.

Gray skończył ustawiać kamery; machnął ręką, żeby dziewczyny się cofnęły.

— Wolałbym, żeby nasza pułapka nie zaskoczyła ich za

wcześnie. Chcę, żeby poczuli się tu całkiem bezpiecznie i rozstawili swój sprzęt. I wtedy uderzymy. Nie wolno dopuścić do tego, żeby znów wykorzystali kości Mędrców albo uruchomili swoje urządzenie.

Wyszli z sanktuarium, a Rachele ponownie zamknęła bramę.

— Monk... — powiedział Gray przez radio. — Co tam słychać?

— Wszędzie cisza.

Dobrze.

Gray podszedł do znajdującego się w pobliżu zrujnowanego mauzoleum, w którym brakowało frontowej płyty. Kości spoczywających tam zmarłych już dawno zostały zabrane. Gray wyciągnął z plecaka laptop i ukrył go we wnętrzu grobowca. Następnie podłączył przenośny wzmacniacz do portu USB w laptopie. Zamrugało zielone światełko — znak, że wszystko działa jak należy. Pstryknął przełącznikiem i ustawił całość urządzenia na utajony tryb pracy. Teraz żadne światło nie migało w komputerze ani we wzmacniaczu. Dobrze.

Gray wyprostował się i gdy ruszyli w drogę powrotną, wytłumaczył dziewczynom swój plan.

— Kamery nie są wystarczająco mocne, żeby przesyłać obraz na dużą odległość, więc laptop odbierze od nich sygnał i go wzmocni. Dzięki niemu przekaz zostanie wysłany na górę, gdzie na innym laptopie będziemy śledzić rozwój sytuacji. Kiedy ludzie Trybunału znajdą się tu, na dole, odpalimy świetlne i akustyczne ładunki, a następnie razem z Gwardią Szwajcarską wtargniemy do środka.

Kat skinęła głową i popatrzyła na niego.

— Gdybyśmy byli ostrożniejsi tam, w katakumbach, i za długo zastanawiali się, co robić, ta okazja pewnie by nas ominęła.

Gray przytaknął.

Wreszcie szczęście się do nich uśmiechnęło. Wystarczyła tylko odrobina śmiałości i...

Jego rozmyślania przerwała seria eksplozji. Nie były szczególnie głośne — raczej przytłumione, jak wybuchy głęboko pod powierzchnią wody. Rozbrzmiały echem po całej nekropolii, a zaraz potem dołączył do nich o wiele mocniejszy trzask pękających kamieni.

274

W sklepieniu pojawiły się niewielkie otwory. Do środka wpadły kamienie zmieszane z ziemią, rozbijając się o krypty i mauzolea. Zanim pył zdążył osiąść, przez dymiące jeszcze dziury spuszczono liny, a po nich jedna za drugą zaczęły zjeżdżać jakieś postacie.

Oddział napastników.

Po kolei zjeżdżali na dół i natychmiast znikali w głębi nekropolii.

Gray natychmiast zorientował się, co się stało. Trybunał Smoka dostał się do środka przez górne piętro, z poziomu Grot Świętych, a do nich prowadziło bezpośrednie przejście z wnętrza bazyliki. Członkowie Trybunału musieli więc przyjść na mszę, a potem — wykorzystując swoje kontakty wśród służb Watykanu — wślizgnąć się do papieskich krypt w Grotach Świętych. Wyposażenie oddziału zostało prawdopodobnie przeszmuglowane parę dni wcześniej i ukryte w cieniu grobowców. I teraz, podczas trwających uroczystości, napastnicy odzyskali swoje urządzenia, wywiercili specjalne otwory i nieniepokojeni przez nikogo wdarli się na dolny poziom.

Co gorsza, oddział mógł wycofać się tą samą drogą i rozpłynąć w tłumie wiernych.

Do tego nie wolno było dopuścić.

— Kat, zabierz Rachele do Monka — wyszeptał. — Nie mieszajcie się do tego. Wróćcie na górę i sprowadźcie tu Gwardię Szwajcarską.

Kat chwyciła Rachele pod łokieć.

— A co z tobą? — spytała.

Ale on już zdążył się odsunąć. Szedł z powrotem do grobowca świętego Piotra.

— Ja tu zostanę — odszepnął. — Będę śledził wszystko na laptopie i spróbuję ich zatrzymać, jeśli tylko zajdzie taka potrzeba. Kiedy uruchomię naszą pułapkę, dam wam znać przez radio.

Być może jeszcze nie wszystko stracone.

W odbiorniku rozległ się głos Monka. Jego słowa ledwo do nich dochodziły.

— Nie wracajcie tutaj. Wysadzili dziurę prosto nad wyjściem. Mało brakowało, a odłamek skały rozwaliłby mi łeb. Skurczybyki zablokowali te cholerne drzwi na amen.

Gray usłyszał strzały z pistoletu maszynowego, dobiegające echem z odległego krańca nekropolii.

— Nikt już tędy nie wejdzie ani stąd nie wyjdzie — zakończył Monk.

— Kat?

— Zrozumiałam, komandorze.

— Wszyscy na ziemię — rozkazał. — I czekajcie na mój znak. Przykucnął jak najniżej i zaczął pełznąć w dół cmentarnej drogi.

Teraz mogli liczyć wyłącznie na siebie.

21.44

Vigor wszedł do Bazyliki Świętego Piotra przez drzwi od zakrystii, przy których pełniło wartę dwóch gwardzistów. Trzy razy musiał pokazywać dokumenty, zanim go wpuszczono. W takim samym żółwim tempie rozchodziły się wiadomości, wstrzymywane przez kolejne kontrole. Widocznie Vigor nie wypadł przekonująco, kiedy dzwonił przed dwudziestoma minutami, bo nie potrafił udzielić jasnej odpowiedzi na pytanie, kiedy dokładnie Trybunał Smoka zamierza przeprowadzić atak.

Ale teraz sprawy nareszcie posuwały się we właściwym kierunku.

Vigor minął posąg Piusa VII i wkroczył do nawy położonej najbliżej środka kościoła. Bazylika wzniesiona została na planie gigantycznego krzyża; zajmowała obszar dwudziestu pięciu tysięcy metrów kwadratowych i była tak przestronna, że dwa zespoły zawodników mogłyby równocześnie rozgrywać mecze piłki nożnej, a i tak w nawie zostałoby sporo miejsca.

W obecnej chwili bazylika wypełniona była po brzegi. Każdy rząd ławek, od nawy aż do transeptu, wydawał się zatłoczony do granic możliwości. Ogromna przestrzeń błyszczała w płomykach tysięcy świec, opromieniona dodatkowo blaskiem ośmiuset kandelabrów. Chór pontyfikalny był właśnie w połowie pieśni *Exaudi Deus*, odpowiedniej do nastroju mszy żałobnej, lecz rozbrzmiewającej tak głośno i potężnie jak na jakimś koncercie rockowym.

Vigor szedł szybkim krokiem; siłą woli powstrzymywał się,

by nie biec. Nie chciał nikogo wystraszyć, bo przy tak ograniczonej liczbie wyjść awaryjnych wywołanie paniki mogłoby przynieść tragiczne skutki. Po drodze kiwnął na dwóch gwardzistów, żeby rozeszli się na prawo i lewo, i zaalarmowali kolegów ze straży. Sam najpierw chciał usunąć z niebezpiecznego miejsca papieża i poinformować duchownych celebrujących mszę, żeby powoli zaczęli opróżniać kościół z wiernych.

Wreszcie dotarł do nawy głównej, skąd rozpościerał się doskonały widok na papieski ołtarz.

Po przeciwnej stronie ołtarza, tuż obok papieża, siedział kardynał Spera. Nad ich głowami wznosił się *baldacchino* — zaprojektowany przez Berniniego baldachim z pozłacanego brązu. Miał wysokość ośmiu pięter i wspierał się na czterech zwiniętych spiralnie brązowych kolumnach, zdobionych pozłacanymi gałązkami drzewa oliwnego i liśćmi wawrzynu. Sam baldachim zwieńczony był złotą kulą, na której szczycie wznosił się krzyż.

Vigor, starając się nie zwracać na siebie uwagi, podążał naprzód. Szkoda mu było czasu na przebieranie się w bardziej odpowiedni strój, więc wciąż miał na sobie zwyczajne, nieco sfatygowane ubranie. Kilkoro zamożniejszych parafian spojrzało na niego krzywo, zmarszczyło z dezaprobatą brwi, ale na widok koloratki zachowało milczenie. W ich spojrzeniach widniała ledwo skrywana pogarda. Biedny ksiądz z jakiejś marnej parafii, myśleli z pewnością. Na pewno na widok tak wspaniałej uroczystości zakręciło mu się w głowie z zachwytu.

Dotarłszy na sam przód, skręcił w lewo. Miał zamiar zatoczyć koło i w ten sposób dostać się na tył ołtarza, gdzie mógłby porozmawiać z kardynałem Sperą na osobności, ale kiedy przeciskał się obok posągu świętego Longinusa, z zacienionego korytarzyka wysunęła się czyjaś ręka. Vigor zerknął do tyłu, żeby przekonać się, kto trzyma go pod łokieć. Ujrzał chudego jak tyczka mężczyznę o siwych włosach, mniej więcej w jego wieku. Znał go i darzył szacunkiem. Był to prefekt Alberto, zarządca archiwów.

— Vigor? — odezwał się prefekt. — Słyszałem...

Dalsze jego słowa utonęły w szczególnie głośnym refrenie chóru.

Vigor pochylił się w jego stronę, wsuwając się do wnęki

prowadzącej do korytarzyka. Stąd można było bezpośrednio dostać się do Grot Świętych.

— Przepraszam, Alberto. Co...?

Uchwyt stał się mocniejszy. Nagle Vigor poczuł, jak między żebra wbija mu się lufa pistoletu. Na jej końcu tkwił tłumik.

— Ani słowa, Vigor — zasyczał Alberto.

21.52

Ukryty w głębi krypty Gray leżał na brzuchu z dala od wejścia. Pistolet położył tuż obok otwartego laptopa. Jego wyświetlacz został przełączony na tryb pracy w ultrafiolecie, a ekran podzielony na połowy — na jednej ukazywał się przekaz z kamery ustawionej przodem do grobowca świętego Piotra, na drugiej obraz pozostałej części nekropolii.

Oddział napastników podzielił się na dwie grupy. Jedna patrolowała w ciemnościach cmentarzysko, druga zaś włączyła latarki, by jak najszybciej wykonać zadanie. Pracowali szybko i wydajnie; najwyraźniej każdy z góry wiedział, co do niego należy. Już otworzyli bramę blokującą dostęp do grobu świętego Piotra. Dwóch mężczyzn zatrzymało się po bokach sławnej krypty i mocowali do jej ścian dwa spore talerze.

Trzeciego z mężczyzn Gray natychmiast rozpoznał po wzroście.

Raoul.

Olbrzym pod pachą dźwigał stalową skrzynkę. Otworzył ją i wyciągnął ze środka cylinder z przezroczystego plastiku, wypełniony znajomą szarawą substancją. Amalgamat. Musieli więc rozłożyć skradzione kości do formy proszku. Następnie Raoul wsunął ten cylinder w dolny otwór w grobowcu świętego Piotra.

I podłączył do niego baterie...

Gray nie mógł już dłużej czekać. Aparat został przygotowany i ustawiony. Teraz mieli jedyną szansę, by zaskoczyć członków Trybunału, a być może nawet odciągnąć ich z tego miejsca, żeby pozostawili całe urządzenie bez nadzoru.

— Przygotujcie się do akcji w ciemności — wyszeptał. Jego ręka powędrowała do przekaźnika, którym kontrolował granaty i bomby błyskowe. — Dopóki będą w szoku, zdejmijcie tylu, ilu się uda, ale nie ryzykujcie bez potrzeby. Macie cały czas być w ruchu i nie pchać im się pod nos.

Odpowiedziały mu potakujące mruknięcia. Monk zaszył się w pobliżu drzwi, a Kat i Rachele znalazły jakiś pusty grobowiec i wpełzły do jego wnętrza. Napastnicy wciąż nie zdawali sobie sprawy, że mają towarzystwo.

Gray obserwował, jak trzech mężczyzn opuszcza okolice grobu świętego Piotra, ciągnąc za sobą przewody. Raoul zamknął bramę, tym samym odgradzając się od niebezpieczeństwa. Jeszcze na metalowym podeście przycisnął rękę do ucha; najwyraźniej otrzymał wiadomość, że można kontynuować akcję.

— Liczę do pięciu i wkraczamy — wyszeptał Gray. — Włóżcie zatyczki do uszu i pamiętajcie o opuszczeniu filtrów w goglach. Ruszamy.

Zaczął odliczać w myślach. Pięć, cztery, trzy... Po omacku oparł jedną rękę na pistolecie, a drugą na klawiaturze laptopa. Dwa, jeden, zero...

Zdecydowanym ruchem nacisnął jeden z klawiszy.

Mimo zatyczek w uszach poczuł tuż za mostkiem głębokie „łup", kiedy wybuchły granaty ogłuszające. Policzył jeszcze do trzech, żeby wygasł blask bomb błyskowych, a potem uchylił filtr gogli i wyciągnął z uszu zatyczki. Echo wystrzałów rozbrzmiewało w całej nekropolii. Gray błyskawicznie przetoczył się do wyjścia z krypty.

Metalowy podest świecił pustkami.

Nikogo jak okiem sięgnąć.

Raoul i jego dwaj ludzie zniknęli.

Tylko gdzie?

Strzelanina wyraźnie przybrała na sile. Gdzieś tam w głębi cmentarzyska toczyła się regularna bitwa. Gray przypomniał sobie, że tuż przed eksplozją ładunków Raoul z kimś rozmawiał. Czyżby dostał wówczas ostrzeżenie? A jeśli tak, to od kogo?

Przeszukał najbliższą okolicę. Świat znów mienił się odcieniami zieleni. Pośpiesznie zsunął się po schodkach na podest. Musiał spróbować zabezpieczyć urządzenie i amalgamat, bez względu na ryzyko.

Na podeście przykucnął, podpierając się jedną ręką, a w drugiej trzymając broń.

Nagle z okienka znajdującego się tuż przed nim padł strumień mocnego światła. Po drugiej stronie, zaledwie kilka kroków dalej, stał Raoul. W czasie ataku musiał się ukryć. Napotkawszy spojrzenie Graya podniósł wysoko obie ręce. Trzymał w nich urządzenie do aktywacji amalgamatu.

Za późno.

Gray poderwał pistolet i wystrzelił, ale jego wysiłek okazał się daremny.

Pocisk odbił się od szkła kuloodpornego.

Raoul uśmiechnął się z triumfem i przekręcił gałkę.

10

Grobowiec

Pierwszy wstrząs wyrzucił Vigora w powietrze. Albo może po prostu ziemia się pod nim zapadła. Tak czy inaczej poczuł, że jego stopy straciły oparcie.

W bazylice rozległy się okrzyki przerażenia.

Spadając na posadzkę, Vigor wykorzystał sposobność i uderzył łokciem prosto w nos zdrajcę Alberta, a ten zachwiał się i poleciał do tyłu. Nie namyślając się długo, monsinior dokończył dzieła, wymierzając Albertowi potężny cios w grdykę.

Nieszczęśnik zwalił się na posadzkę jak kłoda, gubiąc przy tym pistolet. Vigor rzucił się jak tygrys i zdołał złapać go dokładnie w chwili, gdy nadszedł kolejny wstrząs, którego siła powaliła go na kolana. Tym razem wybuchła ogólna wrzawa. Z dołu rozległo się głębokie, potężne *trumm*, jakby ktoś uderzył w dzwon równie wielki jak sama bazylika. Wszyscy, którzy byli wewnątrz, znaleźli się w pułapce.

Vigor przypomniał sobie opis, jaki pozostawił jedyny świadek masakry w Kolonii. Chłopak wspominał o nagłym wzroście ciśnienia i o wrażeniu, jakby jakaś potężna siła z zewnątrz zaczęła napierać na ściany. Tutaj stało się to samo. Wszelkie hałasy — krzyki, błagania, modlitwy — były doskonale rozpoznawalne, choć przytłumione i niezbyt głośne.

Ziemia nie przestawała drżeć, ale jakimś cudem Vigorowi udało się wstać. Wypolerowana marmurowa posadzka zdawała się marszczyć i prężyć, jakby jej powierzchnia zmieniła się nagle w wodę. Vigor wetknął pistolet za pas.

Odwrócił się, żeby pośpieszyć z pomocą papieżowi i kardynałowi Sperze.

Jednak gdy tylko uczynił pierwszy krok, poczuł coś, a dopiero potem zobaczył. Nagły wzrost ciśnienia ogłuszył go i ścisnął wnętrzności w bolesny supeł. A potem się stało. Od podstawy w górę czterech spiralnych kolumn Berniniego, które podtrzymywały *baldacchino*, powędrowały ogniste kaskady energii elektrycznej, trzeszcząc i plując iskrami.

Biegły w górę kolumn, a potem w poprzek dachu baldachimu aż do złotej kuli. Rozległ się grzmot i ziemia znów zadrżała. Marmurową posadzkę pokryła gęsta sieć szczelin. Z kuli nad baldachimem wystrzelił świetlisty zygzak błyskawicy, uderzył w spód kopuły Michała Anioła i zatańczył na jej powierzchni. Wstrząsy wyraźnie przybrały na sile, a wtedy na ścianach bazyliki zaczęły pojawiać się pęknięcia. Na głowy wiernych posypał się deszcz tynku.

Świątynia zaczęła się walić.

21.57

Monk zbierał się z ziemi, choć krew zalewała mu oko. Wylądował twarzą do ziemi w kącie krypty, roztrzaskując gogle i rozcinając brew.

Przykucnął i po omacku zaczął szukać broni. Na lufie strzelby znajdował się celownik teleskopowy z noktowizorem, przez który mógłby przynajmniej coś zobaczyć.

Opuszkami palców czuł, że ziemia nadal wibruje. Dookoła było cicho jak makiem zasiał, bo wszystkie odgłosy wystrzałów ucichły natychmiast po pierwszym wstrząsie.

Na oślep sięgnął przed siebie i obmacał dokładnie grunt w pobliżu krypty. Strzelba musiała upaść gdzieś niedaleko.

Wreszcie palcami natrafił na coś twardego.

Dzięki Bogu.

Sięgnął dalej i natychmiast zrozumiał swój błąd. To nie była kolba jego strzelby, lecz czubek czyjegoś buciora.

Nagle poczuł, jak gorący wylot lufy wbija mu się w podstawę czaszki.

O cholera!

21.58

Gray usłyszał trzask pojedynczego wystrzału, który odbił się echem po nekropolii. To był pierwszy strzał od momentu, gdy ziemia zadrżała. Siła wstrząsu wyrzuciła go z metalowego podestu i cisnęła w pobliże mauzoleum, w którym ukrył laptop. Lecąc, zwinął się w kłębek, żeby uderzyć w ziemię ramieniem i dzięki temu udało mu się utrzymać pistolet i gogle. Niestety gdzieś po drodze zgubił mikrofon.

Okienko przy podeście rozpadło się w mgnieniu oka. Odłamki roztrzaskanego szkła zasypały kamienną dróżkę.

Gray rozejrzał się dookoła. Choć znajdował się kilka kroków od metalowej platformy, wciąż widział wiązkę światła padającą z wnętrza grobowca. Za wszelką cenę musiał dowiedzieć się, co tam się stało, choć w pojedynkę nie było sensu atakować bramy. Przynajmniej nie wtedy, gdy nie miał pojęcia, jak wygląda plan nekropolii.

Upewnił się, że nikt go nie śledzi, i dał nura do mauzoleum. Kamery osadzone w pęknięciach ścian wciąż powinny działać.

Położył się płasko na brzuchu; w jednym ręku ściskał pistolet, mierząc z niego w wejście do wnętrza grobowca, drugą zaś włączył laptop. Na ekranie natychmiast rozwinęły się obrazy z obu kamer. Ta, która była skierowana na centrum cmentarzyska, pokazywała tylko ciemność. Echa wystrzałów dawno już umilkły i w nekropolii na powrót zapadła martwa cisza.

Gdzie się podziała reszta zespołu?

Nie miał pojęcia. Skoncentrował się na drugiej połowie ekranu. Tam sytuacja na pozór nie uległa zmianie. Dwaj mężczyźni nadal stali z karabinami skierowanymi w stronę bramy. Strażnicy Raoula. Jednak ich wysoki przywódca zniknął bez śladu. Sam grobowiec wydawał się niezmieniony, ale cały obraz pulsował lekko, bo drżało kamienne podłoże. Zupełnie jakby kamery oddziaływały z polem energetycznym wytwarzanym przez włączone urządzenie.

Dokąd poszedł Raoul?

Gray zdecydował się przewinąć do tyłu pełną minutę cyfrowego nagrania. Wcisnął „stop", w chwili gdy Raoul stał obok grobowca i włączał urządzenie do aktywacji amalgamatu.

Ujrzał, jak Raoul odwraca się, żeby sprawdzić rezultaty. Zielone światełko wystrzeliło z dwóch talerzy przymocowanych po obu stronach grobowca. Nagle jego uwagę przyciągnął jakiś ruch. Za pomocą joysticka zrobił zbliżenie i ujrzał, jak szklany cylinder wypełniony sproszkowanym amalgamatem zaczyna wibrować — a potem unosi się nad podłoże.

Lewituje.

Wreszcie coś zaczęło mu świtać. Przypomniał sobie słowa Kat, że metale w stanie m wykazują zdolność do lewitacji w silnym polu magnetycznym, bo wówczas zachowują się jak nadprzewodniki. Przywołał z pamięci doświadczenie Monka, który w katedrze w Kolonii odkrył namagnesowany krzyż. Talerze emitujące zielone światło... To musiały być elektromagnesy. Sprzęt, którym posługiwał się Trybunał, był jedynie zwykłym urządzeniem do wytwarzania silnego pola elektromagnetycznego wokół amalgamatu.

Teraz już rozumiał, co to za energia pulsowała na zewnątrz.

Wiedział, co zabiło wiernych na mszy w Kolonii.

O Boże...

Nagle obraz drgnął, bo zaczął się pierwszy wstrząs. Przez ekran przebiegły fale, ale po sekundzie wszystko się ustabilizowało, choć obraz wydawał się teraz nieco zdeformowany, co bez wątpienia było skutkiem przemieszczenia się kamery. Na monitorze Raoul nagle odsunął się od grobowca.

Gray nie rozumiał dlaczego. Nie wydarzyło się nic szczególnego.

A potem coś dostrzegł, choć częściowo oślepiał go blask latarek. Część kamiennej podłogi u podstawy grobowca powoli się opuściła, tworząc coś w rodzaju wąskiej zapadni prowadzącej pod grób. Na dole dostrzegł błękitnawe migotanie. Raoul wszedł w pole kamery, a potem wkroczył na zapadnię, zostawiając na górze dwóch strażników.

To właśnie tam zniknął.

Gray przyśpieszył taśmę z nagraniem aż do chwili obecnej. Patrzył na erupcję oślepiająco białego światła, które rozbłysło na dole zapadni. Błysk flesza. Raoul rejestrował swoje znalezisko.

Kilka sekund później z powrotem był już na górze.

Sukinsyn uśmiechał się z nieukrywaną satysfakcją.

Wygrał.

21.59

Leżąc płasko na dachu grobowca, Kat zdołała wystrzelić i zabiła napastnika, który trzymał pistolet przy głowie Monka. Lecz zaraz potem nastąpił kolejny wstrząs, co uniemożliwiło jej ponowne oddanie celnego strzału. Tymczasem drugi z zamachowców nie tracił czasu na myślenie. Ze sposobu, w jaki upadło ciało kolegi, musiał odgadnąć, gdzie znajduje się kryjówka Kat.

Pochylił błyskawicznie głowę, jednocześnie uderzając Monka metalową rękojeścią myśliwskiego noża, a następnie zasłonił się jego ciałem jak tarczą. Przez cały czas przyciskał ostrze do karku więźnia.

— Wyłaź! — wrzasnął po angielsku z ciężkim niemieckim akcentem. — Wyłaź albo obetnę mu łeb!

Kat zamknęła oczy. Znów znalazła się w Kabulu. Ona i kapitan Marshall szli, żeby ratować dwóch uwięzionych żołnierzy, kolegów z oddziału, bo groziło im skrócenie o głowę. Choć szanse powodzenia były jak jeden do trzech, uznali, że nie ma się nad czym zastanawiać. Zdecydowali się na atak, ale po cichu, tylko przy użyciu noży i bagnetów. I wtedy Kat nie zauważyła jednego strażnika, ukrytego w cieniu przedsionka. Nagle rozległ się suchy trzask i Marshall osunął się na ziemię. Natychmiast jednym pchnięciem sztyletu uśmierciła tamtego drania, ale dla kapitana było już za późno. Trzymała go w objęciach, kiedy wydawał ostatnie tchnienie. Cierpiąc, patrzył jej w oczy błagalnym wzrokiem, jakby wiedział, co zaszło, tylko nie mógł w to uwierzyć... A potem pustka. Szkliste spojrzenie. Młody mężczyzna, mężczyzna pełen życia, przeminął jak powiew wiatru...

— Wyłaź i to zaraz! — wrzasnął na całe cmentarzysko człowiek, który trzymał Monka.

— Kat? — odezwała się półgłosem Rachele, dotykając jednocześnie jej łokcia. Pani porucznik karabinierów leżała na dachu sąsiedniego grobowca.

— Ty zostań — zdecydowała Kat. — Postaraj się dotrzeć do lin i wydostać na zewnątrz.

Takie rozwiązanie przyjęły na samym początku. Będą przeskakiwać z grobowca na grobowiec, aż dotrą do zwisających z górnego poziomu lin, a potem podniosą alarm i sprowadzą posiłki. Za wszelką cenę należało wykonać ten plan. Tylko w ten sposób mogli się uratować.

Rachele świetnie o tym wiedziała.

Kat miała teraz inne zadanie. Stoczyła się z dachu mauzoleum i zgrabnie wylądowała na palcach. Prześlizgnęła się dwa rzędy dalej, żeby zamaskować swoją prawdziwą pozycję — w ten sposób Rachele miała większe pole manewru — a potem wysunęła się na otwartą przestrzeń, dziesięć metrów od mężczyzny, który trzymał Monka. Uniosła wysoko ręce. Odrzuciła na bok pistolet, a następnie splotła palce i założyła ręce za głowę.

— Poddaję się — oznajmiła lodowato.

Oszołomiony i zupełnie oślepiony Monk szarpał się, ale napastnik był wystarczająco silny, żeby sobie z nim poradzić. Trzymał ostrze noża tuż przy karku więźnia i nie pozwalał mu się podnieść z kolan. Kat, zbliżając się, patrzyła uważnie w oczy Monka.

Jeszcze trzy kroki.

Napastnik wyraźnie się rozluźnił. Kątem oka dostrzegła, że czubek noża przesunął się na bok.

To dobrze.

Nagle jak tygrysica rzuciła się w przód, jednocześnie wyciągając sztylet z pochwy przymocowanej do przegubu dłoni, i z całej siły nim cisnęła. Sztylet poszybował i trafił przeciwnika w oko. Mężczyzna zachwiał się i upadł na plecy, pociągając za sobą Monka.

Kat okręciła się wokół własnej osi i wyszarpnęła z buta następny sztylet. Rzuciła go w kierunku wskazanym przez Monko, w przelocie rejestrując poruszający się cień. Trzeci napastnik.

Rozległ się urywany krzyk i mężczyzna wytoczył się z ukrycia z rozpłataną szyją.

Monk próbował po omacku odnaleźć swój nóż myśliwski, ale bez powodzenia. Bez gogli poruszał się gorzej niż ślepiec, a Kat nie miała przy sobie dodatkowej pary. Wiedziała, że musi służyć mu za przewodnika.

Pomogła mu wstać i położyła jego rękę na swoim ramieniu.

— Będę cię prowadzić — szepnęła.

W tej samej chwili tuż przed jej oczyma rozbłysła latarka. Wzmocnione przez noktowizor jaskrawe światło wdarło się w głąb mózgu. Zabolało jak diabli.

Czwarty zamachowiec.

Ktoś, kogo przeoczyła.

Znowu.

22.02

Gray zauważył błysk światła w głębi nekropolii. To nie wróżyło nic dobrego. Zaraz okazało się, że miał rację. Na monitorze widział, że Raoul przyciska do ucha słuchawkę i zaczyna się uśmiechać, a za chwilę ujrzał, jak Monk i Kat maszerują trzymani na muszce, z rękoma związanymi na plecach żółtą plastikową taśmą.

Energiczne pchnięcie zmusiło ich do wejścia na platformę.

Raoul nadal stał przy grobowcu, a ziemia wciąż drżała. Jeden z dwóch strażników został obok Raoula, drugi zaś ruszył w dół zapadni.

— Komandorze Pierce! Poruczniku Verona! Natychmiast poddajcie się albo tych dwoje umrze! — zawołał Raoul.

Gray ani drgnął. Nie miał możliwości, by przejąć kontrolę nad sytuacją, a nie było najmniejszych szans, żeby ktoś pośpieszył mu z pomocą. Wiedział, że spełniając żądania napastników, skazuje się na śmierć. Zresztą Raoul z zimną krwią pozabija ich wszystkich. Zamknął oczy, świadom, że wydał wyrok na swoich towarzyszy.

Nagle drgnął, bo usłyszał czyjś głos.

— Poddaję się! — Rachele weszła w obiektyw drugiej kamery. Ręce trzymała wysoko uniesione.

Gray widział, jak Kat z dezaprobatą kręci głową. Ona też uważała, że pani porucznik postąpiła jak szaleniec.

Dwóch strzelców chwyciło Rachele pod ręce i pociągnęło w stronę pozostałych więźniów.

Raoul wysunął się do przodu i skierował lufę masywnego pistoletu prosto w jej bark.

— Komandorze Pierce! — ryknął tuż nad uchem Rachele. — To jest pistolet kalibru pięćdziesiąt sześć! Pocisk oderwie jej rękę! Niech pan się podda albo zacznę strzelać! Liczę do pięciu!

Gray ujrzał błysk przerażenia w oczach Rachele.

Czy mógł siedzieć i bezczynnie przyglądać się, jak giną jego przyjaciele? A jeśli nawet tak, to co przez to zyska? Kiedy on będzie leżał w kryjówce, Raoul i jego ludzie zabiorą albo zniszczą to coś, co tu znaleźli. I śmierć kolegów okaże się daremna.

— Pięć...

Wpatrzył się w ekran laptopa, w Rachele...

Nie miał wyboru.

Tłumiąc jęk, wyplątał się z plecaka. Z wewnętrznej kieszeni zabrał pewien przedmiot, a plecak odłożył na bok.

— Cztery...

Przełączył laptop na utajony tryb pracy i zamknął. Ten komputer miał być świadkiem ostatnich wydarzeń, zwłaszcza gdyby nie udało im się przeżyć.

— Trzy...

Gray wypełzł z mauzoleum, ale nie wstał od razu. Najpierw musiał zatoczyć krąg, żeby zamaskować miejsce swojej kryjówki.

— Dwa...

Dał nura w główną ulicę nekropolii.

— Jeden...

Splótł ręce za głową i wyszedł na sam środek.

— Jestem tutaj! Nie strzelaj!

22.04

Rachele patrzyła, jak Gray zmierza w ich stronę, trzymany na muszce pistoletu.

Spojrzał na nią twardo i wtedy zrozumiała, że popełniła błąd.

Miała nadzieję, że jej kapitulacja da mu dodatkowy czas na jakąś akcję, że dzięki temu będzie mógł ich ocalić albo przynajmniej uratować siebie. Nie chciała zostać sama i z boku przyglądać się, jak giną jej towarzysze.

Jednak Kat, gdy poddawała się, by ratować Monka, miała gotowy plan działania, choć w końcu się nie powiódł. Rachele opierała się wyłącznie na wierze w czyjeś umiejętności i na zaufaniu do Graya.

Przywódca zamachowców odepchnął ją na bok i ruszył na spotkanie Graya, gdy tamten wchodził na platformę. Podniósł swój ogromny pistolet i wbił go w pierś komandora.

— Miałem przez ciebie cholernie dużo kłopotów — powiedział. — Żadna miękka zbroja nie zatrzyma pocisku tego kalibru.

Gray całkowicie go zignorował.

Wpatrywał się intensywnie w Monka, Kat... potem w Rachele.

A potem otworzył dłoń, którą trzymał nad głową, ukazując wszystkim matowoczarny przedmiot w kształcie jajka, i wypowiedział tylko jedno słowo.

— Blekaut.

22.05

Gray liczył na to, że eksplozja granatu błyskowego nad jego głową całkowicie przyciągnie uwagę Raoula i jego ludzi. Zamknął oczy, ale i tak czuł jak błysk światła przepala mu powieki.

Zupełnie oślepiony padł na podłogę i błyskawicznie przetoczył się na bok.

Do jego uszu dobiegł grzmot wystrzału broni Raoula.

Gray sięgnął do buta i wyszarpnął stamtąd glocka kalibru czterdzieści.

Światło przygasło. Dopiero wtedy Gray otworzył oczy.

Jeden z ludzi Raoula leżał u podstawy schodów, a w jego klatce piersiowej widniała dziura wielkości pięści. To w niego trafiła kula przeznaczona dla Graya.

Raoul wydał z siebie wściekły ryk i rzucił się w dół, na oślep strzelając w stronę stojących na platformie ludzi.

— Padnij! — wrzasnął Gray.

Pociski tego kalibru przeszyłyby na wylot nawet metalową płytę.

Pozostali odruchowo uklękli. Monk i Kat wciąż mieli ręce związane za plecami.

Gray przetoczył się i rąbnął oszołomionego drugiego strzelca w okolice kostki. Mężczyzna ciężko zwalił się z platformy. Kolejnego dosięgnął celnym strzałem tuż przy schodach.

Rozejrzał się w poszukiwaniu Raoula. Jak na tak wysokiego mężczyznę Raoul poruszał się z zadziwiającą zręcznością. Znajdował się teraz gdzieś niżej, poza zasięgiem wzroku, ale wciąż nie przestawał strzelać, rozdzierając pociskami metalową siatkę, będącą podłogą platformy.

A oni siedzieli na wierzchu jak stado kaczek.

Gray nie potrafił ocenić, jak długo jeszcze przeciwnicy będą oślepieni. Wiedział jedno — trzeba się stąd wynosić, i to jak najprędzej.

— Cofnijcie się! — polecił. — Za bramę!

Osłonił ich odwrót ciągłym ogniem, a potem rzucił się w ślad za nimi.

Raoul na moment przerwał ostrzał, zapewne po to, by zmienić magazynek. Bez wątpienia za moment znów zaatakuje z dziką furią.

Z głębi nekropolii dobiegły strzały. To reszta oddziału śpieszyła z pomocą kolegom.

I co teraz? Gray miał przy sobie tylko jeden magazynek.

Za jego plecami rozległ się jakiś krzyk.

Obejrzał się akurat na czas, by zobaczyć, jak Rachele leci do tyłu. Wybuch granatu musiał częściowo ją oślepić, bo w mroku nie dostrzegła zapadni i weszła prosto na nią. W ostatniej chwili chwyciła Kat za łokieć, żeby uchronić się przed upadkiem.

Ale Kat także dała się zaskoczyć.

Zachwiała się i obydwie dziewczyny runęły w dół.

Monk napotkał spojrzenie Graya.

— Psiakrew!

— Za nimi! — zawołał Gray. To było jedyne schronienie. A poza tym mogli się dowiedzieć, jaką wskazówkę odnalazł tam Raoul.

Monk ruszył pierwszy, choć z powodu spętanych rąk miał kłopoty z utrzymaniem równowagi.

Gray rzucił się za nim akurat w chwili, gdy znów wybuchła strzelanina. Z powierzchni grobowca zaczęły odpryskiwać odłamki skały. Raoul załadował nowy magazynek i najwyraźniej miał zamiar nie dopuścić ich do zapadni.

Kątem oka Gray dostrzegł zielone światełko pulsujące na jednym z talerzy przytwierdzonych do boku grobowca. Pole wciąż było aktywne. Gray przemyślał szybko sprawę i podjął decyzję. Skierował w tamtą stronę pistolet i wypalił.

Pocisk zerwał kłąb kabli wychodzących z talerza. Zielone światełko zamrugało i zgasło.

Pędząc w dół po kamiennej rampie, natychmiast zauważył, że ziemia przestała drżeć. W uszach poczuł pyknięcia — to ciśnienie wróciło do normy. Urządzenie przestało działać, natomiast coś głośno zazgrzytało w mechanizmie zapadni. Bez namysłu skoczył w dół i wylądował w małej pieczarze — naturalnym wgłębieniu pochodzenia wulkanicznego, często spotykanym na terenach dookoła Rzymu.

Za jego plecami zapadnia zahuśtała się i z głuchym trzaskiem uniosła do pierwotnej pozycji.

Gray zerwał się na równe nogi, kierując do góry broń. Stało się tak, jak się spodziewał — aktywacja urządzenia otwierała grób, a dezaktywacja powodowała jego zamknięcie. Na górze Raoul nie przestawał strzelać, bo pociski wciąż rozrywały powierzchnię grobowca.

Za późno, pomyślał z satysfakcją Gray.

Zapadnia zazgrzytała ostatni raz i zatrzasnęła się na dobre.

Zapanowała ciemność... ale coś ją rozpraszało.

Gray się odwrócił. Reszta zespołu zgromadziła się wokół czarnej płyty o metalicznym połysku, która spoczywała na posadzce. Na środku jej powierzchni tańczył malutki, niebieskawy płomyk, podobny do takiego w kominku elektrycznym.

Gray podszedł bliżej. Było tak ciasno, że ledwie mogli we czwórkę stanąć dookoła.

— Hematyt — orzekła Kat. Skończyła kurs geologii, toteż od razu poznała, z czym mają do czynienia. Popatrzyła na zamkniętą zapadnię, a potem na płytę. — Tlenek żelaza.

Schyliwszy się, zaczęła studiować srebrne żyłki — maleńkie strumyki na czarnej powierzchni, oświetlone słabiutkim blaskiem płomyka.

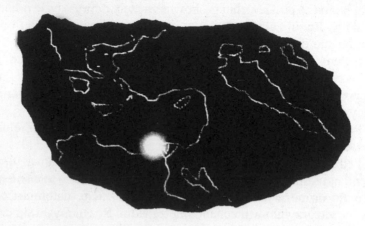

Gray patrzył, jak płomyk powoli zmniejsza się, zaczyna migotać, aż wreszcie znika.

Tymczasem Monk zwrócił ich uwagę na coś ważniejszego. W ciemności migotał jeszcze jeden obiekt.

— Tutaj — powiedział krótko.

Gray podszedł do niego. W kącie ślepej pieczary spoczywał znajomy cylindryczny kształt. Granat zapalający. Timer odliczał czas.

04.28

04.27

Gray przypomniał sobie, jak jeden ze strażników Raoula wrócił tutaj zaraz po tym, jak ich przywódca skończył robić zdjęcia. Wrócił, żeby zostawić bombę.

— Wygląda na to, że chcą wszystko to zniszczyć — zauważył Monk. Klęknął i zaczął uważnie oglądać bombę. — Cholerna pułapka.

Gray podniósł wzrok ku zamkniętej zapadni. Może Raoul nie po to strzelał, żeby ich powstrzymać, lecz żeby zwabić tam, skąd nie było wyjścia.

Znowu spojrzał na bombę.

Teraz, kiedy mała ognista gwiazdka na hematycie zniknęła,

292

jedynym światłem w jaskini był złowrogi blask wyświetlacza ciekłokrystalicznego timera.

04.04

04.03

04.02

22.06

Vigor nagle odczuł ulgę. Ognisty strumień elektryczności, który chwilę temu oddzierał płaty tynku z kopuły zniknął w ciągu kilku sekund, a emitowana przezeń potężna energia rozproszyła się jak stado upiornych pająków.

Mimo to w bazylice nadal panował chaos. Zaledwie kilka osób spostrzegło zanik ognistych spirali. Połowa uczestników mszy zdołała już uciec w bezpieczne miejsca, ale zator przy wyjściu sprawił, że dalsza ewakuacja przebiegała znacznie wolniej. Gwardia Szwajcarska i policja watykańska dokładały wszelkich starań, aby pomóc przerażonym ludziom.

Niektórzy zdążyli ukryć się pod ławkami. Dziesiątki innych zostało trafionych odłamkami spadającego tynku i teraz siedziało w oszołomieniu, przyciskając zakrwawione palce do ran na głowie. Im śpieszyła z pomocą garstka śmiałków, którzy w tak dramatycznej sytuacji okazali się prawdziwymi chrześcijanami.

Gwardia Szwajcarska rzuciła się na ratunek papieżowi, ale on, jak kapitan tonącego okrętu, odmówił opuszczenia kościoła. Kardynał Spera także nie ruszył się z miejsca. Obaj zgodzili się jedynie ewakuować spod ognistego *baldacchino* i schronić w przylegającej do bocznej nawy kaplicy Klementyńskiej.

Vigor ruszył w tamtą stronę, po drodze raz jeszcze rzucając okiem na to, co działo się w bazylice. Chaos powoli zaczynał ustępować miejsca dawnemu porządkowi. Vigor wpatrzył się we wznoszącą się nad jego głową kopułę. Wytrzymała atak — nie wiadomo tylko, czy zrządzeniem opatrzności, czy dzięki inżynieryjnemu geniuszowi Michała Anioła.

Na widok Vigora kardynał Spera przedarł się przez kordon Gwardii Szwajcarskiej.

— Czy już po wszystkim?

— Ja... Ja nie wiem — odparł szczerze Vigor. Miał teraz na głowie inne zmartwienie.

Kości zostały aktywowane, to nie ulegało wątpliwości.

Tylko co to znaczyło dla Rachele i pozostałych?

W te niewesołe myśli wdarł się nowy głos, wykrzykujący swojsko brzmiące polecenia. Vigor odwrócił się. W jego stronę zmierzał barczysty mężczyzna o siwiejących włosach, ubrany w czarny mundur i ściskający czapkę pod pachą. Generał Giuseppe Rende. Przyjaciel rodziny i komendant miejscowej policji. Vigor natychmiast zrozumiał, dlaczego porządek przywrócono tak szybko. Po prostu karabinierzy stawili się na wezwanie.

— Dlaczego Jego Świątobliwość nie został ewakuowany? — spytał Vigora, wskazując głową papieża, którego osłaniała grupa ubranych na czarno kardynałów.

Vigor nie miał czasu na wyjaśnienia. Bez zastanowienia chwycił generała za łokieć.

— Musimy natychmiast dostać się na dół. Do Scavi.

Rende zmarszczył brwi.

— Właśnie dotarła do mnie wiadomość z posterunku... Od Rachele... Że tam był jakiś napad. Ale zaraz potem to się zaczęło.

Vigor potrząsnął głową. Ogarnięty paniką chciał krzyczeć, lecz siłą woli zmusił się, by mówić spokojnie i dobitnie.

— Zbierz tylu ludzi, ilu zdołasz. Musimy dostać się na dół. I to natychmiast.

Generał wydał kilka suchych komend. Mężczyźni w czarnych mundurach, uzbrojeni w karabiny, szybko zgromadzili się dookoła.

— Tędy! — rzucił Vigor, kierując się do zakrystii.

Wejście do Scavi znajdowało się całkiem niedaleko, ale on miał wrażenie, że wszyscy wloką się w żółwim tempie.

Rachele...

22.07

Gray klęczał obok Monka. Przeciął nożem więzy swoje i Kat, a Monk zaraz po tym pożyczył od niego noktowizor, żeby dokładniej obejrzeć bombę.

— Na pewno nie uda ci się jej rozbroić? — spytał Gray.

Monk zerknął na niego i pokręcił głową.

— Cholera, gdybym miał więcej czasu... Lepsze narzędzia... I jakieś przyzwoite oświetlenie....

Gray patrzył, jak timer nieubłaganie odlicza czas.

02.22

02.21

Podniósł się z klęczek i podszedł do Kat i Rachele, zajętych czymś z drugiej strony pieczary. Kat przyglądała się mechanizmowi zapadni okiem zawodowego inżyniera. Nie musiała się odwracać, żeby się zorientować, że Gray stoi za nimi.

— To prymitywny mechanizm, coś w rodzaju samoczynnego włącznika — wyjaśniła. — Żeby zapadnia była zamknięta, potrzebny jest ciężar. Jeśli zostanie podniesiony, rampa otworzy się dzięki przekładni i grawitacji. Tyle że dla nas to nie ma znaczenia.

— Jak to?

— Bo o ile zdążyłam się zorientować, włącznik znajduje się pod grobowcem nad naszymi głowami.

— Masz na myśli grób świętego Piotra?

Kat skinęła głową i wskazała miejsce na bocznej ścianie.

— Tu jest miejsce, gdzie kiedyś znajdował się bolec stabilizujący. Został wyciągnięty, w momencie gdy na tarczy spoczął ciężar grobowca. I żeby teraz otworzyć rampę, trzeba by zsunąć z tarczy grób świętego Piotra. Ale tak się nie stało, gdy Trybunał Smoka uruchomił swoje urządzenie.

— A może właśnie tak było... — Gray odtworzył w pamięci unoszący się w powietrzu cylinder, w którym mieścił się amalgamat o właściwościach nadprzewodzących. — Kat, pamiętasz, co opowiadałaś nam o tym teście przeprowadzonym w Arizonie... Mówię o tym teście na sproszkowanych metalach w stanie m. Pamiętasz, jak mówiłaś, że kiedy nadprzewodniki zostały uaktywnione, ich masa wynosiła mniej niż zero?

— Tak, ponieważ proszek spowodował, że w stanie lewitacji znalazła się również płytka laboratoryjna, na której leżała próbka — przytaknęła Kat.

— Według mnie coś takiego zdarzyło się i tutaj. Widziałem, jak cylinder z amalgamatem unosi się w powietrzu, kiedy Raoul włączył urządzenie. A jeśli pole wokół amalgamatu podziałało

295

na grobowiec tak samo, jak w tamtym eksperymencie odrobina proszku podziałała na płytkę? Może zamiast faktycznie podnosić masywną konstrukcję grobowca, po prostu postarano się, żeby nagle zaczęła ważyć mniej?

Oczy Kat rozszerzyły się.

— I w ten sposób uruchomiono mechanizm!

— Właśnie. Tylko czy to daje nam jakąś wskazówkę, jak otworzyć zapadnię?

Kat wpatrywała się przez moment w tarczę, a potem powoli pokręciła głową.

— Obawiam się, że nie. Nie, bo nie możemy przesunąć grobowca.

Gray zerknął na timer.

01.44

22.08

Vigor pędził jak szalony w dół spiralnych schodów, które prowadziły do Scavi. Po drodze nie dostrzegł żadnych śladów świadczących o tym, że do środka wdarł się ktoś niepowołany. Wreszcie tuż przed nim pojawiły się wąskie drzwi.

— Zaczekaj! — zawołał z tyłu generał Rende. — Niech któryś z moich ludzi idzie pierwszy! Jeśli w środku rzeczywiście znajduje się nieprzyjaciel...

Vigor zignorował polecenie i pośpieszył do wejścia. Uderzył w zatrzask. Otwarta. Chwała Bogu, bo nie zabrał ze sobą zapasowych kluczy.

Naparł na drzwi całym ciężarem ciała, ale one nie ustąpiły.

Czując, że posiniaczył sobie ramię, spróbował jeszcze raz, ale znów odbił się w tył.

Ponownie uderzył w zatrzask i znowu popchnął drzwi.

Nie ruszyły się nawet o milimetr, jakby od wewnątrz były zablokowane albo zaryglowane.

Vigor odwrócił się do generała Rende.

— Coś tu nie gra — powiedział.

22.08

Rachele bez mrugnięcia wpatrywała się w timer, który pokazywał czas poniżej jednej minuty.

— Stąd musi być zapasowe wyjście — mruknęła.

Słysząc te pobożne życzenia, Gray tylko pokręcił głową.

Ale Rachele nie miała zamiaru się poddać. Może nie znała się na inżynierii i nie miała pojęcia o rozbrajaniu bomb, ale znała na wylot historię Rzymu.

— Tu nie ma żadnych kości — dodała jeszcze.

Gray popatrzył na nią łagodnie, jakby sądził, że dostała pomieszania zmysłów.

— Kat. Wspomniałaś, że kiedy po raz pierwszy uruchamiano ten mechanizm, ktoś musiał wyciągnąć ze ściany bolec, tak?

Kat przytaknęła.

Rachele rozejrzała się po pozostałych.

— Ale ten ktoś nie znalazł się w pułapce. Bo gdzie są jego kości?

Oczy Kat rozszerzyły się z podziwu.

Gray zacisnął pięści.

— A więc stąd musi być inne wyjście.

— Zdaje się, że właśnie to powiedziałam. — Rachele wyciągnęła z kieszeni zapałki i zapaliła jedną. — Trzeba jedynie odnaleźć otwór. Jakiś ukryty tunel.

Monk dołączył do nich.

— Daj wszystkim te zapałki.

W ciągu kilku sekund każdy trzymał w ręku tańczący płomyk i szukał wzdłuż ścian podmuchu świeżego powietrza, co znaczyłoby, że gdzieś znajduje się ukryte przejście.

Rachele mówiła dalej, choć z trudem ukrywała zdenerwowanie.

— Wzgórze Watykańskie zostało tak nazwane dlatego, że kiedyś stanowiło miejsce spotkań wróżbitek. Słowo *vates* oznacza po łacinie „obserwator przyszłości". Jak wielu ludzi zajmujących się w owych czasach przepowiadaniem przyszłości, wróżbitki ukrywały się po pieczarach — podobnych do tej — i tam oddawały się swojemu zajęciu.

Przeszukując ścianę, nie odrywała wzroku od płomyka.

Ale płomyk nie zaczął migotać.

Rachele starała się nie patrzeć w kierunku timera, ale jej się nie udało.

0.22

— Może to wejście jest zaplombowane — zamruczał Monk.

Rachele zapaliła następną zapałkę.

— Oczywiście większość ludzi zajmujących się wróżeniem to byli zwykli szarlatani — podjęła nerwowym tonem. — Tak samo jak na seansach spirytystycznych z przełomu wieków wróżbici mieli zwykle jakiegoś pomocnika, który czekał ukryty w sąsiedniej niszy albo tunelu.

— Albo pod stołem — rzucił Gray i przykucnął obok płyty hematytu. Przysunął zapałkę do podłoża, a wtedy płomyk podskoczył, rzucając na ściany roztańczone cienie.

— Szybko! Tutaj!

Nie musiał ich poganiać.

0.15

Ten widok okazał się wystarczającą zachętą do pośpiechu.

Monk i Gray upadli na kolana i chwycili brzeg płyty. Z wielkim trudem udało się ją nieco dźwignąć.

Kat oparła się na dłoni i wyciągnęła przed siebie zapałkę.

— Jest wąski tunel — zawołała z ulgą.

— Właźcie do środka! — rozkazał Gray.

Kat skinęła na Rachele, a ta bez zastanowienia wskoczyła nogami do przodu w znajdujący się w ziemi otwór... i odkryła coś w rodzaju kamiennej studni. Obracając się wokół własnej osi, wsunęła się głębiej w wąskie gardło. Wbrew pozorom nie wymagało to żadnego wysiłku, bo ściany tunelu okazały się dość strome. Z łatwością się ześlizgiwała. Zaraz za nią wskoczyła Kat, a potem Monk. Rachele wyciągnęła szyję i spoglądała w górę, odliczając w myślach czas. Według jej obliczeń zostały jeszcze cztery sekundy.

Monk podparł płytę własnymi plecami, a wówczas Gray dał nura między szeroko rozstawionymi nogami kolegi.

— Monk, już!

— Wiem. Nie musisz mi tego powtarzać.

Wystarczyło, że rozluźnił mięśnie, a ciężar płyty wepchnął go w głąb tunelu.

— Szybko, na dół! — ponaglił go Gray. — Zsuń się tak daleko...

Dalsze słowa zagłuszył huk eksplozji.

Rachele, wciąż zwrócona w tamtą stronę, ujrzała pomarańczowe płomienie, które lizały brzeg kamiennej płyty, usiłując się do nich dostać.

Monk zaklął jak szewc.

Rachele zupełnie zapomniała o względach bezpieczeństwa i na oślep zaczęła zsuwać się po kamiennej zjeżdżalni. A zjazd z każdą chwilą robił się coraz bardziej stromy. Skończyło się na tym, że zupełnie straciła kontrolę nad sytuacją i z szybkością bobslejowych saneczek jechała na siedzeniu w nieznaną głębię wilgotnego tunelu.

Gdzieś z daleka dobiegł do niej całkiem nowy dźwięk.

Łoskot pędzącej wody.

Och, nie...

22.25

Piętnaście minut później Gray pomógł Rachele wydostać się na brzeg Tybru. Drżąc z zimna, usiedli na gołej ziemi. Rachele tak szczękała zębami, że Gray przyciągnął ją do siebie i starał się ogrzać, rozcierając jej ramiona i plecy.

— Ja... Ja całkiem dobrze się czuję — powiedziała, ale nie odsunęła się nawet o centymetr, a nawet jakby się trochę do niego przytuliła.

Monk i Kat wygramolili się z rzeki. Byli przemoczeni do suchej nitki i ubłoceni od stóp do głów.

— Lepiej się poruszajmy, dopóki nie przebierzemy się w suche ciuchy — zaproponowała Kat. — To powinno zapobiec wyziębieniu organizmu.

Gray puścił Rachele i wspiął się wyżej na brzeg. Ciekawe, gdzie wylądowali? Tunel kończył się w jakimś podziemnym strumieniu. W kompletnej ciemności nie pozostawało im nic innego, jak tylko trzymać się mocno jedno drugiego i pozwolić unosić nurtowi w nadziei, że strumień wyrzuci ich w jakimś bezpiecznym miejscu.

Gray wymacał po drodze kamieniarkę, bo trzymał wyciągniętą przed siebie rękę, żeby uniknąć kolizji z ewentualnymi przeszkodami. Być może chodziło o starożytny ściek albo kanał do odprowadzania nadmiaru wody, który kończył się w labiryncie innych kanałów. Nadal płynęli w dół z prądem, aż wreszcie wylądowali w jakimś basenie połyskującym tysiącami iskierek, które najwyraźniej były odbiciem światła pochodzącego z zewnątrz. Gray przeszukał basen i odnalazł krótkie przejście, prowadzące wprost do Tybru.

Inni poszli jego śladem i wkrótce wszyscy znów znaleźli się pod gwiazdami i księżycem w pełni, który lśnił w wodach rzeki.

Jakimś cudem udało się im ujść z życiem z tej opresji.

Monk wykręcił rękawy koszuli i popatrzył z obrzydzeniem w kierunku tunelu.

— Jeśli to cholerne zapasowe wyjście faktycznie istnieje, to po czorta tamci robili hece z kośćmi Mędrców?

Gray pomyślał o tym samym, ale nie znał odpowiedzi.

— Pewnie dlatego, że nikt nie odnajdzie tego wejścia przez czysty przypadek. Szczerze mówiąc, wątpię, czy sam trafiłbym z powrotem przez tę plątaninę tuneli... Starożytni alchemicy ukryli następną wskazówkę w taki sposób, by poszukiwacz nie tylko musiał rozwiązać zagadkę, lecz także by musiał wiedzieć co nieco na temat amalgamatu i jego właściwości.

— To był test. — Rachele drżała w łagodnych podmuchach wiatru. Widocznie ona także zastanawiała się nad tą sprawą. — Próba ognia, którą musisz przejść, zanim będzie ci wolno posunąć się dalej.

— Jeśli o mnie chodzi, to wolałbym test wielokrotnego wyboru — odparł kwaśno Monk.

Gray pokręcił głową i zaczął się wspinać na nasyp. Cały czas otaczał ramieniem talię Rachele, pomagając jej iść. Wkrótce przestała się trząść i tylko od czasu do czasu jej ciało przeszywał dreszcz.

Dotarli na górę i po chwili znaleźli się na skraju ulicy. Po drugiej stronie rozciągał się kompleks parkowy, a za nim, nieco wyżej na zboczu wzniesienia, na tle ciemnego nieba połyskiwała złota kopuła bazyliki. Właśnie z tamtej strony dochodził ryk syren, a koguty na wozach służb ratunkowych migotały na czerwono i niebiesko.

— Chodźmy zobaczyć, co tam się stało — powiedział Gray.

— I poszukać wanny z gorącą wodą — dokończył zrzędliwym tonem Monk.

Gray nie zamierzał się z nim sprzeczać.

23.38

Godzinę później Rachele siedziała owinięta nagrzanym, suchym kocem. Wciąż miała na sobie mokre ubranie, ale wędrówka tutaj i kłótnie z kolejnymi upartymi jak muły strażnikami znacznie ją rozgrzały.

Wszyscy siedzieli teraz wygodnie w biurach sekretarza stanu Stolicy Apostolskiej. Pokój, w którym przebywali, udekorowany był freskami i wyposażony w pluszowe krzesła i dwie długie otomany ustawione naprzeciw siebie. Razem z nimi siedzieli kardynał Spera, generał Rende oraz niezwykle szczęśliwy wuj Vigor, któremu kamień spadł z serca. Cały czas nie odstępował Rachele, ściskając ją za dłoń. Nie puścił jej ani razu, odkąd przedarli się przez kordon straży i uzyskali pozwolenie na wstęp do tego pomieszczenia.

Właśnie zakończyli zdawać relację z wydarzeń minionego wieczoru.

— Tak więc ludziom Trybunału Smoka udało się uciec — powiedział Gray.

— Nawet zdążyli zabrać ciała — wtrącił Vigor. — Dziesięć minut musieliśmy poświęcić na sforsowanie dolnych drzwi, a w środku znaleźliśmy jedynie porzuconą broń. Musieli wyjść tą samą drogą, którą weszli... Przez dach.

Gray skinął głową.

— Przynajmniej kości świętego Piotra są bezpieczne — oświadczył kardynał Spera. — Zniszczenia w bazylice i nekropolii zawsze można naprawić, natomiast gdybyśmy utracili te relikwie... — Pokręcił głową. — Mamy wobec was wielki dług wdzięczności.

— I nikt z wiernych uczestniczących w mszy nie zginął — dodała Rachele z wyraźną ulgą.

Generał Rende podniósł jakąś teczkę.

— Tylko skaleczenia, guzy, siniaki i kilka złamanych kończyn... Więcej złego spowodował napór tłumu niż ta seria wstrząsów.

Kardynał Spera odruchowo kręcił dwoma złotymi pierścieniami świadczącymi o jego stanowisku.

— A co powiecie na temat tej jaskini pod grobowcem? Udało tam się coś znaleźć?

Rachele zmarszczyła brwi.

— Tam był...

— ...było zbyt ciemno, żebyśmy cokolwiek mogli zobaczyć — przerwał spokojnie Gray. Napotkał jej przepraszające spojrzenie. — Znaleźliśmy dużą płytę, na której było coś napisane, ale podejrzewam, że wybuch bomby na pewno wypalił jej powierzchnię do czysta. Być może nigdy się nie dowiemy, o co chodziło.

Rachele rozumiała jego niechęć do zdradzania wszystkich tajemnic. Prefekt archiwów zniknął podczas zamieszania, najprawdopodobniej uciekając z oddziałem napastników. Jeśli Alberto współpracował z Trybunałem Smoka, to kto jeszcze mógł okazać się członkiem tajnego stowarzyszenia? Kardynał Spera obiecał już przeprowadzić rewizję w pokoju Alberta i przejrzeć jego prywatne papiery. Może uda się tam odnaleźć jakiś istotny ślad.

Jednak na razie dyskrecja była sprawą najwyższej wagi.

Gray chrząknął znacząco.

— Jeśli odprawa została zakończona, to chciałbym wyrazić wdzięczność za zaoferowanie nam pokoi gościnnych.

— Oczywiście. — Kardynał Spera podniósł się z fotela. — Zaraz przyślę kogoś, kto pokaże wam drogę.

— Chciałbym także jeszcze raz rzucić okiem na Scavi. Sprawdzić, czy czegoś tam nie przeoczyliśmy.

Generał Rende skinął głową.

— Dobrze. Wyślę z panem jednego z moich ludzi.

Gray odwrócił się do Monka i Kat.

— Do zobaczenia w pokojach.

Jego spojrzenie pobiegło w kierunku Vigora i Rachele, która od razu zrozumiała tę milczącą komendę.

Nikomu ani słowa.

Muszą wcześniej porozmawiać na osobności.

Gray skierował się do wyjścia razem z generałem Rende.

Rachele patrzyła, jak odchodzi, i przywołała z pamięci dotyk jego ramion. Odruchowo owinęła się ciaśniej kocem. Niestety to nie było to samo.

23.43

Gray przeszukał dokładnie mauzoleum, w którym ukrył swój sprzęt. Plecak leżał tam, gdzie go zostawił. Najwyraźniej nikt do niego nie zaglądał.

Młody karabinier stał tuż obok, wyprostowany i tak sztywny, jakby miał na sobie wykrochmalony mundur. Czerwone lamówki na brzegach marynarki biegły idealnie prosto jak piony, a biała szarfa przecinała wypiętą dumnie pierś. Srebrny emblemat na kapeluszu sprawiał wrażenie świeżo wypolerowanego.

Młodzieniec popatrzył na plecak podejrzliwym wzrokiem, a Gray natychmiast poczuł się jak złodziej, który ma zamiar przywłaszczyć cudzą rzecz.

Jednak nie zadał sobie trudu, żeby cokolwiek wyjaśniać. Za dużo miał na głowie. Co prawda odzyskał plecak, ale laptop rozpłynął się w tajemniczych okolicznościach. Po prostu ktoś go zabrał. Gray po chwili namysłu doszedł do wniosku, że tylko jedna osoba mogła ukraść komputer i nie zainteresować się zawartością plecaka.

Seichan.

Opuszczając podziemną nekropolię, Gray był wściekły jak diabli. Szedł z eskortą, więc ledwie zwracał uwagę na dziedzińce, przez które przechodzili, schody i korytarze. Jego umysł pracował gorączkowo. Po pięciu minutach wędrowania i wspinaczki znalazł się w apartamencie, który oddano im do dyspozycji. Przed drzwiami stanął wartownik.

Kapiący od złotych ozdób salon wypełniały meble o haftowanych obiciach i piękne gobeliny. Ciężki kryształowy żyrandol zwieszał się z półokrągłego sklepienia, na którym namalowano chmurki i cherubinów.

Płomyki świec osadzonych w kandelabrach i stojących na stole masywnych świecznikach wypełniały przestrzeń łagodnym blaskiem.

Kat siedziała na jednym z krzeseł, a na drugim Vigor. Kiedy Gray wszedł, oboje pogrążeni byli w rozmowie. Mieli na sobie puchate białe szlafroki i sprawiali wrażenie całkiem odprężonych, jakby byli gośćmi hotelu Ritz.

— Monk poszedł się kąpać. — Kat wskazała podbródkiem na sąsiednie drzwi.

— Tak samo Rachele — dodał Vigor, machając ręką w przeciwnym kierunku. Wszystkie pokoje wychodziły na ten jeden wspólny salon.

Kat zauważyła plecak.

— Widzę, że odzyskałeś co nieco z naszego wyposażenia.

— Niestety bez laptopa. Moim zdaniem zgarnęła go Seichan.

Kat uniosła pytająco brew.

Gray czuł, że jest zbyt brudny, by siadać na jednym z wytwornych krzeseł, więc po prostu zaczął chodzić po pokoju tam i z powrotem.

— Vigor, czy dasz radę wyprowadzić nas jutro rano tak, żeby nikt tego nie zauważył?

— Sądzę, że tak, jeśli zajdzie taka potrzeba. A czemu?

— Chcę, żeby o nas tu zapomniano, i to jak najszybciej. Im mniej osób będzie wiedziało o naszych planach, tym lepiej.

Monk wszedł do pokoju.

— Co, znowu gdzieś jedziemy? — Podłubał w uchu wskazującym palcem. Przecięcie nad okiem miał starannie opatrzone i — podobnie jak inni — włożył biały szlafrok. Nie zadał sobie jednak trudu, żeby go zawiązać, ale przynajmniej dookoła bioder okręcił ręcznik.

Zanim Gray zdążył otworzyć usta, otworzyły się drzwi naprzeciwko i stanęła w nich Rachele. Była boso, starannie opatulona szlafrokiem. Ale kiedy ruszyła w ich kierunku, szlafrok rozchylił się na tyle, by odsłonić zgrabne łydki, a nawet kawałeczek uda. Umyła głowę i włosy wciąż miała mokre i potargane. Przeczesała je palcami i przygładziła, choć Gray wolał, kiedy sterczały dziko we wszystkie strony.

— Komandorze? — Monk opadł ciężko na najbliższe krzesło. Wyciągnął wygodnie nogi, jednocześnie poprawiając ręcznik.

Gray przełknął ślinę. *O czym, do cholery, mówiłem...?*

— Dokąd mamy jechać — natychmiast podpowiedziała Kat.

— Tam gdzie możemy odnaleźć następną wskazówkę. — Gray odchrząknął i postarał się, by jego głos brzmiał normalnie. — Czy po tym, co zobaczyliśmy dzisiejszego wieczoru, chcielibyście, żeby ten wyścig po skarb zakończył się tym, że Trybunał Smoka pierwszy pozna tę tajemnicę?

Nikt nie zamierzał się sprzeczać.

Monk skubnął bandaż.

— A tak naprawdę, to kto wie, co wydarzyło się dzisiejszej nocy? — spytał.

— Mam pewien pomysł. — Ton Graya sprawił, że wszyscy skupili się na tym, co miał do powiedzenia. — Czy ktoś coś wie na temat pól Meissnera?

Kat nieznacznie uniosła rękę.

— Słyszałam, jak ktoś użył tego terminu przy omawianiu właściwości nadprzewodników.

Gray przytaknął.

— Kiedy nadprzewodnik zostaje wystawiony na działanie silnego pola magnetycznego, mamy do czynienia z powstawaniem pola Meissnera. Moc tego pola jest proporcjonalna do natężenia pola magnetycznego i rodzaju nadprzewodnika. To właśnie dzięki polu Meissnera nadprzewodniki w polu magnetycznym lewitują. Ale jeśli nadprzewodniki zostaną poddane pewnej manipulacji, to w polach Meissnera można uzyskać także inne, znacznie bardziej niezwykłe efekty. Niewytłumaczalne wybuchy energii, prawdziwą antygrawitację, nawet odkształcenie przestrzeni.

— Czy w bazylice zdarzyło się właśnie coś takiego? — spytał Vigor.

— Aktywacja amalgamatu, i to zarówno tutaj, jak i w Kolonii, odbyła się za pomocą olbrzymich elektromagnesów tarczowych.

— To znaczy takich wielkich magnesów? — zapytał Monk.

— Nastawione na określone natężenie uwolniły energię ukrytą w nadprzewodnikach w stanie m.

Kat drgnęła niespokojnie.

— A ta uwolniona energia... to pole Meissnera... spowodowała lewitację grobowca. Albo przynajmniej sprawiła, że ważył znacznie mniej niż zwykle. Ale w takim razie jak wytłumaczyć te wyładowania elektryczne wewnątrz bazyliki?

— Możemy tylko się domyślać. Baldachim ze złota i brązu ustawiony jest dokładnie nad grobowcem świętego Piotra. Moim zdaniem metalowe kolumny podtrzymujące baldachim zachowały się jak olbrzymie piorunochrony. Zebrały energię wydzieloną w podziemiach i wyrzuciły ją w górę.

— Lecz dlaczego ci dawni alchemicy zamierzali uszkodzić bazylikę? — dziwiła się Rachele.

— Wcale nie — sprzeciwił się Vigor. — Absolutnie nie mieli takiego zamiaru. Pamiętaj, przyjęliśmy założenie, że te wskazówki zostały pozostawione w trzynastym wieku.

Gray tylko skinął głową.

Vigor zatrzymał się na moment i w zamyśleniu potarł brodę.

— Choć prawdę mówiąc, skonstruowanie takiej sekretnej komnaty w tym okresie nie mogło być łatwe. Watykan przeważnie świecił pustkami. W tysiąc trzysta siedemdziesiątym siódmym roku, kiedy zakończyła się niewola awiniońska, papież od czasu do czasu pomieszkiwał w Watykanie. Przedtem rezydencją papieży pozostawał Pałac Laterański, więc w trzynastym wieku Watykan był mało znaczącym i raczej niestrzeżonym miejscem.

Vigor odwrócił się do Rachele.

— Jak sama widzisz, alchemicy nie mogli planować tych wyładowań elektrycznych. Zresztą *baldacchino* Berniniego ustawione zostało dopiero po roku tysiąc sześćsetnym. Całe wieki po tym, jak ukryto wskazówki. Musimy więc uznać, że był to niefortunny zbieg okoliczności.

— Zupełnie inaczej stało się w Kolonii — zauważył Gray. — Tam Trybunał Smoka celowo zanieczyścił jednoatomowym złotem opłatki komunijne. Moim zdaniem żołnierze Trybunału potraktowali wiernych jak świnki morskie w wyjątkowo nikczemnym eksperymencie. To był ich test bojowy. Chcieli ocenić moc amalgamatu i zweryfikować swoją teorię. Połknięte złoto w stanie m zachowało się podobnie jak kolumny podtrzymujące baldachim Berniniego. Zaabsorbowało energię pola Meissnera i wierni zostali porażeni prądem od wewnątrz.

— Czyli te wszystkie zgony... — wyszeptała Rachele.

— Były jedynie wynikiem eksperymentu.

— Musimy ich powstrzymać — zdecydowanie oświadczył Vigor łamiącym się głosem.

Gray skinął głową.

— Lecz najpierw trzeba zdecydować, dokąd teraz powinniśmy się udać. Starałem się zapamiętać ten rysunek i mogę naszkicować go z pamięci.

Rachele spojrzała na niego, a potem zerknęła w stronę wuja.

— O co chodzi? — spytał Gray.

Vigor uniósł się na krześle i wysunął na środek stołu złożoną kartkę. Następnie rozłożył ją i starannie wygładził. To była mapa Europy.

Gray zmarszczył brwi.

— Rozpoznałam linię narysowaną na tamtej płycie — oświadczyła Rachele. — Ta mała delta jest łatwa do rozpoznania dla kogoś, kto mieszka w basenie Morza Śródziemnego. Spójrz.

Rachele schyliła się i złożyła palce obu rąk w taki sposób, jakby zamierzała ocenić, czy warto robić zdjęcie. Następnie przyłożyła je do wschodniego krańca mapy.

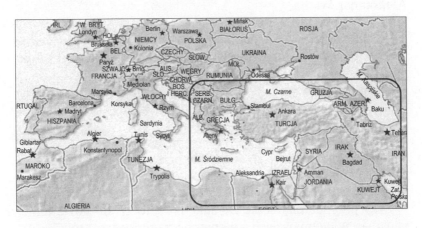

Gray patrzył jak zahipnotyzowany, podobnie zresztą jak inni. Zamknięty między palcami Rachele skrawek mapy był przybliżoną kopią linii wyrytych na płycie hematytu.

— Więc to mapa — powiedział z niedowierzaniem.

— A ta połyskująca gwiazdka... — Rachele napotkała jego spojrzenie.

— To pewnie niewielka ilość złota w stanie m wbita w płytę hematytu... Zaabsorbowała energię pola Meissnera i zaczęła świecić.

— Zaznaczając na mapie pewien punkt. — Rachele przyłożyła palec do papieru.

Gray schylił się jeszcze niżej. Tuż pod opuszką jej palca znajdowało się pewne miasto... Miasto położone w delcie Nilu, w miejscu gdzie rzeka wpada do Morza Śródziemnego.

— Aleksandria — odczytał. — Egipt.

Podniósł oczy. Jego twarz była zaledwie kilka centymetrów od twarzy Rachele. Gdy pochylał się nad mapą, ich spojrzenia skrzyżowały się i obydwoje na moment wstrzymali oddech. Usta Rachele rozchyliły się lekko, jakby zamierzała coś powiedzieć, tylko w ostatniej chwili zabrakło jej słów.

— To egipskie miasto było głównym bastionem studiów gnostycznych. — Vigor zdecydował się przerwać milczenie. — Niegdyś mieściła się tam słynna Biblioteka Aleksandryjska, ogromny magazyn starożytnej wiedzy... Założył ją nie byle kto, bo sam Aleksander Wielki.

Gray wyprostował się.

— Aleksander... Wspomniałeś kiedyś, że jest on jedną z tych postaci historycznych, które znały tajemnicę białego proszku.

Vigor przytaknął skwapliwie, a oczy mu zabłysły.

— Następny z Mędrców — podsumował Gray. — Czy może być tym czwartym, którego mamy szukać?

— Tego nie wiem na pewno — przyznał Vigor.

— A ja tak! — zawołała Rachele z przekonaniem. — W tamtej zagadce znajdował się pewien wers... I było w nim specjalne nawiązanie do „zaginionego króla".

Gray przypomniał sobie zagadkę o rybie. „Tam gdzie tonie, unosi się w ciemnościach i wypatruje zaginionego króla".

— A jeśli to wcale nie jest przenośnia? — upierała się Rachele. — Może powinniśmy rozumieć to dosłownie?

Gray nie wiedział, o co jej chodzi, ale oczy Vigora się rozszerzyły.

— Oczywiście! — zawołał z entuzjazmem. — Powinienem był o tym pomyśleć.

— O czym? — spytał Monk.

Rachele pośpieszyła z wyjaśnieniami.

— Aleksander Wielki zmarł w młodym wieku. Miał trzydzieści trzy lata. Dokumenty dotyczące pogrzebu i związanych z nim ceremonii zachowały się na kartach historii. Ciało Aleksandra uroczyście złożono w Aleksandrii. — Popukała w mapę. — Tylko... Tylko...

Vigor nie wytrzymał.

— Jego grób zaginął — dokończył podekscytowanym tonem.

Gray wpatrzył się w leżącą przed nim mapę.

— I dzięki temu pasuje do niego określenie „zaginiony król" — mruknął i przesunął wzrokiem po pokoju. — W ten sposób już wiemy, dokąd musimy się udać.

23.56

Obraz przesunął się jeszcze raz przez monitor laptopa. Sam obraz, bez dźwięku. Od pojawienia się ludzi Trybunału Smoka aż do ucieczki zespołu Sigmy. I znowu cała akcja nie przyniosła żadnych odpowiedzi. Cokolwiek znajdowało się pod grobowcem świętego Piotra, nadal pozostało tajemnicą.

Z uczuciem rozczarowania zamknął komputer i pochylił głowę na oparcie fotela.

Podczas składania wyjaśnień komandor Pierce nie sprawiał wrażenia zbyt rozmownego. Łatwo było się zorientować, że coś ukrywa. Najwyraźniej komandor znalazł w grobowcu coś interesującego.

Tylko co takiego? I jak dużo wiedział?

Kardynał Spera oparł się wygodnie i odruchowo zaczął obracać złoty pierścień, który nosił na palcu.

Nadszedł najwyższy czas, żeby wreszcie z tym skończyć.

DZIEŃ TRZECI

11

Aleksandria

26 lipca, 7.05
Gdzieś nad Morzem Śródziemnym

Mniej więcej za dwie godziny czekało ich lądowanie w Egipcie. Już na pokładzie prywatnego odrzutowca Gray zrobił przegląd swojego plecaka. Jakimś cudem dyrektor Crowe zdołał w tak krótkim czasie przesłać im nowe urządzenia i broń. Nawet laptopy. Okazał się również na tyle przewidujący, żeby zabrać ich samolot z Niemiec; odrzutowiec czekał na nich na lotnisku imienia Leonarda da Vinci.

Gray spojrzał na zegarek. Wystartowali mniej więcej trzydzieści minut temu, czyli za dwie godziny wylądują w Aleksandrii. W tym czasie należy opracować strategię działania. W Rzymie odpoczęli kilka godzin i odzyskali siły. Opuścili apartamenty jeszcze przed świtem i po cichu wymknęli się z Watykanu, tak by nikt ich nie zobaczył.

Dyrektor Crowe postarał się także o dodatkowe zabezpieczenie, to znaczy ustalił im fikcyjny plan lotu do Maroka, a następnie użył swoich kontaktów w Narodowym Biurze Rozpoznania, żeby już w trakcie podróży zmienić parametry lotu i zawrócić samolot w stronę Egiptu.

Teraz pozostało ustalić już tylko jeden szczegół.

Skąd zacząć poszukiwania, gdy znajdą się w Aleksandrii?

Wnętrze citationa X zmieniło się w siedzibę zespołu badawczego, którego zadaniem było odnalezienie odpowiedzi na to kluczowe pytanie. Kat, Rachele i Vigor siedzieli każdy przy swoim stanowisku, zajęci pracą. Tymczasem Monk w kokpicie zajmował się koordynacją transportu oraz logistyką. Wcześniej zdążył już rozłożyć na części swoją nową strzelbę i zrobić dokładny przegląd. Właściwie się z nią nie rozstawał. Jak to sam ujął: „Bez niej czuję się, jakbym był nagi. To nic przyjemnego, możecie mi wierzyć".

W międzyczasie Gray planował przeprowadzić prywatne śledztwo. I chociaż nie miało ono bezpośredniego związku z pytaniem, na które wszyscy szukali odpowiedzi, zamierzał dowiedzieć się czegoś więcej o tajemniczych właściwościach nadprzewodników w stanie m.

Ale najpierw...

Wstał i skierował się w stronę trójki poszukiwaczy.

— Jakieś postępy? — spytał.

— Podzieliliśmy się — odparła Kat. — Wertujemy wszystkie wzmianki i dokumenty, począwszy od czasów przed narodzinami Aleksandra poprzez jego śmierć aż do końcowego zaginięcia grobu.

Vigor potarł zaczerwienione oczy. Zeszłej nocy spał najkrócej ze wszystkich. Godzinę. Stało się tak dlatego, że monsinior postanowił przeprowadzić dalsze poszukiwania w watykańskich archiwach. Był przekonany, że to główny prefekt bibliotek — zdradziecki doktor Alberto Menardi — rozwiązał na użytek Trybunału Smoka tajemniczą zagadkę, i Vigor miał nadzieję, że jeśli pójdzie jego śladami, być może zyska szersze spojrzenie na sprawę. Ale niczego nie udało mu się odkryć.

— Postać Aleksandra otoczona jest mnóstwem tajemnic — mówiła dalej Kat. — Dotyczy to nawet jego rodziców. Jego matką była Olimpias, ojcem zaś król Macedonii Filip II. Ale nawet co do tego nie ma zgodności. Aleksander wierzył, że jego prawdziwym ojcem był Zeus Amon i że w związku z tym on sam jest półbogiem.

— Cóż za niezwykła skromność — mruknął z przekąsem Gray.

— Zresztą Aleksander w ogóle był człowiekiem pełnym sprzeczności — wtrącił Vigor. — Miał skłonność do ataków wściekłości, gdy był pijany, ale potrafił z rozwagą podejmować strategiczne decyzje. Choć umiał być dobrym przyjacielem, bez wahania popełniał zbrodnie, jeśli ktoś psuł mu szyki. Nie stronił od uciech z chłopcami, lecz poślubił dwie perskie tancerki, a nawet córkę króla perskiego — to ostatnie małżeństwo miało być próbą zjednoczenia Persji i Grecji. Ale wracając do jego rodziców — było tajemnicą poliszynela, że matka i ojciec Aleksandra szczerze się nienawidzili. Niektórzy historycy uważają nawet, że Olimpias mogła maczać palce w przygotowywaniu zamachu na króla Filipa. A co ciekawsze — jeden z autorów, Pseudo-Kallistenes, twierdził, że Aleksander nie był synem Filipa, lecz egipskiego czarownika przebywającego na dworze, niejakiego Nektanebo.

— Czarownik... czyli ktoś z grona mędrców? — Gray zrozumiał implikację.

— Niezależnie od tego, kim byli jego prawdziwi rodzice — kontynuowała Kat — Aleksander urodził się dwudziestego lipca trzysta pięćdziesiątego szóstego roku przed Chrystusem.

Vigor wzruszył ramionami.

— Ale nawet to może nie być prawdą. Tego samego dnia doszczętnie spłonęła świątynia Artemidy w Efezie, jeden z siedmiu cudów starożytnego świata. Plutarch napisał, że Artemida „była zbyt zajęta opiekowaniem się nowo narodzonym Aleksandrem, żeby pośpieszyć na ratunek zagrożonej świątyni". Niektórzy uczeni sądzą, że wybór dnia narodzin mógł być elementem propagandowym i że prawdziwą datę utajniono, dopasowując ją do tamtego ważnego wydarzenia, aby król jawił się jako feniks zrodzony z popiołów.

— I rzeczywiście okazał się feniksem — wtrąciła Kat. — Aleksander żył zaledwie trzydzieści trzy lata, ale podczas tak krótkiego życia udało mu się podbić większą część ówczesnego świata. Pokonał króla Persji Dariusza, potem powędrował do Egiptu, gdzie założył Aleksandrię, a następnie przeniósł się do Babilonii...

— Aż w końcu ruszył na Wschód, do Indii, gdzie podbił Pendżab. Ten sam, gdzie później święty Tomasz ochrzcił Trzech Mędrców — dokończył Vigor.

— W ten sposób Egipt i Indie znalazły się w granicach jednego państwa — zauważył Gray.

— W ten sposób połączyły się ośrodki starożytnej wiedzy — dodała Rachele, poruszając się na fotelu. Wciąż skupiona na swojej pracy rozprostowała plecy, lecz ani na chwilę nie oderwała wzroku od komputera.

Gray lubił patrzeć, jak się przeciąga. Na jej powolne, leniwe ruchy.

Może instynktownie wyczuła jego zainteresowanie. Nie odwracając głowy, zerknęła w jego kierunku i natychmiast uciekła spojrzeniem.

— On... To znaczy Aleksander... — zaczęła się jąkać — ...wyszukiwał indyjskich uczonych i spędzał z nimi mnóstwo czasu na dysputach filozoficznych. Bardzo interesowały go wszelkie naukowe nowinki, zresztą jego nauczycielem był sam Arystoteles.

— Ale długo nie pożył — podjęła Kat, na nowo przyciągając uwagę Graya. — Umarł w Babilonie w tajemniczych okolicznościach, w trzysta dwudziestym trzecim roku przed naszą erą... Niektórzy twierdzą, że zmarł z przyczyn naturalnych, z kolei inni uważają, że został otruty bądź padł ofiarą zarazy.

— Znalazłam wzmiankę, że ze swojego łoża śmierci w królewskim pałacu w Babilonie spoglądał na słynne Wiszące Ogrody — wieżę pełną wyrzeźbionych tarasów, z ozdobnymi ogrodami na szczytach dachów i wodospadami. Kolejny z siedmiu cudów starożytnego świata.

— Tak więc jego życie zaczęło się od zniszczenia jednego cudu, a skończyło przy innym.

— To może być opowiastka alegoryczna — rzekł Vigor i podrapał się po podbródku. — Ale dzieje Aleksandra w przedziwny sposób splatają się z siedmioma cudami. Nawet pierwsze ich zestawienie zostało opracowane w trzecim wieku przed Chrystusem przez aleksandryjskiego bibliotekarza Kallimacha z Cyreny. Następny z cudów, gigantyczny brązowy kolos rodyjski wysokości dziesięciu pięter, który wznosił nad portem płonącą pochodnię, podobnie jak wasza Statua Wolności, był wzorowany na postaci Aleksandra Macedońskiego. Poza tym jest jeszcze pomnik Zeusa w Olimpii — czteropiętrowa figura ze złota i marmuru... Jak twierdził sam Aleksander, być może to wizerunek jego prawdziwego ojca. Poza tym nie ma wątpliwości, że Aleksander odwiedzał piramidy w Gizie. Spędził przecież w Egipcie pełne dziesięć lat. Tak więc jego ślady odnaleźć można na wszystkich mistrzowskich dziełach świata antycznego.

— Czy to może mieć jakieś znaczenie? — spytał Gray.

Vigor wzruszył ramionami.

— Trudno powiedzieć. Ale sama Aleksandria była niegdyś miejscem, gdzie znajdował się kolejny z siedmiu cudów. Nie dotrwał do dnia dzisiejszego, choć został wzniesiony ostatni. Mam na myśli latarnię morską w Faros w Aleksandrii. Zbudowano ją na cyplu rozdzielającym zatokę na połowy. Była to trzykondygnacyjna wieża z bloków wapiennych, połączonych stopionym ołowiem. Górowałaby nad waszą Statuą Wolności, gdyż jej wysokość wynosiła około czterdziestu pięter. Na szczycie w misie płonął ogień, a jego blask wzmacniano za pomocą złotego lustra. Sternicy dostrzegali go nawet z odległości pięćdziesięciu kilometrów. Zresztą współczesna nazwa „latarnia morska" w wielu językach nawiązuje do nazwy tamtej latarni. Po francusku brzmi ona *phare*, po włosku i hiszpańsku *faro*.

— Ale co to ma wspólnego z naszymi poszukiwaniami grobu Aleksandra? — spytał Gray.

— To wskazówki starożytnego stowarzyszenia alchemików skierowały nas do Aleksandrii — odparł Vigor. — Nic na to nie poradzę, ale moim zdaniem latarnia morska, ten symbol przewodniego światła, musiał mieć dla nich szczególne znaczenie. Poza tym istnieje pewna legenda dotycząca latarni w Faros: jej światło ponoć miało taką moc, że zdarzało się, iż z dużej odległości wzniecało pożary na statkach. Niewykluczone, że ta wzmianka odnosi się do jakiegoś nieznanego źródła tajemniczej siły.

Vigor westchnął i pokręcił głową.

— Tyle że nie mam pojęcia, jak to wszystko powiązać.

Gray doceniał intelekt monsiniora, lecz potrzebował konkretów — czegoś, czym można by się kierować, kiedy już przybędą do Aleksandrii.

— To może zacznijmy od końca — zaproponował. — Aleksander umarł w Babilonie. I co zdarzyło się potem?

Kat pochyliła się nad swoim laptopem i przesunęła palcem po opracowanej przez siebie liście.

— Jest bardzo wiele historycznych wzmianek o uroczystym przeniesieniu ciała Aleksandra z Babilonu do Aleksandrii. Już po pogrzebie jego grób stał się miejscem kultu i celem pielgrzymek odwiedzających Aleksandrię dygnitarzy, nie wyłączając Juliusza Cezara czy Kaliguli.

— W tym czasie miastem rządził jeden z dawnych generałów Aleksandra, Ptolemeusz, i jego następcy — dodał Vigor. — Kontynuowali oni dzieło tworzenia Biblioteki Aleksandryjskiej, zmieniając tym samym Aleksandrię w jeden z większych ośrodków studiów intelektualnych i filozoficznych, który przyciągał uczonych z całego świata.

— A co stało się z tym grobowcem?

— To niezwykle intrygująca sprawa — odparła Kat. — Przypuszczalnie sam grób był masywnym sarkofagiem wykonanym ze złota. Ale inne źródła podają — między innymi tak to opisuje największy historyk tamtych czasów Strabon — że grobowiec został wykonany ze szkła.

— Być może ze złotego szkła — zauważył Gray. — Jednej z postaci naszego proszku.

Kat skinęła głową.

— We wczesnych latach trzeciego stulecia Septymiusz Sewer zamknął grobowiec dla odwiedzających, podobno ze względu na jego bezpieczeństwo. Warto zauważyć, że przy okazji zamknął w jego wnętrzu wiele tajemnych ksiąg. Tu nawet jest cytat — pochyliła się nad laptopem. — „Nikt nie mógł czytać tych ksiąg ani widzieć ciała".

Odsunęła laptop i spojrzała na Graya.

— Z tych słów jasno wynika, że w miejscu pochówku zostało ukryte coś, co miało wielkie znaczenie. Musiała być to skarbnica wiedzy tajemnej i Sewer bał się, że zaginie lub zostanie skradziona.

— Od pierwszego do trzeciego wieku co jakiś czas w Aleksandrii toczyły się walki — Vigor wyjaśnił słowa Kat. — Niekiedy dość poważne. Sam Juliusz Cezar podpalił sporą część biblioteki, aby odeprzeć atak na port. Napady się powtarzały, co około siódmego wieku doprowadziło w końcu do zniszczenia biblioteki i rozproszenia zbiorów. Mogę zrozumieć, dlaczego Sewer chciał w ten sposób ochronić pewną część ksiąg. Z pewnością ukrył najcenniejsze zwoje.

— W dodatku nie chodziło wyłącznie o zagrożenie militarne — dodała Kat. — Zdarzały się również katastrofy naturalne. Regularnie powtarzające się trzęsienia ziemi poważnie uszkodziły znaczną część Aleksandrii. W czwartym wieku do zatoki runęła cała dzielnica — zniszczeniu uległa Ptolemejska Dzielnica Królewska, w tym Pałac Kleopatry i większość cmentarza królewskiego. W tysiąc dziewięćset dziewięćdziesiątym szóstym roku francuski badacz, Franck Goddio, odkrył na dnie Wschodniego Portu całe fragmenty zatopionego miasta. Inny archeolog, Honor Frost, uważa, że być może taki los stał się udziałem grobowca Aleksandra — że król spoczął na wieki w wodnej toni.

— Wcale nie jestem przekonany, że ma rację — wtrącił Vigor. — Krążyły różne plotki na temat lokalizacji grobowca, ale większość historycznych dokumentów wskazuje, że znajdował się w środku miasta, z dala od linii brzegowej.

— Być może tak było, dopóki Septymiusz Sewer go nie zamknął — sprzeciwiła się Kat. — Nie wiemy, czy potem gdzieś go nie przeniósł.

Vigor zmarszczył brwi.

— Tak czy inaczej przez całe stulecia poszukiwacze skarbów i archeolodzy przeczesywali Aleksandrię i jej okolice. Nawet dziś ta sprawa wzbudza sporo emocji, tak jak kiedyś gorączka złota. Kilka lat temu zespół niemieckich geofizyków wykorzystał radar do badania gruntu; wyszło na jaw, że teren, na którym została zbudowana Aleksandria, pełen jest rozmaitych jaskiń i anomalii geologicznych. Znajduje się tu mnóstwo kryjówek, w których można było ukryć sarkofag. Przeszukanie wszystkich zajęłoby kilkadziesiąt lat.

— Ale my nie mamy tyle czasu — powiedział Gray. — Nie jestem pewien, czy mamy choćby dwadzieścia cztery godziny.

Zły jak diabli, zaczął chodzić po kabinie tam i z powrotem. Wiedział, że Trybunał Smoka miał dostęp do tego samego źródła informacji, więc wkrótce tamci zorientują się, że na płycie z hematytu ukrytej pod grobem świętego Piotra znajduje się mapa Europy z zaznaczoną Aleksandrią.

Odwrócił się do trójki badaczy.

— To skąd zaczniemy?

— Być może mam pewną wskazówkę. Albo nawet dwie — odezwała się Rachele. Uczyniła to po raz pierwszy od dłuższego czasu, bo wściekle uderzała w klawiaturę, jedynie niekiedy zerkając na ekran.

Uwaga wszystkich skupiła się na niej.

— Znalazłam pewną wzmiankę pochodzącą z dziewiątego wieku. Jest to świadectwo władcy Konstantynopola, że pewien — cytuję — „bajeczny skarb" został ukryty we wnętrzu latarni morskiej w Faros albo pod nią. Prawdę powiedziawszy, kalif, który rządził wówczas Aleksandrią, rozebrał połowę latarni, żeby go znaleźć.

Gray zauważył, że Vigor drgnął, usłyszawszy te słowa. Pamiętał, że monsinior wykazywał niezwykłe zainteresowanie latarnią. Widocznie jego fascynacja tak wpłynęła na Rachele, że dziewczyna poszła tym właśnie tropem.

— Piszą, że i poźniej od czasu do czasu prowadzono tam poszukiwania, ale latarnia miała dla portu kluczowe znaczenie.

Vigor przerwał jej podekscytowany:

— Czyż może być lepsze miejsce do ukrycia czegoś, czego nikt nie powinien wykopać, niż pod budowlą zbyt ważną ze strategicznego punktu widzenia, żeby można było ją zburzyć?

— Ale wszystko skończyło się ósmego sierpnia tysiąc trzysta trzeciego roku, kiedy potężne trzęsienie ziemi przeszło przez wschodnie obrzeża rejonu śródziemnomorskiego. Latarnia morska uległa zniszczeniu i osunęła się do tej samej zatoki, w której spoczywały ruiny z czasów Ptolemeuszów.

— A co stało się z miejscem, gdzie się wznosiła? — spytał Gray.

— Zmieniało się w trakcie stuleci, aż w piętnastym wieku sułtan Mameluków zbudował na półwyspie fortecę. Istnieje ona do dnia dzisiejszego i nosi nazwę Fortu Kajtbaj. Część jego fundamentów zawiera oryginalne wapienne bloki, z których zbudowana była latarnia morska w Faros.

— Ale jeśli skarb nie został odnaleziony, to oznacza, że wciąż tam musi być... — kontynuował Vigor. — Pod fundamentami fortu.

— Jeśli w ogóle istnieje — ostrzegł Gray.

— To właśnie jest miejsce, z którego powinniśmy zacząć — oświadczył Vigor.

320

— Tak? I co zrobimy? Zapukamy do drzwi i poprosimy grzecznie, żeby pozwolili nam trochę pokopać pod fortecą?

Kat zaproponowała bardziej praktyczne rozwiązanie.

— Powinniśmy skontaktować się z Narodowym Biurem Rozpoznania. Oni mają dostęp do satelitów mogących prześwietlić powierzchnię Ziemi. Muszą tylko skierować je nad konkretne miejsce. Będziemy szukać wszelkich odchyleń od normy albo pieczar, podobnie jak zrobili w samym mieście ci niemieccy geofizycy. To może znacznie zawęzić obszar poszukiwań.

Gray skinął głową. To był całkiem niezły pomysł... Tyle że wymagał czasu. Zdążył już zerknąć na zegarek. Następne przejście satelity nad Aleksandrią wypadało dopiero za osiem godzin.

Rachele zaproponowała inne rozwiązanie.

— Pamiętacie to tylne wejście do pieczary pod grobem świętego Piotra? Może nie musimy wchodzić do fortecy główną bramą. Może jest jakiś dostęp z tyłu. Pod wodą, podobnie jak w Rzymie.

Grayowi spodobał się ten pomysł.

Rachele dostrzegła jego aprobatę i zdawała się czerpać z niej siłę.

— Są tu organizowane specjalne grupy turystyczne, które nurkują w pobliżu Fortu Kajtbaj i docierają do ruin z czasów Ptolemeuszów. Z łatwością możemy się wmieszać między nich i zbadać linię brzegową przy porcie.

— To pewnie do niczego nas nie doprowadzi — rzekła Kat — ale przynajmniej będziemy coś robić, czekając, aż satelita GPR minie interesujący nas rejon.

Gray powoli skinął głową. To był już jakiś początek.

Monk wyszedł z kokpitu.

— Zarezerwowałem vana i miejsca w hotelu pod przybranymi nazwiskami. Sprawy wizowe zostały już załatwione przez Waszyngton. Myślę, że to powinno wystarczyć.

— Nie. — Gray odwrócił się w jego stronę. — Będziemy potrzebować także łodzi. I to możliwie jak najszybszej.

Monk otworzył szeroko oczy ze zdziwienia.

— Okej... — powiedział z ociąganiem. Jego spojrzenie spoczęło na Rachele. — Ale ona nie będzie prowadzić tego cholerstwa, dobrze?

8.55
Rzym, Włochy

Upał poranka nie wpłynął dobrze na humor Raoula. Było dopiero wczesne przedpołudnie, a temperatura już zdążyła poszybować w górę. Żar rozgrzewał kamienie na skwerze. Blask był stanowczo zbyt jasny. Nagie ciało Raoula błyszczało od potu, gdy stał w drzwiach prowadzących z jego pokoju na balkon. Otworzył je na oścież, ale do środka nie wpadł najlżejszy podmuch wiatru.

Boże, jakże nienawidził Rzymu!

Pogardzał wpadającymi w oszołomienie stadami turystów, ubranymi na czarno rzymianami, którzy bez przerwy palili papierosy, niekończącym się gwarem i bez przerwy trąbiącymi samochodami. I nie znosił wiszącego wiecznie w powietrzu smrodu benzyny.

Nawet ta dziwka, którą poderwał na Travastere... Jej włosy wydzielały zapach papierosów zmieszany z potem. Po prostu śmierdziała Rzymem. Z obrzydzeniem potarł zbielałe kostki u ręki. Dobrze, że przynajmniej seks okazał się satysfakcjonujący. Nikt nie słyszał jej wrzasków przez zwinięty w kłębek knebel, a rozpaczliwa walka, jaką z nim stoczyła, próbując wywinąć się spod noża, sprawiła mu prawdziwą rozkosz. Przypomniał sobie, jak dotykał czubkiem ostrza jej dużych brązowych brodawek piersiowych i jak powoli zaczął wbijać nóż w głąb ciała. Ale kiedy wchodził w nią, jeszcze większą przyjemność sprawiło mu walenie jej raz po raz pięścią w twarz, aż sflaczała jak kawałek mięsa.

Pastwił się nad nią, bo doprowadzał go do wściekłości Rzym i ten skurwiel z Ameryki, który prawie go oślepił i uniemożliwił mu powolne zabicie ich wszystkich. A teraz w dodatku Raoul dowiedział się, że tamci jakimś cudem zdołali uniknąć pewnej śmierci tam, na dole.

Odwrócił się od okna. Martwa dziwka leżała na łóżku zawinięta w prześcieradła, ale jego ludzie wkrótce pozbędą się zwłok. Już była bezużyteczna.

Nagle rozdzwonił się telefon stojący na nocnym stoliku. Raoul spodziewał się tej rozmowy i to właśnie czekanie na nią najbardziej psuło mu nastrój.

Powoli podszedł do łóżka i podniósł słuchawkę.

— Raoul — powiedział.

— Otrzymałem raport z wczorajszej misji.

Tak jak się spodziewał, to był jego wysokość imperator Trybunału we własnej osobie. Głos w słuchawce dosłownie kipiał wściekłością.

— Panie...

Ale tamten nie pozwolił mu dojść do słowa.

— Nie przyjmuję żadnego usprawiedliwienia. Niepowodzenie to jedna sprawa, a niesubordynacja to druga. Nie będę tolerował nieposłuszeństwa.

Raoul zmarszczył czoło, słysząc ten zarzut.

— Nigdy nie sprzeciwiłem się rozkazom.

— Więc co masz do powiedzenia na temat tej kobiety, Rachele Verony?

— Nie rozumiem?

Oczyma wyobraźni ujrzał tę sukę o czarnych włosach. Przypomniał sobie, jak pachniała jej szyja, kiedy trzymał dziewczynę w stalowym uścisku, przyciskając do gładkiej skóry ostrze noża. Czuł, jak mocno bije jej serce, gdy chwycił ją za kark i podniósł tak wysoko, że stała na czubkach palców.

— Miałeś ją złapać, nie zabijać. Pozostałych trzeba wyeliminować. Takie otrzymałeś rozkazy.

— Tak jest. Zrozumiałem. Ale jak dotąd już trzy razy musiałem zrezygnować z użycia siły wobec Amerykanów ze względu na ten warunek. Oni wciąż żyją wyłącznie z tego powodu. — Właściwie nie planował, że zacznie się tłumaczyć ze swojego niepowodzenia, ale jakoś tak wyszło. — Potrzebuję bardziej konkretnego wyjaśnienia, panie. Co jest ważniejsze: misja czy ta kobieta?

Zapadła długa cisza. Raoul uśmiechnął się i szturchnął palcem nieruchome ciało w białym całunie.

— No cóż, zadałeś słuszne pytanie. — Wściekłość w tonie imperatora znacznie osłabła. — Kobieta jest ważna, ale nie wolno dla niej ryzykować powodzenia misji. Bogactwo i władza, które czekają na końcu drogi, muszą należeć do nas.

I Raoul wiedział dlaczego. Wpajano mu to od dzieciństwa. To właśnie było ostatecznym celem ich sekty. Nowy Porządek

Świata, rządzonego przez Trybunał — spadkobierców królów i cesarzy, czystych genetycznie i doskonałych. Władza należała im się z racji urodzenia. Od pokoleń, przez wszystkie minione stulecia, Trybunał próbował zdobyć skarb i wiedzę tajemną zaginionego stowarzyszenia magów, bo ten, kto ją posiądzie, będzie trzymał w ręku „klucze do świata". Przynajmniej tak zostało zapisane w starożytnym tekście, który spoczywał w bibliotece Trybunału.

A teraz byli już tak blisko.

Raoul ośmielił się przemówić.

— Czyli mam iść do przodu za wszelką cenę, bez oglądania się na bezpieczeństwo tej kobiety?

Z drugiej strony dobiegło ciężkie westchnienie. Raoul zastanawiał się, czy imperator zdawał sobie z tego sprawę.

— Utrata jej byłaby dla nas dużym rozczarowaniem — odpowiedział w końcu. — Jednak nasza misja musi się powieść, zwłaszcza że minęło już tyle czasu. Powtarzam: opozycja musi zostać zniszczona przy użyciu wszelkich dostępnych środków. Czy wystarczająco jasno się wyraziłem?

— Tak jest.

— Dobrze. Ale jeśli nadarzy się okazja, żeby schwytać tę kobietę, to tym lepiej. Tylko nie wolno z jej powodu podejmować niepotrzebnego ryzyka.

Raoul zacisnął pięści. Była pewna rzecz, która nie dawała mu spokoju. Nigdy dotąd nie próbował się o to dowiadywać, bo nauczył się, że lepiej pohamować niewczesną ciekawość i wykonywać bez szemrania rozkazy. Jednak tym razem ciekawość przeważyła.

— Dlaczego ta kobieta jest tak ważna?

— Bo płynie w niej najczystsza krew Smoka. Jej przodkami byli przedstawiciele austriackiej arystokracji — Habsburgów. Prawdę mówiąc, ona została wybrana dla ciebie, Raoul. Żeby zostać twoją towarzyszką. Wzmacnianie naszego dziedzictwa przez odpowiednie związki krwi jest niezwykle ważne i Trybunał zawsze brał to pod uwagę.

Raoul wyprostował się. Aż dotąd odmawiano mu możliwości posiadania potomstwa. Tych kilka kobiet, które nosiło w sobie jego nasienie, zostało zmuszonych do aborcji lub zamordowanych. Brukanie królewskiej krwi przez powoływanie do życia nieczystych genetycznie dzieci było surowo zabronione.

— Mam nadzieję, że ta informacja zachęci cię do zapewnienia jej bezpieczeństwa. Ale jak już wspomniałem, nawet krew nie ma znaczenia, jeśli w grę wchodzi powodzenie misji. Czy to jasne?

— Tak jest.

Raoul oddychał krótko, przerywanie. Znów ujrzał, jak obejmuje tę kobietę i przyciska nóż do jej szyi. Poczuł zapach jej strachu. Będzie znakomitą baronową... A nawet jeśli nie, to przynajmniej pierwszorzędną klaczą rozpłodową. Trybunał Smoka trzymał kilka takich kobiet w różnych miejscach Europy, zamkniętych w klatkach i utrzymywanych przy życiu jedynie po to, by rodziły dzieci.

Na samą myśl o takim rozwiązaniu Raoul poczuł, że ogarnia go podniecenie.

— W Aleksandrii wszystko zostało już załatwione — zakończył imperator. — Zbliża się ostateczna rozgrywka. Masz dostać to, czego potrzebujemy, i zniszczyć każdego, kto stanie ci na drodze.

Raoul powoli skinął głową, choć imperator nie mógł tego widzieć.

Kolejny raz wyobraził sobie tę czarnowłosą sukę... i to, co będzie z nią wyprawiał.

9.34

Rachele stała za kierownicą łodzi motorowej, a dla utrzymania równowagi oparła zgięte kolano o siedzenie, które znajdowało się tuż za nią. Kiedy minęła boję oznaczającą koniec ograniczenia prędkości, wcisnęła gaz do dechy i popędziła na ukos przez zatokę. Motorówka sunęła po gładkiej powierzchni, od czasu do czasu wspinając się na niewielkie fale pozostawione przez inne łodzie.

Wiatr rozwiewał włosy Rachele, a rozpryskująca się woda chłodziła przyjemnie twarz. Promienie słońca odbijały się jaskrawym blaskiem w szafirowych wodach Morza Śródziemnego. Chłonęła te doznania wszystkimi zmysłami.

To pomogło jej rozbudzić się po podróży i godzinach spędzonych przed komputerem. Wylądowali przed czterdziestoma minutami. Dzięki rozmowom telefonicznym przeprowadzonym przez Monka z pokładu samolotu gładko przeszli odprawę i znaleźli łódź z całym oprzyrządowaniem przy pomoście Portu Wschodniego.

Rachele zerknęła w tył.

Z łuku błękitnej zatoki wyrastała Aleksandria — współczesny moloch pełen sięgających nieba apartamentowców, hoteli i domów z mieszkaniami na wynajem. Od brzegu morza oddzielał je pas ogrodów, gdzieniegdzie ozdobiony pióropuszami palm. Niewiele było tu śladów starożytnej przeszłości miasta. Nawet zniszczona przed wiekami słynna Biblioteka Aleksandryjska została wzniesiona na nowo jako kompleks potężnych gmachów ze szkła, stali i betonu, udekorowany mnóstwem sadzawek i obsługiwany przez lekką kolejkę.

Jednak tu, na wodzie, część odległej przeszłości zdawała się wracać do życia. Na falach kołysały się stare drewniane łodzie rybackie, pomalowane na rubinową czerwień, szafirowy błękit i szmaragdową zieleń. Niektóre z żagli podniesiono na maszt; łódkami sterowano za pomocą dwóch wioseł — w taki sam sposób, jak w czasach antycznych.

Na wprost przed nimi wznosiła się średniowieczna cytadela — Fort Kajtbaj. Przysiadła na skrawku lądu, rozdzielającym zatokę. Kamienna grobla łączyła ją ze stałym lądem. Wzdłuż niej siedzieli rybacy z długimi wędkami, wypoczywając i pokrzykując między sobą, tak jak przez całe stulecia czynili ich przodkowie.

Rachele przyglądała się uważnie Fortowi Kajtbaj. Zbudowany wyłącznie z wapienia i marmuru, odbijał się w ciemnoniebieskich wodach zatoki. Główna cytadela wyrastała na wysokość sześciu metrów, wsparta na solidnym kamiennym fundamencie. Potężne ściany, zwieńczone łukowatymi parapetami, strzeżone były przez cztery wieże i zamykały w olbrzymim kręgu wyższą, centralną część fortecy. Na szczycie wewnętrznego zamku wznosił się maszt, a na nim łopotała flaga w egipskich barwach — czerwieni, bieli i czerni, z umieszczonym pośrodku złotym orłem Saladyna.

Mrużąc oczy, Rachele wyobraziła sobie budowlę, która niegdyś stała na tym miejscu: wysoką na czterdzieści pięter latarnię morską, zbudowaną w trzech kondygnacjach jak olbrzymi weselny tort i ozdobioną wielkim posągiem Posejdona, a na jej czubku ogromną misę z brązu, w której płonął wieczny ogień, wypuszczający w niebo kłęby dymu.

Do naszych czasów nie dotrwało nic z tego cudu antycznego świata, może z wyjątkiem kilku wapiennych bloków, wbudowanych w podstawę cytadeli. Kiedyś francuscy archeolodzy odnaleźli w Porcie Wschodnim resztki wapiennych ścian razem z fragmentem posągu wysokości sześciu metrów, był to — jak sądzono — fragment posągu Posejdona. To wszystko, co pozostało z jednego z siedmiu cudów świata, kiedy trzęsienie ziemi zniszczyło ten rejon.

Ale czy naprawdę wszystko? Czy w głębi ziemi, ukryty pod fundamentami, mógł znajdować się inny skarb, pochodzący z jeszcze wcześniejszych czasów?

Zaginiony grobowiec Aleksandra Wielkiego.

Przyjechali tu, żeby go odszukać.

Za jej plecami pozostali członkowie zespołu zgromadzili się dookoła stosu sprzętu do nurkowania.

— Czy naprawdę potrzebne nam są te wszystkie klamoty? — dziwił się Gray, oglądając maskę nurka, która zabezpieczała całą twarz. — Po co nam kombinezony piankowe i te specjalne osłony na głowę?

— Wszystko się przyda — odparł Vigor. Wuj Rachele należał do doświadczonych płetwonurków. Zresztą musiał nim być, jeśli pracował jako archeolog w rejonie Morza Śródziemnego. Wiele najbardziej ekscytujących znalezisk odkryto właśnie pod wodą, między innymi znaleziony w Aleksandrii zaginiony Pałac Kleopatry, który spoczywał na dnie tej samej zatoki.

Podwodne skarby nie bez przyczyny pozostawały tak długo nieznane.

Vigor pośpieszył z wyjaśnieniami:

— Zanieczyszczenie okolicznych wód — między innymi z powodu ścieków — sprawia, że prowadzenie badań bez odpowiedniego zabezpieczenia jest bardzo ryzykowne. Egipski Urząd do spraw Turystyki planował utworzenie tutaj morskiego parku archeologicznego, który miał być obsługiwany przez łodzie z przezroczystym dnem. Niektórzy pozbawieni skrupułów właściciele biur podróży oferują atrakcje dla nurków, choć pełno tu metali ciężkich, a durem brzusznym łatwo się zarazić.

— Wspaniale — odezwał się Monk. Był zupełnie zielony na twarzy, zaciskał zęby i kurczowo trzymał się relingu. Co chwila wysuwał przy tym głowę za burtę, zupełnie jak pies wyglądający przez okno. — Czyli jeśli się nie utopię, to na pewno złapię jakieś świństwo, od którego dostanę sraczki. Wiecie, był pewien powód, dla którego zaciągnąłem się do sił specjalnych zamiast do marynarki albo lotnictwa. Twardy grunt pod nogami.

— Możesz przecież zostać na łodzi — zauważyła Kat.

Monk spojrzał na nią z ukosa i wyraźnie się skrzywił.

Wszyscy musieli przyłożyć się do roboty, jeśli chcieli odnaleźć podwodny tunel prowadzący do sekretnego pomieszczenia pod fortecą. Każdy z nich ukończył specjalne kursy nurkowania. Koniecznie trzeba było prowadzić poszukiwania na zmianę, kolejno zostawiając jedną osobę na łodzi, żeby odpoczęła i przypilnowała sprzętu.

Monk tonem nieznoszącym sprzeciwu oświadczył, że chce być pierwszy.

Rachele pędziła wzdłuż wschodniego nabrzeża. Cytadela Kajtbaj rosła w oczach, wypełniając sobą cały horyzont. Z pomostu nie wydawała się aż tak ogromna. Przeszukanie otaczających ją głębin było naprawdę wyjątkowo trudnym zadaniem.

Nagle Rachele ogarnął niepokój. To był jej pomysł. A jeśli się pomyliła? Może przeoczyła jakąś wskazówkę, która kierowała ich w zupełnie inne miejsce?

Zwolniła trochę, czując, jak coraz bardziej się denerwuje.

Wcześniej podzielili rejon zatoki wokół fortecy na kwadraty, aby łatwiej było prowadzić poszukiwania. Rachele zredukowała bieg, bo zbliżali się właśnie do pierwszego miejsca, gdzie postanowili zejść pod wodę.

Obok niej pojawił się Gray. Opierając się jedną ręką o zagłówek krzesełka, przesunął delikatnie czubkami palców po plecach Rachele.

— To kwadrat A — powiedział.

Skinęła głową.

— Opuszczę kotwicę i wywieszę pomarańczową flagę dla ostrzeżenia, że w wodzie są nurkowie.

— Wszystko w porządku? — spytał, przysuwając się bliżej.

— Tak. Mam tylko nadzieję, że nie porywamy się z motyką na słońce, jak mawiacie w Ameryce.

Uśmiechnął się, a to od razu dodało jej otuchy.

— Według mnie to całkiem niezły początek. Znacznie lepszy niż to, co mieliśmy w planach, gdy wkraczaliśmy do akcji. Wolę porywać się z motyką na słońce, jak mawiamy w Ameryce, niż siedzieć z założonymi rękami.

Bezwiednie podniosła ramię, tak że przycisnęła nim jego rękę, ale on się nie cofnął.

— Moim zdaniem to dobry plan — powiedział łagodnie.

Skinęła głową, bo nagle zabrakło jej słów. Uciekła wzrokiem od jego spojrzenia, które przyciągało ją jak magnes, a następnie wyłączyła silnik i wcisnęła przycisk zwalniający kotwicę. Poczuła lekkie drżenie krzesełka, kiedy łańcuch zaczął osuwać się w głębinę.

Gray odwrócił się do pozostałych.

— Czas się ubierać. Wskoczymy do wody, sprawdzimy łączność radiową i do roboty.

Rachele zwróciła uwagę, że mówiąc to, nie zdjął ręki z jej ramienia.

To było całkiem miłe.

10.14

Gray przechylił się w tył i wpadł do morza.

Woda zalała go całkowicie, lecz ani jeden centymetr kwadratowy skóry nie był narażony na kontakt z ewentualnymi zanieczyszczeniami czy ściekami. Szwy na pokrywającym całe ciało kombinezonie zostały podwójnie złożone i specjalnie wzmocnione, a okolice szyi i nadgarstków uszczelniono dodatkowo grubą warstwą lateksu. Maska zakrywała szczelnie twarz, łącząc się z naciągniętym na głowę kapturem. Regulator ciśnienia tlenu był wbudowany w przednią część maski, dzięki czemu usta pozostały wolne.

Gray doszedł do wniosku, że warto było poświęcić trochę czasu na poprawienie w masce widzenia obwodowego, zwłaszcza że widoczność pod wodą okazała się dość ograniczona. Muł i osady sprawiały, że nie przekraczała czterech metrów.

Nieźle. Ostatecznie mogło być znacznie gorzej.

Kamizelka napełniła się powietrzem i wyniosła go na powierzchnię. Obserwował, jak z drugiej strony łodzi Vigor i Rachele po kolei skaczą do wody. Kat już od dobrych kilku chwil przebywała w morzu.

Sprawdził, czy radio ultradźwiękowe dobrze działa.

— Czy wszyscy mnie słyszą? — zapytał. — Zameldujcie się.

Zewsząd dobiegły potakujące odpowiedzi, nawet od Monka, który został na łodzi na pierwszej zmianie. Monk miał również do dyspozycji system wideo działający w podczerwieni, przeznaczony do monitorowania znajdującej się w wodzie ekipy.

— Zejdziemy na dno i będziemy posuwać się w kierunku nabrzeża. Każdy zna swoją pozycję.

Odpowiedziały mu potwierdzające mruknięcia.

— No to ruszamy — zadecydował.

Wypuścił powietrze z kamizelki i zaczął zanurzać się coraz głębiej, ciągnięty w dół przez ciężar pasa balastowego. To właśnie w tym momencie początkujący nurkowie doświadczali ataku klaustrofobii. Gray nigdy nie miał tego typu problemów. Wręcz przeciwnie, odczuwał wówczas niczym nieskrępowaną wolność. Jakby nagle jakimś cudem stawał się nieważki i zdolny do wszelkiego rodzaju akrobatyki.

Kątem oka dostrzegł Rachele, która opadała po przeciwnej stronie łodzi. Łatwo było ją zauważyć dzięki szerokiemu czerwonemu pasowi, który na wysokości klatki piersiowej przecinał na ukos jej czarny kombinezon. Każde z nich dla ułatwienia identyfikacji nosiło inny kolor: on niebieski, Kat różowy, Vigor zaś zielony. Monk także włożył już kombinezon, żeby przygotować się zawczasu na swoją kolejkę — jego pas był żółty.

Gray obserwował Rachele. Podobnie jak on zdawała się czerpać przyjemność ze swobody, której doświadczała pod wodą. Okręcała się wokół własnej osi i spiralnym ruchem posuwała się w dół, pomagając sobie minimalnymi ruchami płetw. Przez moment obserwował jej zgrabną sylwetkę, ale potem skoncentrował na zadaniu.

Na dnie wzburzyli piasek i spoczywające tam odpadki.

Gray dopasował kamizelkę tak, aby unosić się swobodnie tuż nad dnem, i rozejrzał się. Reszta ekipy także ustawiła się w podobnej pozycji.

— Czy każdy widzi pozostałych? — spytał.

Odpowiedziało mu kiwanie głowami i chór potakujących mruknięć.

— Monk, jak tam kamera?

— Wyglądacie jak stado duchów. Widoczność jest cholernie kiepska, więc stracę was z oczu, gdy tylko się ruszycie.

— To utrzymuj kontakt radiowy. W razie jakichś problemów podnoś alarm i jak najszybciej płyń w naszym kierunku.

Gray był w zasadzie przekonany, że tym razem udało im się przechytrzyć Trybunał Smoka, ale nie chciał ryzykować ponownego spotkania z Raoulem. Nie miał pojęcia, jak długo będą mieć przewagę. Jednak z drugiej strony... Dookoła znajdowało się pełno łodzi, a poza tym był biały dzień.

Mimo wszystko należało się pośpieszyć.

Gray wyciągnął w górę rękę.

— Okej, ruszamy w kierunku brzegu, utrzymując nie większy dystans niż cztery metry. Cały czas musimy mieć ze sobą kontakt wzrokowy.

We czwórkę mogli sprawdzić odcinek długości mniej więcej dwudziestu pięciu metrów. Kiedy dotrą do brzegu — oczywiście zakładając, że niczego nie znajdą — przesuną się wzdłuż linii brzegowej o kolejne dwadzieścia pięć metrów i popłyną w odwrotnym kierunku, w stronę czekającej na nich łodzi. Posuwając się w przód i w tył, przeczeszą w końcu całą linię brzegową dookoła fortu.

Ruszył pierwszy. Miał przy sobie nóż przymocowany do pochwy znajdującej się przy nadgarstku i mocną latarkę. Biorąc pod uwagę, że słońce świeciło wprost nad ich głowami i woda miała najwyżej dwadzieścia metrów głębokości, nie było potrzeby używania dodatkowego oświetlenia, ale latarka mogła się przydać przy badaniu różnych zakamarków. Nie miał wątpliwości: przejście, którego szukają, nie znajduje się na widoku ani nie zostało dotychczas odkryte.

To była następna zagadka, która czekała na rozwiązanie.

Płynąc, rozmyślał jeszcze raz o tym, czy czegoś nie pominęli. Na mapie wyrytej na kamieniu musiało być więcej wskazówek niż tylko gwiazdka oznaczająca Aleksandrię. Musiało być coś na temat bliższej lokalizacji. Czy coś im umknęło? A może Raoul skradł coś istotnego z pieczary pod grobem świętego Piotra? Czy Trybunał Smoka znał już odpowiedź?

Bezwiednie zaczął płynąć szybciej i po chwili stracił z oczu znajdującą się po prawej stronie Kat. Zwolnił i zaraz ponownie ją zobaczył. Usatysfakcjonowany znów ruszył naprzód. Nagle dostrzegł jakiś kształt sterczący z piaszczystego podłoża. Skałę? Grzbiet rafy?

Kopnął mocniej wodę.

To coś wyłoniło się z mulistego półmroku.

Co, do diabła...?

Przed sobą ujrzał kamienną ludzką twarz, zniszczoną przez działanie wody i upływ czasu. Jej spokojne rysy były jednak zdumiewająco wyraźne. Górna część tułowia wyrastała z sylwetki skulonego lwa.

Kat zauważyła jego zainteresowanie i podpłynęła bliżej.

— Sfinks?

— Jeden z wielu, jakie znajdują się w pobliżu — skwitował Vigor. — Leży na boku. Nurkowie donoszą, że w wodach dookoła fortu są ich całe tuziny. To część dekoracji dawnej latarni.

Mimo pośpiechu Gray zatrzymał się i wpatrzył w posąg. Przyglądał się twarzy, którą nieznana ręka wyrzeźbiła dwa tysiące lat temu. Ostrożnie dotknął kamiennej postaci, czując wszystkie wieki, które dzieliły go od tamtego rzeźbiarza.

Skądś odezwał się głos Vigora.

— To naprawdę niezły pomysł, że mistrzowie zagadki strzegą tej tajemnicy.

Gray cofnął rękę.

— Co masz na myśli?

Odpowiedział mu zdławiony chichot.

— Nie znasz historii sfinksa? Potwór terroryzował mieszkańców Teb, pożerając tych, którzy nie zdołali rozwiązać wymyślonej przez niego zagadki. „Jakie stworzenie obdarzone jest głosem i porusza się najpierw na czterech, później na dwóch i na końcu na trzech kończynach?".

— No, jakie? — spytał Gray.

— Człowiek — usłyszał z boku odpowiedź Kat. — Pełzamy na czworakach jako niemowlęta, potem w wieku dorosłym chodzimy na dwóch nogach, i wspieramy się na lasce jako starcy.

— Edyp rozwiązał zagadkę, a wówczas sfinks rzucił się ze skały i zginął — dokończył Vigor.

— Runął z wysokości... — powiedział Gray. — Zupełnie jak te kamienne sfinksy.

Odsunął się od posągu i popłynął naprzód, dłużej nie zawracając sobie nim głowy. Ostatecznie musieli popracować nad własną zagadką. Po następnych dziesięciu minutach spędzonych na milczącym poszukiwaniu dobrnęli do kamienistego nadbrzeża. Gray co prawda natrafił kilkakrotnie na zwaliska ogromnych kamiennych bloków, lecz nie dostrzegł żadnego przejścia, otworu ani czegoś podobnego.

— Wracamy — oznajmił.

Przesunęli się zgodnie z planem i wyruszyli w przeciwną stronę — od brzegu w kierunku łodzi.

— Jak tam, Monk, wszędzie spokojnie? — spytał Gray.

— No, już zdążyłem się ładnie opalić.

— To sprawdź, czy użyłeś kremu z odpowiednim filtrem, bo my zostaniemy na dole jeszcze przez jakiś czas.

— Aj, aj, kapitanie.

Gray kontynuował poszukiwania przez następne czterdzieści minut, płynąc w kierunku łodzi, a następnie z powrotem. Po drodze natrafił na przerdzewiały wrak statku, jeszcze większe fragmenty kamiennych bloków, złamany filar, a nawet na fragment obelisku z zatartym przez czas napisem. Przy okazji spłoszył jakąś rybę, która odpłynęła z gracją.

Sprawdził zawartość tlenu. Starał się oddychać bardzo spokojnie, więc wciąż miał jeszcze połowę zapasu.

— Jak tam wasz zapas tlenu? — spytał.

Po porównaniu zdecydował, że muszą wrócić na powierzchnię w ciągu dwudziestu minut. Tam zrobią półgodzinną przerwę, a potem znów zejdą pod wodę.

Płynąc, wrócił do swoich poprzednich rozmyślań. Instynkt podpowiadał mu, że przeoczyli coś ważnego, coś o kluczowym znaczeniu. A jeśli Trybunał Smoka zabrał z tamtej jaskini jakiś przedmiot? Może drugą wskazówkę? Znów parę razy kopnął mocniej w wodę. Za wszelką cenę musiał przestać o tym myśleć i działać dalej tak, jakby dysponował tymi samymi informacjami co Trybunał. Musiał grać jak równy z równym.

Cisza morskiej głębiny zaczynała mu ciążyć.

— To nie w porządku — mruknął.

Radio przesłało jego słowa.

— Znalazł pan coś, komandorze? — spytała Kat. Gdzieś z boku zamajaczył jej niewyraźny cień.

— Nie. Tylko pomyślałem na głos. Im dłużej tu jesteśmy, tym bardziej przekonuję się, że błądzimy.

— Przykro mi — gdzieś z dala odezwała się Rachele, a w jej głosie można było wyczuć zwątpienie. — Chyba zbyt dużą wagę przywiązywałam do...

— Nie. — Gray przypomniał sobie, jak się denerwowała, kiedy byli jeszcze na łodzi. — Rachele, moim zdaniem ty prawidłowo wskazałaś miejsce. To ja wymyśliłem zły plan. To przeszukiwanie dna kwadrat po kwadracie... Właśnie ta metoda budzi teraz moje wątpliwości.

— Ale co konkretnie ma pan na myśli, komandorze? — spytała Kat. — W końcu zdołamy przejrzeć cały obszar, choć faktycznie może nam to zająć trochę czasu.

I w tym tkwił problem. Kat ubrała go tylko we właściwe słowa. Gray nie nadawał się do systematycznej pracy, która wymagała zawziętości i metodycznego podejścia. Pewne sprawy najlepiej było rozwiązywać w ten właśnie sposób, lecz ta zagadka wymagała innego podejścia.

— Przeoczyliśmy jakąś wskazówkę — powiedział wprost. — Wiem o tym. Zorientowaliśmy się, że rysunek na płycie przedstawia mapę, doszliśmy do wniosku, że wskazuje Aleksandrię, a potem przylecieliśmy bezpośrednio tutaj. Przeglądaliśmy zapiski, księgi i pliki, żeby rozwiązać zagadkę, z którą od ponad tysiąca lat zmagały się legiony historyków. A kimże my jesteśmy, że mieliśmy nadzieję załatwić to w jeden dzień?

— Czego więc pan od nas oczekuje? — spytała Kat.

Gray zatrzymał się.

— Wracamy i spróbujemy ułożyć wszystko jeszcze raz. Oparliśmy się w naszych poszukiwaniach na zapiskach historycznych, do których każdy może mieć dostęp. Jedyną przewagą, jaką mamy nad poszukiwaczami skarbów z poprzednich wieków, jest to, co odkryliśmy pod grobem świętego Piotra. Ale to właśnie tam umknęło nam coś istotnego.

Albo to coś zostało wcześniej skradzione, pomyślał, ale nie wyraził na głos swoich obaw.

— A może nie chodzi o to, że nie zauważyliśmy jakiejś wskazówki — odezwał się Vigor. — Może tylko nie zajrzeliśmy dostatecznie głęboko. Pamiętajcie, że te zagadki były wielokrotnie złożone, że miały wiele znaczeń... Czy to możliwe, że jest w nich jeszcze inny ukryty sens?

Zapadła cisza... A potem odezwał się ktoś, kto niespodziewanie wszystko wyjaśnił.

— Ta cholerna płonąca gwiazdka... — zaklął Monk. — Ona nie wskazywała Aleksandrii. Ona wskazywała coś pod tą kamienną płytą.

Gray czuł, że Monk mówi prawdę. Wszyscy tak skoncentrowali się na wyrytej w kamieniu mapie, ognistej gwiazdce i poszukiwaniu ukrytych znaczeń, że zupełnie nie przyszło nikomu do głowy, by zwrócić uwagę na niecodzienny środek wyrazu, jakim posłużył się artysta.

— Hematyt... — mruknęła Kat.

— Co o nim wiesz? — zapytał Gray, pokładając nadzieję w jej geologicznym wykształceniu.

— To tlenek żelaza. Jego olbrzymie złoża zostały znalezione w całej Europie. Zasadniczym ich składnikiem jest żelazo, ale czasem trafiają się także spore ilości irydu i tytanu.

— Irydu? — wtrąciła Rachele. — Czy to przypadkiem nie jest jeden ze składników amalgamatu, z którego zrobione są kości Mędrców?

— Tak — odparła Kat. — Ale moim zdaniem to nie były znaczące ilości.

W jej dobiegającym przez radio głosie nagle pojawiło się napięcie.

— O co chodzi? — spytał Gray.

— Przepraszam, komandorze... Powinnam była pomyśleć o tym wcześniej. Żelazo wchodzące w skład hematytu często wykazuje słabe działanie magnetyczne, oczywiście nie tak silne jak magnetyt, ale bywa wykorzystywane jako magnes.

Gray natychmiast zrozumiał. Pierwszy grobowiec także otwierał się dzięki działaniu pola magnetycznego.

— Czyli gwiazdka nie wskazywała wyłącznie Aleksandrii, lecz namagnetyzowany kamień, który powinniśmy znaleźć.

— A w jaki sposób starożytni wykorzystywali magnesy? — W głosie Vigora zabrzmiała wzrastająca ekscytacja.

Gray znał odpowiedź.

— Robiono z nich kompasy.

Wpuścił powietrze do kamizelki i poszybował w górę.

— Wszyscy na pokład!

11.10

W ciągu zaledwie kilku minut zrzucili butle z tlenem, kamizelki i pasy balastowe. Rachele wdrapała się na miejsce pilota, zadowolona, że może wreszcie usiąść. Przycisnęła guzik, żeby podnieść kotwicę, i łańcuch z brzękiem powędrował w górę.

— Płyń powoli — upomniał ją Gray, który zajął miejsce obok niej.

— Popieram — dorzucił Monk.

— Będę patrzył na kompas — mówił dalej Gray. — A ty wolniutko popłyniesz dookoła fortu. Jeśli tylko zauważę, że igła drgnęła, zatrzymamy się i tam rozpoczniemy poszukiwania.

Rachele skinęła głową. W duchu modliła się, żeby — jeśli jakikolwiek kamień o właściwościach magnetycznych znajduje się na dnie — jego działanie okazało się wystarczająco silne dla ich pokładowego kompasu.

Po wciągnięciu kotwicy ustawiła śrubę napędową na najwolniejsze obroty. Ruch łodzi stał się niemal niezauważalny.

— Znakomicie — wyszeptał Gray.

Wolniutko sunęli naprzód. Słońce stało już wysoko nad ich głowami, więc rozłożyli daszek, żeby osłonić się przed spiekotą upalnego dnia. Monk wyciągnął się na ławeczce przy burcie i po chwili zaczął lekko pochrapywać. Nikt się nie odzywał.

Zaniepokojenie Rachele wzrastało z każdym wolnym obrotem napędzającej łódź śruby.

— A jeśli ten kamień wcale nie znajduje się tutaj? — wyszeptała do Graya, który nie spuszczał oka z kompasu. — Może jest wewnątrz fortu.

— To w drugiej kolejności przeszukamy fort. — Gray, mrużąc oczy, zerknął w kierunku kamiennej cytadeli. — Ale myślę, że miałaś rację co do tego sekretnego wejścia. Płyta hematytu zakrywała tunel, który prowadził do rzeki. Czyli do wody. Być może to kolejny ukryty sens naszej zagadki.

Siedząca z otwartą książką na kolanach Kat usłyszała jego słowa.

— A może odczytujemy zbyt wiele — zauważyła. — I na siłę staramy się niektóre rzeczy dopasować do zagadki.

Vigor siedział na dziobie, zajęty masowaniem obolałej łydki, w którą schwycił go kurcz podczas pływania.

— Sądzę, że ostateczna odpowiedź na pytanie, gdzie alchemicy ukryli wskazówkę — na lądzie czy w morzu — zależy od tego, kiedy to zrobili. Szacujemy, że stało się to około trzynastego wieku, może trochę wcześniej albo trochę później, ale że doszło do tego w krytycznym okresie konfliktu pomiędzy gnostykami i ortodoksami. Zatem czy alchemicy ukryli następną wskazówkę przed tym, czy po tym, jak w tysiąc trzysta trzecim roku latarnia w Faros runęła do morza?

Nikt nie znał odpowiedzi.

Ale kilka minut później igła kompasu drgnęła nieśmiało.

— Zatrzymaj się! — syknął Gray.

Igła zdążyła już stanąć. Kat i Vigor jak na komendę spojrzeli w ich kierunku.

Gray położył rękę na ramieniu Rachele.

— Wróć do poprzedniej pozycji.

Natychmiast wrzuciła luz. Ruch w przód po chwili ustał. Teraz trzeba było zaczekać, aż fale zepchną ich z powrotem.

Igła znów drgnęła, tym razem przekręcając się o całe dziewięćdziesiąt stopni.

— Opuść kotwicę — zarządził Gray.

Nacisnęła guzik, ledwie oddychając z wrażenia.

— Coś tam jest na dole — oznajmił Gray.

Jak na komendę wszyscy rzucili się do pełnych butli z tlenem. Monk przebudził się nagle i usiadł na ławce.

— Co jest? — spytał zaspanym głosem.

— Wygląda na to, że znowu zostajesz na straży — wyjaśnił mu Gray. — No chyba że masz ochotę trochę ponurkować?

Monk tylko się skrzywił.

Kiedy łódź została zabezpieczona, a pomarańczową flagę wciągnięto na maszt, znów zeszli pod wodę.

Rachele wypuściła powietrze z kamizelki i zniknęła pod falami. Przez radio dobiegł do niej głos Graya.

— Obserwuj kompas, który masz na nadgarstku, i wyzeruj, kiedy znajdziesz jakąś anomalię.

Opadając, Rachele uważnie obserwowała kompas. W tym miejscu było stosunkowo płytko, poniżej dziesięciu metrów. Szybko dotarła do piaszczystego dna. Reszta właśnie dopływała do celu, unosząc się jak stado wielkich ptaków.

— Nic tutaj nie ma — zauważyła Kat.

Dno morza wyglądało jak łacha piasku.

Rachele zerknęła na kompas, a potem odpłynęła na długość ciała i po chwili wróciła na miejsce.

— Ta anomalia jest dokładnie tutaj.

Gray zszedł do samego dna i przesunął nadgarstkiem nad piaszczystą powierzchnią.

— Ona ma rację — oznajmił.

Sięgnął do drugiego przegubu i wyciągnął z pochwy nóż. Zaczął dziobać ostrzem miękkie podłoże. Za każdym razem ostrze wchodziło aż po rękojeść, wzniecając tumany piasku, które ograniczały widoczność.

Przy siódmej próbie nóż trafił na coś twardego. Nie udało się go wsadzić głębiej niż na kilka centymetrów.

— Mam tu coś — powiedział Gray.

Schował nóż i zaczął kopać. W ciągu kilku chwil widoczność zepsuł unoszący się piach i Rachele straciła Graya z oczu.

A potem usłyszała, jak gwałtownie nabrał powietrza.

Podpłynęła bliżej i ujrzała, jak Gray się wycofuje. Piasek powoli ponownie osiadł na dnie.

Z morskiego dna wystawało ciemne popiersie mężczyzny.

— To chyba jest magnetyt — oznajmiła Kat, przyglądając się z bliska rzeźbie. Przesunęła kompasem wzdłuż popiersia. Igła drgnęła gwałtownie. — Działa jak magnes.

Rachele pochyliła się, wpatrując w nieruchomą twarz. Nie mogło być mowy o pomyłce. To samo oblicze widzieli już kilkakrotnie w ciągu dzisiejszego dnia.

Gray także je rozpoznał.

— To następny sfinks.

12.14

Gray spędził dziesięć minut na czyszczenie ramion i górnej części korpusu, aż dotarł do sylwetki lwa. Bez wątpienia był to jeden z wielu sfinksów rozrzuconych po morskim dnie.

— Umieścili go wśród innych — zauważył Vigor. — To chyba jednoznacznie daje nam odpowiedź na pytanie, kiedy alchemicy ukryli swój skarb.

— Już po zawaleniu się latarni — stwierdził Gray.

— Właśnie.

Zebrali się dookoła magnetycznego sfinksa, w napięciu czekając, aż piasek i muł znów osiądą na dnie.

Vigor tymczasem mówił dalej.

— To pradawne stowarzyszenie magów musiało wiedzieć, gdzie znajduje się grobowiec Aleksandra już po tym, jak w trzecim wieku został on ukryty przez Septymiusza Sewera. I pozostawili go w spokoju, ochraniając w ten sposób także najbardziej wartościowe zwoje ze zniszczonej biblioteki. A potem w tysiąc trzysta trzecim roku nastąpiło to fatalne w skutkach trzęsienie ziemi, które nie tylko zburzyło latarnię, lecz być może również odsłoniło grobowiec. Wówczas wykorzystali okazję, by schować we wnętrzu sarkofagu jeszcze więcej cennych rzeczy. Potem, korzystając z chaosu, jaki zapanował po kataklizmie, umieścili następną wskazówkę i pogrzebali ją, aby przez kolejne stulecia o niej zapomniano.

— Jeśli się nie mylisz, to z dużą dokładnością możemy określić czas, kiedy pozostawiono wszystkie wskazówki — zauważył Gray. — Jak pamiętacie, oceniliśmy, że stało się to w trzynastym wieku. A teraz możemy określić datę z dokładnością do kilku lat. Rok tysiąc trzysta trzeci. Pierwsza dekada czternastego wieku.

— Hmm... — Vigor podpłynął bliżej do posągu.

— Co?

— Zaczynam się nad czymś zastanawiać... W tym samym dziesięcioleciu prawdziwi papieże zostali wygnani z Rzymu i musieli szukać schronienia na terenie Francji. Przez następne stulecie w Rzymie rządzili antypapieże.

— A więc...?

— Podobnie kości Mędrców zostały porwane z Włoch do Niemiec w tysiąc sto sześćdziesiątym drugim roku, a więc również w okresie, gdy prawdziwy papież znajdował się na wygnaniu, a na rzymskim tronie zasiadał antypapież.

Gray podążył tym tropem.

— Czyli alchemicy ukrywali swoje dokonania za każdym razem, gdy papiestwo znajdowało się w niebezpieczeństwie.

— Przynajmniej tak mi się wydaje. To sugeruje, że stowarzyszenie alchemików miało pewne związki z papiestwem. Może w tych burzliwych czasach przyłączyli się do chrześcijan wyznających idee gnostycyzmu... Chrześcijan otwartych na poszukiwanie wiedzy tajemnej... Chrześcijan z Kościoła świętego Tomasza.

— I to sekretne stowarzyszenie połączyło się z Kościołem ortodoksyjnym?

W mulistej wodzie ujrzał, jak Vigor kiwa głową.

— Cały Kościół znalazł się w niebezpieczeństwie, więc dotyczyło to również sekretnego Kościoła. I wtedy alchemicy zaczęli szukać zabezpieczeń. W pierwszej kolejności w dwunastym wieku przeniesiono kości — w pewne miejsce do Niemiec. Potem w wypełnionych ciągłymi walkami latach wygnania ukryto prawdziwe serce wiedzy tajemnej.

— Jeśli nawet to wszystko prawda, to czy pomoże nam w poszukiwaniu grobu Aleksandra? — spytała Kat.

— Wskazówki prowadzące do grobu świętego Piotra pogrzebane zostały w historii katolicyzmu, te wskazówki mogą być związane z mitami o Aleksandrze. Z grecką mitologią. — Vigor przesunął dłonią po twarzy sfinksa. — Czy istnieje inny powód, dla którego to właśnie on strzeże wejścia?

— Grecy, mistrzowie zagadek... — mruknął Gray.

— Ten stwór zabije cię na miejscu, jeśli nie znajdziesz prawidłowej odpowiedzi — ostrzegł Vigor. — Być może wybór symbolu jest ostrzeżeniem.

Kiedy piasek opadł, Gray jeszcze raz przyjrzał się sfinksowi i jego nieprzeniknionej minie.

— To może lepiej rozwiążmy tę zagadkę — oświadczył.

12.32
Lot do Aleksandrii

Prywatny odrzutowiec Gulfstream IV otrzymał z wieży pozwolenie na lądowanie. Seichan przysłuchiwała się paplaninie załogi, dolatującej z kokpitu przez otwarte drzwi. Jej fotel znajdował się tuż obok przejścia. Przez okienko po prawej stronie wpadał do wnętrza oślepiający blask słońca.

Z lewej pojawiła się tuż obok ogromna postać.

Raoul.

Seichan nie przestała wyglądać przez okno, podczas gdy odrzutowiec najpierw położył się na skrzydło nad fioletowoniebieskimi wodami Morza Śródziemnego, a potem wyrównał lot przy ostatnim podejściu do pasa startowego.

— No i co ci powiedział ten twój informator? — spytał, cedząc każde słowo przez zaciśnięte zęby.

Musiał zauważyć, że rozmawiała przez telefon. Palce Seichan powędrowały w stronę srebrnego smoka zawieszonego na naszyjniku.

— Tamci wciąż siedzą w wodzie. Przy odrobinie szczęścia rozwikłają dla ciebie tę tajemnicę.

— Wcale tego nie potrzebuję — warknął i odszedł z powrotem do swoich ludzi. Było ich dokładnie szesnastu, wliczając mistrza.

Seichan miała już okazję spotkać szacownego watykańskiego bibliofila, doktora Alberta Menardiego — tyczkowatego mężczyznę o siwych włosach, z twarzą poznaczoną śladami po ospie, grubymi wargami i małymi, wiecznie zmrużonymi oczkami. Siedział z tyłu samolotu, zajmując się wyłącznie swoim złamanym nosem. Dostała pełne dossier na jego temat. Miał dość rozległe powiązania z pewną sycylijską organizacją o charakterze przestępczym. Wydawało się, że nawet Watykan nie może powstrzymać takich chwastów przed zapuszczaniem korzeni w jego ziemię. Jednak Seichan musiała brać pod uwagę przenikliwość umysłu tego człowieka. Jego iloraz inteligencji o trzy punkty przewyższał wynik Einsteina.

To właśnie doktor Alberto Menardi piętnaście lat temu odnalazł w bibliotece Trybunału Smoka gnostyckie teksty o uwalnianiu energii z metalicznych nadprzewodników za pomocą pola elektromagnetycznego. On nadzorował projekty badań naukowych w Lozannie i testował ich wyniki na minerałach, roslinach i zwierzętach. Te ostatnie eksperymenty przyprawiłyby o niestrawność nawet nazistowskich oprawców.

Poza tym ten człowiek wykazywał niepokojącą skłonność do młodych dziewcząt.

Ale nie z powodu seksu.

Dla sportu.

Seichan rzuciła okiem na kilka zdjęć i gorąco tego żałowała. Nawet gdyby Gildia nie wydała jej polecenia, żeby wyeliminować tego faceta, i tak by to zrobiła.

Samolot wykonał ostatnie podejście do lądowania.

Gdzieś tam, daleko w dole, pracował zespół Sigmy.

Dla niej nie stanowili żadnego zagrożenia.

Wszystko powinno pójść jak po maśle.

12

Zagadka sfinksa

26 lipca, 12.41
Aleksandria, Egipt

— Pamiętacie tamtą cholerną rybę? — odezwał się przez radio Monk z pokładu łodzi.

Cztery metry niżej Gray zmarszczył brwi i popatrzył na huśtający się nad jego głową kil. Przez ostatnie pięć minut zajmowali się rozważaniem różnych możliwości. Czyżby ten sfinks zakrywał swoim cielskiem wejście do tunelu? Ale jak ruszyć z miejsca tonę kamienia? Dyskutowali na temat możliwości wprowadzenia posągu w stan lewitacji przy użyciu sproszkowanego amalgamatu — jak w Bazylice Świętego Piotra. Gray miał pełną probówkę proszku, który pozostał po badaniach przeprowadzonych nad kością otrzymaną w Mediolanie. Ale to rozwiązanie wymagało użycia elektryczności, co raczej nie było rozsądne, wziąwszy pod uwagę fakt, że znajdowali się w wodzie.

— O jakiej rybie mówisz, Monk? — Gray widział dziś dużo ryb i skręcało go na samą myśl o nich.

— O tej z pierwszej zagadki — odpowiedział zapytany. — No wiesz, o tej namalowanej na ścianie w katakumbach.

— I co z tą rybą?

— Widzę was i ten posąg przez kamerę. Sfinks stoi przodem do wielkiego fortu.

Gray przypatrzył się uważnie. Tutaj, gdzie widoczność nie przekraczała półtora metra, trudno mu było spojrzeć na wszystko szerzej. Monk był w znacznie lepszej sytuacji. A poza tym umiejętność szerszego spojrzenia na sytuację należała do jego mocnych stron. Zawsze potrafił ogarnąć wzrokiem cały las, choć widział tylko pojedyncze drzewa.

— Katakumby... — mruknął Gray, zrozumiawszy, o co Monkowi chodziło.

Czyżby to było aż tak proste?

— Przypomnij sobie, jak musieliśmy iść w kierunku wskazanym przez pysk ryby, żeby odnaleźć następną wskazówkę — ciągnął dalej Monk. — Może ten sfinks także stoi zwrócony w stronę wejścia do tunelu.

— Monk może mieć rację — odezwał się Vigor. — Te wskazówki zostały pozostawione na początku czternastego wieku i powinniśmy wziąć pod uwagę, jaki był wówczas poziom zaawansowania technologicznego. W tamtym czasie nie było mowy o sprzęcie do nurkowania, za to z powodzeniem wykorzystywano kompasy. Ten sfinks może nie być niczym więcej jak tylko magnetycznym drogowskazem. Żeby go odnaleźć, musiałeś użyć kompasu. Teraz trzeba płynąć we wskazanym kierunku, wyjść na brzeg i tam się rozejrzeć.

— Jest tylko jeden sposób, żeby się przekonać, czy macie rację — odparł Gray. — Monk, zostań na miejscu, dopóki się nie upewnimy. Popłyniemy w stronę brzegu.

Gray uderzył energicznie w wodę i odpłynął od posągu. Zaczekał, aż będzie wystarczająco daleko, żeby znaleźć się poza zasięgiem sfinksa, i wtedy wyznaczył kurs.

— Okej, zobaczmy, dokąd nas to doprowadzi.

Wyruszył, a pozostali popłynęli za nim. Wszyscy trzymali się blisko siebie.

Brzeg znajdował się niedaleko. Skrawek lądu ostro piął się w górę. Piaszczyste dno skończyło się nagle, zastąpione przez labirynt powalonych kamiennych bloków. Wykonanych ludzką ręką.

— To muszą być fragmenty latarni w Faros — odezwał się Vigor.

Ukwiały i pąkle już dawno zawładnęły tym obszarem, tworząc coś w rodzaju rafy. Kraby próbowały czepiać się natrętów, a kolonie małych rybek pędziły we wszystkich kierunkach.

— Powinniśmy się rozdzielić i przeszukać ten teren — oświadczyła Kat.

— Nie.

Gray intuicyjnie wiedział, co powinien robić.

— To tak samo jak z tym magnetycznym sfinksem ukrytym wśród dziesiątków innych.

Odbił się od dna i powędrował wzdłuż rafy. Przez cały czas trzymał wyciągniętą przed siebie rękę, bacznie obserwując wskazania kompasu.

Nie musiał długo szukać.

Mijał właśnie jeden z bloków, kiedy igła wyraźnie drgnęła. Gray znajdował się mniej więcej metr pod powierzchnią wody. Przednia część wskazanej płyty miała mniej więcej czterdzieści centymetrów na czterdzieści.

— To tutaj — powiedział.

Pozostali natychmiast podpłynęli bliżej.

Kat wyszarpnęła z pochwy nóż i zaczęła zdrapywać morskie stworzenia.

— To też hematyt. O słabych właściwościach magnetycznych. Nigdy byś go nie znalazł ot tak, przez przypadek.

— Monk... — odezwał się Gray.

— Tak, szefie?

— Podpłyń tutaj łodzią i rzuć kotwicę.

— Już się robi.

Gray przeszukał brzeg płyty. Był dokładnie zlepiony z sąsiednimi — na górze, z dołu i po bokach — przez kolonie koralowców, piach i twarde muszelki.

— Każdy wybiera jedną stronę i zaczyna czyścić brzegi — zarządził Gray. Przypomniał sobie płytę z hematytu pod grobem świętego Piotra. Zakrywała wejście do sekretnego tunelu. Gray nie miał wątpliwości, że znajdują się na właściwej drodze.

Chociaż raz.

W ciągu kilku minut płyta została oczyszczona.

Przez wodę dobiegło do nich echo ciężkich uderzeń śruby. To Monk zbliżał się do brzegu.

— Widzę was, koledzy! — zawołał. — Wyglądacie na tej skale jak stado żab z kolorowymi pasami na grzbietach.

— Opuść kotwicę — zarządził Gray. — Tylko powoli.

— Już się robi.

Kiedy zaczął opadać ciężki, stalowy ząb, Gray podpłynął bliżej i poprowadził go w stronę hematytowej płyty. Następnie zablokował kotwicę w szczelinie i zawołał do Monka:

— A teraz ciągnij.

Monk zaczął wciągać kotwicę. Po chwili łańcuch naprężył się do granic wytrzymałości.

— Wszyscy w tył — ostrzegł Gray.

Blok zakołysał się, a w górę wzbiły się kłęby piachu. Potem kawał płyty obluzował się i runął w dół urwiska, podskakując kilkakrotnie ze stłumionym łoskotem, aż wreszcie zatrzymał się na piaszczystym podłożu. Miał grubość zaledwie trzydziestu centymetrów.

Gray poczekał tylko, aż muł opadnie na dno. W dół kamiennej ściany wciąż osuwały się odłamki skał, ale on popłynął naprzód. W szczelinie pozostawionej przez wyrwany blok ziała czarna czeluść.

Włączył latarkę przymocowaną do przegubu i skierował ją w stronę otworu. W świetle ukazał się prosty tunel, lekkim łukiem skręcający w górę. Wyglądał na potwornie wąski. Nie było mowy, żeby zmieściły się tam butle z tlenem.

Ciekawe, dokąd prowadził.

Gray bez namysłu sięgnął do sprzączek zabezpieczających butle tlenowe.

— Co robisz? — zawołała Rachele.

— Ktoś musi tam wejść, żeby rzucić okiem.

— Możemy wymontować z łodzi kamerę — zaproponowała Kat. — Potem przymocujemy ją do wędki albo wiosła i wepchniemy w tunel.

To nie był zły plan, ale wymagał czasu.

Czasu, którego im brakowało.

Gray ustawił swoją butlę na skalnej półce.

— Zaraz wracam — powiedział i nabrał potężny haust powietrza. Następnie odczepił od maski regulator i odwrócił się twarzą w stronę tunelu.

Powinien się zmieścić.

Gray przypomniał sobie zagadkę sfinksa i to, jak opisano

w niej pierwsze stadium życia człowieka. Posuwanie się na czworakach wydawało się dobrym rozwiązaniem.

Gray opuścił głowę i trzymając mocno latarkę, wysunął naprzód ramiona. Kopnął wodę i pożeglował w stronę ciasnego wejścia.

Ale kiedy już wślizgnął się do środka, przypomniał sobie wcześniejsze ostrzeżenie Vigora dotyczące zagadki sfinksa.

„Jeden błąd i jesteś martwy".

13.01

Kiedy płetwy Graya zniknęły w tunelu, Rachele wstrzymała oddech.

To było kompletne szaleństwo. A co będzie, jeśli Gray gdzieś utknie? Albo zawali się część sklepienia? Penetrowanie podwodnych jaskiń należało do bardziej niebezpiecznych form nurkowania i tylko ci, którzy lubili patrzeć śmierci w oczy, czerpali przyjemność z tego sportu.

Ale nawet oni zabierali z sobą aparaty tlenowe.

Palcami objęła grzbiet skały. Wuj Vigor podpłynął i zatrzymał się tuż obok. Położył swoją dłoń na dłoni Rachele, żeby dodać jej otuchy.

Kat przycupnęła obok otworu i skierowała promień światła w ciemny tunel.

— Nie widzę go — oznajmiła.

Rachele mocniej zacisnęła palce.

Wuj Vigor wyczuł jej drgnięcie.

— Gray wie, co robi — szepnął. — Wie, na ile może sobie pozwolić.

Czy na pewno?

Przez kilka ostatnich godzin Rachele miała okazję się przekonać, do jak szalonych czynów jest zdolny. Z jednej strony budziło to jej zachwyt, z drugiej — przerażenie. Spędziła w towarzystwie Graya wystarczająco dużo czasu, by wiedzieć, że on nie myśli tak jak inni ludzie. Zawsze działał na krawędzi ryzyka, ufając, że szybkie myślenie i znakomity refleks pomogą mu wydostać się z opałów. Lecz najbardziej przenikliwy umysł i najszybszy refleks na nic się zdadzą, jeśli na głowę wali ci się skalna ściana.

Nagle do jej uszu dobiegły fragmenty urywanych słów.

— ...mogę... jasno... w porządku

To był Gray.

— Komandorze — odezwała się głośno Kat. — Coś nam przerywa.

— ...zaczekaj...

Kat zerknęła na pozostałych. Nawet przez maskę widać było, jak marszczy brwi.

— Czy teraz lepiej? — spytał Gray. Tym razem odbiór był znacznie lepszy.

— Tak jest, komandorze.

— Wyszedłem na moment z wody i żeby z wami rozmawiać musiałem znowu zanurkować. — W głosie Graya brzmiało podekscytowanie. — Tunel jest krótki. Ten prosty odcinek zaraz skręca ku górze. Jeśli nabierzecie dużo powietrza i trochę popracujecie płetwami, bez problemu powinniście tu dotrzeć.

— A co udało się znaleźć? — spytał Vigor.

— Jakieś kamienne tunele. Wyglądają dość solidnie. Mam zamiar sprawdzić, co jest dalej.

— Idę z tobą — oświadczyła Rachele i zaczęła szarpać sprzączki spinające kamizelkę.

— Pozwól, że najpierw sprawdzę, czy to bezpieczne.

Ale Rachele zdążyła już zrzucić butlę z tlenem i kamizelkę i wcisnąć się w szczelinę. Ostatecznie Gray nie był tu jedyną osobą, której nie brakowało odwagi.

— Idę! — zawołała.

— Ja też — zdecydował Vigor.

Nabrała po raz ostatni powietrza i odsunęła na bok aparat tlenowy, a potem uwolniona od ciężaru podpłynęła do otworu i dała nura do środka. Wewnątrz było ciemno jak w grobie, a ona w pośpiechu zapomniała włączyć latarkę. Ale kiedy machnęła kilka razy nogami i wepchnęła się głębiej, z przodu ujrzała migające światło, odległe od niej nie wiecej niż o trzy metry. Bez trudu przecisnęła się dalej. Stopniowo światło przybierało na sile, a tunel zaczął się poszerzać.

Jeszcze kilka chwil i wynurzyła się nad powierzchnię niewielkiego zbiornika.

Na jej widok Gray zmarszczył czoło. Stał na skalnym brzegu, który otaczał dookoła ten owalny basenik. Nad głową Rachele znajdowała się sala o cylindrycznym kształcie. Bez wątpienia dzieło rąk ludzkich. Jej sklepienie podpierał szereg zwężających się ku górze pierścieni, co nadawało wnętrzu wygląd niewielkiej piramidy.

Gray wyciągnął rękę. Rachele nie odmówiła, choć nawet na moment nie oderwała wzroku od ścian. Pomógł jej wygramolić się z basenu.

— Nie powinnaś tu przypływać — zauważył z wyrzutem.

— Ty też — odparowała natychmiast, wciąż patrząc na ściany. — Zresztą jeśli to miejsce wytrzymało wstrząsy, które powaliły latarnię w Faros, to chyba wytrzyma moje tupanie.

Przynajmniej taką miała nadzieję.

13.04

Chwilę później pojawił się Vigor. Po prostu wynurzył się z pluskiem z basenu.

Gray westchnął. Powinien był się spodziewać, że tych dwojga nie uda mu się powstrzymać.

Rachele zrzuciła maskę i zsunęła kaptur. Potrząsnęła głową, żeby rozpuścić włosy, a potem pomogła wujowi wydostać się z basenu.

Gray wciąż miał maskę na twarzy; zanurzył głowę, bo radio działało znacznie lepiej pod wodą niż na zewnątrz.

— Kat, zostań na straży przy wyjściu z tunelu. Kiedy wychodzimy z wody, dość szybko stracimy łączność. Monk, jeśli zdarzą się jakieś kłopoty, zdaj się na Kat, ona przyprowadzi nas z powrotem.

Z obu stron dotarły potwierdzające mruknięcia, choć tym razem Kat wydawała się lekko zirytowana.

Z kolei Monk był dość zadowolony, że nigdzie nie musi się ruszać.

— Idźcie, idźcie... — mruknął. — Na razie mam dość uganiania się na czworakach między grobami.

Gray wyprostował się i także ściągnął maskę. Powietrze wewnątrz było zaskakująco świeże, może nawet rześkie od zapachu glonów i soli. W ścianach musiało znajdować się kilka szczelin.

— Tumulus — orzekł Vigor, pozbywszy się maski. Przesuwał wzrokiem po kamiennym sklepieniu. — Wzorowany na etruskim grobowcu.

Stąd pod pewnym kątem odchodziły dwa tunele. Gray nie mógł wręcz doczekać się chwili, kiedy je zbada. Jeden był wyższy, lecz węższy — mógł w nim zmieścić się zaledwie jeden człowiek. Z kolei w drugim trzeba było się pochylić, ale robił wrażenie znacznie szerszego.

Vigor dotknął bloków, z których zrobiona była ściana.

— Wapień... — powiedział. — Przycięty i ściśle dopasowany, lecz mam wrażenie... Tak, te bloki zostały połączone za pomocą ołowiu. — Odwrócił się do Graya. — Zgodnie z tym, co podają historyczne źródła, w ten sam sposób zbudowana była latarnia morska w Faros.

Rachele rozejrzała się dookoła.

— To może być część pierwotnej latarni, na przykład piwnica.

Vigor skierował się do najbliższego tunelu — tego, który był niższy.

— Zobaczmy, dokąd nas zaprowadzi.

Gray zablokował ręką przejście.

— Ja pójdę pierwszy.

Monsinior uśmiechnął się przepraszająco i skinął głową.

— Oczywiście.

Gray pochylił się i skierował w głąb promień światła.

— Oszczędzajcie baterie — polecił. — Nie wiem, ile czasu będziemy musieli tu spędzić.

Schylił głowę i wsunął się do tunelu. Ból przeszył mu plecy w miejscu, gdzie oberwał podczas strzelaniny w Mediolanie. Nagle poczuł się jak stary człowiek.

I stanął jak wryty.

Cholera!

Vigor wpadł na niego w ciemności.

— Cofnij się, cofnij się... — ponaglił go Gray.

— Co jest? — zdziwił się Vigor, ale posłusznie wypełnił polecenie.

Gray wysunął się z powrotem do sali z basenem.

Rachele popatrzyła na niego zdziwiona.

— Coś nie tak? — spytała.

— Czy słyszeliście kiedyś opowieść o człowieku, który musiał wybierać między dwojgiem drzwi? Za jednymi krył się tygrys, a za drugimi piękna kobieta.

Rachele i Vigor przytaknęli.

— Może się mylę, ale moim zdaniem w tym wypadku stoimy przed podobnym wyborem. Przed dwojgiem drzwi. — Gray wskazał na dwa ciemne tunele. — Pamiętacie tę zagadkę sfinksa o fazach życia człowieka? Najpierw na czworakach, potem prosto, na końcu zgięty. Żeby dostać się tutaj, trzeba było pełznąć — Gray przypomniał sobie, że właśnie o tym myślał, wchodząc do tunelu.

— Teraz dalej prowadzą dwie drogi — kontynuował. — Jedna, którą możesz iść wyprostowany, i druga, która zmusza cię do zgarbienia się. Jak już mówiłem, mogę się mylić, ale wolałbym wypróbować najpierw ten drugi tunel. Ten, w którym można iść bez konieczności schylania się, bo właśnie tak wygląda drugi etap życia człowieka.

Vigor przyjrzał się uważnie tunelowi, w który właśnie mieli wejść. Jako czynny zawodowo archeolog wiedział chyba wszystko na temat grobowców, które dla niewtajemniczonych mogły okazać się śmiertelnymi pułapkami. Skinął głową.

— Nie ma powodu do pośpiechu.

— Absolutnie się zgadzam.

Gray okrążył basen, żeby dojść do drugiego tunelu.

Poświecił latarką i wszedł. Mniej więcej po dziesięciu krokach wziął głębszy oddech.

W powietrzu wisiał lekki zapach stęchlizny. Ten tunel musiał prowadzić w głąb półwyspu. Gray nieomal czuł ciężar wznoszącej się nad nimi twierdzy.

Po drodze trafił na kilka ostrych występów skalnych, lecz wreszcie strumień światła ukazał koniec tunelu. Przed nimi otwierała się większa przestrzeń. Blask latarki odbił się od czegoś, co znajdowało się w głębi.

Gray znacznie zwolnił.

Pozostali stłoczyli się tuż za nim.

— Widzisz coś? — spytała Rachele, która znalazła się na końcu.

— Zadziwiające...

13.08

Na monitorze kamery Aqua-Vu Monk obserwował Kat, która śmiertelnie nudziła się przy wejściu do tunelu. Siedziała nieruchomo, kołysząc się zgodnie z ruchem fal. I właśnie wtedy, gdy ją szpiegował, zaczęła wykonywać minimalne ruchy, podwodne tai-chi. Leniwie wyprostowała nogę i obróciła ją na wysokości uda, podkreślając w ten sposób piękno swego wysmukłego ciała.

Monk przesunął palcem w dół monitora.

Doskonałe S.

Doskonałe.

Pokręcił głową i odwrócił spojrzenie. Właściwie kogo chciał nabrać?

Przeszukał płaski obszar niebieskawej wody. Miał na nosie specjalne okulary, ale mimo to ustawiczny blask słonecznego południa zaczynał męczyć mu wzrok.

I ten upał...

Nawet w cieniu musiało być ze czterdzieści stopni. Suchy kombinezon ocierał mu nieprzyjemnie skórę, Monk rozpiął więc suwak i zdjął górną część. Stał z obnażoną klatką piersiową, ale teraz cały pot zdawał się gromadzić w okolicach krocza.

A w dodatku potwornie chciało mu się sikać.

Chyba powinien odstawić tę dietetyczną colę.

Jego wzrok przyciągnął ruch w pobliżu odległego półwyspu. Na wody zatoki wysunął się wielki, wysmukły statek w kolorze ciemnogranatowym. Monk odczytał napis na dziobie. To nie był zwyczajny statek, lecz wodolot. Pędził z lekko uniesionym dziobem. Bez trudu przeskakiwał niewielkie fale, podobny do sań sunących po lodzie.

Cholera, ależ był szybki.

Monk obserwował, jak wodolot wykonuje dookoła skrawka lądu zakręt o pełne dziewięćdziesiąt stopni. Za mały jak na prom pasażerski, pomyślał. Pewnie to prywatna zabawka jakiegoś bogatego Araba. Podniósł do oczu lornetkę i poszukał statku. Dobrych kilka chwil upłynęło, zanim go znalazł.

Na dziobie dostrzegł dwie panienki w bikini. Tu nie było mowy o skromności owiniętej w burki. Monk zdążył już obejrzeć przez lornetkę parę innych łodzi kręcących się dookoła portu i zapamiętać ich pozycje. Na jednym malutkim jachcie trwała właśnie superzabawa, a szampan lał się strumieniami. Na drugim stateczku, wielkości łodzi mieszkalnej, jakaś starsza para w strojach Adama i Ewy spędzała mile czas. Najwyraźniej Aleksandria była egipskim odpowiednikiem amerykańskiego Fort Lauderdale.

— Monk! — odezwała się przez radio Kat.

Monk miał na uszach słuchawki połączone z przekaźnikiem.

— O co chodzi, Kat?

— Cały czas odbieram przez radio pulsujący szum. Czy to ty?

Opuścił lornetkę.

— Nie, nie ja. Czekaj, zaraz włączę na przekaźniku identyfikację. Może po prostu odbierasz czyjąś echosondę?

— W porządku.

Monk zerknął znów w stronę wodolotu, który zwolnił i zanurzył się głębiej w wodę. Wyraźnie zaczęło go znosić w kierunku dalszego odcinka portu.

Dobrze.

Monk zapamiętał jego pozycję wśród innych statków — jeden pionek więcej na szachownicy, którą miał w głowie — i skoncentrował się na przekaźniku systemu łączności. Przekręcił przełącznik dalekiego zasięgu do oporu, aż urządzenie wydało z siebie przeciągły pisk, a potem zresetował.

— I jak teraz? — spytał.

— Lepiej — odpowiedziała Kat. — Szum zniknął.

Monk pokręcił głową. Cholerne gówno...

— Daj mi znać, jeśli znów będą jakieś zakłócenia.

— Na pewno. Wielkie dzięki — odparła Kat.

Monk przyjrzał się jej wysmukłym kształtom na ekranie i westchnął. Po co zwracał uwagę na takie rzeczy? Podniósł do oczu lornetkę, żeby sprawdzić, gdzie się podziały te dwie panienki w bikini.

13.10

Rachele wsunęła się do komnaty ostatnia. Dwaj mężczyźni, którzy weszli tu przed nią, zdążyli się już rozdzielić. Mimo zaleceń Graya, żeby oszczędzać baterie, Vigor nie wytrzymał i pstryknął włącznikiem własnej latarki.

Strumienie światła wydobyły z mroku kolejną salę o cylindrycznym kształcie, zwieńczoną kopulastym sklepieniem. Tynk pokrywający sufit został pomalowany na czarno, a na tym ciemnym tle świeciły jasnym blaskiem dziesiątki srebrnych gwiazd. Tylko że te gwiazdy nie zostały namalowane, lecz zrobione z osadzonego w suficie metalu.

Spód kopuły odbijał się w wodzie, która pokrywała całą podłogę. Wyglądało na to, że woda sięga mniej więcej do kolan. Odbicia gwiazd miały sprawiać wrażenie, że wypełniają one całą przestrzeń, zarówno na górze, jak i na dole.

Ale mimo wszystko to nie ten widok zapierał dech w piersiach.

W centralnej części komnaty, dokładnie pośrodku lustra wody, stała olbrzymia piramida ze szkła, wysokości dorosłego mężczyzny. Zdawała się unosić w środku tej tajemniczej przestrzeni.

Piramida połyskiwała znajomą, złotawą poświatą.

— Czyżby to było...? — zamruczał Vigor.

— Złote szkło — dokończył Gray. — Olbrzymi nadprzewodnik.

Rozeszli się wzdłuż kamiennej krawędzi, która otaczała basen. Na brzegach zanurzone w wodzie stały cztery miedziane naczynia. Wuj Vigor przyjrzał się z bliska jednemu z nich, a potem ostrożnie ruszył je z miejsca. To starożytne lampy, przemknęło przez głowę Rachele. Na szczęście oni przynieśli własne oświetlenie.

Obejrzała dokładnie niezwykłą konstrukcję stojącą pośrodku basenu. Piramida została wzniesiona na planie kwadratu, podobnie jak piramidy w Gizie.

— Coś tam jest w środku — oznajmiła Rachele.

Odbicia promieni światła od szklanej powierzchni praktycznie uniemożliwiały dostrzeżenie jakichkolwiek szczegółów wnętrza piramidy. Rachele bez namysłu wskoczyła do basenu. Tak jak się spodziewała, woda sięgała jej trochę za kolana.

— Ostrożnie! — zawołał Gray.

— Tak jakbyś ty był zawsze ostrożny. — Zaśmiała się, brnąc w stronę środka basenu.

Pluśnięcia oznajmiły jej, że panowie zdecydowali się powtórzyć jej manewr. We trójkę zbliżali się do szklanej konstrukcji. Gray i wuj Vigor ustawili latarki tak, by oświetlały wnętrze piramidy.

Z mroku wyłoniły się dwa cienie.

Jeden znajdował się dokładnie pośrodku piramidy. Był to olbrzymi palec, wyrzeźbiony z brązu i wzniesiony ku górze, tak wielki, że Rachele wątpiła, czy dałaby radę go objąć. Na pierwszy rzut oka zauważyła mistrzowskie wykonanie szczegółów, od przyciętego równiutko paznokcia po niewielkie zmarszczki w okolicach kostki.

Ale przede wszystkim jej uwagę przyciągnął nieruchomy kształt u podstawy palca. Na kamiennym ołtarzu spoczywała jakaś postać w koronie, z twarzą pokrytą złotem i przybrana w zwoje białego materiału. Oba jej ramiona wyciągnięte były na boki, jak u ukrzyżowanego Chrystusa. Złota twarz miała wyraźnie greckie rysy.

Rachele odwróciła się do wuja.

— Aleksander Wielki... — szepnęła.

Wuj wolnym krokiem obszedł piramidę dookoła i przyjrzał się jej wnętrzu ze wszystkich stron. W jego oczach lśniły łzy wzruszenia.

— Jego grób... Historyczne dokumenty podają, że miejscem spoczynku Aleksandra był grobowiec ze szkła...

Wyciągnął rękę w kierunku dłoni leżącej zaledwie kilka centymetrów dalej, ale potem pomyślał o czymś i odsunął się.

— O co chodzi z tym palcem z brązu? — spytał Gray.

Vigor cofnął się do nich.

— Ja... Ja myślę, że to część kolosa rodyjskiego — olbrzymiego posągu, który wznosił się nad portem wyspy. Przedstawiał Heliosa, ale jego pierwowzorem był właśnie Aleksander Wielki. Nikt nie przypuszczał, że jakikolwiek fragment kolosa zachował się do naszych czasów.

— A teraz okazało się, że jego pozostałości pełnią funkcję kamienia nagrobnego Aleksandra... — dodała Rachele.

— Moim zdaniem wszystko, co tu widzimy, jest częścią ostatniej woli Aleksandra — odparł jej wuj. — I hołdem oddanym nauce oraz wiedzy, którą wspierał. To właśnie w Bibliotece Aleksandryjskiej Euklides sformułował aksjomaty geometrii. Spójrzcie, dookoła są same trójkąty, piramidy i koła.

Następnie Vigor wskazał w górę i w dół.

— Ta podzielona przez wodę przestrzeń nawiązuje do prac Eratostenesa, który w Aleksandrii obliczył średnicę kuli ziemskiej. A nawet sam fakt obecności wody... Musi być zasilana przez jakieś drobne kanały, skoro basen wciąż jest pełny. Właśnie w bibliotece Archimedes zaprojektował pierwszą pompę zwaną śrubą Archimedesa, która jest w użyciu po dzień dzisiejszy.

Vigor z podziwem pokręcił głową.

— Wszystko dookoła jest pomnikiem poświęconym pamięci Aleksandra i zniszczonej Biblioteki Aleksandryjskiej.

Ta wzmianka nasunęła Rachele pewną myśl.

— No właśnie, czy tu nie powinny znajdować się jakieś księgi? Przecież Sewer właśnie w grobowcu ukrył najcenniejsze zwoje.

Vigor rozejrzał się dookoła.

— Musiały zostać zabrane stąd po trzęsieniu ziemi. Wtedy, kiedy alchemicy zostawiali wskazówki. I przeniesione do jakiejś tajemnej krypty, której właśnie szukamy. Na pewno jesteśmy już blisko.

Rachele usłyszała drżenie w głosie wuja. Jak wspaniałe od-krycia jeszcze ich czekają?

— Ale zanim stąd odejdziemy, trzeba rozwiązać zagadkę — zauważył Gray.

— Nie — odparł twardo Vigor. — Jak dotąd nie wiemy nawet, na czym ona polega. Przypomnij sobie to, co stało się w grobie świętego Piotra. Musimy przejść pewien rodzaj testu. Dowieść naszej wiedzy, tak jak Tybunał Smoka dowiódł, że rozumie ideę magnetyzmu. Dopiero po tym tajemnica zostanie ujawniona.

— Więc co mamy robić? — spytał Gray.

Vigor dał krok w tył, nie odrywając oczu od szklanej kon-strukcji.

— Musimy aktywować tę piramidę.

— W jaki sposób chcesz ją aktywować?!

Vigor odwrócił się w jego stronę.

— Będę potrzebował jakiegoś napoju gazowanego.

13.16

Gray czekał, aż Kat przyniesie z łodzi resztę puszek coli. Potrzebne były jeszcze dwa sześciopaki.

— Czy to ma być zwykła cola, czy dietetyczna? — spytał Vigora.

— Bez różnicy — odparł zapytany. — Po prostu potrzebuję czegoś, co zawiera kwas. Mógłby być nawet sok z cytryny albo ocet.

Gray zerknął na Rachele, ale ona tylko pokręciła głową i wzruszyła ramionami.

— A mógłbyś nam wytłumaczyć, o co chodzi?

— Pamiętacie, jak otwierał się pierwszy grobowiec? — spytał Vigor. — Wiedzieliśmy, że w starożytności ludzie dobrze znali właściwości magnetyczne materiałów. Magnesy były szeroko rozpowszechnione i często używane. Chińskie kompasy pochodzą nawet z drugiego wieku przed Chrystusem. Żeby posunąć się naprzód, musieliśmy dowieść, że wiemy co nieco na temat magnetyzmu. Dzięki temu udało nam się dotrzeć aż tutaj. Bo znaleźliśmy pod wodą magnetyczny drogowskaz.

Gray skinął głową.

— A teraz musimy przeprowadzić eksperyment świadczący o tym, że nieobce nam są cuda nauki.

Dalszy wywód przerwało mu przybycie Kat. Wyłoniła się z basenu, ściskając pod pachą jeszcze dwa sześciopaki, dzięki czemu mieli teraz aż cztery.

— Kat, będziesz nam potrzebna przez chwilę — oznajmił Vigor. — Ten eksperyment wymaga obecności czterech osób.

— Jak tam sprawy na górze? — spytał Gray.

W odpowiedzi wzruszyła ramionami.

— Spokojnie. Monk naprawiał radio, bo było strasznie dużo zakłóceń.

— Daj mu znać, że przez parę minut będziesz poza zasięgiem — powiedział Gray. Informacja o zakłóceniach nieco go zaniepokoiła, ale z drugiej strony naprawdę potrzebowali jeszcze trochę czasu, żeby odkryć kolejną wskazówkę.

Kat dała nura pod wodę i przekazała wiadomość, a potem szybko wspięła się na brzeg i wszyscy udali się z powrotem do grobu Aleksandra.

Vigor machnął ręką, żeby się rozeszli, i wskazał na cztery miedziane naczynia o kształcie słoi, stojące na obrzeżach basenu.

— Niech każde z was zabierze sześciopak coli i zajmie miejsce przy słoju — polecił.

Rozeszli się, jak im kazał.

— Czy monsinior będzie tak uprzejmy i zdradzi nam, po co to robimy? — spytał Gray.

Vigor skinął głową.

— Zademonstrujemy kolejny cud nauki. To, co musimy zaprezentować, było znane nawet Grekom. Nazywali to *electrikus*. Tak określali ładunki elektrostatyczne, które uzyskiwali, pocierając materiałem o bursztyn. Widzieli je w formie błyskawic i wzdłuż masztów swoich statków w postaci ogni świętego Elma.

— Elektryczność... — powiedział Gray.

— Tak jest — przytaknął Vigor. — W tysiąc dziewięćset trzydziestym ósmym roku niemiecki archeolog Wilhelm König odkrył w Narodowym Muzeum Iraku pewną liczbę dziwnych glinianych słojów. Miały tylko piętnaście centymetrów wysokości i wszyscy sądzili, że są dziełem Persów — mieszkańców krainy, z której wywodzili się biblijni Trzej Królowie. Najdziwniejsze w tym wszystkim było to, że każdy ze słojów był zatkany asfaltem, a z wierzchu wystawał miedziany cylinder z żelaznym prętem w środku. Ten opis wyda się znajomy każdemu, kto wie, jak dzięki reakcji chemicznej można wytworzyć prąd.

Gray zmarszczył brwi.

— A jak wytłumaczyć to tym mniej obeznanym?

— Te słoje... One były czymś w rodzaju prototypu baterii. Nawet nosiły nazwę baterii bagdadzkich.

Gray pokręcił głową.

— Antyczne baterie? Coś podobnego...

— Ludzie z General Electric i czasopisma „Science Digest" w tysiąc dziewięćset pięćdziesiątym siódmym roku zbudowali repliki tych słojów. Następnie wypełniono słoje octem i okazało się, że w ten sposób można było uzyskać całkiem sporo energii elektrycznej.

Gray wpatrzył się w stojące u jego stóp pojemniki, przypominając sobie, że monsinior zażądał gazowanego napoju lub czegokolwiek, co zawierałoby roztwór kwasu. Zauważył żelazne druty wystające z wierzchu solidnych miedzianych słojów.

— Chcesz powiedzieć, że to są baterie? Takie antyczne Duracell Coppertops?

Popatrzył na wypełniony basen. Jeśli Vigor miał rację, to wydawało się jasne, dlaczego słoje tkwiły w morskiej wodzie. Jakikolwiek impuls wytworzony przez baterie zostałby natychmiast przekazany wodą do piramidy.

— Czemu nie spróbujemy odpalić tej piramidy? — spytała Kat. — Można przecież przynieść akumulator z łodzi.

Vigor pokręcił głową.

— Według mnie prawidłowa aktywacja wymaga określonej ilości prądu i odpowiedniego umiejscowienia baterii. Uważam, że powinniśmy się trzymać oryginalnych rozwiązań, kiedy chodzi o wyzwolenie siły ukrytej w nadprzewodniku... Zwłaszcza w nadprzewodniku tych rozmiarów.

Gray całkowicie się z nim zgadzał. Pamiętał doskonale wstrząsy i zniszczenia wewnątrz bazyliki, choć tam w grę wchodził jedynie pojedynczy cylinder wypełniony proszkiem w stanie m. Popatrzył raz jeszcze na olbrzymią piramidę i doszedł do wniosku, że lepiej postąpić zgodnie z radą monsiniora.

— To co robimy? — spytał.

Vigor popukał w wieko jednej z puszek coli.

— Według mnie trzeba po prostu napełnić puste baterie. — Popatrzył na swoich towarzyszy. — Ach, i sugeruję, żebyśmy się stąd odsunęli.

13.20

Monk siedział za kołem sterowym i z nudów popukiwał pustą puszką po coli w reling. To czekanie wykończyło go do reszty. Może pomysł z nurkowaniem wcale nie był taki zły. W miarę jak rosła temperatura powietrza, perspektywa zanurzenia w wodzie wydawała się coraz bardziej pociągająca.

Głośne dudnienie po przeciwnej stronie portu przyciągnęło jego wzrok.

Wodolot znów dokądś płynął, choć jeszcze przed chwilą wydawało się, że zakotwiczył na dobre. Monk nasłuchiwał, jak silnik zwiększa obroty. Na pokładzie jednostki panowało nadzwyczajne ożywienie.

Sięgnął po lornetkę. Lepiej być nadmiernie ostrożnym, niż potem żałować.

Jednak zanim podniósł lornetkę do oczu, zerknął w monitor kamery. Wejście do tunelu nadal świeciło pustkami.

Co mogło zatrzymać Kat aż tak długo?

13.21

Gray opróżnił trzecią puszkę coli, wlewając jej zawartość do cylindrycznego rdzenia słoja. Płyn zakipiał i spłynął po miedzianych ściankach baterii. Słój był pełny.

Podniósł się z kolan i dopił ostatni łyk coli.

Fuj... Dietetyczna.

Pozostali skończyli mniej więcej w tym samym czasie. Teraz wstali i odsunęli się od brzegów basenu.

Z każdego z cylindrów ulała się niewielka ilość spienionego płynu. Poza tym nic się nie wydarzyło. Może coś źle zostało zrobione albo napój gazowany nie nadawał się do tego celu. Albo — co najbardziej prawdopodobne — cały plan monsiniora był kiepski.

W pewnej chwili samotna iskra zamigotała na końcu żelaznego pręta w słoju napełnionym przez Graya i spłynęła w dół miedzianej ścianki, żeby zakończyć swój krótki żywot w morskiej wodzie.

Podobne mizerne efekty pirotechniczne uzyskano z reszty baterii.

— To może potrwać parę minut, zanim w bateriach wytworzy się odpowiednie napięcie — oznajmił Vigor, lecz w jego głosie brakowało dawnej pewności siebie.

Gray zmarszczył brwi.

— Nie sądzę, żeby to w ogóle...

Nagle równocześnie ze wszystkich baterii wystrzeliły łuki elektryczne i z trzaskiem przedarły się przez powierzchnię wody, zanurzając ogień w jej głębi, a następnie uderzyły w cztery boki piramidy.

— Cofnąć się pod ścianę! — ryknął Gray.

Ale to ostrzeżenie okazało się całkiem zbyteczne. Podmuch od strony piramidy dosłownie cisnął nimi o mur. Jego siła była tak ogromna, że Gray poczuł się tak, jakby leżał na plecach, a cała komnata wirowała wokół niego. Odwrócona podstawą ku górze piramida nagle znalazła się nad nim.

Mimo to Gray zachował na tyle przytomności umysłu, by zdać sobie sprawę, co to za zjawisko.

To pole Meissnera, które potrafiło wprawiać w stan lewitacji masywne grobowce.

A potem zaczął się pokaz ogni sztucznych.

Ze wszystkich powierzchni piramidy pomknęły w górę zygzaki błyskawic i rozbiły się o powierzchnię kopuły, trafiając w osadzone tam srebrne gwiazdy. Wstrząs dosięgnął także poziomu wody, atakując unoszące się w niej odbicia gwiazd.

Choć ten widok przepalał mu siatkówkę, to jednak Gray za nic na świecie nie zamknąłby teraz oczu. Ryzyko oślepnięcia nie miało znaczenia. W miejscach gdzie błyskawice uderzały w wodę, wybuchały płomienie żywego ognia i tańczyły po powierzchni basenu.

Ogień z wody!

Wiedział, czego jest świadkiem. Nastąpiła elektroliza wody na wodór i tlen. To właśnie ten gaz zaczynał płonąć.

Schwytany w pułapkę Gray obserwował ogień na górze i na dole. Ledwo potrafił ogarnąć umysłem siłę, którą uwolnili.

Czytał teoretyczne rozprawy o tym, że nadprzewodnik może magazynować energię — nawet światło — przez nieskończenie długi czas. A w doskonałym nadprzewodniku ilość energii czy światła może być nieskończona.

Czyżby był świadkiem właśnie takiego procesu?

Jednak zanim zdołał pojąć w pełni to, co się działo, energia wyczerpała się jak burza z błyskawicami — efektowna, lecz krótka.

Pole Meissnera wygasło, a świat wrócił do pierwotnej pozycji. Nagle Gray poczuł, że jego ciało zostało uwolnione. Odruchowo zrobił krok w przód, zachwiał się i o mały włos nie wpadł do basenu. Ognie zakończyły swój żywot w wodzie. Moc energii uwięzionej wewnątrz piramidy uległa wyczerpaniu.

Nikt się nie odezwał.

Wszyscy w milczeniu podeszli bliżej, pragnęli obecności innych osób.

Vigor pierwszy pozbierał się na tyle, żeby wykonać jakiś konkretny ruch. Wskazał na sklepienie komnaty.

— Patrzcie.

Gray wyciągnął szyję. Czarna farba i srebrne gwiazdy nadal były na swoich miejscach, lecz teraz na sklepieniu kopuły żarzył się dziwny, ognisty napis.

όπως είναι ανωτέρω, ετσι είναι κατωτέρω

— To właśnie jest wskazówka! — zawołała Rachele.

Kiedy patrzyli, litery nagle zaczęły blednąć. Podobnie jak ognista gwiazdka na czarnej płycie z hematytu ukrytej pod grobem świętego Piotra; objawienie trwało jedną krótką chwilę.

Gray rzucił się w stronę swojej wodoszczelnej kamery, żeby koniecznie to sfilmować, ale Vigor go powstrzymał.

— Wiem, co tam jest napisane. To po grecku.

— Możesz przetłumaczyć?

Monsinior skinął głową.

— To nic trudnego. Ten tekst przypisywany jest Platonowi, określa, w jaki sposób gwiazdy wywierają na nas swój wpływ, będąc w istocie naszym odbiciem. To zdanie stało się fundamentem astrologii i kamieniem węgielnym wierzeń gnostycznych.

— Jak brzmi? — pytał Gray.

— „Jak jest na górze, tak i na dole".

Gray wpatrzył się w usiany gwiazdami sufit i na ich odbicie w wodzie wypełniającej basen. Na górze i w dole. To samo zostało wyrażone w formie wizualnej.

— Tylko co to znaczy?

Rachele odłączyła się od grupy i wolnym krokiem okrążała komnatę. Nagle usłyszeli zza piramidy jej wołanie, a potem plusk wody.

— Tutaj!

Ruszyli biegiem w tamtym kierunku i ujrzeli, jak brnie przez wodę w stronę piramidy.

— Ostrożnie! — ostrzegł Gray.

— Spójrzcie tylko — szepnęła.

Gray zatoczył koło i zobaczył w końcu, co wzbudziło w Rachele taką ekscytację. Maleński fragment ściany zniknął w czasie burzy elektrycznej. W otwartym zagłębieniu spoczywała wyciągnięta ręka Aleksandra, a dłoń zaciśnięta była w pięść.

Rachele sięgnęła w tamtym kierunku, ale Gray ją odsunął.

— Pozwól, że ja to zrobię.

Wyciągnął rękę i dotknął martwej dłoni, zadowolony, że wciąż ma na sobie rękawice do nurkowania. Kruche ciało było twarde jak kamień. Między zaciśniętymi palcami błyszczał jakiś złoty drobiazg.

Zagryzając zęby, Gray odłamał jeden z palców, czym zasłużył na pełne oburzenia sapnięcie Vigora.

Nic na to nie mógł poradzić.

Z pięści Aleksandra wysupłał złoty klucz długości siedmiu centymetrów, o grubych zębach i zakończony z jednej strony krzyżem. Klucz okazał się zadziwiająco ciężki.

— Klucz... — powiedziała Kat.

— Tylko gdzie jest zamek? — dodał Vigor.

Gray cofnął się o krok.

— Tam, dokąd teraz powinniśmy iść — odparł i popatrzył na sklepienie, gdzie jeszcze przed chwilą znajdowały się greckie litery.

— Jak jest na górze, tak i na dole... — powtórzył Vigor, zauważywszy to spojrzenie.

— Ale jak to należy rozumieć? — Gray wsunął klucz do kieszeni na udzie. — Dokąd te słowa nas kierują?

Rachele odsunęła się o krok. Powoli zatoczyła krąg, przyglądając się uważnie komnacie. Nagle zatrzymała się i poszukała wzrokiem Graya. Dostrzegł w jej oczach niezwykły blask i wiedział już, co to oznacza.

— Wiem, gdzie powinniśmy zacząć.

13.24

W wystającym ponad pokład wodolotu przedziale pilota Raoul zapinał zamek błyskawiczny w skafandrze do nurkowania. Łódź, na której się znajdowali, należała do Gildii i wynajęcie jej kosztowało Trybunał Smoka małą fortunę. Dziś nie mogli sobie pozwolić nawet na najmniejszy błąd.

— Podprowadź nas szerokimi zakolami tak blisko, jak się da bez wzbudzania podejrzeń — rozkazał kapitanowi, Murzynowi, którego policzki pokrywały blizny.

Dwie młode kobiety — jedna czarna i jedna biała — zajęły miejsca po obu stronach mężczyzny. Miały na sobie jedynie skąpe bikini, co stanowiło doskonały kamuflaż, ale w ich spojrzeniach czaiła się nieubłagana siła.

Kapitan nie znał Raoula, ale posłusznie przekręcił koło sterowe i maszyna skręciła.

Raoul odwrócił się plecami do kapitana i jego kobiet i skierował do drabinki prowadzącej na dolny pokład.

Nienawidził przebywać na statku, który nie podlegał bezpośrednio jego rozkazom. Dołączył do zespołu dwunastu ludzi, których zadaniem było nurkowanie. Pozostali trzej mieli obsługiwać karabiny sprytnie wmontowane w dziób i po dwóch stronach rufy. Ostatni członek zespołu, doktor Alberto Menardi, siedział w jednej z kabin i tam w spokoju pracował nad kolejną zagadką.

Ach, oprócz tego na pokładzie przebywał pewien nieproszony gość.

Ta kobieta.

Seichan stała w częściowo zapiętym kombinezonie, z suwakiem dociągniętym mniej więcej do wysokości pępka. Cienka warstwa neoprenu ledwie skrywała jej piersi. Stała obok swoich butli tlenowych i podwodnych sanek. Jednoosobowy pojazd wyposażony był w dwa silniki odrzutowe, dzięki którym nurek mógł przemieszczać się pod wodą z szybkością błyskawicy.

Eurazjatycka piękność zerknęła na niego. Dla Raoula jej mieszane pochodzenie było czymś absolutnie odstręczającym, ale musiał przyznać, że do tej pory ta kobieta dobrze mu służyła. Przesunął wzrokiem po nagiej talii i na wpół odkrytych piersiach. Dwie minuty sam na sam wystarczyłyby mu w zupełności, żeby raz na zawsze zetrzeć jej z buźki bezczelny uśmieszek.

Jednak na razie musiał tolerować obecność tej suki.

Ostatecznie to było terytorium Gildii.

Seichan uparła się, żeby wyruszyć na akcję razem z zespołem, który miał przeprowadzić atak.

— Będę tylko obserwować i służyć wam radą — mruknęła. — Nic więcej.

Ale mimo jej zapewnień Raoul zauważył, że oprócz sprzętu do nurkowania zabierała pod wodę kuszę.

— Za trzy minuty zaczynamy — oznajmił.

Wejdą na pokład, kiedy wodolot zwolni, żeby okrążyć półwysep — jak grupka turystów, którzy chcą z bliska rzucić okiem na stary fort. Stamtąd popłyną na miejsce, a wodolot będzie krążył w pobliżu, gotów wesprzeć ich ogniem z karabinów, gdyby okazało się to konieczne.

Seichan podciągnęła do końca suwak.

— Kazałam naszemu operatorowi od czasu do czasu zakłócać im przekaz. Kiedy więc radio zupełnie przestanie działać, wzbudzi to mniejsze podejrzenia.

Raoul skinął głową. Seichan potrafiła być użyteczna. Właśnie dlatego czuł dla niej respekt.

Po raz ostatni zerknął na zegarek, a potem podniósł rękę i palcem wskazującym zatoczył kółko.

— Wszyscy na pokład — zarządził.

13.26

Rachele uklękła na kamiennej podłodze w tunelu prowadzącym do grobu Aleksandra. Pilnie pracowała nad swoim pomysłem, żeby dowieść, iż ma rację.

Gray odwrócił się do Kat.

— Lepiej wracaj na miejsce i skontaktuj się z Monkiem. To trwało nieco dłużej niż parę minut. Myślę, że zaczął się już niepokoić.

Kat skinęła głową, ale jej wzrok nie przestawał krążyć dookoła komnaty, aż spoczął na piramidzie. Z wyraźną niechęcią odwróciła się i skierowała do tunelu, który prowadził do pierwszego basenu.

Vigor zakończył właśnie inspekcję komnaty. Jego twarz wciąż promieniała z zachwytu.

— Nie sądzę, żeby powtórka była możliwa.

Gray wskazał podbródkiem w stronę Rachele.

— Ta złota piramida musiała działać jak kondensator. Magazynowała energię wewnątrz, w rdzeniu nadprzewodnika... Aż do momentu gdy wstrząs elektryczny uwolnił ładunek, wywołując reakcję łańcuchową, po której piramida została opróżniona.

— A to oznacza, że nawet jeśli ludzie Trybunału Smoka odkryją tę komnatę, nigdy nie odczytają tekstu zagadki — oświadczył Vigor.

— Ani nie zdobędą złotego klucza — dodał Gray, gładząc się po kieszeni na udzie. — W końcu udało się nam wyprzedzić ich o cały krok.

Rachele usłyszała w jego głosie ulgę, ale i satysfakcję.

— Najpierw musimy rozwiązać zagadkę — przypomniała mu. — Mam pewien pomysł, skąd zacząć.

Gray podszedł bliżej.

— Nad czym pracujesz?

Rachele rozpostarła na kamieniach mapę rejonu śródziemnomorskiego — tę samą, którą wykorzystała, aby zademonstrować, że inskrypcja na płycie hematytu przedstawia linię brzegową wschodniej części Morza Śródziemnego. Czarnym pisakiem pracowicie naniosła na mapę punkty i pod każdym podpisała jego nazwę.

Siadając, machnęła ręką w kierunku komnaty grobowej.

— Ta sentencja — „Jak jest na górze, tak i na dole" — pierwotnie znaczyła, że pozycja gwiazd znajduje odzwierciedlenie w naszym życiu.

— Na tym polega astrologia — zauważył Gray.

— Niezupełnie — sprzeciwił się Vigor. — Gwiazdy naprawdę rządziły starożytnymi cywilizacjami. Konstelacje czuwały nad zmianami pór roku, były drogowskazami podczas podróży i domem bogów. Cywilizacje oddawały im cześć, wznosząc budowle, które miały stanowić odbicie gwiaździstej nocy. Nowa teoria na temat trzech piramid w Gizie głosi, że zostały one ustawione tak, by odpowiadały układowi trzech gwiazd z pasa Oriona. Nawet w bliższych nam czasach każda katolicka katedra czy bazylika była budowana na osi wschód—zachód, żeby zaznaczyć wschody i zachody słońca. Ciągle honorujemy tę tradycję.

— Z tego wynika, że trzeba poszukać jakichś wzorów — powiedział Gray. — Czegoś znaczącego na niebie albo na ziemi.

— I ten grób nam mówi, na co powinniśmy zwrócić uwagę — oświadczyła Rachele.

— To ja chyba jestem kompletnie głuchy — odparł Gray.

Jej wuj zdążył już się zorientować, co miała na myśli.

— Brązowy palec z posągu kolosa — powiedział, wpatrując się w grobowiec. — Olbrzymia piramida, być może przedstawiająca jedną z piramid w Gizie. Resztki latarni morskiej w Faros nad naszymi głowami. Cylindryczny kształt komnaty być może stanowi nawiązanie do mauzoleum z Halikarnasu.

— Bardzo przepraszam — Gray zmarszczył brwi. — Mauzoleum skąd?

— To mauzoleum było jednym z siedmiu cudów świata — podpowiedziała Rachele. — Pamiętaj, jak bardzo Aleksander był z nimi związany.

— Prawda — przypomniał sobie Gray. — Jego urodziny miały coś wspólnego z jednym cudem, a śmierć z innym.

— Ze świątynią Artemidy. — Vigor skinął głową. — I z Wiszącymi Ogrodami Semiramidy. Wszystkie były związane z postacią Aleksandra...

Rachele wskazała na mapę, nad którą pracowała.

— Zaznaczyłam ich położenie. Są rozproszone po całym

basenie wschodniej części Morza Śródziemnego, ale wszystkie znajdują się w tym regionie, który został nakreślony na płycie hematytu.

Gray przestudiował mapę.

— Uważasz, że powinniśmy przyjrzeć się, czy w ich układzie nie ma jakiegoś wzoru?

— Jak jest na górze, tak i na dole — zacytował Vigor.

— Nawet nie wiemy, od czego zacząć...

— Od czasu — odparła Rachele. — A raczej od upływu czasu, tak jak sugeruje zagadka sfinksa. Od narodzin do śmierci.

Gray zmrużył oczy, gdy zastanawiał się nad jej słowami, a potem otworzył szeroko, gdy zrozumiał, o co jej chodziło.

— Czyli uważasz, że trzeba się trzymać porządku chronologicznego... Czasu, w jakim powstawały kolejne cuda.

Rachele przytaknęła.

— Sęk w tym, że ja nie znam tego porządku.

— Ale ja znam — wtrącił z zapałem Vigor. — Zresztą który z archeologów pracujących w tym regionie by go nie znał?

Ukląkł i wziął do ręki pisak.

— Myślę, że Rachele ma rację. Pierwsza wskazówka, od której wszystko się zaczęło, była ukryta w księdze znalezionej w Kairze, nieopodal Gizy. I faktycznie, piramidy w Gizie są najstarszym z siedmiu cudów.

Koniuszkiem markera zaznaczył Gizę.

— Moim zdaniem to interesujące, że grób Aleksandra znajduje się dokładnie pod latarnią morską w Faros.

— Dlaczego? — zapytał Gray.

— Bo ta latarnia została wzniesiona ostatnia. Tym samym posuwamy się od początku do końca. To może również sugerować, że dokądkolwiek teraz pójdziemy, będzie to kres naszej wędrówki. Ostatnia stacja.

Vigor schylił się i starannie nakreślił linie łączące kolejne cuda w takim porządku, w jakim powstawały.

— Z Gizy do Babilonu, a potem do Olimpii, gdzie wznosił się posąg Zeusa...

Rzekomo prawdziwego ojca Aleksandra — przypomniała Rachele.

— ...stąd podążamy do świątyni Artemidy w Efezie, potem do Halikarnasu, potem na Rodos, aż wreszcie docieramy do miejsca, gdzie teraz jesteśmy. Do Aleksandrii i słynnej latarni morskiej.

Vigor wyprostował się.

— Czy ktoś jeszcze ma wątpliwości, że znajdujemy się na właściwym tropie?

Rachele i Gray wpatrywali się w rysunek.

— Chryste... — mruknął Gray.

— To kształt klepsydry — powiedziała Rachele.

Vigor skinął głową.

— Symbol upływu czasu. Utworzony przez połączenie dwóch

trójkątów. Pamiętajcie, że trójkąt był także symbolem, którym Egipcjanie określali biały proszek spożywany przez faraonów. W rzeczy samej trójkąty oznaczały również egipski kamień *benben*, znak wiedzy tajemnej.

— A cóż to za kamień ten *benben*? — dziwił się Gray.

— To nasada, która wieńczy szczyty egipskich obelisków i piramid — wyjaśniła Rachele.

— W sztuce przedstawiany jest głównie poprzez symbol trójkąta — dodał Vigor. — Prawdę mówiąc, możesz go obejrzeć na zwykłym banknocie dolarowym. Na amerykańskiej walucie widnieje piramida z unoszącym się nad nią trójkątem.

— Ach, ten z okiem pośrodku — przypomniał sobie Gray.

— Z wszystkowidzącym okiem — poprawił go Vigor. — To także symbol wiedzy tajemnej, o której mówiłem. To może dać do myślenia, czy ta tajemna organizacja starożytnych alchemików nie miała jakiegoś wpływu na wczesne bractwa tworzone przez waszych przodków. — Ostatniemu zdaniu towarzyszył szelmowski uśmiech. — Ale z pewnością dla Egipcjan temat trójkątów i sekretnej wiedzy miał fundamentalne znaczenie, a wszystko to związane było z tajemniczym białym proszkiem. Nawet nazwa *benben* wskazuje na ten związek.

— Co masz na myśli? — Rachele wydawała się zaintrygowana.

— Egipcjanie przywiązywali wielką wagę do pisowni swoich słów. Na przykład *a-i-s* starożytny Egipcjanin przetłumaczyłby jako „rozum", lecz jeśli odczytamy to słowo od końca jako *s-i-a*, to oznaczać ono będzie „świadomość". Użyli więc tej konkretnej pisowni słów do połączenia „świadomości" z „rozumem". A wracając do *benben* — litery *b-e-n* tłumaczy się jako „święty kamień", lecz czy wiecie, co otrzymamy, jeśli zostaną odczytane wstecz?

Rachele i Gray w tej samej chwili wzruszyli ramionami.

— Słowo *n-e-b* oznacza „złoto".

Gray prychnął ze zdumienia.

— Więc „złoto" połączone zostało ze „świętym kamieniem" i „wiedzą tajemną".

Vigor przytaknął.

— Właśnie w Egipcie wszystko się zaczęło.

— Ale gdzie się kończy? — Rachele znów wpatrywała się w mapę. — Jakie znaczenie ma tutaj kształt klepsydry? I w jaki sposób kieruje nas w konkretne miejsce?

Jak na komendę wszyscy odwrócili się w stronę stożkowatego grobowca.

Vigor pokręcił głową.

Nagle Gray przyklęknął na jedno kolano.

— Teraz moja kolej — oświadczył.

— A co, też masz jakiś pomysł? — zdziwił się Vigor.

— Nie musisz pokazywać, że aż tak cię to zaskoczyło.

13.37

Gray zabrał się do pracy, jako linijkę wykorzystując ostrze noża. Musiał jasno wszystko wyrysować, żeby pokazać, o co mu chodziło. Z pisakiem w ręku tłumaczył na bieżąco i jednocześnie kreślił linie. Ani razu nie spojrzał przy tym na swoich rozmówców.

— Ten palec z brązu... Widzicie, że znajduje się dokładnie na środku komnaty, ustawiony pod najwyższym punktem kopuły?

Pozostała dwójka jak na komendę odwróciła się w stronę grobowca. Woda zdążyła się już wygładzić i wygięty w łuk nieboskłon na sklepieniu znów odbijał się idealnie w powierzchni basenu, przypominając do złudzenia wypełnioną gwiazdami przestrzeń.

— Palec jest ustawiony w tej kulistej strukturze jak oś łącząca biegun północny z południowym. Oś, dookoła której wiruje świat. A teraz popatrzcie na mapę. Jaki punkt stanowi centrum tej klepsydry?

Rachele pochyliła się niżej i odczytała nazwę.

— Rodos — powiedziała. — Miejsce, skąd pochodzi fragment rzeźby.

Gray uśmiechnął się, słysząc zdumienie w jej głosie. Czy zareagowała tak z powodu samego odkrycia, czy dlatego, że to on tego dokonał?

— Moim zdaniem musimy znaleźć oś biegnącą przez klepsydrę — oświadczył i pociągnął markerem linię rozdzielającą pionowo rysunek na dwie połowy. — A palec z brązu wskazuje nam biegun północny — dodał i przedłużył linię w kierunku północy.

Pisak zatrzymał się na dobrze znanym mieście.

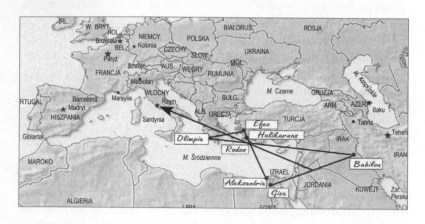

— Rzym — odczytała z mapy Rachele.

Gray wyprostował się.

— Fakt, że wykres geometryczny wskazuje na Rzym, musi mieć tu kluczowe znaczenie. Czy to właśnie tam powinniśmy się udać? Ale gdzie konkretnie? Znów do Watykanu?

Pytającym wzrokiem popatrzył na towarzyszy.

Rachele zmarszczyła brwi, intensywnie szukając odpowiedzi, Vigor zaś przyklęknął.

— Myślę, komandorze, że z jednej strony ma pan rację, ale z drugiej pan się myli. Czy mogę pożyczyć na chwilę pański nóż?

Gray wręczył mu go bez słowa, zadowolony, że monsinior zajął jego miejsce.

Vigor przez chwilę bawił się nożem, przesuwając ostrzem po mapie.

— Hmm... dwa trójkąty... — mruknął.

W końcu puknął we wzór klepsydry.

— Co jest? — nie wytrzymał Gray.

Vigor pokręcił głową, nie odrywając wzroku od mapy.

— Miał pan rację, że ta linia wskazuje Rzym. Ale to nie tam mamy teraz jechać.

— Skąd ta pewność?

372

— Pamiętacie, jak wielokrotnie złożone były dotychczasowe zagadki. Trzeba sięgnąć głębiej.

— Ale dokąd?

Vigor przesunął palcem równolegle do ostrza noża, wykraczając daleko poza Rzym.

— Rzym był tylko pierwszym przystankiem — zamruczał i sunął dalej na północ, aż dotarł do Francji. Nagle zatrzymał się tuż obok Marsylii.

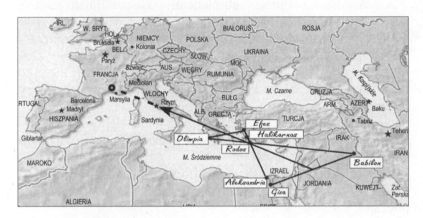

Uśmiechnął się i pokiwał głową.

— Mądrze pomyślane.

— Co?

Vigor odsunął nóż i popukał palcem w miejsce, na którym się zatrzymał.

— Awinion.

Rachele wstrzymała oddech.

Jednak Gray nie wiedział, o co chodziło. Widać to było po jego zmieszanej minie.

Rachele odwróciła się w jego stronę.

— Awinion to miejsce we Francji, dokąd na początku czternastego wieku zostali wygnani papieże. To miasto na blisko sto lat stało się ich siedzibą.

— Drugą siedzibą papieskiej władzy — sprostował Vigor. — Najpierw Rzym, a potem Francja. Dwa trójkąty, dwa symbole władzy i wiedzy.

373

— Lecz czy możemy być pewni? — spytał Gray. — Czy to nie jest nadinterpretacja?

Vigor machnął ręką.

— Proszę pamiętać, że już ustaliliśmy przypuszczalną datę, kiedy pozostawiono te wskazówki. I wyszło nam, że była to pierwsza dekada czternastego wieku, kiedy papiestwo zostało wygnane z Rzymu.

Gray skinął głową, choć nie był do końca przekonany.

— W dodatku ci przebiegli alchemicy zostawili nam jeszcze pewną wiadomość, dzięki której możemy być pewni lokalizacji miejsca. — Vigor wskazał na kształt wyrysowany na mapie. — Jak sądzisz, kiedy wynaleziono klepsydrę?

Ale Gray tylko pokręcił głową.

— Przypuszczam, że to musiało być co najmniej parę tysięcy lat temu... Może nawet jeszcze dawniej.

— Pewnie się zdziwisz, ale wynalezienie klepsydry zbiegło się w czasie z wynalezieniem mechanicznego zegara. To było zaledwie siedemset lat temu.

Gray szybko dokonał w pamięci obliczeń.

— To znów cofa nas do roku tysiąc trzysta któregoś. Na początek czternastego wieku.

— Wyznaczając czas, tak jak to czynią wszystkie klepsydry, na początek pobytu papieży we Francji.

Gray poczuł, jak przeszywa go dreszcz. Teraz wiedzieli na pewno, dokąd powinni jechać ze złotym kluczem. Do Awinionu, francuskiego Watykanu. Wyczuwał, że Rachele i jej wuja także ogarnęło podobne podekscytowanie.

— No to zabierajmy się stąd — powiedział i ruszył w stronę tunelu prowadzącego do pierwszego basenu.

— A co z grobowcem? — zawołał za nim Vigor.

— Będziemy musieli się trochę wstrzymać z ogłoszeniem naszego odkrycia. Zresztą nawet jeśli ludzie z Trybunału Smoka tu dotrą, to dowiedzą się, że tym razem przybyli za późno.

Gray pośpieszył do pierwszej komnaty. Ukląkł na brzegu, wsunął maskę na twarz i zanurzył głowę, żeby przekazać tamtym dwojgu dobrą wiadomość.

Lecz kiedy tylko dotknął głową wody, radio zabuczało, głośno i przeraźliwie.

— Kat... Monk... Czy któreś z was mnie słyszy?

Żadnej odpowiedzi. Gray przypomniał sobie, że Kat wspominała coś o problemach z komunikacją. Nasłuchiwał jeszcze przez kilka chwil, a serce zaczynało mu bić coraz mocniej.

Niech to szlag!

Gwałtownie wycofał się z wody.

Ten biały szum nie był zwykłym zakłóceniem. Ktoś zaczął ich zagłuszać.

— Co się stało? — zapytała Rachele.

— Trybunał Smoka. Oni już tu są.

13

Krew w wodzie

26 lipca, 13.45
Aleksandria, Egipt

Kat huśtała się na niedużych falach.

Przed dziesięcioma sekundami jej radio ostatecznie odmówiło posłuszeństwa, toteż wypłynęła na powierzchnię, żeby skontaktować się z Monkiem. Znalazła go z lornetką przy oczach.

— Radio... — zaczęła, ale on przerwał jej.

— Coś się spieprzyło — oznajmił. — Ściągnij tu resztę ekipy.

Zareagowała instynktownie. Rzuciła się w dół, mocno pracując nogami, ale coś jej przeszkadzało. W trybie awaryjnym wypuściła powietrze z kamizelki i pomknęła prosto na dno zatoki.

Kierując się w stronę tunelu, próbowała jednocześnie drugą ręką uwolnić się ze sprzączek podtrzymujących kamizelkę i butlę z tlenem. Na widok ruchu przy wejściu do tunelu jej palce znieruchomiały.

Z tunelu wysunęła się smukła sylwetka nurka. Niebieski pas w poprzek kombinezonu uświadomił jej, że tym pływakiem jest komandor Pierce. Usiłowała coś mu zakomunikować, ale jej uszy wypełniło przeciągłe wycie. I jak mu teraz przekaże, że trzeba się śpieszyć?

Nie było takiej potrzeby.

Za komandorem z tunelu wypłynęły dwie inne osoby.

Vigor i Rachele.

Kat przekręciła się z powrotem do pozycji pionowej. Wyłączyła radio, żeby przerwać ten drażniący uszy pisk i wierzgając z całych sił, popłynęła w stronę Graya. Najwyraźniej musiał się zorientować, że nagła awaria radia oznacza kłopoty. Twardym wzrokiem popatrzył na nią przez maskę i pytająco wyciągnął w górę rękę.

Czy na łodzi wszystko w porządku?

Pokazała mu na migi, że wszystko okej. Ani śladu wrogów, przynajmniej na razie.

Gray nie zawracał sobie głowy zabezpieczaniem porzuconych butli tlenowych. Machnął ręką na pozostałych; wszyscy odbili się od skał i popłynęli w stronę kilu.

Kat dostrzegła, że kotwica także powędrowała w górę.

Najwyraźniej Monk szykował się do natychmiastowego odpłynięcia.

Napełniła powietrzem kamizelkę i kopnęła energicznie wodę, żeby poszybować w górę. Walczyła z oporem stawianym przez butlę tlenową i pas balastowy. Reszta ekipy zdążyła już dotrzeć na powierzchnię.

Nagle nowe buczenie wypełniło jej uszy.

Tym razem nie chodziło o zepsute radio.

Rozejrzała się po okolicy w poszukiwaniu źródła dźwięku, ale widoczność w okolicy portu była naprawdę fatalna. Coś się zbliżało... I to bardzo szybko.

Jako oficer wywiadu marynarki Kat spędziła mnóstwo czasu na pokładzie wszelkiego rodzaju statków, włączając w to okręty podwodne. Bez trudu rozpoznała to miarowe buczenie.

Torpeda.

Ustawiona na ich łódź motorową.

Rzuciła się w górę, choć miała świadomość, że nie zdoła dopłynąć na czas.

13.46

Monk włączył silnik łodzi, cały czas obserwując przez lornetkę poczynania wodolotu, który właśnie przed chwilą zniknął za wierzchołkiem półwyspu, lecz Monk widział, jak parę sekund temu zwolnił w podejrzany sposób, choć obie jednostki dzieliło dwieście metrów. Na pokładzie rufowym co prawda nie dostrzegł ludzi, lecz gdy wodolot wolno ruszył w przeciwną stronę, na powierzchni wody od strony kilwatera ukazał się sznur dziwnych baniek.

A potem Monk usłyszał pisk w słuchawkach.

Kat zjawiła się kilka sekund później.

Musieli się stąd zwijać, i to jak najszybciej. Czuł to w trzewiach.

— Monk! — zawołał czyjś głos. To był Gray. Kołysał się na fali od strony portu.

Dzięki Bogu!

Zaczął już opuszczać lornetkę, gdy jego uwagę przyciągnął smukły kształt pędzący przez wody zatoki. Jakaś płetwa przedzierała się ostro przez morskie fale. Metalowa płetwa...

— Kurwa mać...

Monk rzucił lornetkę i wcisnął gaz do dechy. Silnik zawył okropnie, a łódź skoczyła w przód. Skręcił koło sterowe na sterburtę. Jak najdalej od Graya.

— Wszyscy na dół! — zawył okropnym głosem, jednocześnie wciskając na twarz maskę. Na zapinanie kombinezonu nie starczyło już czasu.

Biegnąc w stronę rufy, czuł, jak pokład łodzi przesuwa mu się pod stopami. Bez namysłu wskoczył na tylne siedzenie i rzucił się na oślep do wody.

Torpeda uderzyła tuż za jego plecami. Siła eksplozji była tak wielka, że nogi Monka nagle znalazły się nad jego głową; coś trzepnęło go w udo tak mocno, że aż zagrzechotały mu wszystkie zęby. Uderzył w wodę i przekoziołkował po powierzchni, ścigany przez falę płomieni.

Lecz zanim zdołały go dosięgnąć, znalazł się w chłodnych objęciach morza.

Rachele wynurzyła się na powierzchnię dokładnie w chwili, gdy Monk zaczął wrzeszczeć. Patrzyła, jak biegnie co sił w stronę rufy. Zanurzyła się pod wodę i przekręciła, żeby zejść głębiej.

Zaraz potem nastąpiła eksplozja.

Wstrząs, jaki dotarł do niej przez wodę, odczuła boleśnie w uszach, choć były one osłonięte grubym kapturem z neoprenu.

Nagle z jej płuc uszło całe powietrze. Uszczelki maski nie wytrzymały i do wewnątrz wtargnęła woda.

Oślepiona, z piekącymi oczyma, z trudem wypłynęła na powierzchnię.

Wystawiwszy głowę z wody, opróżniła maskę, kasząc przy tym i krztusząc się niemiłosiernie. Dookoła wciąż spadały z góry szczątki łodzi, a dymiący wrak kołysał się na falach. Po powierzchni zatoki ślizgała się płonąca rzeka paliwa.

Rachele rozejrzała się dookoła.

Nikogo.

Nagle z lewego boku wystrzelił z wody jakiś kształt. To był Monk, zupełnie oszołomiony i lekko przyduszony.

Powiosłowała w jego stronę i mocno chwyciła go za ramię. Maska zsunęła się do połowy z jego twarzy. Rachele podtrzymała kolegę, żeby mógł się solidnie wykasłać.

— Cholera — wyrzęził wreszcie i naciągnął maskę na miejsce.

Nagle nad wodą doleciał do nich jakiś hałas. Obydwoje się odwrócili.

Rachele patrzyła, jak olbrzymi wodolot okrąża fort. Zatoczył szeroki łuk i pędził teraz w ich kierunku.

— Na dół — ponaglił ją Monk.

Oboje ratowali się ucieczką pod wodę. Eksplozja zmąciła piasek na dnie, ograniczając widoczność do metra.

Rachele potrafiła mniej więcej wskazać kierunek, gdzie należy płynąć, żeby znaleźć wejście do tunelu, zagubione w panującym tu mroku. Musieli jak najprędzej dotrzeć do porzuconych tam butli.

Kiedy znaleźli się przy zwalonych skałach, zaczęła szukać wejścia i pozostałych członków zespołu. Gdzie się wszyscy podziali?

Wgramoliła się na stos kamiennych bloków. Monk dotrzymywał jej kroku, choć cały czas walczył z kombinezonem, który był zapięty tylko do pasa, więc górna część plątała się i łopotała, utrudniając ruchy.

Gdzie były te cholerne butle? Czy to możliwe, żeby je przeoczyła?

Nad ich głowami przemknął ciemny kształt, oddalający się od

brzegu. Wodolot. Sądząc z reakcji Monka, to właśnie on był przyczyną wszelkich kłopotów.

Rachele czuła, jak w jej płucach wzrasta ciśnienie.

Nagle w mrocznej otchłani błysnęło światło. Instynktownie skręciła w tamtą stronę w nadziei, że dostrzeże Graya albo swojego wuja, ale z ciemności wyłoniła się para nurków na podwodnych saniach. Za nimi ciągnęły się spirale mułu.

Ci ludzie okrążali ich, żeby zepchnąć w stronę brzegu i zamknąć w pułapce.

W blasku lamp błysnęły stalowe strzały. Kusze.

Nagle rozległo się krótkie *zip* i strzała pomknęła w stronę Monka. Zdążył odskoczyć w bok, ale grot przeszył na wylot luźną połowę kombinezonu.

Rachele odwróciła się w stronę napastników i otworzyła dłonie.

Jeden z nich uniósł kciuk, nakazując im w ten sposób, żeby płynęli na powierzchnię.

Zostali schwytani.

Gray pomagał Vigorowi.

Monsinior wpadł na niego, kiedy łódź eksplodowała. Oberwał w skroń kawałkiem włókna szklanego, który zdołał przeciąć kaptur z neoprenu. Z rany popłynęła krew. Gray nie miał możliwości stwierdzić, jak poważne były obrażenia, ale starszy mężczyzna wydawał się dość mocno ogłuszony.

Zdołali dotrzeć do butli z tlenem i teraz Gray pomagał Vigorowi się podłączyć. Kiedy tlen dotarł mu do płuc, Vigor odsunął się, a Gray szybko podsunął się do drugiej butli i doczepił swój regulator.

Wziął kilka głębokich oddechów.

Spojrzał w głąb tunelu. Stąd nie da się uciec, pomyślał, a Trybunał Smoka dotrze tu prędzej czy później. Gray nie miał zamiaru dać się zamknąć w pułapce w kolejnym grobowcu.

Chwycił swoją butlę i machnął ręką w przeciwnym kierunku.

Vigor skinął głową, lecz wciąż rozglądał się dookoła.

Gray rozumiał jego niepokój.

Rachele.

Ale jeśli chcą komukolwiek pomóc, sami muszą pozostać przy

życiu. Prowadząc Vigora, Gray odpłynął od tunelu. Szukał załomu skalnego lub niszy między głazami, która mogłaby posłużyć im za kryjówkę.

Już wcześniej zauważył spoczywający na dnie przerdzewiały wrak statku, oddalony od nich o jakieś dziesięć metrów, przewrócony na bok i wsparty o skałę.

Ciągnął Vigora wzdłuż klifu, aż ujrzał przed sobą ciemny kształt zatopionej jednostki. Usadowił monsiniora w jego cieniu i nakazał mu tam zostać, a potem założył butlę na plecy, żeby oswobodzić ręce.

Wskazał na morską toń i ręką zatoczył duże koło.

Pójdę poszukać pozostałych, oznaczał ten gest.

Vigor skinął głową i postarał się uśmiechnąć, a przynajmniej Gray odniósł takie wrażenie.

Skierował się z powrotem w stronę tunelu, ale tym razem płynął nisko, tuż nad dnem. Reszta ekipy — jeśli tylko będzie mogła — z pewnością spróbuje dotrzeć do butli. Ślizgał się od cienia do cienia, kryjąc za kolejnymi głazami.

W miarę zbliżania się do tunelu poświata robiła się coraz wyraźniejsza. Gray zwolnił. Teraz rozróżniał już poszczególne światła, skierowane na zewnątrz i rozbijające się o powierzchnię skał.

Wpłynął za głaz i zaczął obserwować.

Ubrani na czarno nurkowie zgromadzili się wokół wejścia do tunelu. Mieli na sobie minibutle, z zapasem powietrza wystarczającym najwyżej na dwadzieścia minut.

Gray widział, jak jeden z nich pochylił się w stronę otworu i zniknął.

Po kilku sekundach pozostali musieli usłyszeć dobre nowiny, bo kolejnych pięciu nurków jeden po drugim wsunęło się w szyb tunelu.

Smukła sylwetka ostatniego z nich wydała mu się znajoma.

Seichan.

Gray odwrócił się. Nikt z jego towarzyszy nie zaryzykuje teraz pojawienia się w pobliżu tunelu.

Jednak gdy tylko opuścił kryjówkę, nagle nie wiadomo skąd wyrósł przed nim jakiś kształt. Olbrzymi. Ostry jak brzytwa grot strzały dotknął brzucha Graya.

Dookoła rozbłysły latarki.

Za zasłoną maski Gray rozpoznał Raoula.

Rachele pomogła uwolnić się Monkowi. Ostrze przebiło na wylot zwisającą luźno część kombinezonu i przyszpiliło ją do dna morskiego. Żeby oswobodzić Monka, musiała pociągnąć naprawdę mocno.

Dwa metry od nich dwaj nurkowie krążyli każdy nad swoimi saniami, jak surferzy nad złamanymi deskami do surfowania. Jeden z nich gestem ponaglił więźniów, żeby płynęli na powierzchnię. Natychmiast.

Rachele nie potrzebowała zachęty.

Zanim jednak zdążyła wykonać polecenie, z odmętów za plecami nurków wyłonił się jakiś ciemny kształt.

Co...?

W mroku błysnęły dwa srebrzyste ostrza.

Jeden z nurków chwycił wąż doprowadzający powietrze z butli. Za późno. Przez maskę Rachele dostrzegła, jak mężczyzna zamiast tlenu wciąga w płuca morską wodę. Drugi z nich miał jeszcze mniej szczęścia. Został siłą oderwany od sań, a nóż utkwił w jego gardle.

W wodzie pojawił się obłok krwi.

Napastnik wyszarpnął ostrze, a krew popłynęła obfitym strumieniem.

Rachele dostrzegła różowy pas na czarnym kombinezonie.

Kat.

Pierwszy z nurków dusił się i wykręcał na wszystkie strony. Próbował ratować się przed utonięciem, kierując się w stronę powierzchni, ale Kat czuwała. Z brutalną precyzją wbiła w niego oba noże, co ostatecznie pozbawiło jej ofiarę życia.

Kopnięciem odrzuciła go w dal. Obciążone butlą i pasem balastowym ciało osunęło się w głębinę.

Skończywszy robotę, Kat przyciągnęła sanie do Rachele i Monka. Wskazała w górę i skinęła, żeby wsiadali.

Chciała jak najszybciej uciekać.

Rachele nie miała pojęcia, jak obsługiwać taki pojazd, ale Monk na szczęście wiedział. Wdrapał się na siedzenie i chwycił kierownicę. Machnął ręką na Rachele, żeby usiadła za nim i w ten sposób odbyła przejażdżkę.

Zrobiła, jak kazał, obejmując go ramionami. Na obrzeżach jej pola widzenia już zaczynały tańczyć setki malutkich światełek.

Kat, nie wypuszczając z rąk zdobycznej kuszy, podpłynęła do drugich sań.

Monk przesunął dźwignię przepustnicy i pojazd oderwał się od podłoża, kierując się w górę, tam gdzie było bezpiecznie i gdzie nie zabraknie świeżego powietrza.

Wystrzelili z morskiej toni, jak wyłaniający się na powierzchnię wieloryb, a potem uderzyli w wodę. Rachele czuła, że wszystko ma poobijane, ale nawet na moment nie zwolniła uścisku. Monk pędził przez gładką powierzchnię zatoki, zygzakiem omijając płonące resztki łodzi. Na falach kołysała się gruba warstwa oleju.

Rachele zaryzykowała i uwolniła jedną rękę, żeby zerwać z twarzy maskę. Z rozkoszą wciągnęła w płuca rześkie powietrze.

Pociągnęła za maskę Monka.

— Au! — zawołał. — Uważaj na nos!

Minęli przewrócony wrak łodzi motorowej... i ujrzeli po lewej stronie długi kształt czekającego na nich wodolotu.

— Może nas nie zauważą — wyszeptał Monk.

Nic z tego. Zagrzechotała seria z karabinów maszynowych, pociski uderzyły w wodę dookoła sanek. Najwyraźniej to oni stanowili cel.

— Trzymaj się mocno! — krzyknął Monk i dodał gazu.

Raoul zmusił Graya do wyjścia z kryjówki. Inny nurek natychmiast przytknął swoją broń do szyi więźnia.

Gdy tylko Gray się poruszył, w ręku Raoula błysnął nóż. Zrobił unik, ale ostrze przecięło jedynie paski podtrzymujące butlę z tlenem. Ciężki cylindryczny pojemnik powoli opadał na dno. Raoul gestem nakazał mu odczepić regulator od maski. Czyżby ten drań zamierzał go utopić?

Jednak Raoul popchnął Graya w stronę wejścia do tunelu.

Najwyraźniej najpierw zamierzał go przesłuchać.

Gray nie miał wyboru.

Pilnowany z obu stron przez strażników posłusznie podpłynął

do otworu i starając się wymyślić sensowny plan, schylił się, dał nura do środka i zaczął przeciskać się w kierunku pierwszego basenu. Wewnątrz komnaty stali uzbrojeni mężczyźni w kombinezonach. Ze swoimi minibutlami bez trudu zmieścili się w tunelu. Niektórzy zdążyli już zrzucić kamizelki i butle, a zaalarmowani pojawieniem się dowódcy chwycili kusze.

Gray wygramolił się z basenu i ściągnął maskę. Dwaj strażnicy śledzili każdy jego ruch.

Pod jedną ze ścian zauważył Seichan. Sprawiała wrażenie dziwnie odprężonej. Na powitanie podniosła w górę środkowy palec.

Cześć!

Z drugiej strony Gray dostrzegł wynurzającą się z przejścia postać. Raoul. W następnej chwili olbrzymi mężczyzna jedną ręką podciągnął się na brzeg i wydostał z basenu. Najwyraźniej chciał w ten sposób podkreślić swoją siłę i sprawność fizyczną. Pewnie jego potężne ciało ledwie zmieściło się w wąskim tunelu, bo swoje minibutle zostawił na zewnątrz.

Ściągając maskę i kaptur, Raoul ruszył w kierunku więźnia.

Gray pierwszy raz miał okazję przyjrzeć się lepiej temu człowiekowi. Jego rysy były ostre, nos długi i cienki, przypominający dziób drapieżnego ptaka. Kruczoczarne włosy opadały na kark. Umięśnione ramiona były tak grube jak uda Graya, lecz swój wygląd zawdzięczały nadmiarowi sterydów i długim godzinom spędzonym na siłowni, nie zaś ciężkiej pracy fizycznej.

Raoul stanął nad nim, najwyraźniej zamierzając go zastraszyć, lecz Gray uniósł pytająco brew.

— Tak?

— Teraz powiesz nam wszystko, co wiesz — odezwał się Raoul. Mówił płynnie po angielsku, lecz w jego akcencie było coś pogardliwego i bardzo niemieckiego.

— A jeśli nie powiem?

Raoul machnął ręką, a wtedy ktoś wpadł z głośnym pluskiem do basenu. Gray natychmiast rozpoznał Vigora. Tak więc monsinior także dostał się w łapy oprawców z Trybunału.

— Niewiele jest rzeczy, których nie wykryje nasz radar — oznajmił Raoul, zauważywszy spojrzenie Graya.

Vigor został wyciągnięty z wody w mało delikatny sposób i popchnięty w ich stronę. Potknął się i wylądował na kolanach. Z rozciętej skroni sączyła się krew.

Gray schylił się, żeby mu pomóc wstać, ale cofnął się pod naciskiem grotu strzały.

Z basenu wychylił się kolejny nurek. Coś ciężkiego ciągnęło go do dna. Raoul podszedł bliżej i uwolnił go od balastu, którym okazał się jeden z cylindrycznych ładunków. Granat zapalający.

Raoul przewiesił sobie granat przez ramię i wrócił do więźniów. Nie zastanawiając się długo, podniósł kuszę i skierował prosto w krocze Vigora.

— Zaczniemy stąd, skoro i tak ksiądz złożył przysięgę, że nie będzie korzystał z tej części ciała. Jeden fałszywy krok i monsinior dołączy do chóru kościelnego w charakterze kastrata.

Gray wyprostował się.

— Co chcecie wiedzieć?

— Wszystko... ale najpierw pokaż nam, co znalazłeś.

Gray już wyciągnął rękę w kierunku tunelu prowadzącego do grobu Aleksandra, ale w ostatniej chwili zmienił zdanie. Nieoczekiwanie odwrócił się w stronę drugiego tunelu — tego, w którym trzeba było się pochylić.

— Tędy — powiedział krótko.

Vigor rozszerzył oczy ze zdumienia.

Na twarzy Raoula zakwitł uśmiech. Podniósł kuszę i machnął w stronę swoich ludzi.

— Sprawdźcie to.

Pięciu rzuciło się na wyścigi, pozostawiając u boku Raoula trzech swoich kolegów.

Seichan stała w niedbałej pozie oparta o skalną ścianę w pobliżu wejścia do tunelu. Obserwowała, jak grupka mężczyzn znika w ciemnej gardzieli, a potem ruszyła w ślad za nimi.

— Ty zostań — polecił jej Raoul.

W odpowiedzi obrzuciła go pełnym pogardy spojrzeniem.

— Chcesz razem ze swoimi ludźmi bezpiecznie opuścić ten port?

Twarz Raoula poczerwieniała.

— Pamiętaj, że łódź należy do nas — przypomniała mu i dała nura w ciemność.

Raoul zacisnął pięści, ale nie odezwał się jednym słowem. W raju zaczęły się kłopoty...

Gray odwrócił się i napotkał niewzruszony wzrok Vigora. „Skacz do wody przy pierwszej okazji", pokazał mu oczyma i znowu skierował spojrzenie na wejście do tunelu.

Modlił się, żeby okazało się, że miał rację co do zagadek sfinksa. Że pomyłka oznaczała śmierć. Bez wątpienia za chwilę się o tym przekonają.

Tylko jedno pozostawało tajemnicą.

Kto umrze?

Monk pędził z szybkością błyskawicy. Jego pojazd ślizgał się po falach. Rachele wisiała kurczowo uczepiona jego pleców, ledwo mogła oddychać.

W porcie zapanowało straszne zamieszanie. Inne jednostki zaczęły pierzchać na wszystkie strony jak stada płochliwych rybek. Wreszcie Monk trafił na kilwater łodzi poławiaczy krabów i poszybował wysoko w powietrze.

Pociski uderzyły w fale tuż pod jego stopami.

— Trzymaj się mocno! — krzyknął do Rachele.

Przekręcił sanki na bok, gdy z powrotem uderzyli w wodę. Zanurzyli się w morskiej toni. Monk wyprostował kurs i zszedł jeszcze głębiej. Mknął teraz pod wodą na głębokości metra.

Przynajmniej taką miał nadzieję.

Zacisnął powieki. Zresztą bez maski i tak niewiele widział. Lecz zanim się zanurzyli, mignęła mu w przelocie jakaś żaglówka, zakotwiczona dokładnie na wprost nich.

Gdyby udało się dostać pod nią... I ustawić tak, żeby oddzieliła ich od wodolotu.

Liczył w głowie, szacując odległość i modląc się...

Przez zamknięte powieki dostrzegł, że świat nieco pociemniał. Dotarli w cień żaglówki. Policzył jeszcze do czterech i ostro zakręcił w stronę powierzchni.

Wyskoczyli z powrotem w blask słońca.

Monk wyciągnął szyję i obejrzał się w tył. Znaleźli się o wiele dalej, niż było trzeba.

— Psiakrew!

Wodolot musiał teraz okrążyć przeszkodę, przez co stracił cel z pola widzenia.

— Monk! — Rachele krzyknęła mu prosto do ucha.

Odwrócił się gwałtownie tylko po to, by ujrzeć tuż przed sobą ścianę łodzi, która należała do opalającej się nago pary. Cholera! Płynęli prosto na nich. Nie było szans, żeby uniknąć zderzenia.

Monk przeniósł cały ciężar ciała na przód sanek, których nos mierzył teraz w dół. Jeśli uda im się zanurkować pod ostrym kątem... Ale czy to wystarczy, żeby zmieścić się pod łodzią, tak jak udało się to zrobić z żaglówką?

Okazało się, że nie.

Nos sanek trzasnął prosto w kil, co skończyło się tym, żc się przewróciły. Monk z całej siły zacisnął palce na kierownicy, podczas gdy sanki uderzały miarowo o drewnianą burtę odłupując przyczepione tam pąkle. Dodał gazu i w końcu udało mu się wyrwać spod łodzi.

Wyskoczył na powierzchnię, wiedząc, że czas nagli.

Rachele zniknęła, strącona w otchłań przez siłę zderzenia.

Gray wstrzymał oddech.

Z głębi niskiego tunelu dobiegły odgłosy. Pierwszy z ludzi Raoula musiał dojść do końca. Widocznie korytarz był dość krótki.

— *Eine Goldtür!* — usłyszał radosny krzyk. Złote drzwi.

Raoul pośpieszył w tamtą stronę, ciągnąc ze sobą Graya. Vigor pozostał na brzegu, pilnowany przez uzbrojonego w kuszę nurka.

Oświetlony licznymi latarkami tunel ciągnął się na wprost jedynie przez trzydzieści metrów, a następnie zakręcał pod lekkim kątem. Nie widzieli więc jego końca, jedynie zarys sylwetek ostatnich dwóch mężczyzn i Seichan, pochylających się w tamtą stronę.

Graya ogarnął lęk, że być może pomylił się co do złotego klucza znalezionego w grobowcu. Może klucz pasował właśnie do tych drzwi.

— *Es wird entriegelt!* — rozległ się czyjś okrzyk. „Otwarte!".

Nawet do Graya doleciało głośne kliknięcie.

Stanowczo zbyt głośne.

Seichan także musiała zwrócić na to uwagę, bo okręciła się na pięcie i skoczyła w ich kierunku. Za późno.

Z każdej szczeliny i każdego zakamarka korytarza wystrzeliły zaostrzone metalowe pręty. Przecięły na ukos światło tunelu, przeszywając na wylot znajdujących się na ich drodze ludzi, i wbiły się w gniazda na przeciwległej ścianie, a wszystko to zdarzyło się w ciągu najwyżej dwóch sekund.

Światła podskoczyły gwałtownie. Rozległy się okrzyki agonii.

Seichan zdążyła przebiec dwa kroki w stronę wyjścia, lecz i ją dosięgło ostatnie ostrze. Pręt trafił ją w ramię i przykuł do ściany. Szarpnęła się raz i drugi, choć nogi wyraźnie odmawiały jej posłuszeństwa.

Wyrwało się jej tylko pełne bólu westchnienie.

Zaskoczony Raoul nieco rozluźnił uścisk.

Korzystając ze sposobności, Gray okręcił się i rzucił w kierunku basenu.

— Uciekaj! — wrzasnął do Vigora.

Zanim jednak zdążył wykonać następny krok, coś trafiło go w tył głowy. Coś ciężkiego. Ktoś walnął go pistoletową rękojeścią kuszy.

Musiał źle oszacować szybkość wielkoluda.

Błąd.

Raoul kopnął go w twarz i przycisnął butem do podłogi, całym ciężarem przygniótł kark więźnia.

Gray łapał rozpaczliwie powietrze i patrzył, jak wyławiają Vigora z basenu. Jeden ze strażników chwycił go za kostkę, w ten sposób uniemożliwiając dalszą ucieczkę.

Raoul pochylił się tak, żeby Gray mógł go widzieć.

— Paskudny żarcik. — Uśmiechnął się.

— Nie wiedziałem...

Nacisk buta uniemożliwił mu dokończenie zdania.

— Dzięki tobie mam z głowy pewien problem — ciągnął Raoul. — Wyeliminowałeś z gry tę pieprzoną sukę. A teraz mamy pewną rzecz do zrobienia... Tylko my dwaj.

Rachele wynurzyła się na powierzchnię, waląc głową raz po raz w bok łodzi. O mały włos udławiłaby się wodą, kiedy usiłowała zaczerpnąć świeżego powietrza. Kasłała i krztusiła się na przemian, nie mogąc się uspokoić. Ręce i nogi trzęsły się jej jak w febrze.

Nagle obok niej opadła drabinka i ujrzała jakiegoś nagiego mężczyznę w średnim wieku, który stał na pokładzie, odwrócony tyłem do reszty świata.

— *Tudo bem, Menina?*

Portugalczyk. Pytał, czy wszystko w porządku.

Wciąż zanosząc się od kaszlu, pokręciła głową.

Pochylił się i podał jej rękę. Przyjęła ją i pozwoliła wyciągnąć się z wody. Drżąc jak osika, rozglądała się dookoła. Gdzie się podział Monk?

Widziała, jak wodolot odpływa od brzegu w stronę głębszej wody. Powód tej decyzji wydawał się oczywisty: dwie łodzie motorowe należące do policji egipskiej oderwały się od odległego pomostu i z rykiem silników pędziły teraz w ich kierunku. Chaos w porcie co prawda opóźnił ich interwencję, lecz Rachele pomyślała, że lepiej późno niż wcale.

Poczuła, jak zalewa ją fala ulgi.

Odwróciła się i nagle znalazła się oko w oko z żoną czy też partnerką mężczyzny, tak samo nagą jak on.

Z jednym wyjątkiem.

Nieznajoma trzymała w ręku odbezpieczony pistolet.

Szukając Rachele, Monk przesuwał się dookoła rufy łodzi. Gdzieś dalej, w porcie, rozlegało się zawodzenie policyjnej motorówki i wściekle migały czerwone i białe światła. Wodolot ruszył w przeciwną stronę. Wznosząc się na płozach, szybko nabierał prędkości.

Uciekał.

Nie było szans, żeby policji udało się go dogonić. Odpływał na wody międzynarodowe lub zamierzał skryć się w jakiejś tajemnej przystani.

Monk skupił się więc wyłącznie na tym, by odnaleźć Rachele. Bał się, że znajdzie ją unoszącą się na powierzchni z twarzą skierowaną w dół, utopioną w brudnej, pełnej zanieczyszczeń wodzie. Trzymając się blisko łodzi, z wolna okrążył rufę.

I wtedy zauważył jakiś ruch na tylnym pokładzie.

Rachele...

Stała odwrócona do niego plecami, a jakiś mężczyzna w średnim wieku, goły jak święty turecki, podtrzymywał ją jedną ręką.

Monk zwolnił.

— Rachele... Czy wszystko w...?

Zerknęła do tyłu, wyraźnie wystraszona. Mężczyzna podniósł drugą rękę. Monk zobaczył karabin automatyczny, który był teraz wymierzony prosto w niego.

— Och... Sądzę, że raczej nie... — mruknął.

Gray miał wrażenie, że facet zaraz skręci mu kark.

Raoul przygniatał go kolanami do ziemi. Jedno wbił mu gdzieś pośrodku pleców, a drugim przycisnął do podłoża szyję. Szarpnął w tył głowę więźnia, a z kuszy mierzył w głowę Vigora.

Monsinior klęczał, pilnowany z obu stron przez uzbrojonych nurków. Trzeci przyglądał mu się ponuro i obracał w dłoni nóż. Wszyscy ludzie Trybunału gotowali się z wściekłości. Podstęp Graya kosztował życie ich pięciu kolegów.

Z korytarza wciąż dobiegały jęki, ale nikt tu nie myślał o niesieniu pomocy. W grę wchodziła jedynie zemsta.

Raoul pochylił się niżej.

— Koniec zabawy. Co znalazłeś w...

Ostry świst przerwał mu dalsze słowa.

Kusza z brzękiem wysunęła się z ręki Raoula, a on sam wrzasnął i zsunął się z pleców swojej ofiary.

Gray przetoczył się po podłodze, chwycił kuszę i strzelił do jednego z pilnujących Vigora bandytów.

Mężczyzna poleciał w tył z przeszytą na wylot szyją.

Drugi ze strażników wyprostował się i skierował broń w stronę Graya, lecz zanim nacisnął spust, w powietrzu śmignęła strzała i ugodziła go w brzuch.

Przewracając się na plecy, zdołał wystrzelić, lecz chybił.

Vigor momentalnie rzucił Grayowi nabitą kuszę jednego ze swoich strażników, a potem padł plackiem na ziemię.

Chwytając ją w locie, Gray odwrócił się do Raoula.

Olbrzym biegł ile sił w nogach do najbliższego tunelu — tego, który prowadził do grobu Aleksandra, ściskając się za przegub; który strzała przeszyła na wylot.

Jak zwykle oko Kat było niezawodne.

Ostatni z podwładnych Raoula — mężczyzna z nożem — wbiegł do tunelu pierwszy. Raoul pośpieszył w jego ślady.

Gray zerwał się na równe nogi, wycelował w szyję olbrzyma i nacisnął spust.

Strzała pomknęła w głąb tunelu. Wyglądało na to, że potężny mężczyzna nie zdąży dopaść na czas pierwszego zakrętu. I rzeczywiście. Grot uderzył go w plecy i zadźwięczał.

A potem upadł z brzękiem na kamienną posadzkę, nie wyrządzając mu najmniejszej krzywdy.

Gray zaklął jak szewc. Jak pech to pech. Trafił dokładnie w granat zapalający, który wciąż wisiał na ramieniu tamtego. To żelastwo ocaliło Raoula.

Olbrzym zniknął za zakrętem.

— Musimy się zbierać — ponagliła Kat. — Zabiłam strażników, którzy czekali na zewnątrz, i zabrałam jedne z sanek. Tamtych dwóch udało mi się zaskoczyć, ale nie wiadomo, ilu jeszcze ich tam jest.

Gray spojrzał tęsknie w głąb tunelu, nad czymś się zastanawiając.

Tymczasem Vigor zdążył już wskoczyć do wody.

— A co z Rachele?

— Wysłałam ją razem z Monkiem w drugich sankach. Powinni już być na brzegu.

Vigor objął szybko Kat, a w jego oczach zalśniły łzy ulgi. Naciągnął na twarz maskę i zanurzył się w wodzie.

— Komandorze?

Gray rozważał, czy nie pobiec za Raoulem, ale doszedł do wniosku, że pies zagnany w kąt jest najgroźniejszy. Skurwiel mógł ukryć pistolet w kieszeni kombinezonu, a poza tym miał granat. Nastawiłby zapalnik na krótki czas i w ten sposób za jednym zamachem wysłałby wszystkich na tamten świat.

W końcu Gray zrezygnował.

Ostatecznie miał w ręku to, czego potrzebował. Pogładził czule kieszeń, w której spoczywał złoty klucz.

Najwyższy czas stąd odejść.

Naciągnął maskę i dołączył do pozostałych. Leżący na podłodze mężczyzna — ten, który otrzymał postrzał w gardło — już nie żył. Drugi wciąż jeszcze jęczał, przeszyty na wylot na wysokości pasa. Pod nim zebrała się już całkiem spora kałuża krwi. Widocznie strzała uszkodziła mu nerkę albo tętnicę. Tak czy inaczej za kilka minut będzie martwy.

Gray nie czuł żalu ani przygnębienia. Pamiętał, jakich okrucieństw ludzie Raoula dopuścili się w Kolonii i Mediolanie.

— Wynośmy się stąd — zarządził.

Raoul wyszarpnął strzałę z przegubu. Całe ramię aż do klatki piersiowej przeszył potworny ból, co na chwilę pozbawiło go tchu. Z rany polała się świeża krew. Raoul zsunął rękawiczkę i obwiązał rękę kawałkiem neoprenu, żeby zatamować krwawienie i ucisnąć ranę.

Na szczęście kości nie zostały uszkodzone.

Doktor Alberto Menardi miał podstawowe wykształcenie medyczne i z pewnością potrafi go pozszywać.

Raoul rozejrzał się po komnacie, oświetlonej jedynie przez strumień światła padający z jego latarki, która leżała na podłodze. Co to za miejsce, do jasnej cholery?

Szklana piramida, woda, pokryta gwiazdami kopuła...

Ostatni z jego ludzi, Kurt, wrócił z tunelu. Został wysłany na rekonesans do pierwszej komnaty.

— Tamtych już nie ma — zameldował. — Bernard i Pelz nie żyją.

Raoul skończył zakładać prowizoryczny opatrunek i zaczął zastanawiać się, co dalej. Powinni jak najszybciej się stąd ewakuować. Był pewien, że Amerykanie zaraz zaalarmują egipską policję. Pierwotny plan zakładał, że wodolot ściągnie na siebie uwagę służb porządkowych, podczas gdy Raoul i jego drużyna potajemnie przeprowadzą tu śledztwo, a potem uciekną na pokładzie pokracznej, nieoznakowanej łodzi.

Jednak sytuacja uległa zmianie.

Przeklinając pod nosem, położył na ziemię plecak. Miał tam

aparat cyfrowy. Zrobi zdjęcia, dostarczy je Albertowi i dopiero wtedy zajmie się ściganiem Amerykanów.

Jeszcze nie wszystko skończone.

Wygrzebał aparat, trącając przy okazji stopą szelki podtrzymujące granat. Kawałek osłaniającego go pokrowca osunął się w dół. Raoul zignorował to zupełnie, dopóki nie dostrzegł na sąsiedniej ścianie słabej czerwonawej poświaty.

Kurwa mać...

Klęknął, wyciągnął ładunek wybuchowy i odwrócił.

00.33

W pobliżu timera widniało solidne wgłębienie. To właśnie tam trafiła strzała tego sukinsyna z Sigmy.

00.32

Siła uderzenia musiała coś uszkodzić i aktywowała timer.

Raoul wstukał kod anulujący ustawienia. Żadnego efektu.

Pchnął granat z całej siły, a nagły ruch wywołał nową falę bólu.

— Idź stąd — rozkazał Kurtowi.

Rozszerzone strachem oczy Kurta spoczywały na wyświetlaczu. Ale usłyszawszy polecenie, spojrzał na szefa, skinął głową i popędził w dół tunelu.

Raoul podniósł aparat cyfrowy, zrobił w pośpiechu kilka zdjęć, a następnie schował go do kieszeni i ruszył w drogę powrotną.

00.19

Po chwili znalazł się w pierwszej komnacie. Kurt zdążył się już ulotnić.

— Raoul! — usłyszał czyjś głos.

Zaskoczony okręcił się na pięcie, ale okazało się, że to tylko Seichan. Suka znajdowała się w pułapce, uwięziona w pierwszym tunelu.

Na pożegnanie machnął jej ręką.

— Miło było robić z tobą interesy.

Naciągnął na twarz maskę i zanurkował w basenie. Przecisnął się przez wąskie gardło i znalazł swojego człowieka na zewnątrz. Kurt oglądał właśnie dwa ciała. Kolejnych dwóch towarzyszy. Z niedowierzaniem pokręcił głową.

W Raoulu wezbrała dzika furia.

A potem przez głębinę przetoczyło się głuche echo, jakby

gdzieś w pobliżu przejeżdżał pociąg towarowy. Tunel za ich plecami zajarzył się przytłumionym, pomarańczowym blaskiem. Raoul obejrzał się w tył. Potem blask nagle pociemniał, a ziemia przestała drżeć.

Koniec.

Raoul zamknął oczy. Nie miał się czym pochwalić. Imperator jak nic urwie mu jaja... a przypuszczalnie znacznie więcej. Pomyślał, czy nie lepiej będzie po prostu odpłynąć i gdzieś się ukryć. Na trzech kontach w różnych bankach szwajcarskich odłożył sporo pieniędzy.

Ale wtedy rozpocznie się polowanie.

Nagle usłyszał brzęczenie radia.

— Foka Jeden, tu Holownik.

Otworzył oczy. To wiadomość z łodzi, która miała ich stąd zabrać.

— Tu Foka Jeden — odpowiedział z wysiłkiem.

— Mamy na pokładzie dwóch dodatkowych pasażerów.

Raoul zmarszczył brwi.

— Proszę wyjaśnić.

— Kobieta, którą pan zna, i jeden Amerykanin.

Raoul zacisnął zranioną dłoń. Słona woda wdarła się pod opatrunek, i rana piekła jak wszyscy diabli. Ogień rozlał mu się po całym ciele.

Znakomicie.

15.22

Gray przechadzał się nerwowym krokiem po hotelowym apartamencie, który zarezerwował dla nich Monk. Znajdowali się teraz na ostatnim piętrze hotelu Corniche, dokąd przybyli przed dwudziestoma pięcioma minutami. Panoramiczne okna wychodziły na stalowo-szklaną konstrukcję nowego gmachu Biblioteki Aleksandryjskiej. Leżący za nią port migotał jak ciemnoniebieska tafla lodu. Łodzie i jachty zdawały się tkwić w miejscu. Spokój szybko powrócił do portu.

Vigor oglądał lokalne wydanie wiadomości i słuchał, jak egipski spiker mówi, że doszło do konfrontacji między dwiema grupami przemytników narkotyków. Niestety policji nie udało się nikogo schwytać.

Ludzie Trybunału zdążyli uciec.

Gray wiedział także, że grobowiec uległ zniszczeniu. Co prawda zaraz po wyjściu zabrali butle z tlenem i dwie pary porzuconych sanek, żeby jak najszybciej dostać się na daleki kraniec portu i tam obok pomostu zostawić cały ekwipunek, jednak w czasie jazdy Gray usłyszał przytłumione tąpnięcie.

Granat zapalający.

Uciekając, Raoul musiał wysadzić wszystko w powietrze.

Wreszcie Gray, Kat i Vigor wydostali się z portu i ubrani jedynie w stroje kąpielowe wmieszali się w tłum plażowiczów. Przecinając na ukos nadbrzeżny park, dotarli do hotelu, gdzie — jak spodziewał się Gray — powinni czekać na nich Monk i Rachele.

Ale ich tam nie było.

Ani żadnej wiadomości od nich.

— Gdzie oni mogli się podziać? — martwił się Vigor.

Gray odwrócił się do Kat.

— Na pewno widziałaś, jak odjeżdżają na tych podwodnych sankach?

Przytaknęła, ale jej mina świadczyła o tym, że dręczy ją poczucie winy.

— Powinnam się była upewnić...

— Tak, ale wtedy obaj z Vigorem już byśmy nie żyli — przerwał jej. — Musiałaś wybierać.

Absolutnie nie mógł jej winić za to, co się stało z Monkiem i Rachele.

Wierzchem dłoni potarł zmęczone oczy.

— Poza tym był z nią Monk — dodał.

Te słowa nawet jemu dodały otuchy.

— Co teraz robimy? — spytał Vigor.

Gray przygarbił się i wyjrzał przez okno.

— Musimy założyć, że zostali schwytani... Nie możemy liczyć na to, że tutaj jesteśmy bezpieczni. Trzeba się ewakuować.

— Wyjechać? — Vigor poderwał się z miejsca.

Gray poczuł nagle, jak przygniata go ciężar odpowiedzialności. Stanął naprzeciw Vigora i spojrzał mu prosto w oczy.

— Nie mamy wyboru.

16.05

Rachele wślizgnęła się w szlafrok. Owinęła się nim szczelnie, rzucając przy tym wściekłe spojrzenia drugiej osobie obecnej w kabinie.

Wysoka, umięśniona blondynka zignorowała zupełnie jej złość i podeszła do drzwi.

— Skończyłyśmy! — krzyknęła w głąb korytarzyka.

Drzwi otworzyły się natychmiast. Pojawiła się w nich inna kobieta, bliźniaczo podobna do pierwszej, tylko o kasztanowatych włosach. Weszła do środka i przytrzymała drzwi dla Raoula. Wysoki mężczyzna pochylił się i dał nura przez właz.

— Ona jest czysta — złożyła raport blondynka, zdejmując jednocześnie lateksowe rękawiczki. Przed chwilą przeszukała dokładnie wszystkie naturalne otwory w ciele Rachele. — Niczego nigdzie nie ukryła.

Teraz z pewnością już nie jestem czysta, pomyślała ze złością Rachele. Odwróciła się tyłem i zawiązała pasek w ciasny węzeł. Wysoko, tuż pod piersiami. Palce drżały jej ze zdenerwowania, więc zacisnęła je mocno na brzegu szlafroka. Czuła, jak pod powiekami wzbierają piekące łzy, ale powstrzymała je, by nie dać Raoulowi satysfakcji.

Przez maleńki bulaj gapiła się na zewnątrz, starając się odkryć jakiś punkt orientacyjny — coś, dzięki czemu mogłaby się dowiedzieć, dokąd ją zawieźli. Jednak dookoła widziała jedynie morze.

Ona i Monk szybko zostali zabrani z łodzi. W porcie do burty dobił ślizgacz i na pokład weszło czterech potężnych mężczyzn. Rachele i Monk zostali związani, zakneblowani i zarzucono im na głowy kaptury, a następnie znaleźli się w mniejszej łodzi, która błyskawicznie odpłynęła, podskakując na falach. Płynęli tak chyba przez pół dnia, choć w rzeczywistości nie trwało to dłużej niż godzinę, bo kiedy wreszcie ściągnięto jej z głowy kaptur, Rachele zobaczyła, że słońce ledwie zdążyło się przesunąć po niebie.

W maleńkiej zatoczce ukrytej za rumowiskiem skalnym czekał znajomy wodolot, podobny do wielkiego ciemnoniebieskiego rekina czyhającego na ofiarę. Załoga odczepiała cumy, najwyraźniej przygotowując się do wyjścia w morze. Wtedy Rachele spostrzegła Raoula. Stał na rufie ze skrzyżowanymi ramionami.

Zostali przetransportowani na pokład i od razu ich rozdzielono. Raoul osobiście zajął się Monkiem.

Rachele wciąż jeszcze nie wiedziała, jaki los spotkał jej kolegę z zespołu. Bez ceregieli została wepchnięta pod pokład i trafiła do kabiny, której pilnowały dwie kobiety. Wodolot natychmiast oddalił się z zatoczki i zmierzał na pełne morze.

To wszystko zdarzyło się trochę ponad pół godziny temu.

Teraz Raoul zrobił krok do przodu i złapał ją za ramię. Zauważyła, że drugą rękę miał obandażowaną.

— Pójdziesz ze mną — warknął, ściskając ją mocno.

Dała się wyprowadzić z kabiny na wyłożony drewnianymi panelami korytarz, oświetlony przez rząd kinkietów. Ciągnął się on od rufy aż na dziób, a po obu stronach znajdowały się drzwi do prywatnych kabin. Na główny pokład prowadziły tylko jedne schody, tak strome, że Rachele natychmiast skojarzyły się z drabiną.

Jednak zamiast skręcić w tamtym kierunku, Raoul popchnął ją w stronę dziobu i zapukał do ostatniej kabiny.

— *Entri* — odezwał się jakiś przytłumiony głos.

Raoul popchnął drzwi i wciągnął Rachele do środka. To wnętrze było znacznie obszerniejsze niż jej więzienie. Poza łóżkiem i krzesłem stało tam również biurko, rozkładany stolik przy ścianie i półki z książkami. Na każdym skrawku wolnej przestrzeni piętrzyły się stosy manuskryptów, czasopism, nawet antycznych pergaminów. Jeden narożnik biurka był zajęty przez laptop.

Na odgłos zbliżających się kroków mieszkaniec kajuty wyprostował się i odwrócił, bo do tej pory tkwił pochylony nad biurkiem z okularami zsuniętymi na czubek nosa.

— Rachele... — powiedział ciepło, jak gdyby byli starymi przyjaciółmi.

Przypomniała go sobie z dawnych czasów, gdy chadzała z wujem Vigorem do Biblioteki Watykańskiej. Doktor Alberto Menardi. Pełnił funkcję naczelnego prefekta archiwów. Zdrajca przewyższał ją wzrostem o kilka centymetrów, ale jego notoryczne garbienie się sprawiało, że wydawał się niższy.

Popukał w jakiś papier rozłożony na biurku.

— Sądząc ze świeżego jeszcze atramentu i starannego charakteru pisma — kobiecego, jeśli się nie mylę — tę mapę ozdobiła twoja śliczna rączka, prawda?

Machnął ręką, żeby podeszła. Nie miała zresztą wyboru, bo Raoul brutalnie popchnął ją w tamtą stronę.

Potknęła się o jakieś książki i musiała złapać się krawędzi biurka, żeby nie upaść. Wpatrzyła się w mapę przedstawiającą basen Morza Śródziemnego, z naniesioną na nią klepsydrą, jak również z nazwami siedmiu cudów świata.

Udało się jej zachować nieprzeniknioną minę.

Znaleźli jej mapę. Schowała ją do szczelnie zamykanej kieszeni w kombinezonie do nurkowania. Teraz żałowała gorąco, że jej nie spaliła.

Alberto przysunął się bliżej. Jego oddech śmierdział skwaśniałym winem i oliwkami. Przesunął paznokciem po osi nakreślonej przez Graya i zatrzymał się na Rzymie.

— Opowiedz mi coś o tym — powiedział łagodnie.

— Właśnie tam mieliśmy teraz jechać — skłamała gładko. Poczuła ulgę, że jej wuj nie nakreślił dalszego ciągu linii atramentem, lecz użył do tego celu własnego palca i noża pożyczonego od Graya.

Alberto odwrócił głowę.

— A teraz powiedz, czemu akurat tam? Chętnie posłucham, co takiego znaleźliście w tamtym grobie. Chcę znać najdrobniejsze szczegóły. Raoul był tak dobry i skorzystał z kamer, ale sądzę, że relacja z pierwszej ręki może być o wiele ciekawsza.

Rachele milczała.

Palce Raoula zacisnęły się na jej ramieniu, aż skrzywiła się z bólu.

Alberto machnął na niego.

— Nie musisz tego robić akurat jej.

Uścisk zelżał, ale Raoul nie puścił ręki.

— Masz przecież tego Amerykanina, zgadza się? — powiedział Alberto. — Zresztą może powinna go zobaczyć. Ostatecznie wszystkim nam przyda się odrobina świeżego powietrza, prawda?

Raoul uśmiechnął się od ucha do ucha.

Na ten widok poczuła, jak strach ściska jej serce.

Została brutalnie wyciągnięta z kabiny i zmuszona do wejścia na strome schody. Kiedy zaczęła się wspinać, Raoul sięgnął ręką pod szlafrok i musnął dłonią jej nagie udo. Natychmiast przyśpieszyła kroku.

Schody prowadziły wprost na otwarty pokład w okolicach rufy. Promienie słońca odbijały się oślepiająco od białych desek. Na bocznych ławkach wylegiwało się trzech mężczyzn, niedbale trzymając karabiny.

I wszyscy trzej gapili się na nią bez zażenowania.

Rachele otuliła się szczelniej szlafrokiem. Drżała z obrzydzenia, bo wciąż czuła dotyk Raoula. Wielkolud wygramolił się tuż za nią, a na końcu wyszedł Alberto.

Zrobiła kilka kroków wzdłuż ścianki, która oddzielała pokład od klatki schodowej. I wtedy zobaczyła Monka.

Leżał na brzuchu, całkiem nagi, jeśli nie liczyć bokserek. Ręce związane miał na plecach, a nogi skrępowane w okolicach kostek. Od razu zauważyła, że musiał mieć złamane dwa palce u lewej ręki, bo były wygięte pod nieprawdopodobnym kątem. Cały pokład dookoła wysmarowany był krwią. Kiedy się zbliżyła, otworzył jedno zapuchnięte oko.

Tym razem nie powitał jej żadnym ciętym dowcipem.

To właśnie przestraszyło ją bardziej niż cokolwiek innego.

Raoul i jego ludzie musieli wyładować na nim swoją wściekłość. Był jedynym i łatwo dostępnym obiektem ataku.

— Rozwiążcie mu ręce — rozkazał Raoul. — I odwróćcie na plecy.

Strażnicy pośpieszyli wypełnić polecenie. Monk jęknął, gdy szarpnięciem uwolnili go z więzów i zaczęli obracać. Jeden z mężczyzn trzymał karabin tuż przy jego uchu.

Raoul wyrwał ze wspornika siekierę stanowiącą część wyposażenia przeciwpożarowego.

— Co chcesz zrobić?! — Rachele rzuciła się naprzód i stanęła pomiędzy nim a Monkiem.

— To będzie zależało od ciebie — odparł. Oparł siekierę na ramieniu.

Któryś ze strażników musiał zauważyć dyskretny sygnał. Nagle Rachele poczuła, że ktoś chwyta ją za łokcie i wykręca ręce do tyłu. Zaraz potem została związana i odciągnięta na bok.

Raoul kiwnął na jednego ze swych ludzi.

— Usiądź na nim i przytrzymaj mu lewą rękę — polecił, a potem odwrócił w stronę Rachele. — Wydaje mi się, że *professore* zadał ci pytanie?

Alberto wysunął się do przodu.

— Tylko nie pomiń żadnych szczegółów.

Rachele była zbyt przerażona, by odpowiedzieć.

— Twój kolega ma u tej ręki pięć palców... — dodał Raoul. — Zaczniemy od tych złamanych. I tak nie będzie z nich miał wielkiego pożytku.

Podniósł siekierę.

— Nie! — wychrypiała.

— Nic im... — zajęczał Monk.

Ale strażnik, który trzymał karabin przy jego uchu, kopnął go z całej siły w głowę.

— Powiem! — wyrzuciła z siebie jednym tchem.

Mówiła gwałtownie, wyjaśniając, co się zdarzyło — od odkrycia ciała Aleksandra do uruchomienia starożytnych baterii. Nie opuściła niczego z wyjątkiem prawdy.

— To zajęło nam trochę czasu, ale rozwiązaliśmy zagadkę... ta mapa... siedem cudów... wszystko wskazuje na to, że trzeba wrócić do początku. Zatoczyć pełne koło. Szukać w Rzymie.

Oczy Alberta błyszczały coraz mocniej. Zadał kilka dodatkowych pytań i kiwał głową, pomrukując od czasu do czasu:

— Tak, tak...

Wreszcie Rachele skończyła opowiadanie.

— To wszystko, co wiemy.

Alberto odwrócił się do Raoula.

— Ona kłamie — oświadczył.

— Też tak sądzę.

I ze świstem opuścił siekierę.

16.16

Krzyk kobiety sprawił Raoulowi prawdziwą przyjemność.

Wyszarpnął siekierę z miejsca, gdzie utkwiła. Ostrze o włos minęło palce więźnia. Zarzucił ją na ramię i znów odwrócił się do Rachele. Jej twarz była tak blada, że wydawała się wręcz przezroczysta.

— Następnym razem nie chybię — ostrzegł ją.

Doktor Alberto wysunął się naprzód.

— Nasz duży przyjaciel był tak dobry i sfotografował tę piramidę pod różnymi kątami. Widać wyraźnie, że na jej powierzchni jest kwadratowa dziura. Coś, o czym zapomniałaś wspomnieć. Pamiętaj, że grzech zaniechania będzie traktowany tak samo jak kłamstwo. Prawda, Raoul?

W odpowiedzi olbrzym uniósł siekierę.

— To co, spróbujemy jeszcze raz?

Alberto pochylił się w stronę Rachele.

— Naprawdę nie chcemy, żeby twojemu przyjacielowi stała się krzywda. Ale przecież to jasne, że coś zabraliście z tego grobowca. Nie ma sensu na ślepo zaczynać poszukiwań w Rzymie, bez dodatkowej wskazówki... Co takiego było w piramidzie?

Łzy spływały strumieniami po twarzy Rachele.

Raoul napawał się jej cierpieniem, czego nawet nie próbował ukryć. Przypomniał sobie to, co widział zaledwie kilka chwil temu, i poczuł, że dostaje erekcji. Przez lustro weneckie obserwował, jak jedna z suk kapitana grzebie we wszystkich intymnych miejscach tej kobiety. Początkowo sam miał chęć przeprowadzić to badanie, ale kapitan stanowczo się sprzeciwił. To jego łódź i on tu ustala reguły gry. Raoul nie naciskał. Kapitan był w dość podłym nastroju, odkąd dowiedział się o śmierci Seichan, która zginęła w pułapce razem z tyloma dobrymi ludźmi z drużyny Raoula.

Nawiasem mówiąc, i tak planował, że w niedługim czasie przeprowadzi u Rachele takie intymne badanie... Tyle że będzie o wiele mniej delikatny.

— Więc co zabraliście? — naciskał Alberto.

Raoul stanął w szerokim rozkroku i uniósł siekierę wysoko nad głową. Zraniona ręka bolała jak diabli, ale zignorował ten ból. Może jednak ona nie powie... Może uda się przeciągać tę rozkosz w nieskończoność...

Ale Rachele się załamała.

— Klucz... Złoty klucz... — załkała i osunęła się na kolana. — Zabrał go Gray... To znaczy komandor Pierce...

Raoul usłyszał w jej głosie cień nadziei, starannie ukryty za zasłoną z łez.

Wiedział, co zrobić, żeby ją zgnieść.

Zamachnął się i zdecydowanym ruchem opuścił siekierę. Uderzyła w rękę więźnia na wysokości nadgarstka.

16.34

— Musimy się zbierać — powiedział Gray.

Dał Kat i Vigorowi dodatkowe czterdzieści pięć minut na zadzwonienie do wszystkich okolicznych szpitali i centrów medycznych. Zdążyli nawet przeprowadzić dyskretny wywiad w miejscowej policji. Może tamci odnieśli takie obrażenia, że nie byli w stanie nawiązać kontaktu. Albo czekali w celi jakiegoś komisariatu.

Gray wstał, kiedy w plecaku odezwał się dzwonek telefonu satelitarnego.

Oczy wszystkich zwróciły się w tamtą stronę.

— Dzięki Bogu! — wyrzucił z siebie Vigor jednym tchem.

Zaledwie garstka ludzi znała ten numer. Dyrektor Crowe i reszta zespołu.

Gray chwycił telefon i wysunął antenę.

— Komandor Pierce — powiedział, podchodząc do okna.

— Będę mówił krótko, więc mi nie przeszkadzaj.

Gray zesztywniał. To był Raoul. A to oznaczało tylko jedno...

— Mamy tę kobietę i twojego kumpla. Zrobisz dokładnie to, co ci powiem, albo odeślemy ich głowy do Waszyngtonu i Rzymu... Oczywiście zaraz po tym, jak skończymy się z nimi zabawiać.

— Skąd mam wiedzieć, czy oni jeszcze...

Z drugiej strony dobiegły odgłosy jakiegoś zamieszania, po czym odezwał się nowy głos, przerywany szlochem.

— Oni... Ja... Oni ucięli Monkowi dłoń! On...

Ktoś wyrwał jej z ręki telefon.

Gray opanował się, żeby nie wybuchnąć. Teraz nie było na to czasu. Zacisnął tylko mocno palce na słuchawce, a serce skoczyło mu do gardła. Przez chwilę nie mógł wydobyć z siebie głosu.

— Czego chcesz? — wycedził wreszcie przez zaciśnięte zęby.

— Chcę dostać ten złoty klucz, który zabrałeś z grobowca.

A więc wiedzieli o jego istnieniu. Gray rozumiał, dlaczego Rachele zdradziła im tę tajemnicę. Jak mogłaby tego nie zrobić? Musiała przehandlować tę informację w zamian za życie Monka. Oboje byli bezpieczni dopóty, dopóki ci z Trybunału sądzili, że ów cenny klucz znajduje się u Graya. Jednak to wcale nie oznaczało, że nie dojdzie do poważniejszych okaleczeń, jeśli on nie zechce współpracować. Przypomniał sobie, w jak straszliwym stanie byli torturowani w Mediolanie księża.

— Rozumiem więc, że chcesz wymiany — powiedział lodowatym tonem.

— O dwudziestej pierwszej samolot linii EgyptAir odlatuje z Aleksandrii do Genewy. Polecisz tą maszyną. Sam. Fałszywe dokumenty i bilet czekają na ciebie w schowku, więc żaden komputer nie wyśledzi twojej obecności na pokładzie.

Dalej udzielił kilku wskazówek, jak trafić do schowka.

— Nie kontaktuj się z żadnym z przełożonych... Ani w Waszyngtonie, ani w Rzymie. Jeśli to zrobisz, dowiemy się. Zrozumiałeś?

— Tak — warknął. — Jaką mam pewność, że dotrzymacie warunków umowy?

— Żadnej. Lecz gdy już wylądujesz w Genewie, na znak dobrej woli skontaktuję się z tobą. Jeśli dokładnie wykonasz nasze polecenia, uwolnię twojego człowieka. Zostanie odesłany do najbliższego szpitala w Szwajcarii i dostaniesz od nas potwierdzenie, że to zrobiliśmy. Kobieta zostanie pod naszą opieką aż do chwili, kiedy przekażesz nam złoty klucz.

Gray wiedział, że propozycja uwolnienia Monka jest najprawdopodobniej szczera, choć wcale nie wynikała z dobrej woli. Jego życie było tylko czymś w rodzaju zaliczki w tej grze, miało zwabić Graya i zachęcić do współpracy. Ze wszystkich sił starał się wyrzucić z pamięci słowa Rachele. Że ucięli Monkowi dłoń.

W zasadzie nie miał wyboru.

— Będę na pokładzie tego samolotu — powiedział.

Ale Raoul jeszcze nie skończył.

— Reszta twojego zespołu... Ta suka i monsinior... mogą jechać, dokąd chcą. Są wolni, dopóki będą siedzieć cicho i schodzić nam z drogi. Jeśli któreś z nich postawi stopę we Włoszech lub w Szwajcarii, nasz układ uznam za zerwany. Rozumiesz?

Gray zmarszczył brwi. Rozumiał, że Trybunał nie chce, by pojawili się w Szwajcarii, ale czemu we Włoszech? A potem nagle doznał olśnienia. W pamięci odtworzył mapę Rachele. Ujrzał nakreśloną przez siebie linię, która wskazywała na Rzym. Rachele powiedziała im dużo... ale nie wszystko.

Grzeczna dziewczynka.

— Zgoda — odparł, rozważając już w myślach różne scenariusze.

— Najmniejszy podstęp z twojej strony i nigdy już nie zobaczysz tej kobiety ani swojego kumpla... ale rozmaite części ciał będziemy codziennie wysyłać pocztą.

Połączenie zostało przerwane.

Gray opuścił telefon i odwrócił się do pozostałych. Powtórzył im słowo w słowo rozmowę z Raoulem, żeby wszystko zrozumieli.

— Muszę lecieć tym samolotem — zakończył.

Cała krew odpłynęła z twarzy Vigora. Spełniły się jego najgorsze obawy.

— Wiesz, że oni w dowolnym momencie mogą zastawić na ciebie pułapkę? — odezwała się Kat.

Skinął głową.

— Wiem. Ale uważam, że dopóki będę wypełniał ich polecenia, pozwolą mi działać. Nie zaryzykują utraty klucza, gdyby coś poszło nie tak.

— A co z nami? — spytał Vigor.

— Potrzebuję was w Awinionie. Chcę, żebyście jak najszybciej zaczęli rozpracowywać tamtą tajemnicę.

— Ja... Ja nie mogę — załkał Vigor. — Rachele... — Opadł bez sił na łóżko.

W głosie Graya zabrzmiała stanowczość.

— Rachele umożliwiła nam swobodną pracę w Awinionie. Kupiła nam trochę czasu. Zapłaciła za to krwią i cierpieniem Monka i nie chcę, żeby ich ofiara poszła na marne.

Vigor podniósł wzrok.

— Możesz mi zaufać. — Gray był twardy jak głaz. — Uwolnię Rachele. Masz moje słowo.

Monsinior wpatrzył się w twarz komandora, starając się odczytać z niej jego zamiary. Cokolwiek tam odkrył, przywróciło mu wiarę, że wszystko będzie dobrze.

Gray miał nadzieję, że to wystarczy.

— Jak zamierzasz...? — zaczęła Kat, ale Gray pokręcił głową i odsunął się.

— Im mniej będziemy wiedzieć o naszych zamiarach, tym lepiej. — Przeszedł na ukos przez pokój i podniósł z podłogi plecak. — Skontaktuję się z wami, kiedy już Rachele będzie ze mną.

Z tymi słowami skierował się do wyjścia.

Została mu jedna, jedyna nadzieja.

17.55

Seichan siedziała w ciemności, ściskając w ręku ułamany kawałek noża.

Metalowe ostrze przyszpiliło jej ramię do ściany. Pręt średnicy dwóch centymetrów przebił ciało tuż nad obojczykiem, ale szczęśliwie ominął większe naczynia krwionośne i łopatkę. Lecz Seichan nadal nie mogła się ruszyć. Czuła, jak pod kombinezonem do nurkowania sączy się strumyczek krwi.

Najmniejsze drgnięcie sprawiało, że cierpiała jak potępieniec.

Ale przynajmniej wciąż żyła.

Ostatni z ludzi Raoula umarł mniej więcej w tym samym czasie, kiedy zgasła ostatnia latarka. Wybuch granatu zapalającego, który Raoul pozostawił, chcąc zniszczyć położoną w głębi komnatę, ledwie naruszył ten tunel. Fala ognia przetoczyła się tak blisko, że prawie ją poparzyła, to prawda, lecz teraz Seichan pragnęła z całego serca znów poczuć ten żar.

Dotkliwy chłód zdążył dać się jej we znaki, choć miała na sobie kombinezon. Kamienne powierzchnie wysysały z niej ciepło, a utrata krwi tylko przyśpieszała ten proces.

Lecz Seichan za nic nie chciała się poddać. Obracała między palcami ułamane ostrze. Zaczęła nim grzebać w kamiennej ścianie — w miejscu, gdzie tkwił zaostrzony koniec drąga. Gdyby udało jej się trochę go poruszyć, obluzować...

Cała podłoga zaśmiecona była odłamkami skały. Spoczywała tam także rękojeść noża. Pękł wkrótce potem, jak zaczęła pracę.

Teraz miała w ręku jedynie kawałek ostrza długości około ośmiu centymetrów. Palce spływały krwią od ciągłego tarcia o kamienny blok i ściskania ostrego metalu, lecz mimo to cały wysiłek zdawał się iść na marne.

Czoło Seichan pokryło się zimnym potem.

Nagle kątem oka zauważyła jakiś poblask. Przez moment sądziła, że to tylko gra wyobraźni, ale gdy odwróciła głowę, dostrzegła światło w wejściowym tunelu. Światło, które z każdą chwilą przybierało na sile.

A potem poruszyło się lustro wody. Ktoś się zbliżał.

Ścisnęła resztki noża, przepełniona zarówno nadzieją, jak i obawą.

Kto to?

Z basenu wyłonił się ciemny kształt. Nurek wygramolił się na brzeg. Strumień mocnego światła przesunął się po jej twarzy.

Odruchowo osłoniła oczy przed oślepiającym blaskiem.

Przybysz natychmiast opuścił latarkę. Podszedł bliżej, a kiedy ściągnął kaptur, rozpoznała znajome rysy. Komandor Gray Pierce.

Stanął obok niej i podniósł piłkę do metalu.

— Porozmawiajmy — powiedział.

DZIEŃ CZWARTY

14

Gotyk

27 lipca, 18.02
Waszyngton, D.C.

Dyrektor Painter Crowe wiedział, że czeka go kolejna bezsenna noc. Słyszał doniesienia z Egiptu o ataku w Porcie Wschodnim w Aleksandrii i zastanawiał się, czy zespół Graya brał w tym udział? Bez dostępu do satelity nie mógł przeprowadzić dochodzenia.

Z terenu także nie docierały żadne informacje. Ostatni meldunek został przesłany dwanaście godzin temu.

Painter żałował teraz, że nie podzielił się swymi podejrzeniami z Grayem Pierce'em. Ale wówczas były to jedynie podejrzenia. Potrzebował czasu, żeby przeprowadzić finezyjne dochodzenie i nadal nie był do końca pewien swojej racji. Gdyby podjął bardziej zdecydowane działania, konspirator z pewnością by się zorientował, że został zdemaskowany, a to tylko naraziłoby Graya i jego zespół na dodatkowe niebezpieczeństwo.

Tak więc Painter musiał sam doprowadzić sprawę do końca.

Pukanie do drzwi oderwało jego uwagę od komputera.

Wyłączył monitor, żeby ukryć to, nad czym pracował, i przyciskiem odblokował drzwi. Zrobił to osobiście, bo sekretarka wzięła dzień urlopu.

Do środka wkroczył Logan Gregory.

— Ich odrzutowiec właśnie podchodzi do lądowania.

— Na lotnisku w Marsylii? — spytał Painter.

Logan skinął głową.

— Powinni wylądować w ciągu osiemnastu minut. Tuż po północy miejscowego czasu.

— Ale dlaczego Francja? — Painter potarł zaczerwienione ze zmęczenia oczy. — I mówisz, że wciąż nie można nawiązać z nimi kontaktu?

— Pilot potwierdził tylko kierunek lotu i nic ponadto. Ale udało mi się wyciągnąć wykaz z francuskiego punktu odprawy celnej. Na pokładzie jest tylko dwóch pasażerów.

— Tylko dwóch? — Painter usiadł prosto i zmarszczył brwi.

— Lecą pod płaszczykiem misji dyplomatycznej. Anonimowo. Mogę spróbować dowiedzieć się czegoś więcej.

Teraz Painter musiał postępować bardzo ostrożnie.

— Nie... — powiedział po krótkim namyśle. — To mogłoby wywołać niepotrzebne zamieszanie. Najwyraźniej nasz zespół chce utrzymać swoje działania w sekrecie, a my musimy im na to pozwolić. Na razie.

— Tak jest. Mam też pewne pytania ze strony Rzymu. Watykan i karabinierzy o niczym nie wiedzą i zaczynają się trochę martwić.

Painter powinien im coś przekazać, bo inaczej władze Unii Europejskiej mogą źle zareagować. Rozważył pośpiesznie wszystkie możliwości i doszedł do wniosku, że ustalenie kierunku lotu odrzutowca nie zajmie europejskim służbom zbyt wiele czasu. Musiał podjąć decyzję.

— Powiedz im o locie do Marsylii i że przekażemy dalsze informacje, jak tylko się czegoś dowiemy — zdecydował w końcu.

— Tak jest, proszę pana.

Painter wpatrzył się w ciemny monitor komputera. Dostrzegł pewną niewielką szansę.

— Kiedy już się z nimi skontaktujesz, chcę żebyś załatwił dla mnie pewną sprawę. W DARPA.

Logan zmarszczył brwi.

— Jest coś, co powinienem wysłać przez zaufanego kuriera doktorowi Seanowi McKnightowi — Painter wsunął zapieczętowany list do czerwonej teczki. — Ale nikt nie może wiedzieć, że tam pojechałeś.

Logan zmrużył oczy, ale posłusznie skinął głową.

— Zaraz się tym zajmę.

Wziął teczkę, wsadził ją pod pachę i skierował się ku drzwiom.

— Tylko pamiętaj, absolutna dyskrecja — przypomniał jeszcze raz Painter.

— Może mi pan zaufać — oświadczył Logan i zamknął za sobą drzwi.

Painter z powrotem włączył komputer. Na ekranie ukazała się mapa basenu Morza Śródziemnego, spowita siecią żółtych i niebieskich niteczek. Ścieżki satelitów. Przesunął strzałkę na jeden z nich. Na najnowszego satelitę Narodowego Biura Rozpoznania, zwanego Oko Jastrzębia. Kliknął dwukrotnie, żeby odczytać szczegóły trajektorii i wyszukać parametry.

Na klawiaturze wstukał słowo „Marsylia" i na monitorze pojawiło się zestawienie czasów. Porównał je z mapą pogody przygotowaną przez Narodowy Urząd do spraw Oceanów i Atmosfery. Nad południową Francję nasuwał się potężny front burzowy. Niewykluczone, że ciężkie chmury uniemożliwią jakąkolwiek obserwację. Szanse na to, że się uda, malały z każdą chwilą.

Painter zerknął na zegarek, a następnie podniósł słuchawkę i zadzwonił do ochrony.

— Dajcie mi znać, kiedy Logan Gregory wyjdzie z centrum dowodzenia.

— Tak jest, proszę pana.

Odłożył słuchawkę i popatrzył na zegarek. Czas odgrywał w tym wypadku kluczową rolę. Czekał kolejne piętnaście minut, obserwując, jak burze zaczynają zakrywać niebo nad zachodnią Europą.

— No, idźże już — mruknął.

Wreszcie telefon zadzwonił — Logan wyszedł. Painter wstał i opuścił swoje biuro. Stanowiska rozpoznania satelitarnego mieściły się piętro niżej, tuż obok biura Logana. Painter zszedł na dół i znalazł samotnego technika, wtulonego w półkole migających monitorów i komputerów, który właśnie zapisywał coś w dzienniku.

Na widok szefa zdziwił się niepomiernie.

— Dyrektor Crowe... — zawołał, podrywając się. — W czym mogę pomóc?

— Chcę uzyskać dostęp do satelity NRO H-E Four.
— Do Oka Jastrzębia?
Painter skinął głową.
— Ale uzyskanie zezwolenia przekracza moje...
Painter położył przed nim długą sekwencję składającą się z cyfr i liter. Była aktualna tylko przez następne pół godziny. Dostał ją od samego Seana McKnighta.
Oczy technika rozszerzyły się ze zdumienia. Natychmiast zasiadł do pracy.
— Nie trzeba było fatygować się tu osobiście. Doktor Logan mógł dostarczyć nagranie do pańskiego biura.
— Logan wyszedł. — Painter położył dłoń na ramieniu technika. — Chcę, żebyś zaraz potem wykasował to połączenie. Żadnego nagrywania. I ani słowa o tym, że coś takiego w ogóle miało miejsce. Nawet tutaj, w Sigmie.
— Tak jest, proszę pana.
Technik wskazał na jeden z ekranów.
— Obraz pojawi się na tym monitorze. Potrzebuję jeszcze współrzędne GPS.
Painter podał potrzebne dane.
Po długiej chwili na ekranie pojawiło się pogrążone w mroku lotnisko.
Port lotniczy w Marsylii.
Painter polecił zrobić najazd na określone miejsce. Odbicie zafalowało, a potem stawało się coraz wyraźniejsze. Nieduży samolocik, Citation X, stał z otwartymi drzwiami w pobliżu wyjścia. Painter pochylił się w przód, zasłaniając sobą ekran.
Czy to możliwe, że się spóźnił?
Nagle dostrzegł dziwaczny, przerywany ruch. W polu widzenia pojawiła się jedna postać, a za nią druga. Obie pośpiesznie zbiegły ze schodków. Painter nie potrzebował robić zbliżenia twarzy, żeby je rozpoznać.
Monsinior Verona i Kat Bryant.
Czekał dalej. Może wykaz z punktu odprawy był sfałszowany. Może jednak wszyscy przylecieli tym samolotem.
Nagle obraz zadrżał i przez ekran przebiegła fala małych czarnych punkcików.
— Psuje się pogoda — zauważył technik.

Painter nadal wpatrywał się w ekran. Nikt więcej nie pojawił się w drzwiach samolotu, a tymczasem Kat i monsinior zniknęli w wyjściu. Marszcząc gniewnie brwi, dał ręką znać, że można przerwać połączenie. Podziękował technikowi i wyszedł.

Gdzie, do diabła, podział się Gray?

1.04
Genewa, Szwajcaria

Gray siedział w kabinie pierwszej klasy odrzutowca linii EgyptAir. Musiał wyrazić uznanie dla Trybunału Smoka. Naprawdę się wykosztowali. Rozejrzał się dookoła. Osiem foteli, sześciu pasażerów. Jeden — a może więcej niż jeden — prawdopodobnie był szpiegiem Trybunału i miał na niego oko.

To jednak się nie liczyło. Gray był zdecydowany na pełną współpracę... Na razie.

Zabrał bilet i fałszywy paszport ze schowka i udał się prosto na lotnisko. Czterogodzinny lot zdawał się nie mieć końca. Gray zjadł wyśmienitą kolację, wypił dwie szklaneczki czerwonego wina, obejrzał jakiś film z Julią Roberts, a nawet uciął sobie czterdziestominutową drzemkę.

Odwrócił się w stronę okna. Czuł, jak złoty klucz przesuwa się na jego piersi. Przed podróżą powiesił go sobie na szyi na łańcuszku. Ciepło ciała zdążyło już ogrzać metal, ale klucz nadal wydawał się zimny i ciężki, jakby wiedział, że od niego zależy życie dwojga ludzi. Gray wyobraził sobie Monka — faceta o nieskomplikowanym sposobie bycia, przenikliwym umyśle i wielkim sercu. I Rachele. Kobietę, która była mieszanką stali i jedwabiu, intrygującą i skomplikowaną. W uszach wciąż rozbrzmiewał mu jej ostatni krzyk, pełen bólu i przerażenia. Przenikał go na wskroś, bo Gray wiedział, że została schwytana w czasie, gdy odpowiadał za jej bezpieczeństwo.

Samolot ostro nurkował, co było konieczne przy podejściu do lądowania w mieście otoczonym Alpami, a on tymczasem wyglądał przez okno.

W dole skrzyły się światła Genewy. Blask księżyca srebrzył szczyty gór i taflę jeziora.

Samolot przemknął nad wodami Rodanu, który rozdzielał miasto na połowy. Podwozie wysunęło się ze świstem, a chwilę później dotknęli pasa startowego lotniska w Genewie.

Podkołowali do rękawa, ale Gray poczekał, aż kabina opustoszeje i dopiero wtedy zebrał swój starannie zapakowany bagaż. Miał nadzieję, że wziął wszystko, co będzie mu potrzebne. Przerzucił torbę przez ramię i skierował się do wyjścia.

Opuszczając kabinę pierwszej klasy, rozejrzał się w poszukiwaniu jakichś oznak grożącego mu niebezpieczeństwa.

I w poszukiwaniu kogoś jeszcze. Swojej towarzyszki podróży.

Siedziała w klasie ekonomicznej. Miała na sobie blond perukę, skromny kostium w kolorze granatowym i okulary przeciwsłoneczne w ciężkiej oprawie. Zachowywała się niezwykle powściągliwie, a rękę na temblaku ukryła pod luźną marynarką. To przebranie nic by nie dało przy bliższej inspekcji, lecz nikt się nie spodziewał, że ona się tu zjawi.

Dla świata Seichan była już martwa.

Wyszła tuż przed nim, nie obrzuciwszy go ani jednym spojrzeniem.

Gray szedł kilka kroków za nią. W terminalu ominął kolejkę czekających na odprawę, pokazał fałszywe dokumenty, przybito mu odpowiednie stemple i ruszył w swoją stronę. Nie miał do odbioru żadnego bagażu.

Wyszedł na rzęsiście oświetloną ulicę, którą mimo późnej pory wciąż wypełniał tłum ludzi. Podróżnicy śpieszyli w stronę czekających na nich samochodów i taksówek. Gray nie miał pojęcia, co powinien teraz zrobić. Musiał zaczekać na wiadomość od Raoula, więc podsunął się bliżej linii taksówek.

Seichan zniknęła, ale Gray czuł, że jest gdzieś blisko.

Potrzebował sojusznika. Nie mogąc się skontaktować z Waszyngtonem ani z członkami własnego zespołu, musiał zawrzeć pakt z diabłem. Za pomocą piłki do metalu uwolnił Seichan zaraz po tym, jak złożyła mu pewną obietnicę. Odtąd będą pracować razem. W zamian za uwolnienie pomoże Grayowi oswobodzić Rachele, a potem ich drogi się rozejdą. Wszystkie długi, przeszłe i przyszłe, zostaną wyrównane.

Seichan zgodziła się na taki układ.

Patrzyła na niego dziwnym wzrokiem, kiedy dezynfekował

i bandażował jej ranę. Nie sprawiała wrażenia skrępowanej, choć stała przed nim obnażona do pasa. Jej wzrok był skupiony i pełen ciekawości, jakby Gray był jakimś rzadko spotykanym robakiem. Mówiła niewiele, być może na skutek wyczerpania, a może pod wpływem szoku. Jednak szybko odzyskiwała dawną siłę, zupełnie jak budząca się ze snu lwica, a w jej oczach znów pojawiła się przebiegłość, zmieszana z rozbawieniem.

Gray zdawał sobie sprawę, że jej zgoda na współpracę nie wynikała z wdzięczności, lecz z furii, jaką wzbudzało w niej wspomnienie o Raoulu. Po prostu propozycja Graya odpowiadała chwilowo jej potrzebom. Raoul pozostawił ją na pastwę losu, na powolną i nieuchronną śmierć... Musiał zapłacić za swój czyn. Ugoda, jaką zawarła Gildia z Trybunałem, jej już nie dotyczyła. Teraz Seichan myślała jedynie o zemście.

Ale czy tylko o niej?

Gray pamiętał jej badawczy wzrok i mroczne zainteresowanie, jakie wzbudziła jego skromna osoba. Przypomniał sobie wcześniejsze ostrzeżenia Paintera. Wszystkie te wątpliwości musiała odczytać z jego twarzy.

— Tak, mam zamiar cię zdradzić — powiedziała zwyczajnie, wciągając na siebie koszulkę. — Ale dopiero wtedy, gdy wszystko zostanie zakończone. Zresztą ty będziesz próbował tego samego i oboje o tym wiemy. Wzajemna nieufność... Nawiasem mówiąc, czy nie jest to coś w rodzaju wyższej formy uczciwości?

Telefon satelitarny wreszcie się odezwał. Gray wyciągnął go z torby.

— Komandor Pierce — powiedział zwięźle.

— Witam w Szwajcarii — usłyszał słowa Raoula. — W terminalu dworca kolejowego w centrum miasta czekają na ciebie bilety zamówione na fałszywe nazwisko. Jedziesz do Lozanny. Pociąg odjeżdża za trzydzieści pięć minut.

— A co z moim kolegą?

— Tak jak się umawialiśmy, jest w drodze do szpitala w Genewie. Otrzymasz potwierdzenie, kiedy wsiądziesz do pociągu.

Gray skierował się do taksówki.

— A porucznik Verona?

— Ma tutaj dobre warunki. Na razie. Nie spóźnij się na pociąg.

Połączenie zostało przerwane.

Gray wsiadł do taksówki, już nie zawracając sobie głowy szukaniem Seichan. Zainstalował w swoim aparacie chip połączony z jej telefonem, mogła więc podsłuchiwać wszystkie rozmowy. Ufał, że okaże się na tyle bystra, by za nim nadążyć.

— Dworzec w centrum — powiedział do kierowcy.

Krótkie skinienie głową było jedyną odpowiedzią. Taksówka włączyła się sprawnie do ruchu i skierowała w stronę dworca. Gray rozsiadł się i pomyślał, że Seichan miała rację. Kiedy dowiedziała się o wezwaniu do Szwajcarii, od razu zaczęła podejrzewać, gdzie jest przetrzymywana Rachele. W pewnym zamku położonym w Alpach Sabaudzkich.

Po dziesięciu minutach taksówka dotarła do brzegu jeziora. Z wody strzelała w niebo gigantyczna fontanna, wyrzucając na wysokość ponad stu metrów miliardy kropelek. Słynna Jet d'Eau. Podświetlona setkami lamp wyglądała wręcz zjawiskowo. Obok pomostów trwała właśnie w najlepsze zabawa.

Do uszu Graya docierały salwy śmiechu i odgłosy muzyki.

Miał wrażenie, że te dźwięki dochodzą do niego z zupełnie innego świata.

W ciągu kilku następnych minut taksówka zajechała przed dworzec. Gray podszedł prosto do kas, podał fałszywe nazwisko i pokazał paszport. Bez przeszkód otrzymał bilety do położonej na brzegiem jeziora Lozanny.

Ruszył w stronę właściwego peronu, po drodze zwracając baczną uwagę na każdego mijanego człowieka. Ani śladu Seichan. Nagle zaczął dręczyć go niepokój. A jeśli zwiała? Albo zdradziła go i wydała w łapy Raoula? Czym prędzej odsunął od siebie takie myśli. Dokonał wyboru, a ewentualne ryzyko było wkalkulowane w ten wybór.

Telefon znów zadzwonił.

Wyciągnął go z torby i dopasował antenę.

— Komandor Pierce — powiedział.

— Dwie minuty powinny pana usatysfakcjonować — odezwał się Raoul. A potem Gray usłyszał kliknięcie i szum. Następny głos wydawał się nieco bardziej odległy i odbijał się echem, ale bez wątpienia był znajomy.

— Komandorze?

— To ja, Monk. Gdzie jesteś?

Teraz Gray był pewien, że Seichan nie jest jedyną osobą, która przysłuchuje się tej rozmowie. Musiał uważać.

— Porzucili mnie w jakimś szpitalu i dali tę komórkę. Powiedzieli, żebym czekał na pański telefon. Jestem na oddziale pomocy doraźnej. Cholera, wszyscy lekarze gadają tu tylko po francusku.

— Bo jesteś w Genewie — poinformował go Gray. — A jak się czujesz?

Zapadło milczenie.

— Wiem o twojej dłoni — dodał.

— Psiakrew, pieprzone gnojki. — W głosie Monka usłyszał tłumioną furię. — Mieli doktora, tam, na pokładzie... Dali mi jakiś narkotyk, zaaplikowali kroplówkę i on założył szwy na mój... na mój kikut. Tutejsi lekarze zrobili rentgen i takie tam inne badania, ale zdaje się, że są całkiem zadowoleni z... hmm... z rękodzieła tamtego gościa.

Gray doceniał fakt, że Monk stara się żartować jak dawniej. Jednak tym razem w jego głosie brzmiała śmiertelnie poważna nuta.

— A Rachele?

Teraz głos Monka wypełnił ból.

— Nie widziałem jej od chwili, kiedy dali mi narkotyk. Nie mam pojęcia, gdzie może być. Ale... Gray...

— Tak?

— Musisz ją wyrwać z ich łap.

— Już nad tym pracuję. Ale mów, co z tobą? Jesteś bezpieczny?

— Zdaje się, że tak. Kazali mi tylko trzymać gębę na kłódkę. I właśnie to robię, zgrywając głupa. Lekarze, oczywiście, powiadomili miejscową policję, a ci postawili tu ochronę.

— Na razie rób wszystko, co ci każą — polecił Gray. — Zabiorę cię stamtąd tak szybko, jak tylko będę mógł.

— Gray... — W głosie Monka brzmiało prawdziwe napięcie. Znał dobrze ten ton. Monk chciał mu coś powiedzieć, ale bał się, że tamci podsłuchają. — Oni... Oni mnie puścili.

Coś zatrzeszczało. Na linii znowu pojawił się Raoul.

— Czas dobiegł końca. Jak widzisz, dotrzymujemy słowa. Jeśli chcesz, żeby ta kobieta odzyskała wolność, oddaj nam klucz.

— Zrozumiałem. Kiedy?

— Przed dworcem w Lozannie będzie czekał na ciebie samochód.

— Nie — sprzeciwił się zdecydowanie Gray. — Nie oddam się w wasze łapy, dopóki Rachele nie będzie bezpieczna. Zaraz po przyjeździe do Lozanny chcę dostać potwierdzenie, że ona żyje i dopiero potem zaczniemy wszystko ustalać.

— Nie próbuj żadnych nacisków — warknął Raoul. — Wolałbym nie być zmuszony do odrąbania kolejnej dłoni, jak to zrobiłem twojemu przyjacielowi. Będziemy kontynuować tę rozmowę, kiedy już znajdziesz się na miejscu.

Połączenie zostało przerwane.

Gray powoli opuścił telefon. A więc Raoul był w Lozannie...

Czekał na przyjazd pociągu. To był ostatni, który wyjeżdżał z Genewy tego dnia, więc na peronie znajdowało się niewiele osób. Dokładnie przyjrzał się wszystkim współpasażerom. Seichan nadal nie dawała znaku życia. Ciekawe, który z podróżnych był szpiegiem Trybunału?

Wreszcie pociąg nadjechał i ze stukotem wtoczył się na swój tor. Zatrzymał się z przenikliwym sykiem, a wtedy Gray wspiął się po stopniach do środkowego wagonu. Następnie pędem pobiegł ku tylnej części pociągu w nadziei, że uda mu się zgubić ogon.

W przejściu między ostatnimi dwoma wagonami czekała Seichan.

Nie zaczepiła go, wyjąwszy fakt, że wcisnęła mu w rękę długą skórzaną marynarkę. Odwróciła się, ramieniem wskazując w stronę drugiego wyjścia, które otwierało się na przeciwną niż peron stronę.

W ślad za nią wyślizgnął się z wagonu. Po drodze wciągnął na siebie kurtkę i postawił wysoko kołnierz.

Seichan pośpieszyła w stronę następnego toru i wskoczyła na sąsiedni peron. Opuścili zabudowania dworca. Gray nagle znalazł się na skraju ogromnego parkingu.

Krok od niego stał czarno-żółty motocykl BMW.

— Wsiadaj — odezwała się Seichan. — Będziesz musiał prowadzić. Moja ręka...

Musiała pozbyć się temblaka, żeby dojechać tutaj z wypożyczalni, ale od Lozanny dzieliło ich jeszcze osiemdziesiąt kilometrów.

Gray wskoczył na siodełko, kopnięciem odrzucając długie poły marynarki. Siedzenie było jeszcze ciepłe.

Seichan wgramoliła się z tyłu i objęła go w pasie zdrową ręką.

Włączył silnik. Zdążył już na pamięć nauczyć się trasy do Lozanny. Wyjechał z parkingu, a kiedy znalazł się na ulicy, dodał gazu. Zmierzał w stronę autostrady, która od Genewy prowadziła w kierunku gór.

Światła motocykla przeszywały ciemność.

Jechał coraz szybciej i szybciej, a wiatr wciskał się pod marynarkę. Seichan przytuliła się mocniej do jego pleców. Obejmowała go jedną ręką, a drugą wsunęła mu pod ubranie i zacisnęła na skórzanym pasie.

Oparł się pokusie, żeby ją odepchnąć. Mądrze czy nie, sam się wpakował w ten układ. Śmignął w górę autostrady, bo wiedział, że muszą dotrzeć do Lozanny co najmniej pół godziny przed przybyciem pociągu. Tylko czy to wystarczy?

Pędząc po zakrętach między graniczącymi z jeziorem górami, wrócił myślą do rozmowy z Monkiem. Co takiego Monk usiłował mu przekazać? „Oni mnie puścili". To było jasne, tylko jaki był ukryty sens tych prostych słów?

Zaczął zastanawiać się nad wcześniejszą oceną sytuacji, której dokonał jeszcze w Egipcie. Wiedział, że Trybunał pozwoli Monkowi odejść. To uwolnienie miało upewnić Graya o ich dobrych zamiarach i wciągnąć do współpracy. Poza tym Raoul wciąż miał w ręku Rachele jako kartę przetargową.

„Oni mnie puścili".

Czy za uwolnieniem Monka kryło się coś jeszcze? Trybunał przecież nie znał litości. I raczej nie miał zwyczaju pozbywania się potencjalnych atutów. Torturując Monka, ci ludzie skłonili Rachele do mówienia, a teraz tak chętnie rezygnowali z dalszej możliwości jej szantażowania? Monk miał rację. Musieli dysponować czymś, co dla Rachele miało jeszcze większą wartość.

Tylko czym?

2.02
Lozanna, Szwajcaria

Rachele siedziała w swojej celi, odrętwiała i do cna wyczerpana.

Za każdym razem gdy próbowała zamknąć oczy, na nowo przeżywała tamten horror. Widziała śmigającą w dół siekierę i szarpnięcie ciała Monka. Jego odrąbaną dłoń podskakującą po deskach pokładu jak wyciągnięta z wody ryba. I fontannę krwi.

Alberto nawrzeszczał na Raoula za to, co tamten zrobił — nie z powodu brutalności czynu, lecz dlatego że Monk potrzebny był mu żywy. Ale Raoul wiedział, co należy robić. Natychmiast założono opaskę uciskową, a Alberto kazał zawlec Monka na dół, do kuchni.

Po niedługim czasie jedna z kobiet z Gildii poinformowała Rachele, że Monk wciąż żyje. Dwie godziny później wodolot przybił do jakiejś wysepki na Morzu Śródziemnym. Niebawem mieli zostać przeniesieni na pokład małego prywatnego odrzutowca.

Wtedy Rachele widziała Monka po raz ostatni. Leżał na noszach, odurzony narkotykami, a okaleczoną rękę miał zabandażowaną do łokcia. Zaraz potem zamknięto ją w tylnym przedziale, w którym nie było okien. Siedziała tam sama. Przez następne pięć godzin wylądowali jeszcze dwukrotnie, aż w końcu została wypuszczona.

Monk zniknął.

Raoul założył jej knebel i opaskę na oczy, a potem wyciągnięto ją z samolotu i wepchnięto do ciężarówki. Jeszcze pół godziny jazdy po krętej drodze i wreszcie przybyli do celu. Słyszała, jak koła załomotały na drewnianym podjeździe. Most. Ciężarówka się zatrzymała.

Wypchnięta na zewnątrz usłyszała ujadanie i wściekłe warczenie. Gdzieś w pobliżu musiał znajdować się wybieg dla psów.

Ktoś wziął ją za łokieć i poprowadził przez bramę, a potem kilka stopni w dół. Usłyszała za sobą trzaśnięcie zamykanych drzwi, które odgrodziło ją od psów, i poczuła zapach zimnego kamienia i wilgoci. Teraz przypomniała sobie, jak podczas jazdy ciężarówką zmieniało się ciśnienie.

Góry...

W końcu została popchnięta. Potknęła się o próg i wylądowała na czworakach.

Raoul zaśmiał się i złapał ją za pośladki.

— No widzisz, już zaczynasz mnie błagać.

Rachele odskoczyła jak oparzona i uderzyła ramieniem w coś twardego. Raoul wyciągnął z jej ust rozmokły knebel i zdjął opaskę z oczu. Rozcierając potłuczoną kończynę, rozejrzała się po malutkiej kamiennej celi. Znowu żadnych okien. Powoli zaczynała tracić poczucie czasu. Jedynym meblem w celi była metalowa leżanka z cienkim zwiniętym materacem i położoną na wierzchu poduszką. Oczywiście nie było mowy o prześcieradle.

Nie było tu także krat. Jedną ze ścian stanowiła tafla grubego szkła; w niej znajdowały się specjalnie uszczelnione drzwi i otwory wentylacyjne wielkości pięści. Ale nawet te otwory zaopatrzone zostały w przysłony, dzięki którym można było stłumić dobiegające ze środka odgłosy albo powoli udusić więźnia.

Siedziała tu sama przeszło godzinę.

Nikt jej nie pilnował. Słyszała szmer głosów dobiegający z głębi holu, więc prawdopodobnie strażnicy byli na klatce schodowej.

Nagle zapanował straszny rozgardiasz. Rachele podniosła głowę i wstała z leżanki. Słyszała ochrypły głos Raoula, który wykrzykiwał jakieś rozkazy. Odruchowo odsunęła się od szklanej ściany. Ubranie zwrócono jej jeszcze na łodzi.

W korytarzu pojawił się Raoul, a obok niego dwaj mężczyźni. Nie sprawiał wrażenia zadowolonego.

— Zabierzcie ją stamtąd — polecił.

Klucz zazgrzytał w zamku i po chwili była już na zewnątrz.

— Tędy — rzucił i pociągnął ją w głąb korytarza.

Po drodze widziała inne cele. Niektóre szczelnie zamknięte, inne zaś otwarte na oścież i zastawione rzędami butelek wina.

Raoul poprowadził ją schodami w górę, na zalany księżycowym blaskiem podwórzec, ze wszystkich stron otoczony wysokimi skalnymi ścianami. Łukowato sklepiona brama, zamknięta opuszczaną kratą, prowadziła na drewniany most, który spinał dwie strony wąwozu.

Była w zamku.

Pod ścianą znajdującą się najbliżej bramy stało kilka ciężarówek. Pod sąsiednią — rząd dwudziestu klatek połączonych stalowym łańcuchem. To właśnie z tamtego kąta dobiegało niskie warczenie. Wewnątrz klatek miotały się potężne cienie.

Raoul musiał zauważyć jej zainteresowanie.

— Perro de Presa Canario — powiedział z dumą. — Psy stworzone do walki. Ich rodowód sięga tysiąc osiemsetnego roku. To znakomicie wyszkoleni, czystej rasy wojownicy. Mają tylko mięśnie, szczęki i kły.

Rachele przez moment zastanawiała się, czy ten opis nie oddaje równie dobrze cech właściciela.

Ale nie miała zbyt wiele czasu na myślenie, bo Raoul odciągnął ją od bramy i skierował w stronę głównej baszty. Dwie kondygnacje schodów wiodły do solidnych, dębowych drzwi. Rzęsiście oświetlone przez rząd kinkietów wręcz zapraszały, by je otworzyć. Ale nie tam zmierzali. Raoul skierował się w stronę bocznych drzwi, które prowadziły na poziom znajdujący się pod schodami.

Przyłożył dłoń do panelu dotykowego, żeby je otworzyć.

Rachele wciągnęła w nozdrza zapach środków antyseptycznych i czegoś mrocznego, jeszcze bardziej cuchnącego. Została siłą zmuszona do wejścia do kwadratowego pokoju, jasnego od światła emitowanego przez wiele żarówek fluorescencyjnych. Kamienne ściany, na podłodze linoleum. Przy drzwiach prowadzących do dalszych pomieszczeń stał strażnik.

Raoul przemierzył pokój i otworzył je jednym szarpnięciem.

Rachele ujrzała długi, pozbawiony ozdób korytarz. Po obu jego stronach znajdowały się drzwi do jakichś pomieszczeń. Maszerując w głąb korytarza, zajrzała do dwóch. Pierwszy wypełniały klatki z nierdzewnej stali. W drugim stały rzędy komputerów podłączonych do szeregu talerzy. Elektromagnesy, domyśliła się, wykorzystywane do eksperymentów z pierwiastkami w stanie m. W trzecim pokoju znajdował się pojedynczy stalowy stół w kształcie litery X. Skórzane pasy sugerowały, że był on używany do unieruchamiania ludzi w pozycji z rozłożonymi rękoma i nogami. Nad stołem wisiała lampa jak w sali operacyjnej.

Na ten widok przeszył ją dreszcz.

Dalej znajdowało się jeszcze sześć innych pomieszczeń, ale Rachele widziała już dość. Była szczęśliwa, kiedy zatrzymali się przed nieoznakowanymi drzwiami po drugiej stronie korytarza. Raoul zapukał i nie czekając na zaproszenie, otworzył drzwi.

Rachele zdumiał kontrast. Zupełnie jakby znalazła się w salonie z przełomu wieków, należącym do dystyngowanego uczonego z Towarzystwa Królewskiego. Wszystko, co się tu znajdowało, zrobione było z wykończonego na wysoki połysk mahoniu i orzecha. Pod stopami leżał wzorzysty, turecki dywan w odcieniach szkarłatu i szmaragdu.

Ściany wypełniały rzędy półek z książkami i witryny, a w nich stały starannie posegregowane tomy. Za szkłem dostrzegła egzemplarz pierwszego wydania *Principia* pióra sir Isaaca Newtona, a obok dzieło Darwina *O powstawaniu gatunków*. Był tu również bogato zdobiony egipski manuskrypt, otwarty szeroko na jednej ze stron. Rachele zastanawiała się, czy może jest to ten sam, który skradziono z muzeum w Kairze — kopia *Księgi Umarłych* z zagadkowymi strofami, które zapoczątkowały tę całą morderczą przygodę.

Gdziekolwiek się odwróciła, widziała same dzieła sztuki. Półki udekorowane były rzymskimi i etruskimi posążkami — między innymi znajdowała się tam wysoka na pół metra, pochodząca z Persji figurka konia z odłamaną głową. Ten posążek został skradziony dziesięć lat wcześniej z Iranu i rzekomo przedstawiał Bucefała, słynnego konia Aleksandra Wielkiego. Nad witrynami wisiały obrazy. Rachele rozpoznała, że jeden z nich wyszedł spod ręki Rembrandta, inny zaś był dziełem Rafaela.

Środek pokoju zajmowało masywne biurko z rzeźbionego mahoniu. Zaraz za nim wznosił się wykonany z kamienia kominek, wysoki aż do sufitu. Na palenisku tańczyły nieduże płomyki.

— *Professore!* — zawołał Raoul, zamykając za sobą drzwi.

W tylnym wejściu, które najwyraźniej prowadziło do prywatnych apartamentów, pojawił się doktor Alberto Menardi. Tym razem włożył czarny smoking ze szkarłatną lamówką. Miał na tyle czelności, by wciąż nosić koloratkę; jej biel wyraźnie odcinała się od czarnej koszuli.

Pod pachą taszczył jakieś tomisko. Na widok Rachele pogroził jej palcem.

— Nie byłaś z nami zupełnie szczera, dziewczynko.

Rachele poczuła, jak jej serce na moment przestało bić. Z przerażenia zabrakło jej tchu.

Alberto odwrócił się do Raoula.

— Gdybym nie musiał łatać ręki temu Amerykaninowi, odkryłbym to wcześniej. Podejdźcie do mnie bliżej, obydwoje.

Machnięciem ręki przywołał ich do zagraconego biurka.

Rachele spostrzegła na samym wierzchu mapę Morza Śródziemnego. Teraz widniały na niej nowe linie, koła, południki i znaki. Na brzegu czyjaś ręka nakreśliła tajemnicze cyferki. Obok spoczywał kompas, przykładnica, a nawet sekstans. Najwidoczniej Alberto sam pracował nad zagadką. Albo nie ufał Rachele, albo uważał ją i jej wuja za zbyt ograniczonych.

Prefekt popukał palcem w mapę.

— To nie Rzym jest następnym miejscem.

Rachele zmusiła się do zachowania spokoju.

— Cały podtekst geometrycznego wzoru daje nam do zrozumienia, że trzeba posuwać się w czasie. Nawet ta klepsydra... — kontynuował Alberto. — Ona dzieli czas, przepychając w pewnym momencie ziarnko piasku, i tak aż do nieuchronnego końca. Z tego powodu klepsydra zawsze symbolizowała śmierć — koniec czasu. To, że ukazała się nam właśnie tutaj, może oznaczać tylko jedno.

Zmarszczki na czole Raoula pogłębiły się. Najwyraźniej nie rozumiał, o co w tym wszystkim chodzi.

Alberto westchnął ciężko.

— Wyraźnie sugeruje to koniec podróży. Jestem pewien, że dokądkolwiek kieruje nas następna wskazówka, będzie to ostatni przystanek.

Rachele poczuła, jak Raoul drgnął niespokojnie. Byli już tak blisko ostatecznego celu... Ale nie mieli złotego klucza i pomimo całej swojej inteligencji Alberto nie zdołał dotąd rozwiązać całej zagadki... Choć z pewnością prędzej czy później dokona tej sztuki.

— To nie może chodzić o Rzym — mówił dalej Alberto. — Bo to oznacza cofnięcie się, nie zaś ruch do przodu. Tu musi kryć się jeszcze jedna tajemnica.

Rachele pokręciła głową, udając, że jej to wcale nie interesuje.

424

— Powiedziałam wszystko, co udało się nam wymyślić, zanim zostaliśmy zaatakowani. — Zatoczyła ręką koło. — Nie mieliśmy tak bogatych zasobów.

Gdy to mówiła, Alberto przyglądał się jej z uwagą. Z niewzruszonym spokojem odwzajemniła jego spojrzenie.

— Ja... Ja ci wierzę... — powiedział, wolno cedząc każde słowo. — Co prawda monsinior Verona należy do bystrych osób, ale ta zagadka jest wyjątkowo skomplikowana.

Rachele patrzyła tępo, pozwalając jednak, by w jej spojrzeniu kryło się trochę strachu. Alberto pracował sam. Widocznie zadomowił się tutaj na dobre i w odosobnieniu rozwiązywał tajemnice dla Trybunału. Nie ufał nikomu, na każdym kroku z zarozumiałością podkreślając wyższość swojego umysłu. Nie rozumiał wartości, jaką jest szersze spojrzenie na sprawę i różnorodność punktów widzenia. Zespół ekspertów musiał wytężyć siły, by sklecić w całość fragmenty tajemniczej układanki. Wysiłek jednego człowieka nie przyniesie takich efektów.

Ale prefekt nie był głupcem.

— Mimo wszystko musimy uzyskać absolutną pewność — oznajmił. — Ostatecznie informację o odnalezieniu złotego klucza zachowałaś dla siebie. Może starasz się ukryć coś jeszcze?

Paraliżujący strach chwycił ją za gardło.

— Powiedziałam wszystko — zaklinała się. Czy uwierzą? Czy może zaczną ją torturować?

Przełknęła ślinę, starając się ukryć strach. Nigdy nie zacznie mówić. Zbyt wiele było do stracenia. Widziała przecież w Rzymie i Aleksandrii, jak potężna jest ta tajemna siła. Trybunał Smoka nigdy nie może dostać jej we władanie.

Nawet życie Monka nie stanowiło zbyt wysokiej ceny. Oboje byli żołnierzami. Na wodolocie powiedziała prawdę o złotym kluczu nie tylko po to, by oszczędzić kolegę, lecz także by wciągnąć do sprawy Graya. Żeby dać mu szansę działania. Ryzyko wydawało się w tym wypadku uzasadnione. I, podobnie jak teraz, Trybunałowi brakowało zasadniczej części układanki. Musiała za wszelką cenę utrzymać w tajemnicy odkrycie prawdy o Awinionie.

W przeciwnym razie wszystko stracone.

Alberto wzruszył ramionami.

— Jest tylko jeden sposób żeby przekonać się, czy wiesz coś więcej. Nadszedł czas na wyciągnięcie z ciebie całej prawdy. Raoul, zabierz ją do następnej sali. Za chwilę będziemy gotowi.

Rachele zaczęła szybciej oddychać, ale mimo to miała wrażenie, że brakuje jej powietrza. Sama nie wiedziała, kiedy z powrotem znalazła się na korytarzu. Alberto wyszedł za nimi, zrzucając po drodze górę smokingu, gotów do działania.

Znów oczyma wyobraźni ujrzała dłoń Monka podskakującą na deskach pokładu. Wzięła się w garść. Niczego nie wolno jej powiedzieć. Nigdy. Żaden powód nie uzasadniał ujawnienia tego, co wiedziała.

Przemierzając korytarz, ujrzała, że tamten pokój — ten ze stołem w kształcie litery X — jest oświetlony mocniej niż poprzednio. Ktoś włączył lampę nad stołem.

Raoul częściowo zasłaniał jej widok, ale mimo to zdążyła dostrzec wiszącą na stojaku kroplówkę. Zaraz potem ujrzała tacę z narzędziami: o długich ostrzach, zakończonych spiralnie i w kształcie brzytwy. Na stole leżała jakaś postać.

O Boże... Monk?

— Jeśli o mnie chodzi, to możemy ciągnąć to przesłuchanie przez całą noc — odezwał się Alberto, pierwszy przekraczając próg. Przeszedł na ukos przez pokój i nałożył parę lateksowych, sterylnych rękawiczek.

Choć Rachele opierała się z całych sił, Raoulowi udało się w końcu wciągnąć ją do tego przybytku chirurgicznych horrorów.

I wtedy poznała, kto leżał na stole, z rozciągniętymi do granic możliwości nogami i rękoma, i z sączącą się z nosa strużką krwi.

— Ktoś próbował węszyć tam, gdzie nie powinien — oznajmił Raoul z drapieżnym uśmiechem.

Leżąca na stole osoba odwróciła twarz w jej stronę. Ich spojrzenia się spotkały i w tym momencie wszystkie postanowienia Rachele przestały być ważne.

— Nie! — wrzasnęła, rzucając się naprzód.

Raoul złapał ją za włosy i zmusił, by uklękła.

— Będziesz się stąd przyglądać.

Alberto uniósł wysoko srebrzysty skalpel.

— Proponuję, żebyśmy zaczęli od lewego ucha.

— Nie! — krzyczała Rachele. — Powiem wam! Powiem wszystko!

Alberto opuścił narzędzie i odwrócił się w jej stronę.

— Awinion — załkała. — To Awinion.

Nie czuła wyrzutów sumienia, że zdradziła tajemnicę. Od tego momentu musiała w pełni zaufać Grayowi. Był jej jedyną nadzieją.

Wpatrzyła się w pełne przerażenia oczy.

— *Nonna...* — jęknęła.

Na stole leżała jej babcia.

2.22
Awinion, Francja

Awinion lśnił, krzyczał, śpiewał i tańczył do upadłego.

Jak co roku, w lipcu odbywał się tu Letni Festiwal Teatralny, największa na świecie impreza, której program wypełniała muzyka, teatr i sztuka. Młodzież tłoczyła się w mieście, biwakowała w parkach, wypełniała szczelnie hotele i schroniska. To święto trwało bez przerwy. Nawet zasnute niskimi chmurami niebo nie odstraszało stałych bywalców.

Vigor z zażenowaniem odwrócił wzrok od pary, która uprawiała seks oralny na ławce w zacisznym zakątku parku. Długie włosy dziewczyny skrywały większość jej wysiłków zmierzających do uszczęśliwienia partnera. Przeszedł koło nich jak najprędzej, a Kat dreptała u jego boku. Zdecydowali się przeciąć na ukos park, żeby dostać się na skróty do Place du Palais — placu Pałacowego. Siedziba papieży znajdowała się na szczycie urwistej skały nad brzegiem rzeki.

Gdy mijali punkt obserwacyjny, ich oczom ukazał się wijący się w dole łuk spienionej wody. Ponad nim wznosił się słynny most z popularnej francuskiej piosenki *Sur le pont d'Avignon*, inaczej most Świętego Benezeta. Zbudowany przy końcu dwunastego stulecia był jedynym mostem, który spinał brzegi Rodanu... choć po tak wielu wiekach z oryginalnych dwudziestu dwóch przęseł pozostały jedynie cztery. Jedna z jego części była teraz rzęsiście oświetlona i odbywały się tam tańce. Tradycyjne tańce ludowe, sądząc po wyglądzie tancerzy. Nawet tu, na górze, słychać było dźwięki muzyki.

W Awinionie przeszłość i teraźniejszość mieszały się z sobą, jak w rzadko którym mieście.

— Skąd zaczynamy? — spytała Kat.

Vigor przez cały lot był pogrążony w myślach, starając się znaleźć odpowiedź na to konkretne pytanie. Zaczął mówić, kiedy zostawiwszy rzekę za plecami, ruszyli w stronę centrum.

— Awinion jest jednym z najstarszych siedlisk ludzkich w Europie. Ślady sięgają czasów neolitu. Na tych terenach mieszkali Celtowie, potem Rzymianie... Ale dziś Awinion słynie przede wszystkim z zabytków gotyku, którego rozkwit przypadł na stulecie francuskiego papiestwa. Może się poszczycić jednym z największych zespołów gotyckiej architektury w całej Europie. To prawdziwie gotyckie miasto.

— A jakie to ma dla nas znaczenie? — spytała.

Wyczuł w jej głosie pewną sztywność. Denerwowała się o los kolegów z zespołu, odcięta od nich i wysłana daleko. Poza tym z pewnością czuła się odpowiedzialna za to, że jego siostrzenica i Monk wpadli w sidła Trybunału. Ten ciężar ją przygniatał, mimo zapewnień komandora, że dokonała słusznego wyboru.

Vigor też doświadczał czegoś w rodzaju wyrzutów sumienia. Ostatecznie to on wciągnął Rachele w tak niebezpieczną przygodę, przez co wpadła w łapy oprawców Raoula. Wiedział jednak, że żal w niczym nie pomoże. Został wychowany w głębokiej wierze, która stanowiła integralną część jego osobowości, więc odnalazł spokój ducha, powierzając bezpieczeństwo Rachele Bogu... i Grayowi.

Nie znaczyło to oczywiście, że zamierzał ograniczyć się do biernego oczekiwania. „Bóg pomaga tym, którzy pomagają sobie sami". On i Kat mieli tu zadanie do wykonania.

I teraz odpowiedział na jej pytanie.

— Słowo „gotyk" wywodzi się z greckiego *goetic*, co tłumaczy się jako „magiczny". Bo ta architektura była uważana za magiczną. W tamtych czasach nie widziano nic podobnego: cienkie ożebrowanie, motylkowate przypory, niewiarygodne wysokości... To wszystko dawało patrzącemu wrażenie nieważkości.

Gdy Vigor podkreślił ostatnie słowo, Kat wszystko zrozumiała.

— Lewitacja... — mruknęła.

Vigor skinął głową.

— Katedry i inne gotyckie budowle były wznoszone prawie wyłącznie przez grupę wolnych murarzy, którzy sami siebie nazywali Dziećmi Salomona. Jej członkowie wywodzili się spośród templariuszy i mnichów z zakonu cystersów. Znali matematyczne tajemnice, dzięki którym wiedzieli, w jaki sposób wznosić takie budowle; przypuszczalnie zapoznali się z nimi wówczas, gdy podczas którejś z kolejnych krucjat templariusze odkryli zaginioną Świątynię Salomona. Rycerze stali się bogaci... albo raczej bogatsi, jako że krążyła wieść, iż odkryli już wcześniej skarbiec króla Salomona, być może nawet Arkę Przymierza, która rzekomo spoczywała w Świątyni Salomona.

— Podobno właśnie w arce Mojżesz przechowywał garnki z manną — dodała Kat. — Razem z własnym przepisem na uzyskanie metali w stanie m.

— Trzeba wziąć pod uwagę taką możliwość — zgodził się Vigor. — W Biblii istnieje wiele wzmianek na temat dziwnej mocy, która emanowała z arki. Wzmianek dotyczących zjawiska lewitacji. Nawet to słowo pochodzi od strażników arki, kapłanów z rodu Lewitów. Poza tym arka znana była ze swej zabójczej mocy. Opisano, że wysyłała błyskawice jasnego światła. Pewien człowiek, woźnica o imieniu Uzza, próbował złapać arkę, kiedy się nieco przekrzywiła, lecz gdy tylko położył na niej ręce, natychmiast został powalony na ziemię. To tak przeraziło biednego króla Dawida, że z początku w ogóle nie chciał wpuścić arki do swojego miasta. Ale lewiccy kapłani pokazali mu, jak bezpiecznie można się do niej zbliżyć. W rękawicach i fartuchu, pozbywszy się uprzednio wszelkich metalowych przedmiotów.

— Żeby nie ulec porażeniu. — Kat pozbyła się swojej wcześniejszej rezerwy. Tajemnica zaczęła ją wciągać.

— Może arka, kryjąc w swym wnętrzu sproszkowane pierwiastki w stanie m, zachowywała się jak kondensator? Absorbowała energię z otoczenia i magazynowała — podobnie jak piramida ze złotego szkła — aż do chwili, gdy ktoś niewtajemniczony próbował jej dotknąć.

— Wówczas zostawał śmiertelnie porażony prądem.

Vigor przytaknął.

— Okej — powiedziała Kat. — Powiedzmy więc, że templariusze na nowo odkryli arkę, a całkiem możliwe, że również nadprzewodniki w stanie m. Ale skąd możemy wiedzieć, że rozumieli te sekrety?

— Być może przypadkiem znam odpowiedź. Na początku komandor Gray kazał mi szukać historycznych wzmianek na temat dziwnego jednoatomowego proszku.

— Wiem, od czasów Egiptu aż do biblijnych Mędrców — odrzekła Kat.

— Tak jest. — Skinął głową. — Ale ja zastanawiałem się, czy ta sprawa przekroczyła granice czasów, w których żył Chrystus. Może zachowało się więcej wskazówek ze znacznie bliższych nam okresów historii.

— Rozumiem, że poszukiwania nie okazały się daremne. — Kat zaczęło się udzielać jego podniecenie.

— Owszem. Na przestrzeni dziejów proszek w stanie m występuje pod różnymi nazwami: „biały chleb", „proszek oświecenia", „rajski kamień", „magiczny kamień"... Ku mojemu zaskoczeniu, posuwając się w przód od czasów biblijnych, natrafiłem na kolejny tajemniczy kamień związany z historią alchemii. Słynny kamień filozoficzny.

Kat zmarszczyła brwi.

— Chodzi o kamień, który zmieniał ołów w złoto?

— To całkowicie błędna opinia, choć szeroko rozpowszechniona. Siedemnastowieczny filozof, Eiranaeus Filaletes, członek czcigodnego Towarzystwa Królewskiego, pozostawił w swoich traktatach prostą definicję. Cytując jego słowa, kamień filozoficzny nie był „niczym innym, jak złotem rozłożonym do najczystszej postaci... zwany »kamieniem« z racji swojej pierwotnej, stałej postaci... złotem czystszym niż najczystsze... choć jawi się nam jako niezwykle delikatny proszek".

— No proszę, znów złoty proszek... — mruknęła Kat, zupełnie zaskoczona.

— Czy może być bardziej czytelne odniesienie? Ale nie tylko Eiranaeus tak twierdzi. Francuski chemik z piętnastego wieku, Nicolas Flamel, opisał podobny alchemiczny proces, kończąc go słowami, cytuję... „a sprawił to delikatny proszek ze złota, który jest kamieniem filozoficznym".

Vigor zaczerpnął powietrza.

— Niektórzy naukowcy w tamtych czasach jawnie eksperymentowali z tą dziwaczną formą złota. Prawdę powiedziawszy, fascynowała ona całe Towarzystwo Królewskie, nie wyłączając Isaaca Newtona. Wiele osób nie ma pojęcia, że Newton był zapalonym alchemikiem, a także kolegą Eiranaeusa.

— Więc co stało się z ich pracą? — spytała Kat.

— Nie wiem. Przypuszczam, że większość z nich zabrnęła w ślepą uliczkę. Inny z kolegów Newtona, Robert Boyle, też prowadził badania nad alchemicznym złotem. Ale chyba odkrył coś, co poważnie go zaniepokoiło. Przerwał eksperymenty i ogłosił, że tego typu studia są czymś wielce niebezpiecznym. Do tego stopnia niebezpiecznym, że — jak mówił — niewłaściwe użycie mogłoby „wprowadzić zamęt wśród rodzaju ludzkiego i postawić cały świat na głowie". Można się zastanawiać, co tak go przeraziło. Czy to możliwe, że natrafił na coś, co zmusiło naszych zaginionych alchemików do zejścia do podziemi?

Kat pokręciła głową.

— Ale co wspólnego ma kamień filozoficzny z architekturą gotyku?

— Więcej, niż sądzisz. Żyjący na początku dwunastego wieku Francuz, zwany Fulcanelli, napisał bestsellerowy traktat *Tajemnice katedr*. Rozwijał w nim tezę, że w katolickich katedrach budowanych na terenie Europy ukryte zostały osiągnięcia tajemnych dziedzin nauki — w tym także informacje, jak sporządzić kamień filozoficzny — oraz alchemiczne tajemnice.

— Kod zawarty w kamieniu?

— Nie ma się co dziwić. Kościół wówczas robił już takie rzeczy. Większość populacji była niepiśmienna, więc zdobienia katedr pełniły dwojaką funkcję; miały instruować i dostarczać informacji, przedstawiając na płaskorzeźbach historie z Biblii. Pamiętaj zresztą, kto budował te potężne gotyckie książki z opowiadaniami.

— Templariusze — odparła Kat.

— Znani z tego, że posiedli wiedzę tajemną ukrytą w zaginionej Świątyni Salomona. Może rzeczywiście obok biblijnych historii zawarli w swoich dziełach zakodowane wiadomości, przeznaczone dla ich wolnomurarskich towarzyszy alchemików.

Kat uśmiechnęła się z powątpiewaniem.

— Wystarczy się z bliska przyjrzeć niektórym gotyckim dziełom sztuki, żeby się mocno zdziwić. Ikonografia pełna jest znaków zodiaku, matematycznych zagadek, geometrycznych labiryntów wyjętych wprost z alchemicznych tekstów tamtych czasów. Nawet autor *Dzwonnika z Notre-Dame*, Victor Hugo, poświęcił cały rozdział, żeby potępić zdobniczą sztukę katedry, gdyż jego zdaniem stało to w sprzeczności z nauką Kościoła katolickiego. Napisał, że gotycka sztuka to „wywrotowe stronice" zapisane w kamieniu.

Vigor wskazał przed siebie, pomiędzy drzewami. W miarę jak zbliżali się do placu Pałacowego, park powoli zmieniał się w tętniące życiem miasto.

— Fulcanelli i Hugo nie byli jedynymi, którzy twierdzili że w sztuce stworzonej przez Rycerzy Świątyni kryje się coś heretyckiego. Czy wiesz, dlaczego piątek uważany jest za pechowy, zwłaszcza jeśli wypada akurat trzynasty dzień miesiąca?

Kat zerknęła na niego i bez słowa pokręciła głową.

— Cofnijmy się do trzynastego października tysiąc trzysta siódmego roku. Jest akurat piątek. Tego dnia miano złamać pieczęcie na rozesłanym piśmie Klemensa V, w którym papież ogłaszał, że templariusze to heretycy. Król Francji Filip Piękny ściśle współpracował z Klemensem. Ogólnie wiadomo, że prawdziwym powodem, dla którego templariusze zostali wyjęci spod prawa, była chęć pozbawienia ich siły i uzyskania kontroli nad bogactwami, włączając w to znaną im wiedzę tajemną. Król Francji torturował setki rycerzy, lecz nigdy nie dowiedział się, gdzie znajduje się ich skarbiec. Mimo to ten dzień uważa się za kres istnienia zakonu templariuszy.

— Rzeczywiście, dla nich okazał się naprawdę pechowy.

— Tak naprawdę był końcem pechowego stulecia — mówił dalej Vigor, kiedy zmierzali w stronę okolonej rzędami drzew ulicy, która wiodła w stronę centrum. — Rozdźwięk pomiędzy Kościołem i Rycerzami Świątyni zaczął się sto lat wcześniej, kiedy papież Innocenty III brutalnie starł z powierzchni ziemi katarów, sektę gnostycznych chrześcijan powiązaną z templariuszami. Właśnie wtedy rozpoczęła się trwająca przez całe stulecie wojna między ortodoksyjnym Kościołem a gnostykami.

— I wiemy, kto w niej zwyciężył — powiedziała Kat.

— Czyżby? Zastanawiam się, czy raczej nie była to asymilacja. Zgodnie z zasadą, że jeśli nie możesz kogoś pokonać, należy go przyjąć we własne szeregi. We wrześniu dwa tysiące pierwszego roku pojawił się pewien interesujący dokument, znany jako Pergamin z Chinon. Był to pergaminowy zwój, datowany rok po owym krwawym piątku. Podpisany przez papieża Klemensa V rozgrzeszał i oczyszczał z zarzutów zakon templariuszy. Na nieszczęście król francuski Filip Piękny zignorował decyzję papieża i dalej w całym kraju prowadził zakrojoną na szeroką skalę rzeź Rycerzy Świątyni. Ciekawe, co sprawiło, że aż tak odmieniło się serce papieża? Dlaczego Klemens wzniósł swój awinioński pałac w tradycji gotyku i pozwolił, by zbudowali go ci sami heretycy? I dlaczego Awinion w rzeczywistości stał się gotyckim centrum Europy?

— Czy sugeruje pan, monsinior, że Kościół zrobił zwrot o sto osiemdziesiąt stopni i na powrót przyjął do swojej owczarni wyklętych templariuszy?

— Pamiętasz, jak doszliśmy do konkluzji, że pewni wyznawcy Tomaszowego chrześcijaństwa — gnostycy — już wcześniej ukrywali się wewnątrz prawowitego Kościoła. Może to oni przekonali papieża do interwencji, aby uchronił współbraci przed zniszczeniem przez króla Filipa.

— Ale w jakim celu?

— Żeby ukryć coś o wielkiej wartości — dla Kościoła, dla świata... Podczas stulecia pobytu papieży w Awinionie nastąpił tu niesamowity rozkwit budownictwa, co w większości odbywało się pod nadzorem Dzieci Salomona. Bez trudu mogli schować tutaj coś o znacznych rozmiarach.

— Ale skąd należy zacząć poszukiwania? — spytała Kat.

— Od budowli zamówionej przez krnąbrnego papieża, wzniesionej rękoma templariuszy, jednego z mistrzowskich dzieł gotyckiej architektury.

Machnął ręką przed siebie, gdzie ulica zmieniała się w obszerny plac, zatłoczony teraz przez bawiących się uczestników festiwalu. Powierzchnia wydzielona dla tańczących otoczona była kolorowymi światłami, na prowizorycznej scenie zespół rockowy wybijał rytmiczne frazy, a młodzi ludzie wyginali się do rytmu, śmiali i krzyczeli na cały głos. Dookoła placu ustawiono rzędy stołów, okupowane teraz przez resztę gości festiwalu. Żongler wyrzucał w nocne niebo płonące drewniane szczapy, a gorące oklaski zachęcały go do dalszych pokazów. Piwo lało się strumieniami, tak samo jak rozdawana w papierowych kubeczkach kawa. W powietrzu kłębiły się chmury dymu papierosowego, tu i ówdzie zmieszane z wonią marihuany.

Za rozbawionym tłumem wyłaniała się z mroku ogromna, ciemna budowla, otoczona kwadratowymi wieżami, z łukowato sklepioną bramą podkreśloną przez dwie stożkowate iglice. Jej kamienne, niewzruszone oblicze kontrastowało z hałaśliwą wesołością placu. Tu czuło się ciężar historii... i dawnych sekretów.

Pałac Papieski.

— Gdzieś wewnątrz ukryta jest jakaś wywrotowa stronica z kamienia — szepnął Vigor, przysuwając się bliżej Kat. — Jestem tego pewien. Musimy ją znaleźć i odcyfrować treść.

— Gdzie zaczniemy szukać?

Vigor pokręcił głową.

— Niebawem dowiemy się, co przeraziło Roberta Boyle'a i jaka straszliwa tajemnica ostatecznie doprowadziła do porozumienia pomiędzy heretyckimi templariuszami a ortodoksyjnym Kościołem... Poznamy sekret, który zmusił nas do uganiania się po całym basenie Morza Śródziemnego... Odpowiedź ukryta jest tutaj.

Znad wody nadleciał nagły podmuch wiatru. Awinion zyskał swoją nazwę od lekkich wietrzyków zawiewających od strony rzeki, lecz tym razem jasne było, że nadciąga poważna burza. Gwiazdy zniknęły z ciemnego nieba, a ciężkie chmury opuszczały się coraz niżej.

Ile czasu mi jeszcze zostało?

2.48
Lozanna, Szwajcaria

— Właśnie tak doszliśmy do tego, że to musi być Awinion — zakończyła Rachele. — Francuski Watykan. Następny i ostatni przystanek.

Wciąż jeszcze klęczała na linoleum, podczas gdy jej babcia leżała bez ruchu na stole, skrępowana skórzanymi pasami. Rachele powiedziała im wszystko, nie opuszczając najdrobniejszego szczegółu. Szczerze odpowiedziała na najbardziej dociekliwe pytania Alberta i nie próbowała przy tym żadnych sztuczek ani wykrętów. Za nic nie chciała ryzykować, że zaczną sprawdzać jej prawdomówność na babci.

Monk i Rachele byli żołnierzami. Jej *nonna* — nie.

Nie mogła dopuścić, by starszej pani stała się jakakolwiek krzywda. Teraz już tylko Gray mógł spowodować, że Trybunał nie położy łapy na złotym kluczu i Rachele właśnie w nim pokładała całą nadzieję. Nie miała zresztą wyboru.

Podczas całej rozprawy Alberto coś pilnie notował, kilka razy wracając do swojego apartamentu — po papier i pióro, i żeby przynieść mapę Rachele. Gdy zakończyła opowieść, skinął krótko głową, najwyraźniej całkowicie przekonany o słuszności jej wywodów.

— Oczywiście — rzekł w końcu. — To takie proste, takie eleganckie w swej prostocie... Pewnie sam bym do tego doszedł, ale teraz wszystkie wysiłki będę mógł skierować na rozwikłanie tej następnej zagadki... W Awinionie.

I odwrócił się do Raoula.

Rachele zamarła. Pamiętała, co zdarzyło się ostatnim razem. Chociaż powiedziała im prawdę o złotym kluczu, Raoul i tak odrąbał Monkowi dłoń.

— Gdzie teraz są monsinior Verona i ta Amerykanka? — spytał Alberto.

— Z tego, co słyszałem, lecieli do Marsylii — odparł Raoul. — Prywatnym odrzutowcem. Moim zdaniem postępują zgodnie z rozkazami, to znaczy są w pobliżu, ale poza granicami Włoch.

— Marsylię od Awinionu dzieli tylko dwadzieścia minut jazdy. — Alberto zmarszczył czoło. — Monsinior Verona musi być już w drodze na miejsce. Sprawdź, czy ich samolot wylądował.

Raoul skinął głową i wydał jakiś rozkaz jednemu ze swoich ludzi. Ten natychmiast ruszył w stronę wyjścia.

Rachele powoli podniosła się z podłogi.

— Moja babcia... — szepnęła. — Czy możecie ją już puścić?

Alberto machnął ręką, jakby całkowicie zapomniał o przywiązanej do stołu starej kobiecie. Miał na głowie ważniejsze sprawy.

Któryś ze strażników podszedł i rozpiął skórzane pasy. Rachele łzy ciekły ciurkiem, kiedy pomagała starszej pani wstać.

Teraz w rękach Graya spoczywało bezpieczeństwo nie tylko jej i Monka, lecz również babci.

Jej *nonna* chwiejnie stanęła na własnych nogach, lecz musiała oprzeć się ręką o stół, by zachować równowagę. Drugą wyciągnęła przed siebie i otarła łzy wnuczki.

— Cicho, no cicho, dziecinko... Dość już tego płaczu. To wcale nie było takie okropne. Przeszłam w życiu znacznie gorsze rzeczy.

Rachele prawie się uśmiechnęła. Babcia nawet teraz starała się ją pocieszyć.

Odsunąwszy Rachele na bok, ruszyła w stronę prefekta.

— Powinieneś się wstydzić, Alberto — zbeształa go takim tonem, jakby mówiła do niesfornego dziecka.

— *Nonna*... nie... — ostrzegła Rachele, wyciągając rękę.

— Nie wierzyłeś, że moja wnuczka potrafi przed tobą zachować coś w tajemnicy, co? — Pochyliła się i cmoknęła Alberta w policzek. — A uprzedzałam, że Rachele jest zbyt mądra... Nawet dla ciebie.

Wyciągnięta ręka Rachele zawisła w powietrzu. Krew zastygła jej w żyłach.

— Powinieneś czasami wierzyć starszej pani, prawda?

— Camilla, masz rację jak zawsze.

Rachele poczuła, że brakuje jej tchu.

Babcia kiwnęła na Raoula, żeby podał jej ramię.

— A ty, młody człowieku, chyba teraz rozumiesz, dlaczego krew Smoka warta jest, żeby ją chronić. — Podniosła rękę i pogładziła tego sukinsyna po policzku. — Ty i moja wnuczka... We dwoje będziecie mieć *bellissimi bambini*. Wiele ślicznych dzieci...

Raoul odwrócił się do Rachele i zmierzył ją swoim lodowatym spojrzeniem.

— Zrobię wszystko, co w mojej mocy — obiecał.

15

Polowanie

Gray wspinał się za Seichan przez porośnięte sosnowym lasem górskie zbocze. Motocykl zostawili na dole, na dnie wąskiego wąwozu, i zamaskowali będącymi właśnie w pełnym rozkwicie krzewami róży alpejskiej. Wcześniej jeszcze jechali przez ostatnie pół godziny z wyłączonymi reflektorami. To znacznie opóźniło tempo podróży, ale nie było na to rady.

Ostatni odcinek musieli odbyć pieszo i bez latarek. Brnęli przez osypujące się kamienie w kierunku urwistej skały. Gray starał się dojrzeć cokolwiek przez gęstą zasłonę z sosnowym gałęzi. Kiedy wyjeżdżali z Lozanny, zmierzając w stronę otaczających ją gór, w przelocie mignął mu zamek, który był celem ich podróży. Jak ogromny granitowy gargulec przysiadł na brzegu urwiska, kierując ku otwartej przestrzeni kwadratowe oblicze, rozświetlone dziesiątkami połyskujących w mroku okien. A potem zniknął, gdy wjechali pod most zawieszony wysoko nad ich głowami.

Gray przyśpieszył kroku, żeby znaleźć się obok Seichan. Trzymała przed sobą GPS.

— Jesteś pewna, że znajdziemy to tylne wyjście? — spytał.

— Kiedy prowadzili mnie tutaj pierwszy raz, miałam nałożony kaptur. Ale ukryłam odbiornik GPS w... — Zerknęła na Graya. — W pewnym intymnym miejscu. Zarejestrowałam współrzędne położenia i wysokości. To powinno nam wystarczyć do odnalezienia wejścia.

Wspinali się dalej w kierunku niebosiężnej pionowej ściany.

Gray zaczął przyglądać się swojej towarzyszce. Co, do diabła, strzeliło mu do głowy, żeby jej zaufać? W tym ciemnym, ponurym lesie znów dały o sobie znać wcześniejsze wątpliwości. Zresztą nie chodziło wyłącznie o propozycję złożoną Seichan. Gray zaczął zastanawiać się nad słusznością własnych decyzji. Czy tak postępuje prawdziwy dowódca zespołu? Decydując się na ratowanie Rachele i Monka, zaryzykował zbyt wiele. Każdy taktyk z prawdziwego zdarzenia najpierw rozważyłby wszystkie za i przeciw, a potem pojechał z kluczem prosto do Awinionu. Jego postępowanie zagroziło powodzeniu całej misji.

Bo jeśli Trybunał Smoka zwycięży...

Gray ujrzał umęczone ciała pomordowanych w Kolonii, zwłoki torturowanych księży w Mediolanie... Jeśli on zawiedzie, zginie jeszcze mnóstwo ludzi.

I po co?

Przynajmniej znał odpowiedź na to pytanie.

Pogrążony we własnych myślach coraz szybciej wspinał się po stromym zboczu.

Seichan sprawdziła wskazania GPS, a potem ruszyła w lewo. W ścianie urwiska ukazała się szczelina, częściowo zakryta przez przechylony blok granitu, dodatkowo zasłonięta porastającym ją mchem i białymi kwiatami kaliny.

Dała nura do środka i ruszyła pod górę wąskim tunelem. Włączyła latarkę i wkrótce ujrzeli starą, zardzewiałą kratę. Seichan odsunęła zasuwę.

— A jeśli jest tu alarm? — spytał z niepokojem Gray.

W odpowiedzi tylko wzruszyła ramionami i otworzyła wejście na oścież.

Wchodząc do środka, uważnie obejrzał ściany. Lity granit. Żadnych przewodów.

Trzy metry dalej zaczynały się wycięte w kamieniu schody, stromo prowadzące pod górę. Gray wszedł na nie pierwszy. Zerknął na zegarek. Pociąg z Genewy powinien wjechać na dworzec za parę minut. Od razu zauważą, że mnie w nim nie ma, pomyślał. Czas uciekał coraz szybciej.

Z pośpiechem ruszył w górę schodów, choć cały czas zwracał uwagę, czy nie ma gdzieś kamer lub systemu alarmowego. Wspiął się na wysokość piętnastego piętra, czuł, jak z każdym krokiem narasta w nim napięcie.

Wreszcie wąska klatka schodowa zmieniła się w obszerną pieczarę, zwieńczoną u góry kopulastym sklepieniem. Przy tylnej ścianie tryskało źródełko, a woda spływała w szczelinę, zmierzając ku podstawie góry. Przed źródełkiem znajdował się potężny blok ciosanego kamienia. Ołtarz. Na sklepieniu dostrzegł wymalowane w prymitywny sposób gwiazdy. To musiała być rzymska świątynia, którą opisywała mu Seichan. Jak dotąd jej obserwacje w stu procentach odpowiadały prawdzie.

Wślizgnęła się tuż za nim do wnętrza pieczary.

— Schody prowadzące do zamku są tam. — Wskazała ręką inny tunel.

Ledwo dał krok, gdy w ciemnej gardzieli coś się poruszyło. W skąpym świetle dostrzegł jakąś potężną postać.

Raoul.

Olbrzym trzymał w rękach gotowy do strzału pistolet maszynowy.

Nagle po lewej stronie zabłysło silne światło i zza kamiennej płyty wysunęli się dwaj strzelcy. Za plecami Gray usłyszał trzask stalowych drzwi, które prowadziły do dolnego tunelu. Droga ucieczki została odcięta.

Ale najgorsze było to, że poczuł, jak w podstawę czaszki wbija mu się chłodna lufa pistoletu.

— Złoty klucz jest na łańcuszku na jego szyi — powiedziała Seichan.

Raoul podszedł bliżej i stanął naprzeciwko Graya.

— Powinieneś ostrożniej dobierać sobie towarzystwo.

I zanim Gray zdążył otworzyć usta, potężna pięść walnęła go w brzuch.

Uderzenie było tak silne, że uszło z niego całe powietrze i osunął się na kolana.

Raoul wyciągnął rękę i jednym szarpnięciem zerwał klucz z szyi Graya, a następnie podniósł go do światła.

— Dzięki, że nam go dostarczyłeś — powiedział. — Jego i siebie. Bo musimy ci zadać kilka pytań, zanim wyruszymy do Awinionu.

Gray podniósł wzrok i oszołomiony gapił się na Raoula. Nie potrafił ukryć szoku. Trybunał wiedział o Awinionie... Jak...

Już znał odpowiedź.

— Rachele... — mruknął.

— Och, o nią się nie martw. Jest cała, zdrowa i ma się świetnie. Właśnie nadrabia zaległości w kontaktach rodzinnych.

Gray nic nie rozumiał.

— Nie zapomnijcie o jego koledze z zespołu. Tym, który leży w szpitalu — odezwała się Seichan. — Lepiej nie zostawiać po drodze żadnych świadków.

Raoul skinął głową.

— Już o tym pomyślałem.

3.07
Genewa, Szwajcaria

Monk nie mógł zasnąć, więc oglądał telewizję, ale na każdym kanale mówili po francusku. Nie znał tego języka, dlatego tak naprawdę nie bardzo zwracał uwagę na to, co ogląda.

Szum dobiegający z telewizora był tylko tłem dla myśli. Morfina jedynie w niewielkim stopniu przytłumiła jego zwykłą przenikliwość.

Bez przerwy przyglądał się obandażowanemu kikutowi.

Furia, która ogarniała go na ten widok, obniżała skuteczność działania środków przeciwbólowych. Był wściekły nie tylko z powodu okaleczenia, lecz również dlatego, że stał się czymś w rodzaju kozła ofiarnego. Definitywnie wypadł z dalszej walki, a w dodatku wykorzystano go jako kartę przetargową. Kolegom groziło poważne niebezpieczeństwo, a on tymczasem wylegiwał się w łóżku w zamkniętym pokoju, strzeżony przez szpitalną ochronę.

Mimo to nie mógł zaprzeczyć, że w głębi duszy czuje potworny ból, którego nie da się uśmierzyć za pomocą morfiny. Nie miał prawa użalać się nad sobą. Ostatecznie był żołnierzem i nieraz widział towarzyszy, których wyciągano z pola walki w znacznie gorszym stanie. Ale mimo to ból nie chciał ustąpić. Monk czuł się zbrukany i poniżony, jakby był kimś gorszym niż przeciętny człowiek, a już na pewno niż zwykły żołnierz.

Logiczne myślenie nie mogło ukoić zbolałego serca.

Telewizja wciąż nadawała ględzenie.

Nagle jego uwagę przyciągnęło zamieszanie na zewnątrz. Sprzeczka. Podniesione głosy. Monk dźwignął się na łóżku. Co tam się działo, do diabła?

A potem drzwi otworzyły się z hukiem.

Patrzył w osłupieniu, jak jakaś postać bez przeszkód omija stojących na zewnątrz strażników.

Znajoma postać.

Nie potrafił ukryć szoku.

— Kardynał Spera?

3.08
Lozanna, Szwajcaria

Rachele wróciła do swojej celi, ale tym razem nie pozostawiono jej sam na sam z myślami.

Po drugiej stronie kuloodpornej szyby stał strażnik.

Babcia Camilla opadła na leżankę, ciężko wzdychając.

— Być może teraz mnie nie rozumiesz, ale z pewnością kiedyś przyznasz mi rację.

Rachele pokręciła głową. Stała pod najdalszą ścianą, zagubiona i oszołomiona.

— Jak mogłaś... jak mogłaś...? — powtarzała w kółko.

Jej babcia wpatrzyła się w nią swoim zwykłym, przenikliwym spojrzeniem.

— Wiesz, byłam kiedyś taka jak ty teraz. Miałam tylko szesnaście lat, kiedy pierwszy raz przybyliśmy do tego zamku... Uciekaliśmy z Austrii, gdy kończyła się wojna.

Rachele przypomniała sobie jej opowieści o rodzinnej ucieczce do Szwajcarii, a w końcu do Włoch. Tylko ona i jej ojciec przeżyli z całej rodziny.

— Wiem. Uciekaliście przed nazistami.

— Nie, moje dziecko. To my byliśmy nazistami — poprawiła ją *nonna*.

Rachele zamknęła oczy. O mój Boże...

A babcia Camilla kontynuowała:

— Mój ojciec był przywódcą partii w Salzburgu, lecz miał także pewne powiązania z Cesarskim Trybunałem Smoka działającym na terenie Austrii. Był naprawdę człowiekiem o wielkich możliwościach... Właśnie dzięki tym braterskim więzom zorganizowano naszą ucieczkę, a dzięki uprzejmości barona Sauvage, dziadka Raoula, mogliśmy ukrywać się w Szwajcarii.

Rachele słuchała z rosnącym przerażeniem, choć najchętniej zakryłaby uszy i zaprzeczała każdemu słowu.

— Ale taki bezpieczny przejazd wymagał pewnej zapłaty. I ojciec spełnił żądania barona. Ceną było moje dziewictwo. Tak jak ty opierałam się, niczego nie rozumiejąc. Ojciec musiał trzymać mnie za pierwszym razem... Dla mojego własnego dobra. Ale ten pierwszy raz nie był ostatni. Ukrywaliśmy się w zamku przez całe cztery miesiące, a baron często brał mnie do łóżka, aż w końcu poczęłam jego bękarta.

Rachele nagle zorientowała się, że nogi odmówiły jej posłuszeństwa i że siedzi na zimnej kamiennej podłodze.

— Bękart czy nie bękart, wszystko jedno, to było dobre połączenie. Mieszanka arystokratycznej linii austriackich Habsburgów ze szwajcarskim rodem Bernese. Zaczynałam co nieco pojmować, a tymczasem dziecko rosło w moim brzuchu. Tak właśnie wyglądała droga obrana przez Trybunał — umacnianie czystości krwi. Mój ojciec wbił mi to do głowy. Powoli do mnie docierało, że jestem przedstawicielką szlachetnego rody, wywodzącego się od królów i cesarzy.

Siedząc na lodowatej podłodze, Rachele starała się zrozumieć, jak brutalną krzywdę wyrządzono młodej dziewczynie, która potem stała się jej babcią. Czy jej babcia uzasadniała tamto okrucieństwo i nadużycie poprzez formułowanie tez o rzekomym udziale w jakimś wspaniałym przedsięwzięciu? W dodatku pranie mózgu, któremu została poddana w tak szczególnie wrażliwym okresie dorastania, było dziełem jej własnego ojca. Rachele starała się obudzić w swym sercu współczucie dla starej kobiety, ale jej się nie udało.

— W końcu ojciec zabrał mnie do Włoch, do Castel Gandolfo, letniej rezydencji papieży. Tam urodziłam twoją matkę. Co za hańba. Dostałam wtedy solidne lanie, bo spodziewano się męskiego potomka.

Babcia Camilla ze smutkiem pokręciła głową. Kontynuowała swą opowieść, przedstawiając Rachele historię jej rodziny, o której wnuczka dotąd nie miała pojęcia. Mówiła, jak została poślubiona innemu członkowi Trybunału Smoka, związanemu z Kościołem w Castel Gandolfo. To małżeństwo zawarto dla wygody. Zostali wyznaczeni, aby ich dzieci i wnuki działały w łonie Kościoła jako bezwiedni szpiedzy Trybunału, coś w rodzaju kretów. Żeby utrzymać sekret, matka Rachele i wuj Vigor żyli w nieświadomości co do swojego przeklętego dziedzictwa.

— Ale ty zostałaś przeznaczona do czegoś znacznie większego — oświadczyła babcia z dumą. — Dowiodłaś, że w twoich żyłach płynie prawdziwa krew Smoka. Zostałaś zauważona i wybrana, aby na powrót znaleźć się w ścisłym gronie arystokracji Trybunału. Twoja krew jest zbyt szlachetna, żeby ją zmarnować. Imperator osobiście wybrał właśnie ciebie do połączenia naszej rodziny ze starym rodem Sauvage. Wasze dzieci będą królami pośród królów.

W oczach babci lśniła autentyczna duma.

— *Molti bellissimi bambini.* Wszystkie będą królami Trybunału.

Rachele nie miała siły, żeby choć podnieść głowę. Zakryła twarz rękoma. Przed oczyma przelatywały jej obrazy z całego życia. Co w nim było prawdą, a co fałszem? Kim była? Myślała o niezliczonych okazjach, kiedy bardziej liczyła się ze zdaniem babci niż matki, i kiedy zwierzała się jej ze swoich miłosnych perypetii. Szanowała babcię i starała się ją naśladować, pełna podziwu dla jej mocnego, nieprzytępionego przez upływ czasu umysłu. Teraz opadły ją wątpliwości, czy ta mentalna sprawność była wynikiem hartu ducha, czy raczej objawem psychozy? Jakie wynikały stąd wskazówki dla niej samej? Była przecież tej samej krwi... co babcia... dobry Boże, i co ten bękart Raoul!

Kim była?

Nagle zmartwiło ją coś jeszcze. Strach zmusił ją do mówienia.

— A... A wuj Vigor? Twój syn?

Babcia Camilla znów westchnęła.

— On odegrał już swoją rolę w Kościele. Celibat zakończył jego linię i teraz Vigor już nie jest potrzebny. To ty przekażesz dziedzictwo naszej rodziny. Przeniesiesz je w pełną chwały przyszłość.

Rachele usłyszała ślad bólu w głosie starszej kobiety. Podniosła wzrok. Jej babcia kochała Vigora i Rachele świetnie o tym wiedziała... Prawdę mówiąc, kochała go znacznie bardziej niż matkę Rachele. Rachele zaczęła się zastanawiać, czy babcia podświadomie nie miała pretensji do swojej córki, której dała życie. Do córki, która była owocem gwałtu. I czy ta trauma mogła zostać przekazana w następnym pokoleniu? Stosunki łączące Rachele z matką zawsze cechowało pewne napięcie — niewypowiedziany ból, którego obie nie mogły ani przezwyciężyć, ani zrozumieć.

Czy kiedyś nadejdzie taki moment, w którym to przekleństwo przestanie ich dręczyć?

Jakiś okrzyk sprawił, że spojrzała na drzwi. Zbliżała się grupa mężczyzn. Rachele zerwała się na równe nogi, tak samo zresztą jej babcia. A więc...

W głębi korytarza przemaszerowała grupa strażników. Rachele wpatrzyła się zdesperowanym wzrokiem w człowieka idącego w drugim rzędzie. Gray, z rękoma związanymi na plecach, wlókł się z opuszczoną głową, ledwie powłócząc nogami. W przelocie omiótł wzrokiem jej celę i na widok Rachele jego oczy rozszerzyły się ze zdumienia. Potknął się i o mały włos nie przewrócił.

— Rachele...

Poleciał w przód popchnięty przez Raoula, który posłał Rachele lubieżny uśmiech, podnosząc wysoko coś, co trzymał w ręku.

Złoty klucz.

I wtedy zupełnie się załamała. Teraz już nic nie stało pomiędzy Trybunałem a ukrytym w Awinionie skarbem. Po całych wiekach spędzonych na manipulacjach i machinacjach Trybunał odniósł zwycięstwo.

Wszystko się skończyło.

3.12
Awinion, Francja

Kat nie lubiła czegoś takiego. Dookoła kręciło się stanowczo zbyt wielu cywili. Właśnie maszerowała pod górę schodami prowadzącymi do głównego wejścia do Pałacu Papieskiego, a w obie strony płynęła nieprzerwana rzeka ludzkich głów.

— To już tradycja, że przedstawienia odbywają się wewnątrz pałacu — wyjaśnił Vigor. — Zeszłego roku wystawiano tu *Życie i śmierć króla Jana* Szekspira, a na ten festiwal przygotowano czterogodzinnego *Hamleta*. Przedstawienie i przyjęcie, które zaczyna się zaraz po nim, trwają zwykle do bladego świtu. Normalnie cała impreza odbywa się na Dziedzińcu Honoru — wskazał na wprost przed siebie.

Przedzierali się właśnie przez grupę niemieckich turystów, którzy opuszczali pałac przez łukowato sklepioną bramę. Dobiegające z wnętrza głosy odbijały się echem wśród kamiennych ścian, tworząc prawdziwą wielonarodową mieszankę.

Kat zmarszczyła brwi.

— Trudno nam będzie prowadzić jakiekolwiek poszukiwania wśród tylu ludzi.

Vigor skinął głową. Na niebie zadudnił właśnie pierwszy grzmot zbliżającej się burzy.

Nagle dobiegła do nich salwa śmiechu i spontaniczny aplauz.

— Spektakl powinien się lada moment skończyć — powiedział.

Długi korytarz kończył się na otwartym dziedzińcu. Było tam zupełnie ciemno, jeśli nie liczyć oświetlonej ogromnej sceny ustawionej w odległym końcu, otoczonej kurtynami i przyozdobionej jak sala tronowa w wielkim zamku. Rzeczywiście, tło dekoracji stanowiła najbardziej oddalona od wejścia ściana dziedzińca. Po obu stronach sceny ustawiono kolumny z reflektorami, które rzucały snopy światła na aktorów, a także pokaźnych rozmiarów głośniki.

Tłum widzów siedział poniżej sceny na krzesłach albo na kocach rozłożonych bezpośrednio na kamiennym bruku. Na scenie wśród sterty ciał stało kilka postaci. Aktor mówił po francusku, ale Kat na szczęście płynnie posługiwała się tym językiem.

— Umieram, Horacjo! Bywaj mi zdrowa, nieszczęsna królowo!*.

Kat rozpoznała kilka ostatnich wierszy z *Hamleta*. Przedstawienie dobiegało końca.

---

* William Shakespeare *Hamlet*, akt V, scena II, przeł. Leon Ulrich.

Vigor odciągnął ją na bok.

— Ten dziedziniec rozdziela pałac na dwie części — starą i nową — powiedział. — Tylna ściana i to, co widzimy po lewej stronie, należą do Palais Vieux — Starego Pałacu. Z kolei tu, gdzie stoimy, i na prawo jest Palais Neuf, część dobudowana później.

Kat pochyliła się w jego stronę.

— No to gdzie powinniśmy zacząć?

Vigor wskazał ręką w lewą stronę.

— Istnieje pewna tajemnicza historia związana z Pałacem Papieskim. Wielu historyków żyjących w tamtym okresie zanotowało, że o świcie dwudziestego września tysiąc trzysta czterdziestego ósmego roku nad tą starą częścią zauważono olbrzymią kolumnę ognia. Widziało ją całe miasto. Wielu przesądnych ludzi sądziło, że jest ona zwiastunem wielkiej plagi — czarnej śmierci, która właśnie w owym czasie zaczynała zbierać żniwo. Ale być może chodziło o coś całkiem innego? Może była to pewnego rodzaju oznaka uaktywnienia się pola Meissnera? Fala energii uwolnionej przy ukrywaniu sekretu? Pojawienie się płomienia wskazuje, którego dnia schowano skarb.

Kat skinęła głową. Z pewnością był to ślad, który należało zbadać.

— Ściągnąłem z Internetu dokładną mapę — oznajmił Vigor. — Do Starego Pałacu można dostać się przez drzwi obok Bramy Naszej Pani, rzadko używanej.

Pociągnął Kat w lewą stronę. Przed nimi otworzyło się łukowate przejście. Zdążyli dać nura akurat w chwili, gdy potężny zygzak błyskawicy rozdarł niebo. Po chwili zadudnił grzmot. Aktor, który właśnie wygłaszał na scenie monolog, zatrzymał się w połowie kwestii, a wśród widowni rozległy się nerwowe śmiechy. Wszystko wskazywało na to, że burza może zakończyć imprezę wcześniej, niż przewidywano.

Vigor bez słowa wskazał ręką na grube drzwi w bocznej ścianie.

Kat przykucnęła i zabrała się do pracy, a on tymczasem starał się zasłonić ją własnym ciałem. Pokonanie zamka nie zabrało wiele czasu. Po chwili ustąpił z cichym kliknięciem.

Następny błysk nadciągającej burzy przyciągnął z powrotem

jej wzrok. Rozległ się potężny grzmot. Niebo otworzyło się na chwilę, a z nisko zawieszonych chmur posypały się na ziemię ciężkie krople deszczu. Ze zgromadzonego na dziedzińcu tłumu dobiegły śmiechy i wiwaty. Zaczęła się masowa ucieczka.

Kat podparła ramieniem drzwi, przytrzymała je dla Vigora, a potem ostrożnie zamknęła.

Zamek zaskoczył z głośnym trzaskiem. Kat na powrót przesunęła zasuwę.

— Jak sądzisz, czy powinniśmy uważać na ochroniarzy? — spytała.

— Chyba nie — odparł. — Jak widzisz, niewiele tu zostało do ukradzenia. Większym problemem jest wandalizm. Moim zdaniem może się tu kręcić jedynie nocny stróż, ale na wszelki wypadek trzeba zachować ostrożność.

Kat przytaknęła i postanowiła nie włączać latarki. Wystarczająco dużo światła sączyło się przez wysokie okna, by widzieli drogę prowadzącą na wyższe piętro.

Vigor służył za przewodnika.

— Prywatne apartamenty papieża znajdują się w Wieży Aniołów. Tamte pomieszczenia zawsze były najlepiej chronionym obszarem pałacu, więc jeśli cokolwiek ukryto w tym pałacu, powinniśmy rozejrzeć się właśnie tam.

Kat wyciągnęła kompas. Magnetyczny drogowskaz doprowadził ich do sarkofagu Aleksandra. Być może podobnie będzie i tutaj.

Przemierzyli kilka komnat i korytarzy. Ich kroki odbijały się echem wśród ogromnych pustych przestrzeni. Kat zrozumiała, dlaczego nikt nie troszczył się o zapewnienie prawdziwej ochrony. To miejsce przypominało olbrzymi kamienny grobowiec, odarty niemal ze wszystkich ozdób i mebli. Nie pozostał nawet najmniejszy ślad bogactwa, które musiało niegdyś wypełniać te komnaty. Kat wyobraziła sobie miękkie adamaszki i futra, piękne gobeliny, urządzane z przepychem bankiety, złocenia i srebra stołowe. Nic się nie zachowało, jedynie kamienne ściany i drewniane krokwie.

— Kiedy papieże wyjechali, to miejsce zaczęło popadać w ruinę — powiedział Vigor. — Zostało splądrowane podczas rewolucji francuskiej, w końcu służyło jako garnizon i kwatera dla żołnierzy Napoleona. Tylko w kilku miejscach — takich jak papieskie apartamenty — zachowały się oryginalne freski.

Kat zwróciła także uwagę na dziwną asymetrię wnętrz: korytarze kończyły się zbyt gwałtownie, pokoje sprawiały wrażenie dziwacznie małych, klatki schodowe urywały się na poziomach, na których brakowało drzwi... Grubość ścian wahała się od metra do pięciu metrów. Ten pałac był prawdziwą fortecą. Kat czuła, że znajdują się tu tajemne pomieszczenia, przejścia i komnaty, co zresztą nie było niczym niezwykłym w średniowiecznych budowlach.

To wrażenie spotęgowało się, kiedy weszli do pokoju, który Vigor uznał za skarbiec. Wskazał na cztery miejsca.

— Grzebali złoto pod podłogą. W podziemnych pomieszczeniach. Zawsze mówiło się, że takie krypty wciąż jeszcze czekają na swoich odkrywców.

Przeszli przez inne pokoje: obszerną garderobę, dawną bibliotekę, pustą kuchnię, której kwadratowe ściany zwężały się w kierunku ośmiokątnego komina nad położonym centralnie paleniskiem.

W końcu Vigor skierował się ku Wieży Aniołów.

Kompas Kat nie drgnął nawet o włos, choć obserwowała go z rosnącym napięciem. Dręczył ją coraz większy niepokój. Co będzie, jeśli nie uda się im odnaleźć wejścia? Jeśli ona, Kat, po raz kolejny zawiedzie pokładane w niej zaufanie? Zadrżała jej ręka, w której trzymała kompas. Pierwszy raz nie sprawdziła się, kiedy Rachele i Monk...

A teraz to.

Mocniej zacisnęła dłoń na kompasie i siłą woli opanowała drżenie. Ona i Vigor rozwiążą tę zagadkę. Muszą to zrobić. W przeciwnym razie całe poświęcenie kolegów pójdzie na marne.

Z determinacją wdrapywała się z jednego piętra na kolejne. Ponieważ nie zauważyła śladu dozorcy, odważyła się w końcu włączyć latarkę ołówkową, żeby ułatwić sobie i Vigorowi poszukiwania.

— To prywatna komnata papieża — powiedział Vigor, wskazując na wejście do jakiejś sali.

Kat przemierzyła całą długość pomieszczenia, wciąż zerkając na kompas. Ściany pokrywały fragmenty łuszczącej się farby, a ustawiony w kącie kominek przytłaczał swoją wielkością. Przez grube ściany docierało echo szalejącej burzy.

Zakończywszy przechadzkę, pokręciła ze smutkiem głową.

Nadal nic.

Ruszyli dalej. Teraz trafili na Salon Łowiecki. Freski przedstawiały dopracowane w szczegółach sceny z polowań — od polowania z sokołami poprzez gniazda ptaków i bawiące się psy aż do prostokątnego stawu, gdzie hodowano narybek.

— *Piscarium* — mruknął Vigor. — Znowu ryba.

Kat przytaknęła, wspominając, jak ważny dla ich śledztwa okazał się znak ryby. Przeszukała ten pokój szczególnie starannie, ale jej kompas nadal nie drgnął nawet o milimetr. Znicchęcona machnęła na Vigora, żeby szedł dalej.

Wspięli się na następny poziom.

— Papieska sypialnia. — W głosie Vigora brzmiało rozczarowanie i zaniepokojenie. — To ostatnie z pomieszczeń w tych apartamentach.

Kat weszła do środka. Żadnych mebli. Ściany pomalowane były na jaskrawy błękit.

— Lapis-lazuli — oznajmił Vigor. — W owych czasach był ceniony za swój połysk.

Bogate malowidło przedstawiało las w nocnej porze, zawieszony klatkami dla ptaków we wszystkich kształtach i rozmiarach. Między konarami śmigało kilka wiewiórek.

Kat przeszukała sypialnię centymetr po centymetrze.

Ciągle nic.

Opuściła kompas i odwróciła się do Vigora po to tylko, by w jego oczach dostrzec odbicie własnych myśli. Zawiedli na całej linii.

3.36
Lozanna, Szwajcaria

Gray został wepchnięty do kamiennej celi, którą z jednej strony zamykała ściana z hartowanego szkła kuloodpornego, grubości dwóch centymetrów. Drzwi zatrzasnęły się z hukiem. Wcześniej zdążył zauważyć Rachele — siedziała razem ze swoją babcią w izolatce oddzielonej od jego celi przez dwa inne pomieszczenia.

To zupełnie nie miało sensu.

Raoul warknął na swoich ludzi i gdzieś się wyniósł, zabierając złoty klucz.

Seichan stanęła przy drzwiach i przyglądała mu się z uśmiechem. Wciąż miał ręce związane na plecach, ale rzucił się w jej stronę i rozbił o szklaną ścianę.

— Ty przeklęta suko!

Uśmiechnęła się jeszcze szerzej, ucałowała czubki palców i przytknęła je do grubego szkła.

— Cześć, kochasiu. Dzięki, że mnie tutaj podrzuciłeś.

Gray odsunął się od ściany i odwrócił do niej plecami. Klął przy tym pod nosem jak szewc, jednocześnie zastanawiając się nad swoim położeniem. Raoul skonfiskował mu plecak i oddał go któremuś ze swoich podwładnych. Potem Gray został dokładnie przeszukany i pozbawiony broni, którą trzymał ukrytą w kaburze na ramieniu, a także przytroczoną w okolicach kostki.

Nagle usłyszał jakąś rozmowę obok celi Rachele.

— Zaprowadź madame Camillę do ciężarówek — rozkazał Raoul jednemu ze strażników. — I niech wszyscy będą w pogotowiu. Za kilka minut wyruszamy na lotnisko.

— *Ciao, Rachele, bambina mia.*

Nie odpowiedziała na pożegnanie. O co tu chodziło, do cholery?

Kroki oddaliły się w kierunku wyjścia.

Mimo to Gray wciąż wyczuwał czyjąś obecność. I nie pomylił się.

— Gdybym tylko miał trochę czasu... — rozległ się szept Raoula. — Ale rozkaz to rozkaz. Wszystko zmierza do szczęśliwego końca. W Awinionie. Imperator wróci tutaj razem ze mną. Chce być obecny przy tym, jak wezmę cię po raz pierwszy... A potem zostaniemy tylko we dwoje. I tak do końca twoich dni.

— Pieprzę cię — wybuchnęła Rachele.

— Właśnie o to chodzi. — Zaśmiał się. — Mam zamiar nauczyć cię, jak się wrzeszczy i sprawia przyjemność swojemu panu. A jeśli mnie nie zadowolisz, to nie będziesz pierwszą dziwką, którą Alberto pokroi na użytek Trybunału. Nie potrzebuję twojej mądrości, żeby cię pieprzyć.

Z tymi słowami odszedł, zatrzymując się jeszcze na chwilę przy strażniku.

— Zostaniesz tutaj, aż przekażę przez radio, że jestem gotów do spotkania z tym Amerykaninem. Ostatecznie przed wyjazdem należy nam się trochę rozrywki.

Gray nasłuchiwał, jak echo jego kroków cichnie w oddali. Nie czekał ani sekundy dłużej. Z całej siły kopnął w twardą, kamienną ścianę. Z obcasa wyskoczyło ostrze długości siedmiu centymetrów. Przykucnął i przeciął nim plastikowe więzy na nadgarstkach. Wszystko to robił z najwyższym pośpiechem, bo czas odgrywał tu kluczową rolę.

Następnie sięgnął do przedniej części spodni. Kiedy rzucił się na szklaną ścianę w udawanym ataku furii, Seichan wepchnęła mu za sprzączkę pasa cienki pojemnik. Wsadziła lewą rękę przez otwór wentylacyjny, podczas gdy dla odwrócenia uwagi postronnych obserwatorów prawą przesyłała mu szyderczy pocałunek.

Teraz Gray wyciągnął zza paska malutki kanisterek, podsunął się do drzwi i spryskał dokładnie zawiasy. Stalowe bolce w mig zaczęły się rozpuszczać. Z podziwem pomyślał, że Gildia dysponowała zmyślnymi zabawkami. Gray nie mógł skontaktować się z przełożonymi, ale za to Seichan bez trudu uzyskała odpowiednie wyposażenie od swoich mocodawców.

Poczekał jeszcze pełną minutę, a potem wrzasnął do strażnika, stojącego kilka stopni niżej w głębi holu.

— Hej! Ty! Coś tu jest nie w porządku!

Usłyszał zbliżające się kroki.

Gdy pojawił się strażnik, odsunął się od drzwi i wskazał na kłęby skwierczącego dymu tuż przy wejściu do celi.

— Co do diabła? — ryknął. — Wy, cholerne dupki, chcecie mnie zagazować czy co?

Strażnik zmarszczył brwi i przysunął się bliżej.

Wystarczająco blisko.

Gray skoczył i walnął w drzwi, wyrywając zawiasy. Tafla ciężkiego szkła uderzyła w strażnika i popchnęła go na przeciwległą ścianę. Rąbnął w nią głową. Osunął się ciężko, choć po drodze zdążył jeszcze wyszarpnąć z kabury pistolet.

Gray rzucił się w jego kierunku, okręcając wokół własnej osi. Bez zastanowienia wbił wystające z obcasa ostrze w gardło mężczyzny, a następnie szarpnął w górę, rozrywając mu większą część szyi.

Schylił się po pistolet i pęk kluczy, po czym popędził do celi Rachele.

Czekała na niego przy drzwiach, gotowa do ucieczki.

— Gray!

Otworzył zamek.

— Nie mamy dużo czasu.

Szarpnął z całej siły, aż drzwi stanęły otworem. I oto Rachele była już w jego ramionach. Przytuliła się mocno, przywierając ustami do jego ucha. Czuł na karku jej gorący oddech.

— Bogu dzięki — wyszeptała.

— Raczej należałoby podziękować Seichan — odparł. Mimo pośpiechu tulił ją chwilę dłużej, niż zamierzał, wyczuwając, że ona tego potrzebuje.

Może zresztą on też.

Wreszcie odsunęli się od siebie. Gray machnął pistoletem w kierunku końca korytarza i rzucił okiem na zegarek. Zostały dwie minuty.

3.42

Seichan stała u podnóża schodów prowadzących do centralnej baszty. Wiedziała, że jedyna droga ucieczki prowadzi przez główną bramę. Stalowa krata odcięła tylne wyjście pod zamkiem.

Na zalanym światłem dziedzińcu przygotowywano właśnie do drogi kolumnę pięciu terenowych samochodów. Ładowaniu skrzyń towarzyszyły wywrzaskiwane rozkazy oraz wściekłe ujadanie zamkniętych w klatkach psów.

Seichan przyglądała się temu wszystkiego spod oka, wyławiając w tym tłumie jednego tylko człowieka. Wszechobecny chaos sprzyjał jej planom. Zdążyła schować do kieszeni kluczyki od ostatniego wozu. Srebrzystego mercedesa. To jej ulubiony kolor.

Drzwi za jej plecami otworzyły się i na dziedziniec wyszedł Raoul, prowadząc pod rękę starszą damę.

— Podwieziemy panią na lotnisko, a stamtąd samolot zabierze panią do Rzymu.

— Moja wnuczka...

— Będzie otoczona odpowiednią opieką. Ma pani na to moje słowo.

Ostatnim słowom towarzyszył lodowaty uśmiech.

Wreszcie Raoul raczył spojrzeć na Seichan.

— Nie wydaje mi się, żeby usługi Gildii były nam jeszcze potrzebne.

Wzruszyła tylko ramionami.

— W takim razie pojadę kawałek z wami, a potem ruszę w swoją stronę. — Wskazała podbródkiem srebrzysty samochód.

Raoul pomógł starszej pani zejść ze schodów, a potem poprowadził ją w stronę otwierającego kolumnę pojazdu, gdzie czekał już doktor Alberto Menardi. Seichan nadal nie spuszczała z oka interesującego ją człowieka. Nagle jej wzrok przyciągnął ruch przy jednej ze ścian otaczających dziedziniec.

Boczne drzwi otworzyły się i pojawił się w nich Gray. W ręku trzymał pistolet. To dobrze.

Po drugiej stronie dziedzińca Raoul podniósł do ust nadajnik radiowy. Najwidoczniej zamierzał połączyć się ze strażnikiem przy celach. Seichan nie mogła zwlekać ani chwili dłużej. Człowiek, którego obserwowała, nie podszedł do Raoula tak blisko, jak miała nadzieję, ale i tak znajdował się w samym centrum.

Utkwiła wzrok w żołnierzu, który dźwigał na ramieniu plecak Graya. Zawsze znajdzie się jakiś chciwiec. Facet nawet na moment nie spuszczał łupu z oka. Plecak wypełniony był bronią i kosztownymi elektronicznymi gadżetami.

Na swoje nieszczęście żołnierz nie wiedział, że na samym dnie pod podszewką znajdowało się także ćwierć kilograma C4. Seichan przeskoczyła przez balustradę frontowych schodów, jednocześnie uruchamiając przekaźnik, który miała w kieszeni.

Potężna eksplozja zdmuchnęła z powierzchni ziemi środkową część kolumny.

Ludzie i fragmenty ciał poszybowali w nocne niebo. W dwóch samochodach wybuchły zbiorniki paliwa i ognista kula wzbiła się w górę, a płonące szczątki zostały rozrzucone po całym dziedzińcu.

Seichan ruszała się szybko. Machnąwszy pistoletem, wskazała Grayowi srebrzysty wóz. Co prawda przednia szyba samochodu była pęknięta, ale pozostałe jakimś cudem ocalały. Gray i towarzysząca mu kobieta rzucili się w stronę mercedesa. Seichan poszła w ich ślady.

Dwóch żołnierzy próbowało ich zatrzymać. Gray zdjął jednego, a Seichan zajęła się drugim. Wreszcie dopadli terenówki.

Ryk silnika wchodzącego na wysokie obroty przyciągnął uwagę Seichan, która spojrzała w stronę głównej bramy. Pierwszy samochód skoczył gwałtownie do przodu. To Raoul uciekał. Z drugiego wozu, w którym siedziała już część żołnierzy, posypał się w ich stronę grad pocisków. Kierowca włączył silnik.

Raoul wysunął się przez szyberdach swojego samochodu i odwrócił tyłem do kierunku jazdy. W ręku dzierżył potężny pistolet.

— Padnij! — wrzasnęła Seichan, rzucając się na podłogę.

Rozległ się taki huk, jakby ktoś strzelił z armaty. Usłyszała, jak przednia szyba rozpada się w drobny mak, a potem tylna. Teraz Seichan znalazła się całkiem na widoku, więc wyskoczyła z wozu, starając się, żeby bok mercedesa zasłaniał ją przed Raoulem.

Z drugiej strony zabrzmiała seria strzałów. Leżący na brzuchu Gray zajmował o wiele dogodniejszą pozycję, więc wycelował w Raoula, podczas gdy pierwszy wóz zakosami zbliżał się do bramy. Drugi ruszył w ślad za nim.

Raoul nie przerywał ognia, jakby kpił z niebezpieczeństwa.

Nagle pocisk przeszył kratownicę mercedesa.

Cholera!

Ten skurczybyk próbował unieruchomić ostatni samochód.

Przedni reflektor eksplodował z hukiem. Leżąc na ziemi, Seichan widziała, jak strumień benzyny wylewa się z baku i tworzy ogromną kałużę.

Magazynek Graya otworzył się z trzaskiem. Koniec amunicji.

Seichan popełzła w jego stronę, ale było już za późno.

Pierwszy wóz terenowy, a zaraz za nim drugi przejechały przez bramę. W nocnym powietrzu rozległ się szyderczy śmiech Raoula. Opuszczana krata opadła z hukiem, a jej stalowe zęby wbiły się w kamienne szczeliny.

Huk zmieszał się w uszach Seichan z odgłosami zgrzytania. Podniosła się i kucnęła obok samochodu. We wszystkich oknach i drzwiach wychodzących na dziedziniec zjeżdżały w dół stalowe rolety. Współczesna forteca, pomyślała Seichan. Trybunał poważnie podchodził do spraw bezpieczeństwa. Tak oto znaleźli się w pułapce.

Teraz usłyszała inny dźwięk.

Kliknięcia serii masywnych zatrzasków.

Spojrzała w tamtym kierunku razem z Grayem i Rachele. Już wiedziała, dlaczego Raoul się śmiał.

Kraty zamykające wejście do dwudziestu boksów dla psów podjeżdżały w górę na automatycznych prowadnicach.

Bestie składające się z mięśni, skóry i zębów zbliżały się w ich stronę z głuchym warkotem, doprowadzone do szału odgłosami strzelaniny i zapachem świeżej krwi. Każdy z psów sięgał im głową do piersi i ważył około stu kilogramów.

Raptem rozległ się gong wzywający je na kolację.

3.48
Awinion, Francja

Kat nie miała zamiaru dać za wygraną. Starała się nie popadać w rozpacz. Chodziła nerwowym krokiem wzdłuż ścian pomalowanej na niebiesko sypialni na samym szczycie Wieży Aniołów.

— Patrzymy na to ze złej strony — rzekła wreszcie.

W odróżnieniu od niej Vigor zastygł jak posąg na środku pomieszczenia i błądził wzrokiem gdzieś w oddali, jakby się nad czymś zastanawiał. A może po prostu martwił się o siostrzenicę? Albo koncentrował się na czekającym ich zadaniu?

— Co chcesz przez to powiedzieć? — wymamrotał.

— Może tu wcale nie ma magnetycznego drogowskazu. — Podniosła kompas, próbując w ten sposób ściągnąć na siebie uwagę Vigora i zachęcić go do dalszych poszukiwań.

— Tylko co?

— A po co była ta cała wcześniejsza gadka? O gotyckiej przeszłości miasta i tego miejsca?

Vigor skinął głową.

— Rozumiem. Masz na myśli coś, co zostało umieszczone w konstrukcji budynku. Ale jak chcesz odnaleźć to coś bez magnetycznego wskaźnika? Pałac jest naprawdę olbrzymi. A biorąc pod uwagę, w jaką popadł ruinę, całkiem możliwe, że wskazówka uległa zniszczeniu lub została usunięta.

— Chyba sam w to nie wierzysz — odparła ostro. — Tajemne stowarzyszenie alchemików na pewno znalazło jakiś sposób, żeby ją zachować.

— No więc masz jakiś pomysł, jak ją odnaleźć? — spytał.

Tuż obok okna rozległ się trzask błyskawicy. Leżące u stóp wieży ogrody i rozciągnięte w dole miasto na moment rozświetliły się upiornym blaskiem. Ciemny nurt rzeki u podnóża wzniesienia wił się jak leniwy wąż. Deszcz wyraźnie przybrał na sile. Następny zygzak przemknął przez podbrzusze ciemnych, ciężkich chmur.

Kat obserwowała przez chwilę grę żywiołów, a potem powolnym ruchem odwróciła się do Vigora. Jej oczy błyszczały, jakby przed chwilą doznała olśnienia. Schowała kompas do kieszeni, najwyraźniej przekonana, że nie będzie już potrzebny.

— Magnetyzm otwierał grób świętego Piotra — wyjaśniła, podchodząc do Vigora. — I magnetyzm doprowadził nas do grobowca Aleksandra. Ale kiedy już się tam znaleźliśmy, piramidę aktywowała elektryczność. Być może ten sam sposób trzeba wykorzystać tutaj. — Machnęła ręką w stronę burzy szalejącej za oknami. — Błyskawice. Ten pałac został zbudowany na szczycie najwyższego wzniesienia. *La Roche de Dôme*. Skalna kopuła.

— Która ściąga pioruny, a razem z nimi błyskawice rozpraszające ciemność.

— Czy jest tu jakiś wizerunek błyskawicy, który przeoczyliśmy?

— Nie przypominam sobie. — Vigor potarł podbródek. — Ale moim zdaniem uderzyłaś we właściwą strunę. Światło jest symbolem wiedzy. Oświecenia. Właśnie taki był pierwotny cel gnostycznej wiary — poszukiwanie przedwiecznej światłości, o którym wspomina Księga Rodzaju. Wyciągnięcie ręki po starożytną chrzcielnicę wiedzy i mocy, która dociera wszędzie.

Vigor zaczął odliczać na palcach.

— Elektryczność, błyskawica, światło, wiedza i moc. Wszystkie te rzeczy są ze sobą powiązane. I gdzieś tu znajduje się ich symbol.

Kat pokręciła głową. Wydawała się całkiem zagubiona.

Vigor nagle zesztywniał.

— Co jest? — przysunęła się bliżej.

Szybko przyklęknął i zaczął coś rysować w pyle pokrywającym podłogę.

— Grób Aleksandra znajduje się w Egipcie. Nie możemy o tym zapominać, bo w tym łańcuchu zagadek jedna powiązana jest z następną. Egipski symbol światła to okrąg z kropką pośrodku. Przedstawia słońce.

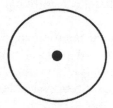

— Ale czasami okrąg ulega spłaszczeniu, tworząc kształt oka. I wówczas symbolizuje nie tylko słońce i światło, lecz również wiedzę. Płomienne oko duszy. Wszystkowidzące oko masonów i templariuszy.

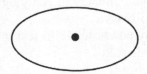

Kat przyjrzała się uważnie obu rysunkom. Nie pamiętała, żeby gdzieś tu wpadły jej w oko takie znaki.

— W porządku — powiedziała wreszcie. — Więc gdzie mamy zacząć go szukać?

— Nigdzie. On nie istnieje — on się tworzy... — Vigor podniósł się z podłogi. — Czemu nie wpadłem na to wcześniej? Jedną z cech gotyckiej architektury jest figlarna gra świateł i cieni. Architekci z zakonu templariuszy osiągnęli w niej prawdziwe mistrzostwo.

— Ale w takim razie...?

Vigor biegł już w stronę drzwi.

— Musimy wrócić na pierwsze piętro. Tam gdzie widzieliśmy wyobrażenie płomiennego oka wewnątrz kręgu światła.

Kat posłusznie poszła za nim, choć nie mogła sobie przypomnieć, żeby widziała cokolwiek, co pasowało do tego opisu. Zbiegli ze schodów i wydostali się z Wieży Aniołów. Vigor prowadził ją przez salę bankietową, aż w końcu zatrzymał się w miejscu, które przeszukali już wcześniej.

— Kuchnia?! — spytała, nie kryjąc zdumienia.

Spoglądała na kwadratowe ściany, centralnie wzniesione palenisko i zbudowany nad nim ośmiokątny komin. Nic nie rozumiała i już otworzyła usta, żeby to powiedzieć.

Ale Vigor wyciągnął rękę i zamknął dłoń nad strumieniem światła z latarki.

— Zaczekaj — szepnął tajemniczo.

Na zewnątrz błysnęła oślepiająco błyskawica. Przez komin wpadło do środka akurat tyle światła, żeby dookoła paleniska utworzył się idealny krąg. Srebrzysty blask zamigotał, a później zgasł.

— Jak jest na górze, tak i na dole... — przypomniał szeptem Vigor. — Efekt jest prawdopodobnie o wiele lepiej widoczny, kiedy w godzinach południowych słońce stoi wysoko na niebie albo światło pada pod określonym kątem.

Kat wyobraziła sobie płonący tu jasny ogień. Ogień otoczony kręgiem słonecznego blasku...

— Ale jaką mamy pewność, że to jest właściwe miejsce? — spytała, okrążając palenisko.

Vigor zmarszczył brwi.

— Nie mamy — odparł. — Ale grobowiec Aleksandra znajdował się pod latarnią w Faros, której szczyt wieńczył płonący dzień i noc ogień. A biorąc pod uwagę, jak istotną funkcję spełniały obydwa te miejsca — latarnia morska i kuchnia — grzebanie czegoś pod nimi miało sens. Kolejne pokolenia chroniły je przed zniszczeniem właśnie ze względu na ich użyteczność.

Pełna wątpliwości Kat przyklękła i wyszarpnęła z pochwy nóż, żeby przekonać się, z czego zrobione jest palenisko. Zaczęła ryć nim w obramowaniu podstawy i po chwili ukazał się jasnopomarańczowy kamień.

— To nie jest hematyt ani magnetyt — zauważyła z rozczarowaniem. Gdyby natrafiła na któryś z nich, może dałaby się przekonać. — To zwyczajny boksyt, ruda glinu. Dobrze przewodzi ciepło, więc stosowanie go w palenisku jest uzasadnione. Nie ma tu nic niezwykłego.

Zerknęła na Vigora. Uśmiechał się od ucha do ucha.

— O co chodzi?

— Przechodziłem obok — powiedział, klękając przy niej. — Powinienem był się domyślić, że tym razem drogę będzie wskazywał inny kamień. Najpierw był hematyt, potem magnetyt, a teraz boksyt.

Kat wstała, zupełnie zbita z tropu.

— Boksyt jest wydobywany właśnie na tym obszarze. Prawdę mówiąc, swą nazwę zawdzięcza lordom Baux, których zamek znajduje się w odległości piętnastu kilometrów stąd. Został wzniesiony na wzgórzu z boksytu. Ten kamień zwraca naszą uwagę właśnie na nich.

— Tak?

— Lordowie Baux mieli dość skomplikowane układy z francuskimi papieżami, którzy nagle stali się ich sąsiadami. Poza tym słynny był ich upór, z jakim obstawali przy pewnym dziwacznym twierdzeniu. Utrzymywali mianowicie, że ich ród wywodzi się od pewnej znanej biblijnej postaci.

— Kogo? — spytała.

— Baltazara. Jednego z Mędrców.

Oczy Kat rozszerzyły się ze zdumienia. Odwróciła się tyłem do paleniska.

— Zapieczętowali wejście kamieniem, który pochodził od potomków Mędrców...

— Czy ciągle jeszcze masz jakieś wątpliwości, że jesteśmy na właściwym tropie? — spytał Vigor.

Kat pokręciła głową.

— Nie. Ale jak mamy to otworzyć. Nie widzę żadnej dziurki od klucza.

— Już nam powiedziałaś jak. Za pomocą elektryczności.

Jakby dla podkreślenia słuszności jego słów, poprzez grube ściany dotarło do nich echo potężnego grzmotu.

Kat zrzuciła z ramion plecak. Warto spróbować.

— Co prawda nie mamy tu żadnej z tych starożytnych baterii, ale można wykorzystać współczesne Duracell Coppertops — oznajmiła.

Wyciągnęła z plecaka ogromną latarkę, otworzyła ją z trzaskiem i czubkiem noża obluzowała przewody prowadzące do biegunów dodatniego i ujemnego. Wyłączywszy zasilanie, skręciła je razem, a potem triumfalnie pokazała Vigorowi swoje dzieło.

— Lepiej się odsuń — ostrzegła.

Następnie połączyła przewody latarki z boksytem — rudą, która była słabym przewodnikiem prądu elektrycznego — i nacisnęła włącznik.

Łuk elektryczny uderzył w kamień. W odpowiedzi rozległ się basowy pomruk, jakby ktoś walnął w potężny bęben.

Kat skoczyła w tył, kiedy pomruk zaczął cichnąć, i dołączyła do Vigora, który stał przy samej ścianie.

Dookoła krawędzi paleniska wystrzelił ognisty połysk, opasując całą jego podstawę.

— Myślę, że umocowali kamienne bloki za pomocą stopionego szkła w stanie m — mruknęła Kat.

— Podobnie jak starożytni egipscy budowniczowie użyli roztopionego ołowiu, żeby połączyć elementy konstrukcji latarni w Faros.

— A teraz elektryczność uwalnia siłę zamkniętą w jednoatomowym złocie.

Ze środka paleniska wystrzeliły następne łuki ognia, obrysowując z osobna każdy kamień. Blask wypalał regularny wzór na siatkówce oczu Kat. W stronę jej i Vigora popłynęła fala gorąca.

Zacisnęła powieki. Na szczęście ten proces nie trwał długo. Blask zaczął przygasać, a obluzowane bloki boksytu obsuwały się w powoli w ukrytą pod paleniskiem czarną gardziel.

Słyszała, jak z trzaskiem uderzają o siebie i dudnią, spadając coraz niżej. Nie mogła dłużej opanować ciekawości; podeszła kilka kroków i włączyła małą latarkę. Brzeg paleniska tworzył teraz obrys ciemnej klatki schodowej, która prowadziła gdzieś w dół.

Kat odwróciła się do Vigora.

— Udało się — powiedziała.
— Niebiosa nam pomogły — odrzekł.

3.52
Lozanna, Szwajcaria

Pół kilometra od zamku Raoul zamknął telefon komórkowy i odszedł kilka kroków od swojego wozu. Był tak wściekły, że przed oczyma migały mu tysiące drobnych czarnych punkcików. Z rany na głowie sączyła się krew. Ta cholerna Azjatka ośmieliła się go zdradzić. Ale on i tak zdołał się na niej odegrać. Jego psy w krótkim czasie zrobią porządek z nimi wszystkimi.

A nawet jeśli nie...

Zdecydowanym krokiem podszedł do drugiego samochodu.

— Ty i ty. — Wskazał dwóch mężczyzn. — Wrócicie do zamku. Pieszo. Staniecie na straży przy kracie zamykającej wjazd na dziedziniec i będziecie strzelać do każdego, kto tylko się ruszy. Nikt nie ma prawa ujść stamtąd z życiem. Zrozumiano?

Dwóch wybrańców wygramoliło się z samochodu i pośpiesznie ruszyło w powrotną drogę do zamku.

Raoul wrócił do pierwszego wozu.

Tam czekał na niego Alberto.

— I co ci powiedział imperator? — spytał z niepokojem, kiedy Raoul wsiadł na miejsce pasażera.

Nie zaszczycając go nawet jednym spojrzeniem, olbrzym wsadził telefon do kieszeni. Zdrada Gildii zaskoczyła ich władcę tak samo jak jego. Lecz Raoul skłamał imperatorowi, pomijając w opowieści własną zdradę w Aleksandrii, kiedy zostawił tę sukę na pewną śmierć. Właściwie powinien był się spodziewać czegoś podobnego. Na samą myśl o tym uderzył pięścią w kolano. Przestał się mieć na baczności, kiedy Seichan przyprowadziła mu tego Amerykanina.

Jak ostatni idiota.

Ale pewne sprawy dadzą się jeszcze naprawić.

W Awinionie.

Wreszcie łaskawie odpowiedział na pytanie Alberta.

— Imperator dołączy do nas we Francji, przyprowadzi ze

sobą dodatkowych żołnierzy. My mamy postępować zgodnie z planem.

— A tamci? — Alberto zerknął w kierunku zamku.

— Już się nie liczą. Nic nie może nas zatrzymać.

Machnął ręką, nakazując w ten sposób kierowcy, żeby jechał dalej. Wóz ruszył w stronę lotniska w Yverdon. Raoul pokręcił głową, myśląc z żalem o stracie, jaką poniósł. Bynajmniej nie chodziło mu o zabitych żołnierzy, tylko o tę sukę. O Rachele Veronę. Miał w stosunku do niej takie piękne plany...

Ale przynajmniej zostawił jej na pożegnanie małą niespodziankę.

3.55

Rachele razem z Grayem i Seichan skuliła się na schodach wiodących do głównej części zamku. Plecami przywarli do metalowych żaluzji zasłaniających drzwi. Do tego względnie bezpiecznego miejsca wycofali się przed sforą psów.

Wciąż mieli przy sobie tylko jeden pistolet. I sześć pocisków.

Gray starał się po drodze zgarnąć jakąś sztukę broni z płonącego pobojowiska, ale udało mu się odnaleźć jedynie dwa uszkodzone karabiny. Teraz trzymał w ręku broń należącą do Seichan. Ona z kolei zajęta była majstrowaniem przy nadajniku GPS, całkowicie powierzając Grayowi swoje bezpieczeństwo.

Ciekawe, co miała zamiar zrobić?

Rachele stała krok od niej, bliżej Graya. W jednym ręku kurczowo ściskała połę jego koszuli. Nie miała pojęcia, od kiedy go trzyma, ale nie miała zamiaru puszczać. Tylko dzięki temu w ogóle stała.

Jeden z olbrzymich psów po cichu przysunął się do podnóża schodów. Ciągnął za sobą kończynę któregoś z zabitych żołnierzy. Dwadzieścia innych bestii szalało na dziedzińcu, rozdzierając zwłoki, warcząc na siebie i tocząc pianę z pysków. Stoczyły nawet kilka potyczek, okrutnych i szybkich jak mignięcie błyskawicy.

Z pewnością w niedługim czasie dostrzegą przyczajone na schodach ofiary.

Każdy hałas przyciągał ich uwagę. Ranni. Pierwsi zginęli jęczący. Gray wiedział, że pojedynczy strzał ściągnie im na kark całą sforę zabójców.

Sześć pocisków. Dwadzieścia psów.

Kątem oka dostrzegł, że z boku coś się poruszyło...

Przez kłęby oleistego dymu widział, jak z ziemi, spomiędzy rozrzuconych wokół szczątków, podnosi się jakaś drżąca, drobna postać. Kiedy lekki powiew wiatru rozproszył opary, Rachele rozpoznała starą kobietę, chwiejnie stojącą na cienkich nogach.

— *Nonna...* — wyszeptała.

Po lewej stronie jej włosy zlepione były krwią.

Rachele myślała, że jej babcia odjechała razem z Raoulem.

Może ta eksplozja zwaliła ją z nóg?

Jednak Rachele podejrzewała, że było inaczej. Pewnie Raoul uderzył ją pistoletem, żeby pozbyć się niepotrzebnego balastu.

Z ust starej kobiety wydobył się jęk. Podniosła rękę do rany na głowie.

— Tato? — zawołała słabo piskliwym głosem.

Wybuch, chaos, jaki po nim zapanował, majaczący w mroku zamek... Wszystko to musiało pomieszać jej w głowie i sprawić, że nagle cofnęła się w odległą przeszłość.

— Tato... — W tym wołaniu zabrzmiał autentyczny ból.

Ale nie tylko Rachele ją dostrzegła.

Kilka metrów dalej zza płonącej opony wyłonił się ciemny kształt, zwabiony cichym płaczem.

Rachele puściła koszulę Graya i zsunęła się stopień niżej.

— Widzę go... — powiedział, żeby ją zatrzymać.

Podniósł pistolet, wycelował i nacisnął spust. Głośne *pop* odbiło się echem po całym dziedzińcu, ale skowyt zranionego zwierzęcia był donośniejszy. Pies potknął się, zwinął w kłębek i złapał zębami za krwawiącą tylną łapę, jakby chciał wygryźć z niej ból. Reszta sfory opadła go, tak jak lwy opadają zranioną gazelę. Przyciągnął je zapach świeżej krwi.

Babcia Rachele, którą zupełnie zaskoczył atak bestii, przewróciła się do tyłu z ustami otwartymi ze zdumienia.

— Muszę się do niej dostać — szepnęła Rachele. Zareagowała instynktownie. Pomimo zdrady, jakiej się dopuściła, *nonna* wciąż była jej bliska. Nie zasłużyła na tak okrutną śmierć.

— Idę z tobą — odparł bez wahania.

— Daj spokój, przecież ona już nie żyje. — Seichan westchnęła i opuściła nadajnik GPS. Ale poszła za nimi, żeby być w pobliżu jedynej broni, jaką mieli do dyspozycji.

Trzymając się blisko siebie, posuwali się powoli po obrzeżu dziedzińca. Kałuże płonącego paliwa oświetlały im drogę.

Rachele chciała biec, ale jedna z ogromnych cętkowanych bestii przyglądała im się z uwagą, pochylona nad bezgłowym ciałem, z obnażonymi kłami śledząc każdy ich ruch. I Rachele czuła, że jeśli choć odrobinę przyśpieszy, potwór dopadnie ich w ciągu kilku sekund.

Gray na wszelki wypadek trzymał go na muszce.

Babcia Camilla gwałtownie odsunęła się od trzech psów walczących nad rannym towarzyszem. Rzucały się na siebie z taką wściekłością, że trudno było stwierdzić, którego z nich Gray postrzelił. Jej ruch został zauważony przez dwie inne bestie, które zbliżyły się z przeciwnej strony.

Rachele doszła do wniosku, że mogą nie zdążyć.

Rozległy się następne dwa strzały i jeden z potworów runął na pysk. Drugi z psów został ledwie draśnięty, ale ta rana spotęgowała w nim żądzę krwi. Jak błyskawica skoczył na leżącą na plecach kobietę.

Rachele rzuciła się naprzód.

Lecz odgłosy strzałów ściągnęły w ich stronę większość psów. Teraz nie było już wyboru. Gray strzelał w biegu, trafiając kolejne dwa psy — ten ostatni znajdował się w odległości zaledwie metra od nich.

Zanim Rachele zdążyła dobiec do babci, pies zaatakował. Wbił zęby w ramię staruszki, bez trudu przegryzł cienką kość i wątłe mięśnie i pociągnął ją po ziemi.

Z ust przerażonej kobiety nie wydobył się żaden krzyk.

Potwór przygniótł ją całym ciężarem i sięgnął do gardła.

Gray wystrzelił tuż obok ucha Rachele, na wpół ją ogłuszając. Siła uderzenia odrzuciła bestię na bok. Pies zwinął się i zadrżał konwulsyjnie... Kula trafiła go prosto w łeb. Niestety, to był ostatni pocisk.

Magazynek wysunął się z trzaskiem.

Rachele upadła na kolana i wyciągnęła ręce do babci. Ze

zranionego ramienia tryskał strumień krwi. Rachele kołysała ją w ramionach.

Gray przykucnął tuż obok. Seichan także się skuliła, żeby jak najmniej zwracać na siebie uwagę.

Walczące z sobą psy otaczały ich kręgiem, a im skończyła się amunicja.

Babcia Camilla spoglądała w górę. Nagle odezwała się, a jej oczy zaszły mgłą.

— Mama... Przepraszam... Przytul mnie...

Wtem Rachele usłyszała suchy trzask, a staruszka szarpnęła się w jej ramionach. Pocisk trafił ją prosto w klatkę piersiową. Rachele wiedziała, w którym miejscu znajduje się otwór wylotowy, bo czuła gorąco przesuwające się wzdłuż jej ramienia.

Podniosła wzrok.

Trzydzieści metrów dalej, za stalową kratą zamykającą bramę, stało dwóch strzelców.

Nowe strzały odwróciły uwagę kilku psów.

Gray próbował wykorzystać ten moment do wycofania się z powrotem pod ścianę zamku. Rachele posuwała się za nim, ciągnąc za sobą ciało babci.

— Zostaw ją — wyszeptał rozkazującym tonem.

Zupełnie go zignorowała. Po policzkach spływały jej łzy żalu i wściekłości. Następny pocisk rykoszetował dosłownie metr od nich. Seichan schyliła się i pomogła Rachele dźwignąć ciężar. We dwie posuwały się znacznie szybciej.

Przy bramie dwa psy rzuciły się na opuszczaną kratę, szczerząc kły na stojących za nią mężczyzn. W ten sposób uniemożliwiały im oddanie celnego strzału, ale wiadomo było, że taka sytuacja nie potrwa długo.

Kiedy dotarli do względnie bezpiecznego miejsca pod murami zamku, Rachele opadła z sił. Wciąż jednak znajdowali się w zasięgu strzału... Ale na całym dziedzińcu nie było takiego miejsca, w którym byliby niewidoczni od strony bramy.

Jeden z psów odskoczył od kraty i zaraz potem nad ich głowami zabrzęczał pocisk, który odbił się od metalowej żaluzji zasłaniającej okno.

Schylonej nad ciałem staruszki Rachele wreszcie udało się zdjąć torebkę, którą *nonna* zawsze nosiła na ramieniu. Szarpnęła zameczek, wsadziła rękę do środka i poczuła pod palcami chłód stalowej rękojeści.

Pośpiesznie wyciągnęła z torebki rodową pamiątkę.

Nazistowski luger P-08.

— *Grazie, nonna...*

Stanęła w szerokim rozkroku i wycelowała w stronę bramy. Chłodny gniew pozwolił opanować jej drżenie rąk. Nacisnęła spust... Nastąpił odrzut, a potem Rachele wystrzeliła ponownie.

Obaj mężczyźni upadli na ziemię.

Rachele znowu ogarnęła wzrokiem cały dziedziniec — ale było już za późno, by powstrzymać bestię, która z obnażonymi zębami wypadła z kłębów dymu i skoczyła jej prosto do gardła.

4.00

Gray odsunął Rachele na długość ramienia tak gwałtownie, że upadła na ziemię. Sam stanął naprzeciwko atakującego psa i wyciągnął w jego stronę rękę, w której ściskał mały srebrny pojemnik.

— Niedobry piesek...

Z bliska psiknął bestii prosto w ślepia.

Pies upadł na Graya, z impetem powalając go na łopatki, i zawył — ale nie z żądzy krwi, lecz z piekącego bólu. Stoczył się z Graya, trąc pyskiem o bruk i szorując łapami oczy.

Ale jego oczodoły już były puste. Oczy wyżarł mu kwas.

Przetoczył się jeszcze dwa razy. Wycie zmieniło się w pełne boleści skomlenie.

Gray poczuł pewien dyskomfort. Te psy przez całe życie musiały znosić okrutne tortury, a ich mordercze instynkty nie były wrodzone. Ale może śmierć była o niebo lepsza niż dalsze życie pod ciężką ręką Raoula...

Pies wreszcie zamilkł i znieruchomiał.

Jednak zamieszanie, jakie wywołał, przyciągnęło uwagę tuzina pozostałych zwierząt.

Gray spojrzał na Rachele.

— Zostało sześć pocisków — odpowiedziała.

Potrząsnął pojemnikiem. Prawie pusty.

Seichan nie odrywała wzroku od ciemnego nieba. Nagle Gray usłyszał dobrze znany odgłos.

Dudnienie nadlatującego helikoptera.

Maszyna pojawiła się nad górskim grzbietem i zawisła nad krawędzią murów zamku. Światło mocnych reflektorów zalało cały dziedziniec. Podmuch powietrza wzniecał tumany pyłu.

Psy rozbiegły się we wszystkie strony.

— To nasz transport — zawołała Seichan, przekrzykując ryk silnika.

Z wnętrza wyrzucono nylonową drabinkę, która opadła na kamienie dosłownie kilka kroków od nich.

Gray nie zastanawiał się nawet przez moment, do kogo należy maszyna. Interesowało go jedynie to, że mieli szansę wyrwać się w tego cholernego dziedzińca. Popędził w tamtą stronę i machnął na Rachele, żeby zaczęła się wspinać. Jedną ręką przytrzymywał w miejscu drabinkę, a drugą wyciągnął, żeby odebrać od Rachele lugera.

— Wchodź! — zawołał, pochylając się do niej. — Ja je odstraszę.

Palce Rachele drżały, kiedy oddawała mu broń. Gray napotkał jej wzrok i ujrzał w, nim żal i przerażenie, którego przyczyną nie był jedynie niedawny rozlew krwi.

— Wszystko będzie dobrze — powiedział tak, żeby zabrzmiało to jak obietnica.

Obietnica, której zamierzał dotrzymać.

Skinęła głową, jakby z jego pewności czerpała siłę, i ruszyła w górę.

Seichan weszła na drabinkę druga. Wspinała się z gracją zawodowej akrobatki, nie zwracając uwagi na niesprawne ramię.

Gray szedł ostatni. Na szczęście nie musiał używać broni. Wepchnął lugera za pasek spodni i szybko ruszył w górę. Upłynęło zaledwie kilka sekund, a już gramolił się do kabiny helikoptera.

Ktoś wyciągnął w jego stronę rękę. Kiedy drzwiczki się zatrzasnęły, wyprostował się, żeby podziękować osobie, która pomogła mu wejść.

Ujrzał szeroki uśmiech, pełen niezmąconego szczęścia.

— Cześć, szefie — odezwał się znajomy głos.

— Monk!

Gray objął go w niedźwiedzim uścisku.

— Uważaj na rękę!

Puścił go natychmiast. Lewe przedramię Monka było przybandażowane do tułowia, a skórzany pokrowiec osłaniał owinięty opatrunkiem kikut. Monk wyglądał całkiem nieźle, choć był wyraźnie bledszy, a dookoła jego oczu pojawiły się ciemne obwódki.

— Ze mną wszystko dobrze — powiedział, wskazując Grayowi, żeby usiadł i przypiął się pasami. — Tylko nie próbuj mnie wyłączyć z akcji.

— Jak...?

— Zlokalizowaliśmy sygnał alarmowy nadany przez GPS — wyjaśnił.

Gray przełożył pas przez ramię i dopiero wtedy przyjrzał się drugiej osobie siedzącej w kabinie.

— Kardynał Spera? — spytał z niedowierzaniem.

Seichan usiadła obok.

— A jak sądziłeś, kto mnie zatrudnił?

16

Labirynt Dedala

27 lipca, 4.38
Awinion, Francja

Potężny grzmot raz po raz wstrząsał murami pałacu, a Kat wciąż czekała na Vigora. Monsinior piętnaście minut temu zszedł w podziemia schodami prowadzącymi od kuchennego paleniska. Żeby się trochę rozejrzeć, jak powiedział.

Zaświeciła latarką w głąb ciemnego szybu.

Gdzie on się podział?

Zaczęła się zastanawiać, czy nie powinna pójść za nim, ale ostrożność nakazała jej pozostać na miejscu. Ostatecznie, gdyby monsinior wpadł w tarapaty, zacząłby chyba wzywać pomocy. Przypomniała sobie zapadnię, która podniosła się i uwięziła ich pod grobem świętego Piotra. A jeśli tutaj czeka na nich podobna niespodzianka? Kto będzie wiedział, gdzie ich szukać?

Została więc na posterunku; uklękła i pochyliwszy się w głąb ciemnego otworu, zawołała jak najciszej:

— Vigor!

Odpowiedziało jej echo pośpiesznych kroków, które zbliżały się ku wyjściu. Najpierw zobaczyła na ścianach poblask, który po chwili skupił się w mocny snop światła z latarki. Vigor wspiął się do połowy schodów i machnął do niej.

— Chodź! Musisz to zobaczyć!

Kat wzięła głęboki oddech.

— Chyba przede wszystkim powinniśmy poczekać na wiadomości od Graya i reszty.

Vigor wspiął się na kolejny stopień.

— Boję się o nich tak samo jak ty — odparł, marszcząc brwi — ale na dole z pewnością czekają następne zagadki, które trzeba rozwiązać. Tylko tak możemy pomóc kolegom. Zresztą po to nas tu przysłano. Trybunał Smoka, Gray i cała reszta są jeszcze w Szwajcarii i upłynie ładnych kilka godzin, zanim się tutaj dostaną. Uważam, że powinniśmy wykorzystać ten czas, a nie marnować go na czekanie.

Kat zastanowiła się. Raz jeszcze sprawdziła godzinę. Gray wciąż miał wobec niej zastrzeżenia, że jest zbyt ostrożna... Poza tym zżerała ją ciekawość.

Skinęła głową na znak zgody.

— Ale co kwadrans będziemy tu wracać, żeby sprawdzić, czy jest wiadomość od Graya.

— Oczywiście.

Założyła na ramię plecak i machnęła, żeby zaczął schodzić. Sama zostawiła obok paleniska telefon, by odebrać ewentualne połączenie i by zostawić przynajmniej drobny ślad, po którym można by ich odnaleźć, gdyby znów zatrzasnęła się nad nimi jakaś zapadnia.

Co prawda skłaniała się ku mniej ostrożnemu postępowaniu, ale bynajmniej nie oznaczało to, że nagle zacznie zachowywać się jak wariat.

To pozostawiała Grayowi.

Ruszyła w ślad za Vigorem. Schody na krótkim odcinku biegły prosto, lecz zaraz zakręcały wokół własnej osi i ostro opadały w dół. Co dziwne, powietrze wydawało się tu raczej suche, bez śladu stęchlizny.

Klatka schodowa kończyła się przy niewielkim tunelu.

Vigor wyraźnie przyśpieszył.

Słysząc echo jego kroków, domyśliła się, że dalej znajduje się olbrzymia pieczara. Chwilę później okazało się, że miała rację.

Wstąpiła na półkę skalną szerokości trzech metrów. Snopy światła dwóch latarek omiatały ogromną, wysklepioną przestrzeń, która rozciągała się zarówno na górze, jak i pod ich stopami. To niezwykłe miejsce musiało pierwotnie być dziełem natury, ale ciężka praca ludzkich rąk zmieniła jego oblicze.

Uklęknąwszy, Kat przesunęła palcami po posadzce, składającej się z dokładnie dopasowanych bloków surowego marmuru. Potem wstała i oświetliła boki i podłoże jaskini.

Utalentowani rzemieślnicy i inżynierowie wybudowali z cegieł serię dwunastu kondygnacji, które zaczynały się na poziomie półki skalnej i opadały ku odległej, niewidzialnej podłodze. Całość pomieszczenia miała owalny kształt i każdy poziom był nieco mniejszy od poprzedniego, jak w olbrzymim amfiteatrze... albo odwróconej piramidzie.

Kat skierowała latarkę w kierunku miejsca, gdzie łączyły się kolejne kondygnacje.

Tam masywne łuki, podparte potężnymi kolumnami, naprzemiennie spinały podstawy kolejnych pięter. Kat rozpoznała te łuki. To były lekkie wsporniki, podobne do tych, które spotyka się w gotyckich katedrach. Prawdę mówiąc, cała przestrzeń miała w sobie coś wzniosłego i nieważkiego, coś, co przypominało atmosferę kościoła.

— To musiało zostać wybudowane przez Rycerzy Świątyni — wyszeptał Vigor, posuwając się wzdłuż kondygnacji. — Nigdy nie widziano czegoś podobnego. To sonata geometrii i inżynierii. Poemat wyryty w kamieniu. Gotycka architektura w najczystszej postaci.

— Podziemna katedra... — odparła Kat w ten sam sposób, pełna podziwu i czci.

Vigor skinął głową.

— Tyle że wybudowano ją ku czci historii, sztuki i wiedzy... I zatoczył ręką szeroki krąg.

Choć właściwie nie było to konieczne.

Cała konstrukcja z kamienia została wzniesiona tylko w jednym celu — jako podpora zawiłego labiryntu drewnianych rusztowań. Półek, pomieszczeń, drabin i schodów. W mroku połyskiwało szkło. Lśniło złoto. To był jeden wielki magazyn, w którym zgromadzono księgi, pergaminy, teksty, przedmioty codziennego użytku, posągi i dziwne urządzenia z brązu. Każdy krok otwierał przed przybyszami nowe perspektywy, nieprawdopodobne kąty i sprzeczne wymiary, jak na jakimś wielkim malowidle M. C. Eschera.

— To wielka biblioteka... — szepnęła Kat.

— I muzeum, i magazyn, i galeria... — dokończył Vigor i pośpiesznie skręcił.

Niedaleko od wejścia wznosił się kamienny stół przypominający ołtarz, a na nim spoczywała oprawiona w skórę księga, osłonięta szkłem... Złotym szkłem.

— Bałem się tego dotknąć — oznajmił Vigor. — Ale przez to szkło i tak wszystko widać.

To mówiąc, skierował światło latarki na otwarte stronice.

Kat wpatrzyła się chciwie w księgę — bogato zdobiony manuskrypt. Maleńkie litery zajmowały całą stronę aż do samego dołu. Na pierwszy rzut oka wyglądało to na jakąś listę.

— Moim zdaniem to spis zbiorów całej biblioteki — powiedział Vigor. — Księga główna i system segregowania. Ale oczywiście nie mam pewności.

Dłoń monsiniora zawisła nad szklaną skrzyneczką, jakby bał się jej dotknąć. Oboje widzieli skutki działania nadprzewodników. Kat cofnęła się kilka kroków. Zauważyła teraz, że całe wnętrze błyszczało od szklanych tafli. Nawet w ścianach poszczególnych kondygnacji tu i ówdzie tkwiły szklane płytki, osadzone jak okna i oprawione niczym klejnoty.

Co to miało znaczyć?

Vigor pochylił się nad księgą.

— Tu jest napisane po łacinie: „Święty kamień świątobliwego Trofima".

Kat spojrzała na niego pytającym wzrokiem.

— Święty Trofim pierwszy sprowadził chrześcijaństwo na francuską ziemię — wyjaśnił Vigor. — Podobno podczas jednego z potajemnych spotkań wspólnoty na jakimś cmentarzu miał widzenie — ujrzał samego Chrystusa. Chrystus ukląkł na sarkofagu i pozostawił na nim ślad. Wieko tego sarkofagu stało się skarbem, bo — jak mówiono — budziło wiarę w tych, którzy je ujrzeli.

Vigor spojrzał na wysokie sklepienie katedry poświęconej przeszłości.

— Do tej pory sądzono, że zaginęła na zawsze. Ale ona jest tutaj. Podobnie jak wiele innych.

Wskazał ręką na leżącą przed nimi księgę.

— Tu są kompletne teksty zakazanych ewangelii, nie zaś zniszczone urywki jak te, które odnaleziono w Nag Mammadi.

Widziałem w spisie cztery, w tym jedną, o której nigdy przedtem nie słyszałem. Brązowa Ewangelia Złotych Wzgórz. Ciekawe, co w niej jest... Ale najważniejsze... — uniósł wysoko latarkę — ...że gdzieś tutaj znajduje się Mandylion.

Kat zmarszczyła brwi.

— A co to jest?

— Całun pogrzebowy Chrystusa, który pochodzi z wcześniejszego okresu niż wzbudzający tak wiele kontrowersji Całun Turyński. W dziesiątym wieku został przeniesiony z Edessy do Konstantynopola, ale podczas ciągłych najazdów i rabunków gdzieś zniknął. Wielu podejrzewało, że trafił do skarbca zakonu templariuszy... A tu mamy dowód. I przypuszczalnie wizerunek prawdziwej twarzy Chrystusa.

Kat nagle poczuła ciężar minionych wieków... Zamknięty w idealnej geometrii tej przestrzeni.

— Jedna strona... — mruknął Vigor.

Kat zrozumiała, że monsinior miał na myśli fakt, że wszystkie te skarby mieściły się na jednej jedynej stronie oprawionej w kosztowną skórę księgi. Księgi, która tak na oko liczyła ich tysiąc.

— Co jeszcze może się tu kryć? — wyszeptał przytłumionym głosem.

— Zdążyłeś zbadać wszystko? — zapytała.

— Jeszcze nie. Wróciłem po ciebie.

Kat skierowała się ku wąskim schodom, które prowadziły z jednej kondygnacji na drugą.

— Musimy poznać przynajmniej ogólny plan całości, a potem wracamy na górę.

Vigor skinął głową, ale wyraźnie nie miał ochoty opuszczać miejsca, gdzie znajdował się księgozbiór.

Mimo to poszedł za Kat, która zdążyła już wstąpić na prowadzące w dół kręte schody. Idąc, wpatrywała się w jeden punkt. Nad nią znajdowała się cała struktura podziemnego gmachu, zawieszona zarówno w czasie, jak i przestrzeni.

W końcu udało im się dotrzeć na górny podest najniższego poziomu. Schody kończyły się na płaskiej podłodze, otoczonej dookoła ostatnią kondygnacją. Tutaj nie było biblioteki. Wszystkie skarby zostały zgromadzone na górze, a ich podporę stanowiły dwa gigantyczne łuki, osadzone na najniższym poziomie.

Kat rozpoznała kamień, z którego wykonano łuki.

Nie był to granit ani marmur.

Tylko magnetyt.

Tak samo, dokładnie pod miejscem skrzyżowania się łuków, ze środka podłogi wystawała wysoka na metr kolumna magnetytowa, jak kamienny palec wskazujący ku górze.

Kat ostrożnie opuściła się na podłogę. Krawędź naturalnego granitu otaczała posadzkę z grubego szkła. Złotego szkła. Nie ośmieliła się na nią wejść. W otaczających dolny poziom ścianach z cegły osadzone były lustrzane talerze ze złotego szkła. Policzyła, że było ich dwanaście — tyle samo, ile kondygnacji.

Vigor stanął obok niej.

Podobnie jak Kat zwracał uwagę na wszystkie szczegóły. Teraz uwagę obydwojga przyciągnęły srebrne smugi — przypuszczalnie nitki czystej platyny — które zostały wtopione w całą powierzchnię podłogi. Ich wizerunek w pewien sposób pasował do bliskiego już końca tych długich poszukiwań, gdyż układ nitek tworzył zagmatwany labirynt, który prowadził do centralnie położonej rozety. Przysadzista kolumna z magnetytu wyrastała dokładnie z jej środka.

Kat przyglądała się uważnie całemu wnętrzu: labirynt, łuki magnetytu, szklana podłoga... To wszystko przypominało jej grobowiec Aleksandra, znajdującą się tam piramidę i basen, w którym odbijało się sklepienie.

— To wygląda jak kolejna zagadka — zauważyła, spoglądając w górę, na zgromadzone tam skarby. — Ale skoro już udało nam się dotrzeć do tego starożytnego magazynu magów, to co jeszcze zostało do odkrycia?

Vigor przysunął się bliżej.

— Nie zapominaj o złotym kluczu z grobowca Aleksandra. Jak dotąd niczego nie musieliśmy otwierać.

— A to znaczy...

— ...że tu jest coś więcej niż tylko biblioteka.

— Ale co?

— Nie mam pojęcia — przyznał. — Ale znam ten układ labiryntu.

Kat odwróciła się w jego stronę.

— To labirynt Dedala.

5.02
Gdzieś nad Francją

Gray poczekał z przesłuchiwaniem współpasażerów, aż znajdą się w powietrzu. Helikopter dostarczył ich na lotnisko w Genewie, gdzie na kardynała Sperę czekał prywatny gulfstream, zatankowany i z zezwoleniem na natychmiastowy odlot do Awinionu. To zadziwiające, jak wiele mógł załatwić wysoki rangą urzędnik z Watykanu.

I właśnie tego dotyczyło pierwsze pytanie Graya.

— Jak to się stało, że Watykan zatrudnił agentkę Gildii?

Tak ustawili fotele, żeby siedzieć twarzą do pozostałych.

Kardynał Spera skwitował to pytanie krótkim skinieniem głowy.

— To nie Stolica Apostolska wynajęła Seichan. — Wskazał na siedzącą obok kobietę. — To zrobiła mniejsza grupa, która działa całkiem niezależnie. Słyszeliśmy o zainteresowaniu i wzmożonej aktywności Trybunału Smoka... Zresztą już wcześniej zatrudnialiśmy Gildię do śledzenia poczynań tej organizacji.

— Zatrudnialiście najemników? — spytał oskarżycielskim tonem Gray.

— Po prostu zapewniliśmy sobie ochronę przy użyciu mniej oficjalnych metod. Krótko mówiąc, staraliśmy się zwalczać ogień ogniem. Gildia cieszy się co prawda reputacją bezlitosnej organizacji, ale zarazem jest skuteczna, dotrzymuje umów i wykonuje zadanie, nie bacząc na trudności.

— Ale mimo to nie udało jej się powstrzymać masakry w Kolonii.

— Obawiam się, że to było moje przeoczenie. Nie uświadomiliśmy sobie w pełni, jakie znaczenie ma tekst skradziony w Kairze. Ani że Trybunał zacznie działać z takim pośpiechem.

Kardynał westchnął i nerwowo zaczął kręcić jednym z pierścieni, a potem drugim.

— Tyle krwi tam przelano... Po tej zbrodni zbliżyłem się ponownie do Gildii, żeby pomogli mi ulokować agenta wśród członków Trybunału. To było całkiem łatwe, kiedy Sigma wkroczyła do akcji. Gildia zaproponowała swoje usługi, a ponieważ Seichan zdążyła już wcześniej stoczyć z panem pojedynek, Trybunał gładko połknął haczyk.

Teraz odezwała się Seichan.

— Moim zadaniem było zorientowanie się, co Trybunał wie i jak duże postępy poczynił w zaplanowanej operacji. No i oczywiście psucie im szyków, kiedy tylko trafi się okazja.

— Oraz przyglądanie się z boku, jak umierają torturowani księża — zauważyła z przekąsem Rachele.

Seichan wzruszyła ramionami.

— Trochę się wtedy spóźniłam. Zresztą kiedy Raoul się rozkręci, nie ma sposobu, żeby go powstrzymać.

Gray ze zrozumieniem pokiwał głową. Wciąż miał w kieszeni monetę, którą zostawiła mu w Mediolanie.

— Nam także pomogłaś uciec.

— Bo to służyło moim celom. Pomagając wam, rzucałam wyzwanie Trybunałowi Smoka.

Gray przyglądał się jej z uwagą. Po czyjej stronie stała naprawdę? Biorąc pod uwagę jej podwójne i potrójne sojusze było całkiem możliwe, że nadal coś przed nimi ukrywała. Wyjaśnienia Seichan brzmiały całkiem przekonująco, lecz wszystkie wysiłki mogły mieć jeden cel: lepsze przysłużenie się Gildii.

Watykan okazał naiwność, ufając im... albo jej.

W każdym razie Gray był Seichan coś winien.

Tak jak planowali, zorganizowała wszystko, by wyciągnąć Monka ze szpitala, zanim dotrą tam oprawcy Raoula. Przypuszczał, że wykorzystała do tego celu paru agentów Gildii, nie powiadamiając o całej sprawie kardynała Spery — swojego mocodawcy.

Ale to kardynał zakończył całą akcję, kiedy zaświadczył, że Monk jest przedstawicielem Watykanu, i zabrał go ze szpitala.

A teraz razem lecieli do Awinionu.

Mimo wszystko jedna sprawa wciąż nie dawała Grayowi spokoju.

— Ta pańska grupa w Watykanie... — powiedział. — Jaki ma w tym wszystkim interes?

Spera złożył ręce i oparł je na stoliku. Wyraźnie nie miał ochoty mówić na ten temat, lecz wówczas do akcji wkroczyła Rachele. Ujęła jego dłonie i rozsunęła je, a następnie pochyliła się niżej, żeby się im przyjrzeć.

— Wasza eminencja ma dwa złote pierścienie z papieskimi pieczęciami — zauważyła.

Kardynał cofnął ręce i położył jedną dłoń na drugiej.

— Jeden jest oznaką godności kardynalskiej — wyjaśnił. — A drugi noszę z racji mojego stanowiska sekretarza stanu. Te pierścienie muszą pasować jeden do drugiego. Taka jest tradycja.

— Ale one nie pasują — upierała się Rachele. — Nie zauważyłam tego wcześniej, dopóki wasza eminencja nie złożył razem rąk. Dopiero wtedy zobaczyłam je obok siebie. Nie są takie same. Jeden jest lustrzanym odbiciem drugiego.

Gray zmarszczył brwi.

— One są bliźniaczo podobne — zakończyła.

Gray spytał, czy może się im przyjrzeć. Rachele miała rację. Na jednym z pierścieni był rewers papieskiej pieczęci.

— A „Tomasz" znaczy „bliźniak" — mruknął, wpatrując się w kardynała. Przypomniał sobie słowa Spery, że Seichan została wynajęta przez niedużą grupę watykańskich dostojników. Teraz Gray już wiedział, o jaką grupę chodziło.

— Pan jest członkiem Kościoła Tomaszowego, eminencjo —

oświadczył z przekonaniem. — To dlatego próbuje pan w sekrecie przeciwdziałać zamiarom Trybunału.

Spera przyglądał mu się przez dłuższą chwilę, a potem powoli skinął głową.

— Nasza grupa jest w pełni akceptowaną, a może nawet promowaną częścią Kościoła apostolskiego. W przeciwieństwie do ogólnie rozpowszechnionych poglądów Kościół nie jest przeciwny nauce ani badaniom naukowym. Katolickie uniwersytety, szpitale i ośrodki badawcze popierają myślenie, nowe koncepcje i idee. Zgoda, część duchowieństwa jest stała w swych poglądach i wolno reaguje na wszelkie nowości, lecz inni z chęcią podejmują wyzwania i to dzięki nim Kościół wykazuje pewną elastyczność.

— A co zdarzyło się w przeszłości? — spytał Gray. — Co z tym zaginionym stowarzyszeniem alchemików, które usiłujemy wytropić? I wskazówkami, za którymi podążamy?

Kardynał Spera ze smutkiem pokręcił głową.

— Kościół Tomaszowy nie jest dziś tym, czym był niegdyś. Gdy na tronie papieskim zasiadał Francuz, tamten Kościół zniknął razem z Rycerzami Świątyni. Śmierć, konflikty i tajemnice podzieliły go jeszcze bardziej, pozostawiając jedynie cienie i pogłoski. Prawdziwy los gnostycznego kościoła i jego starożytny rodowód wciąż pozostaje nieznany.

— A więc błądzicie tak samo jak my — zauważył Monk.

— Niestety. Ale przynajmniej wiemy, że tamten Kościół istniał naprawdę.

— Trybunał Smoka też szuka — powiedział Gray.

— Tak. Ale my chcemy zachować tę tajemnicę, bo ufamy mądrości naszych przodków i wierzymy, że to coś zostało ukryte nie bez powodu... Wiedza tajemna ujawni się sama, kiedy nadejdzie właściwy czas. Z kolei Trybunał Smoka dąży do poznania ich sekretów przez rozlew krwi, korupcję, tortury... Pragnie jedynie siły, aby dominować i rządzić światem według własnych reguł. Od wielu pokoleń próbujemy temu przeciwdziałać.

— Tym razem są naprawdę blisko... — szepnął Gray.

— I mają złoty klucz — przypomniała Rachele, kręcąc głową.

Gray przetarł rękoma twarz. Sam oddał w ich ręce ten klucz.

Musiał to zrobić, żeby przekonać Raoula o lojalności Seichan. Z pewnością było to ryzykowne zagranie, ale na nim opierał się cały plan ratunkowy. Raoul miał zostać uwięziony w zamku lub zabity, ale sukinsynowi udało się uciec.

Gray spojrzał na Rachele. Czuł się winny, więc chciał wyjaśnić jej wszystko, co zrobił, ale uratował go pilot, który odezwał się przez radio.

— Lepiej zapnijcie pasy bezpieczeństwa. Będzie trochę rzucało, bo zaraz trafimy w sam środek naprawdę paskudnej pogody.

Błyskawica przecięła chmury zalegające na niskim pułapie.

Na wprost przed nimi wisiały groźne cumulonimbusy. Co chwila rozświetlał je błysk, który zaraz gasł w ciemności. Lecieli prosto w paszczę potężnej burzy.

5.12
Awinion, Francja

Vigor chodził po kamiennym obramowaniu, które otaczało szklaną podłogę i wtopiony w nią labirynt. Studiował go uważnie przez pełną minutę, zafascynowany ukrytą weń tajemnicą.

— Zwróć uwagę, że to nie jest prawdziwy labirynt — rzekł w końcu do Kat. — Nie ma tu ślepych zaułków ani uliczek bez wyjścia, tylko jedna długa, wijąca się ścieżka. Taki sam labirynt zrobiony z białego i niebieskiego kamienia możesz spotkać w katedrze w Chartres, na obrzeżach Paryża.

— Ale po co on tam jest? — spytała. — I dlaczego nazwałeś go labiryntem Dedala?

— Labirynt z Chartres jest znany pod wieloma nazwami. Jedna z nich to *le Dedale*, czyli po prostu „Dedal". Tak nazywał się mitologiczny architekt, który na polecenie króla Minosa zbudował słynny labirynt na Krecie. Tamten labirynt był kryjówką Minotaura, bestii o ludzkim ciele i głowie byka, którego w końcu pokonał mężny Tezeusz.

— Lecz w jakim celu umieszczono ten labirynt w katedrze w Chartres?

— Nie tylko w Chartres. W trzynastym wieku, w czasie największego rozkwitu budownictwa sakralnego, gdy gotyckie budowle wyrastały jak grzyby po deszczu, w wielu kościołach umieszczono rozmaite labirynty. W Amiens, Reims, Arras, Auxerre... Wszędzie tam po wejściu do nawy ujrzałabyś labirynt. Ale kilkaset lat później Kościół nakazał ich zniszczenie, uznając je za pogańskie dzieła sztuki. Ocalał jedynie ten w Chartres.

— Dlaczego oszczędzono właśnie Chartres?

Vigor pokręcił głową.

— Ta katedra zawsze stanowiła wyjątek od reguły. Rzeczywiście, jej korzenie sięgały czasów pogańskich, bo została wzniesiona na miejscu, gdzie znajdowała się słynna Grota Druidów, dokąd w zamierzchłej przeszłości zmierzały tłumy pielgrzymów. I w przeciwieństwie do innych katedr aż do dzisiejszego dnia nie został tam pochowany ani jeden król, papież czy inna sławna osobistość.

— Ale to nie tłumaczy, czemu tamten labirynt został przeniesiony tutaj.

— Przychodzi mi do głowy kilka możliwych wyjaśnień. Po pierwsze: labirynt z Chartres był wzorowany na rysunku z drugiego wieku, który wchodził w skład greckiego tekstu alchemicznego. To odpowiedni znak dla naszego zaginionego towarzystwa alchemików. Poza tym labirynt z Chartres stanowił także wyobrażenie podróży do raju. Wierni podążali na czworakach wzdłuż krętej ścieżki aż do centralnie umieszczonej rozety, która przedstawiała symboliczną pielgrzymkę stąd do Jerozolimy, albo z tego świata do wieczności.

Stąd wzięła się inna nazwa labiryntu: *Le chemin du Jerusalem*. „Droga do Jeruzalem". Albo inaczej *Le chemin du Paradis*, czyli „Droga do Raju". Oczywiście ta cała pielgrzymka miała jedynie duchowy wymiar.

— Czy sądzisz, że powinniśmy odbyć taką pielgrzymkę? Podążyć śladami alchemików, aby poznać ich największą tajemnicę?

— Właśnie tak.

— Ale jak mamy to zrobić?

Vigor pokręcił głową. Miał co prawda pewien pomysł, ale

potrzebował trochę czasu, żeby się nad nim głębiej zastanowić. Kat zorientowała się, że Vigor coś przed nią ukrywa, ale darzyła go zbyt wielkim szacunkiem, żeby wywierać jakiś nacisk. Zamiast tego sprawdziła, która godzina.

— Powinniśmy wrócić na górę. Sprawdzić, czy Gray nie próbował się z nami skontaktować.

Vigor skinął głową. Zatrzymał się jeszcze na moment i oświetlił to miejsce. Blask latarki odbił się od lustrzanych powierzchni — posadzki i wmontowanych w ściany talerzy. Skierował latarkę ku górze. Odpowiedział mu błysk tysięcy ornamentów wplecionych w wielkie drzewo nauki i wiedzy.

To tutaj kryła się odpowiedź.

Musiał ją odnaleźć, zanim będzie za późno.

5.28
Gdzieś nad Francją

— Dlaczego oni nie odpowiadają? — denerwował się Gray.

Siedział w samolocie z przyciśniętą do ucha słuchawką telefonu satelitarnego. Od dłuższego czasu próbował połączyć się z Kat, ale jak dotąd bez rezultatu. Może to przez tę burzę, która na pewno zakłócała łączność. Odrzutowiec skakał i przetaczał się pomiędzy trzaskającymi błyskawicami, którym towarzyszyły donośne grzmoty.

Komandor specjalnie przeniósł się na tył kabiny, żeby porozmawiać na osobności. Reszta, przypięta pasami do foteli, wciąż zażarcie dyskutowała.

Tylko Rachele odwracała się ku niemu od czasu do czasu, najwidoczniej pełna niepokoju o los wuja. Choć może był jeszcze inny powód. Od ich uwolnienia z zamku pod Lozanną nie odstępowała go na krok. Wciąż nie chciała opowiedzieć, co tam się właściwie wydarzyło, ale widać było, że coś ją dręczy. Bo od momentu gdy się stamtąd wyrwali, miał wrażenie, że Rachele szuka w nim oparcia. Nie próbowała się narzucać — takie zachowanie zupełnie nie było w jej stylu — ale najwyraźniej pragnęła, aby on dodał jej otuchy. Bez dwóch zdań.

Monk także miał za sobą traumatyczne przeżycia, więc na

pewno w końcu zechce porozmawiać. Ostatecznie byli towarzyszami broni i najlepszymi przyjaciółmi. We dwóch dadzą sobie z tym radę.

Jednak gdy chodziło o Rachele, nie miał tyle cierpliwości. Jakaś część jego duszy chciała natychmiast usłyszeć, co ją dręczy, lecz każda próba dyskusji na temat tego, co stało się w Lozannie, była odrzucana. Grzecznie, ale stanowczo. W oczach Rachele czaił się prawdziwy ból. I choć na ten widok ściskało mu się serce, mógł jedynie stać z boku i czekać, aż będzie gotowa do rozmowy.

Ustawiczny sygnał w słuchawce nagle się urwał, kiedy po drugiej stronie ktoś odebrał telefon.

— Bryant, słucham.

Dzięki Bogu! Gray usiadł prosto.

— Kat, mówi Gray.

Reszta towarzystwa odwróciła się w jego stronę.

— Jest z nami Rachele i Monk — powiedział. — A co u was?

W głosie Kat, zwykle pozbawionym emocji, tym razem brzmiała prawdziwa ulga.

— Wszystko w porządku. Udało się nam znaleźć zamaskowane wejście.

W skrócie opowiedziała o wszystkim, co odkryli. Od czasu do czasu zakłócenia atmosferyczne przerywały transmisję i Grayowi umykało słowo albo dwa.

Gray czuł na sobie pytające spojrzenie Rachele, skinął więc głową w jej kierunku. Wuj Vigor miał się świetnie.

Z pełnym wdzięczności uśmiechem zamknęła oczy i zanurzyła się głębiej w fotelu.

Kiedy Kat skończyła mówić, Gray krótko podsumował wydarzenia w Lozannie.

— Jeśli nie będzie jakiegoś opóźnienia z powodu burzy, to powinniśmy znaleźć się na lotnisku Caumont w Awinionie za jakieś trzydzieści minut. — Ale Trybunał depcze nam po piętach. Szacuję, że mamy najwyżej pół godziny przewagi.

Seichan poinformowała go wcześniej, jakimi środkami transportu dysponuje Trybunał. Raoul miał dwa samoloty, które stały w hangarze na niewielkim lotnisku odległym o pół godziny jazdy od Lozanny. Przyjmując średnią prędkość ich lotu, Gray obliczył, że powinno mu się udać wyprzedzić nieco Raoula i jego ludzi. I miał zamiar utrzymać tę przewagę.

— Skoro wszyscy znów są względnie bezpieczni, mam zamiar przerwać milczenie i nawiązać łączność z centralą — poinformował Kat. — Muszę porozumieć się z dyrektorem Crowe'em, żeby zorganizował nam wsparcie ze strony lokalnych władz. Odezwę się do was, gdy tylko wylądujemy. Tymczasem uważajcie na siebie.

— Tak jest, komandorze. Czekamy na was.

Gray zakończył rozmowę, a następnie wybrał numer centrum dowodzenia Sigmy. Po serii połączeń z rozmaitymi centralami w końcu uzyskał połączenie.

— Logan Gregory, słucham.

— Doktorze Gregory, tu komandor Pierce.

— Komandorze... — Już w tym pierwszym słowie zabrzmiała wyraźna irytacja.

Ale Gray nie chciał tracić czasu na wysłuchiwanie bury, jaką zamierzał mu dać Gregory za brak jakichkolwiek wiadomości.

— Muszę natychmiast porozmawiać z Painterem Crowe'em.

— Obawiam się, że to niemożliwe, komandorze. Jest prawie północ. Dyrektor wyszedł z centrum dowodzenia mniej więcej przed pięcioma godzinami i nikt nie wie, dokąd się udał.

W tych słowach znowu zabrzmiało zdenerwowanie.

Lecz Gray rozumiał frustrację Logana. Co dyrektor zrobił najlepszego, wychodząc z centrum dowodzenia w tak gorącym okresie?

— Mógł pojechać do DARPA, żeby ustalić pewne sprawy z doktorem McKnightem — ciągnął Logan. — Ale to ja wciąż jestem szefem operacyjnym tej misji. Chcę, żebyś zdał mi pełne sprawozdanie, gdzie jesteście i co robicie.

Gray nagle poczuł się bardzo nieswojo. Dokąd pojechał Painter Crowe? I czy rzeczywiście nie było go na miejscu? Na samą myśl o tym przeszył go lodowaty dreszcz. Czy Gregory nie próbował przypadkiem zablokować mu dostępu do szefa? Przecież gdzieś tam w Sigmie zdarzył się przeciek... Właściwie komu mógł zaufać?

Rozważył wszystkie za i przeciw i poszedł za głosem intuicji.
Odłożył słuchawkę, przerywając połączenie.
Podejmowanie ryzyka nie wchodziło w grę.
Udało mu się zyskać minimalną przewagę nad Trybunałem i nie miał zamiaru jej stracić.

5.35

Sto trzydzieści kilometrów dalej Raoul słuchał raportu, jaki składał mu przez radio informator, a na twarzy wolno rozkwitał mu szeroki uśmiech.

— Więc tamci wciąż są w Pałacu Papieskim?
— Tak jest — odparł szpieg.
— I wiesz na pewno, że tam są?
— Tak jest.

Jeszcze w zamku Raoul zadzwonił w parę miejsc — zaraz po tym, jak dowiedział się o Awinionie. Porozumiał się z kilkoma utalentowanymi ludźmi mieszkającymi na terenie Marsylii i wysłał ich do Awinionu, żeby zajęli się wytropieniem dwojga agentów: monsiniora Verony i tej suki z Sigmy, która przestrzeliła mu rękę. Tak jak się spodziewał, udało im się odnieść sukces.

Spojrzał na zegar znajdujący się w samolocie. Będą lądować za czterdzieści minut.

— Możemy ich zdjąć w dowolnej chwili — powiedział szpieg.

Raoul nie widział powodów, dla których miałby opóźniać tę decyzję.

— To do dzieła.

5.39
Awinion, Francja

Życie Kat ocalił zwykły pens.

Stała obok paleniska i monetą usiłowała podważyć wieczko latarki, żeby wymienić w niej baterie. W pewnym momencie pens wysunął się jej spomiędzy palców i upadł na posadzkę, więc schyliła się, żeby go podnieść.

Huk wystrzału zlał się w jedno z trzaskiem rozłupującego się kamienia tuż nad jej głową.

Snajper.

Instynktownie rzuciła się na podłogę i wyciągnęła z kabury glocka. Leżąc na plecach, wystrzeliła między kolanami w stronę ciemnego korytarzyka, gdzie czaił się napastnik.

Posłała tam cztery pociski pod różnym kątem.

Do jej uszu dobiegło głuche stęknięcie i szczęk broni padającej na kamienną posadzkę. Zaraz potem coś ciężkiego rąbnęło o podłogę.

Przetoczyła się kilka razy, aż dotarła do Vigora.

Monsinior siedział w kucki przy wejściu do tunelu. Bez namysłu wręczyła mu własną broń.

— Schowaj się — powiedziała. — I strzelaj do każdego, kto pojawi się w polu widzenia.

— A ty?

— Nie, do mnie nie strzelaj.

— Chciałem tylko zapytać, dokąd się wybierasz?

— Na polowanie.

W międzyczasie zdążyła wyłączyć latarkę i wyciągnąć z plecaka gogle noktowizyjne.

Wsunęła je na głowę.

— Może ich być więcej — dodała, wysuwając zza paska długi sztylet.

Vigor posłusznie schował się w wejściu, Kat zaś zręcznie jak kot przysunęła się do drzwi i sprawdziła korytarzyk. Cały świat mienił się odcieniami zieleni. Nawet krew wydawała się zielona. To był jedyny ruch, jaki dostrzegała — powiększanie się kałuży pod leżącym twarzą w dół ciałem.

Ukradkiem zbliżyła się do zamaskowanego mężczyzny.

Najemny morderca.

Jej strzał okazał się niezwykle szczęśliwy — trafiła zamachowca prosto w szyję. Nawet nie musiała zadawać sobie trudu, żeby sprawdzać puls. Chwyciła tylko jego pistolet i wsadziła do kabury.

Wciąż schylona przesunęła się od korytarzyka przez hol aż do jadalni, okrążając w ten sposób całą kuchnię. Jeśli napastników było kilku, to z pewnością znajdują się gdzieś w pobliżu. Pewnie się schowali, kiedy usłyszeli wymianę ognia. Idioci. Zbytnio wierzyli w siłę broni palnej, skoro liczyli na to, że jeden snajper wykona za nich całą robotę.

Sprawnie zakończyła sprawdzanie okolic kuchni. Nikogo tam nie było.

W porządku.

Sięgnęła do bocznej kieszeni plecaka i wyciągnęła stamtąd ciężką, plastikową torebkę. Kciukiem złamała plombę, a następnie opuściła rękę na wysokość biodra.

Obeszła narożnik i wsunęła się do niedużego korytarza prowadzącego z powrotem do kuchni. Dopiero wtedy wyprostowała się i pewnym krokiem pomaszerowała przed siebie.

Jak przynęta.

W prawym ręku ściskała sztylet. Lewą rozrzucała za siebie zawartość torebki.

Ogumowane kulki pokryte warstwą NPL Super Black.

Niewidzialne nawet, jeśli ma się noktowizor.

Rozsypały się po całej podłodze, bezszelestnie tocząc się i podskakując na kamiennych płytach.

Odwrócona plecami do głównej części pałacu, kierowała się do kuchni. Nie słyszała, w którym momencie z tyłu pojawił się drugi napastnik, ale usłyszała, kiedy się potknął.

Kucnęła, jednocześnie obracając się wokół własnej osi i wprawnym ruchem z całej siły cisnęła za siebie sztylet. Poszybował w powietrzu i utkwił w ustach napastnika, otwartych szeroko ze zdumienia, bo właśnie mężczyzna prawym obcasem natrafił na jedną z ogumowanych kulek. Jego pistolet wypalił, ale pocisk poszybował w górę i utkwił w drewnianej krokwi.

Po chwili mężczyzna leżał na plecach, miotany przedśmiertnymi konwulsjami. Ostrze sztyletu uszkodziło mu podstawę czaszki.

Kat, wciąż nisko w przysiadzie, zaczęła posuwać się w tamtym kierunku, omijając gumowe kulki.

Zbir przestał się ruszać, zanim do niego dotarła. Wyszarpnęła sztylet, zabrała pistolet i wycofała się do kuchni. Tam przez pełne dwie minuty czekała, aż kolejny zamachowiec da znak życia.

Ale w pałacu panowała głucha cisza.

Na zewnątrz huk grzmotów stawał się coraz głośniejszy, a przez wysokie okna wpadał do środka oślepiający blask błyskawic. Burza z całą siłą uderzyła w wysokie wzgórze.

Wreszcie pewna, że zostali znów sami, zawołała, że droga wolna. Vigor wgramolił się z powrotem na górę.

— Lepiej zostań tam, gdzie byłeś — ostrzegła na wszelki wypadek.

Cofnęła się do miejsca, gdzie leżały pierwsze zwłoki, i dokładnie przeszukała kieszenie zabitego. Tak jak się obawiała, miał przy sobie telefon komórkowy.

Cholera!

Przez moment siedziała w bezruchu, wpatrzona w trzymany w ręku aparat. Jeśli rozkaz przeprowadzenia zamachu został wydany przez telefon, to mogło oznaczać tylko jedno: że ona i Vigor zostali już namierzeni.

Wróciła do kuchni, sprawdzając po drodze godzinę.

— Trybunał już wie, gdzie jesteśmy — powitał ją Vigor, który także zdążył przemyśleć całą sytuację.

Kat nie zadała sobie trudu, żeby potwierdzać sprawy oczywiste. Wyciągnęła z kieszeni swój telefon. Komandor Pierce powinien o wszystkim wiedzieć. Wybrała numer, który jej podał, ale po drugiej stronie panowała głucha cisza. Przysunęła się do okna i spróbowała ponownie, ale bez powodzenia.

Burza pozbawiła ich łączności ze światem.

A przynajmniej ze znajdującym się w powietrzu odrzutowcem.

Wsadziła telefon z powrotem do kieszeni.

— Może się uda, kiedy wylądują — odezwał się Vigor na widok jej miny. — Zresztą jeśli Trybunał Smoka wie, że tu jesteśmy, to nasze szanse na znalezienie czegokolwiek znacznie się zmniejszyły.

— Co proponujesz? — spytała Kat.

— Żebyśmy mimo wszystko wrócili na dół.

— Ale po co?

Vigor wskazał na opadające w mrok schody.

— Ciągle mamy dwadzieścia minut do czasu, kiedy przybędzie tu Gray i reszta. Proponuję, żebyśmy zrobili z nich dobry użytek. Rozwiążemy zagadkę, a kiedy oni przyjadą, będziemy mogli przystąpić do działania.

Jego logika i zimna krew spodobały się Kat. Poza tym był to jedyny sposób, żeby naprawić jej błąd. Nigdy nie powinna była dopuścić, żeby szpiedzy Trybunału podeszli tak blisko.

— To chodźmy — zdecydowała.

6.02

Gray razem z innymi biegł po zalanym deszczem asfalcie. Przed pięcioma minutami wylądowali w Awinionie. Musiał zaufać kardynałowi Sperze — albo raczej jego wpływom w Watykanie. Odprawa celna została załatwiona, gdy byli jeszcze w powietrzu, a bmw sedan czekało, żeby przewieźć ich do Pałacu Papieskiego. Kardynał także opuścił pokład samolotu; udał się do terminalu, żeby postawić w stan gotowości miejscowe siły porządkowe. Trzeba było jak najszybciej zablokować dostęp do Pałacu Papieskiego.

Oczywiście, kiedy oni znajdą się wewnątrz.

Gray biegł z telefonem w ręku, próbując połączyć się z Kat i Vigorem.

Bez rezultatu.

Sprawdził zasięg. Kiedy wysiadł z samolotu, na wyświetlaczu pojawiła się dodatkowa kreska. Czemu w takim razie nie ma łączności?

Cały czas trzymał telefon przy uchu i dzwonił.

Wreszcie dał za wygraną. Odpowiedź uzyska dopiero w pałacu. Przemoczeni do suchej nitki dopadli wreszcie sedana i wskoczyli do środka w chwili, gdy błyskawica przecięła ciemne niebo, oświetlając cały Awinion, wtulony pomiędzy srebrzyste zakola Rodanu. Pałac Papieski, który znajdował się na najwyższym wzniesieniu w mieście, również był doskonale widoczny.

— Udało się? — spytał Monk, wskazując podbródkiem na telefon.

— Nie.

— Może to przez tę burzę — zauważyła Seichan.

Lecz jej słowa nikogo nie przekonały.

Gray próbował pozbyć się agentki Gildii już na lotnisku. Chciał w chwili decydującej rozgrywki mieć obok siebie tylko tych, którym w pełni ufał, ale kardynał Spera uparł się, żeby Seichan jechała ze wszystkimi. Uważał, że Gildia dotrzyma umowy. A Seichan przypomniała Grayowi, że oni także zawarli pewną umowę. Zgodziła się ratować Rachele i Monka, jeśli tylko będzie mogła w zamian za to zemścić się na Raoulu. Ona już wypełniła swoje zobowiązanie. Teraz kolej na Graya.

Rachele wślizgnęła się na fotel kierowcy.

Nikt nie wyraził sprzeciwu, nawet Monk.

Może dlatego, że trzymał na kolanach swoją ukochaną strzelbę, którą na wszelki wypadek wycelował w Seichan. Nie zamierzał ryzykować, że czymś ich zaskoczy. Tę broń, pozostawioną w Scavi pod Bazyliką Świętego Piotra, dostał z powrotem dzięki osobistej interwencji kardynała Spery. Wydawał się uszczęśliwiony, że znów ma ją przy sobie, może nawet bardziej, niż gdyby jakimś cudem odzyskał dłoń.

Kiedy wszyscy usadowili się na swoich miejscach, Rachele wcisnęła gaz do dechy i z piskiem opon opuścili lotnisko, a następnie skręcili w stronę centrum miasta. Gnała przez wąskie uliczki na złamanie karku. Na szczęście o tak wczesnej godzinie i przy szalejącej burzy na ulicach nie było wielkiego ruchu. Samochód przeskoczył nad kilkoma stromymi podjazdami, które chwilowo zalewała woda, i wziął parę ostrych zakrętów.

Nieco później wjechali na plac przed pałacem, zahaczając o stos krzeseł. Strumienie światła, teraz już mocno wytłumionego, oblewały plac niesamowitym blaskiem. Całość wyglądała jak porzucone miejsce zabaw, przesiąknięte wodą i wyludnione.

Pośpiesznie wysiedli z wozu.

Rachele bywała tu już wcześniej, teraz więc poprowadziła ich do głównego wejścia i dalej, przez bramę na dziedziniec, potem skręciła ku bocznym drzwiom, o których wspomniała Kat.

Gray ujrzał przepiłowany zamek i wyrwaną zasuwę.

Nie wyglądało to na koronkową robotę byłego oficera wywiadu.

Ktoś inny musiał włamać się do środka.

Machnięciem ręki nakazał, żeby wszyscy się zatrzymali.

— Zostańcie tutaj — powiedział. — Sprawdzę, co się dzieje.

— Nie chcę okazywać niesubordynacji, ale raczej nie jestem

zwolennikiem rozdzielania się — zauważył Monk. — Ostatnim razem nikomu nie wyszło to na dobre.

— Ja idę! — zawołała Rachele.

— A mnie się wydaje, że nie masz prawa mi rozkazywać, gdzie mogę wchodzić, a gdzie nie — odezwała się Seichan.

Gray nie miał czasu na sprzeczki, zwłaszcza gdy wszystko wskazywało na to, że poniósłby sromotną klęskę.

W pełnym składzie weszli więc do pałacu. Po drodze Gray starał się zapamiętać rozkład pomieszczeń. Wyprzedził resztę, gdy trafili na ciąg schodów, starał się iść ostrożnie, lecz szybko. Kiedy natknął się na pierwsze zwłoki, zwolnił. Ten człowiek był martwy od dłuższego czasu. Nawet zdążył już ostygnąć.

Pochylił się, żeby przyjrzeć mu się z bliska. Tak, to wyglądało mu na robotę pani oficer wywiadu. Ruszył przed siebie i o mały włos nie poleciał na twarz, kiedy jego noga poślizgnęła się na ogumowanej kulce. Dosłownie w ostatniej chwili zdążył przytrzymać się ściany.

Bez wątpienia trafili na zabaweczki Kat.

Dalej szli, powłócząc nogami, żeby ominąć czarne kulki.

Następne zwłoki leżały przy samym wejściu do kuchni. Żeby dostać się do środka, trzeba było przejść przez kałużę krwi.

I wtedy Gray usłyszał szmer rozmowy. Gestem zatrzymał pozostałych i zaczął nasłuchiwać.

— Już i tak jesteśmy spóźnieni — mówił pierwszy głos.

— Przykro mi, ale musiałam się upewnić. Trzeba było sprawdzić wszystkie narożniki.

Kat i Vigor. Wyraźnie o coś się sprzeczali. Ich głosy dobiegały z wnętrza dziury, która znajdowała się w samym centrum pomieszczenia. Blask przy wejściu do niej zrobił się jaśniejszy, jakby tamci zbliżali się do wyjścia.

— Kat! — zawołał Gray, żeby uprzedzić koleżankę z zespołu o swoim przybyciu. Po drodze widział wystarczająco dużo dowodów jej zawodowych umiejętności i wolał nie ryzykować. — Tu Gray!

Światło nagle zgasło.

Kat wyjrzała chwilę później. Trzymała pistolet wycelowany w jego pierś.

— Wszystko w porządku — powiedział uspokajająco.

Wysunęła się na posadzkę, Gray zaś machnął na pozostałych, żeby weszli do środka.

Wtedy z dziury w podłodze wynurzył się Vigor.

Rachele podbiegła do niego, a on otworzył ramiona i objął ją.

Kat odezwała się pierwsza, wskazując na zalany krwią korytarz.

— Trybunał Smoka już wie, gdzie jesteśmy.

Gray skinął głową.

— Kardynał Spera właśnie teraz stawia na nogi miejscową policję. Powinni tu być lada moment.

Vigor ramieniem obejmował Rachele.

— Więc może akurat starczy nam czasu — powiedział, nie rozluźniając uścisku.

— Na co? — zainteresował się Gray.

— Żeby otworzyć prawdziwy skarbiec, który znajduje się na dole.

Kat skinęła głową.

— Rozwiązaliśmy ostatnią zagadkę.

— I jaka jest odpowiedź? — naciskał Gray.

Oczy Vigora zabłysły.

— Światło.

6.14

Nie mógł czekać ani chwili dłużej.

Siedząc w holu maleńkiego terminalu, kardynał Spera śledził, jak jego grupa odjeżdża wynajętym bmw. Poczekał dokładnie pięć minut — tak jak sobie życzył komandor — żeby dać im czas na dotarcie do pałacu, a potem wstał i podszedł do uzbrojonego strażnika — młodego chłopaka o blond włosach ubranego w mundur.

Pokazał dokumenty z Watykanu i po francusku poprosił, żeby tamten zaprowadził go do swojego przełożonego.

— To naprawdę bardzo pilna sprawa — powiedział.

Oczy młodzieńca rozszerzyły się, gdy dowiedział się, kto przed nim stoi.

— Oczywiście, wasza eminencjo. Natychmiast.

Wyprowadził kardynała z holu przez bramkę otwieraną przy użyciu karty. Biuro ochrony lotniska znajdowało się przy końcu korytarza. Strażnik zapukał i w odpowiedzi usłyszał szorstkie zaproszenie do środka.

Pchnął drzwi i przytrzymał je dla gościa. Spoglądając na kardynała, nie dostrzegł pistoletu z tłumikiem, który znalazł się nagle na wysokości jego głowy.

Kardynał Spera zdążył tylko unieść rękę.

— Nie!

Strzał nie był głośniejszy od kaszlnięcia. Głowa strażnika poleciała do przodu, a w ślad za nią jego ciało. Na korytarz trysnęła fontanna krwi.

Drzwi znajdujące się w bocznej ścianie stanęły otworem.

Wypadł z nich kolejny napastnik i wbił lufę pistoletu w żołądek kardynała, zmuszając go w ten sposób, żeby wszedł do biura. Za nimi ktoś wciągnął do środka ciało nieszczęsnego strażnika. Ktoś inny rzucił ręcznik na podłogę i nogą wytarł kałużę krwi.

Drzwi się zamknęły.

Wewnątrz znajdował się jeszcze jeden nieboszczyk. Leżał na boku zwinięty w kłębek.

Szef ochrony.

Za jego biurkiem stała znajoma postać.

Kardynał Spera pokręcił głową z niedowierzaniem.

— Ty jesteś członkiem Trybunału Smoka?!

— Jego przywódcą, jeśli mam być szczery. — Nagle w ręku mówiącego pojawił się pistolet. — I mam zamiar oczyścić drogę, zanim przybędzie tu reszta moich ludzi.

Pistolet powędrował w górę.

W wylocie lufy coś błysnęło.

Kardynał Spera poczuł uderzenie w czoło... i nastąpił koniec.

6.18

Rachele stała razem z czwórką kolegów dookoła szklanej, przetykanej srebrzystymi nitkami podłogi.

Kat została na górze na straży, wyposażona w radio.

Schodzili w dół po kolejnych kondygnacjach w pełnym czci milczeniu. Co prawda Vigor zaofiarował się, że opowie co nieco o tym ogromnym muzeum mieszczącym się w podziemnej katedrze, ale zadano mu tylko kilka pytań.

Naprawdę mieli wrażenie, że znaleźli się w kościele, a to budziło respekt.

W czasie wędrówki Rachele gapiła się w niemym podziwie na liczne cuda, które tu schowano. Całe dorosłe życie zajmowała się ochroną i odzyskiwaniem skradzionych dzieł sztuki, a tutaj ujrzała zbiory, przy których każde inne muzeum wydawało się ubogie i nieciekawe. Samo skatalogowanie ich musiałoby trwać kilkadziesiąt lat i wymagałoby zaangażowania całego sztabu naukowców. Ogrom minionych wieków zamknięty w tej przestrzeni sprawił, że nagle jej własne życie stało się małe i nic nieznaczące.

Nawet ostatnie traumatyczne przeżycia — ujawnienie ciemnej przeszłości rodziny — wydawały się teraz Rachele czymś trywialnym. Drobną skazą na nieskończenie długiej historii, którą oglądała teraz w całej okazałości.

Im głębiej schodziła, tym lżejszy był dźwigany przez nią ciężar. Pojawiło się uczucie pewnej lekkości.

Gray ukląkł, aby z bliska przyjrzeć się podłodze ze szkła i zamkniętemu w jej wnętrzu labiryntowi.

— To labirynt Dedala — oznajmił wuj Vigor i w skrócie opowiedział historię labiryntu i jego związki z katedrą w Chartres.

— Co teraz powinniśmy zrobić? — spytał Gray.

Vigor wolnym krokiem zatoczył koło, uprzedzając pozostałych, żeby pod żadnym pozorem nie schodzili z kamiennego progu, który otaczał wtopiony w szkło labirynt.

— Najwyraźniej tutaj kryje się kolejna zagadka — powiedział. — Oprócz labiryntu mamy nad głowami podwójny łuk z magnetytu. Kolumna z tego samego materiału została umieszczona dokładnie pośrodku podłogi. Poza tym zwróćcie uwagę na te talerze z jednoatomowego złota.

Wskazał na złote zwierciadła umieszczone w otaczającej ich ścianie, która zarazem była podstawą ostatniej kondygnacji.

— Zostały rozmieszczone na obwodzie, jak symbole godzin na zegarze... To kolejne urządzenie do mierzenia upływu czasu. Podobnie jak klepsydra, która doprowadziła nas tutaj.

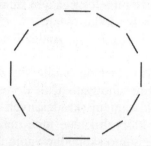

— Na to wygląda — przyznał Gray. — Ale wspominałeś coś o świetle.

Vigor skinął głową.

— Zawsze chodzi o światło. O poszukiwanie przedwiecznego światła wspomnianego w Biblii; światła, które uformowało wszechświat i wszystko, co się w nim znajduje. Właśnie na tym polega wyzwanie. Jak wcześniej musieliśmy dowieść, że znamy zasady magnetyzmu i elektryczności, tak teraz czeka nas zademonstrowanie wiedzy na temat światła... I nie chodzi bynajmniej o zwykłe światło, lecz światło, które jest nośnikiem siły. Albo, jak ujęła to Kat, światło koherentne.

Gray zmarszczył brwi.

— Czyli o laser — powiedział, wstając z klęczek.

Vigor skinął głową i wyciągnął z kieszeni jakiś przedmiot. Rachele rozpoznała celownik laserowy, jeden z tych, w które wyposażona była broń, jaką otrzymali od Sigmy.

— Łącząc siłę nadprzewodników w postaci amalgamatu ze szlachetnymi kamieniami, takimi jak rubiny czy diamenty, starożytni mogli uzyskać pewną prymitywną formę koherentnego światła, czyli coś w rodzaju pierwszego lasera. Uważam, że wiedza na ten temat jest niezbędna, żeby ujawnić ostatnią tajemnicę.

— Skąd ta pewność? — zapytał Gray.

— Kat i ja wykonaliśmy pomiary tych dwunastu lustrzanych talerzy. Są ustawione względem siebie pod nieznacznym kątem, który jednak wystarczy, aby odbijały światło i przekazywały je dalej według ściśle ustalonego wzoru. I po zatoczeniu pełnego kręgu to światło nabierze mocy.

— Jak wiązka laserowa — dorzucił Monk, z obawą przyglądając się złotym talerzom.

— Nie spodziewam się, żeby w ten sposób można było otrzymać naprawdę silną spójną wiązkę — pocieszył go Vigor. — Do aktywacji złotej piramidy w Aleksandrii wystarczyły słabe baterie z Bagdadu i tutaj też pewnie starczy niewielka moc... Raczej chodzi o znak, że rozumie się ideę spójności. Według mnie energia zamknięta w tych talerzach wykona resztę zadania.

— Być może wcale nie chodzi o energię — powiedział Gray. — Jeśli masz rację co do tego, że właśnie światło jest podstawą ostatniej tajemnicy, to może okazać się, że nadprzewodniki są w stanie magazynować przez nieskończony okres nie tylko energię. Że mogą także przechowywać światło.

Oczy Vigora rozszerzyły się ze zdumienia.

— A wówczas niewielka ilość koherentnego światła wystarczyłaby do uwolnienia reszty?

— Być może, lecz w jaki sposób mamy zapoczątkować reakcję łańcuchową? — spytał Gray. — Może po prostu trzeba skierować laser na jeden z talerzy?

Vigor przeszedł dookoła i wskazał ręką na gruby filar ustawiony pośrodku podłogi.

— Ten piedestał ma tę samą wysokość, na której znajdują się lustrzane talerze. Podejrzewam, że niezależnie od tego, jakiego urządzenia używali starożytni, ustawione było ono na szczycie filaru i skierowane na konkretny talerz. Na naszą godzinę dwunastą.

Zatrzymał się obok najdalszego lustrzanego talerza.

— Ten wskazuje dokładnie północ — oznajmił. — Musieliśmy nieźle się nagłówkować, żeby do tego dojść, kiedy dookoła jest tyle magnetytu. Ale zdecydowanie to ten. Sądzę, że trzeba ustawić laser, skierować na ten talerz, i wtedy zobaczymy.

— Wydaje się to dość proste — mruknął Monk.

Gray już zrobił krok w kierunku centralnie ustawionej kolumny, gdy nagle zabrzęczał jego telefon. Przykrył ręką ucho i zaczął nasłuchiwać. Wszyscy przyglądali się mu w napięciu.

— Tylko bądź ostrożna, Kat — powiedział przez radio. —

Zbliż się do nich i daj znać, że nie masz wrogich zamiarów. I nic nie mów, że jesteśmy na dole, dopóki się nie upewnisz.

Zakończył połączenie.

— O co chodzi? — nie wytrzymał Monk.

— Kat zauważyła patrol francuskiej policji, który właśnie wszedł do pałacu. Ma zamiar przeprowadzić małe dochodzenie. — Machnięciem ręki skierował całą grupę do schodów. — Nasz eksperyment musi trochę poczekać. Chyba lepiej będzie, jeśli teraz wrócimy na górę.

Gęsiego weszli na prowadzące w górę schody. Rachele zaczekała na wuja, który wyraźnie się ociągał, rzucając tęskne spojrzenia w stronę szklanej podłogi.

— Może tak będzie lepiej — powiedziała. — Może nie powinniśmy działać zbyt pochopnie, nie znamy się na tym. A gdybyśmy coś zrobili źle? — Podbródkiem wskazała na ogromną bibliotekę, w której zgromadzona została cała starożytna wiedza. — Jeśli będziemy zbyt zachłanni, możemy to wszystko utracić.

Wuj Vigor skinął głową i objął ją ramieniem, gdy wspinali się po krętych schodach. Jednak nie mógł się powstrzymać, żeby nie spoglądać od czasu do czasu za siebie.

Zdążyli dotrzeć na czwartą kondygnację, gdy nagle nad ich głowami zagrzmiał rozkazujący głos.

— *TOUT LE MONDE EN LE BAS LÀ! SORTEZ AVEC VOS MAIN SUR LA TÊTE!* — popłynęło przez megafon.

Stanęli jak wryci.

— Mamy wyjść z podniesionymi rękami — przetłumaczyła Rachele.

Z megafonu dobiegł następny ryk, tym razem po angielsku. Gray poznał głos Kat.

— KOMANDORZE! SKONFISKOWALI MI RADIO, ALE TO NA PEWNO JEST FRANCUSKA POLICJA! SPRAWDZIŁAM IDENTYFIKATOR ICH DOWÓDCY!

— Pewnie to straż przysłana przez kardynała Sperę — powiedział Monk.

— A może ktoś wezwał ich w związku z włamaniem, bo zauważył światła wewnątrz pałacu — dodała Rachele. — Albo wyłamany zamek w drzwiach.

— *SORTEZ TOUT LE SUITE! C'EST VOTRE DERNIER AVERTISSEMENT!*

— Nie są zbyt uprzejmi — zauważył Monk.

— A spodziewałeś się że będzie inaczej po tym, jak znaleźli na górze dwa trupy? — prychnęła Seichan.

— Okej — zdecydował Gray. — Wychodzimy. Trzeba ich przygotować na przybycie Raoula i jego kumpli.

Bez dalszej dyskusji pomaszerowali w górę przez pozostałe kondygnacje. Po drodze Gray kazał wszystkim schować broń do kabury albo odłożyć na bok. Żeby nie rozdrażniać przedstawicieli władzy, posłusznie wykonali rozkaz i wyszli z podniesionymi rękami.

W kuchni, która jeszcze tak niedawno świeciła pustkami, teraz roiło się od ludzi w granatowych mundurach. Rachele dostrzegła wśród nich Kat, która stała przy ścianie z rękami w górze. Francuska policja nie miała zwyczaju ryzykować. Mimo liczebnej przewagi trzymali broń w pogotowiu.

Gray łamaną francuszczyzną próbował wyjaśnić sprawę, ale natychmiast został oddzielony od reszty i pchnięty pod ścianę. Dowódca oddziału poświecił latarką w ciemny tunel, krzywiąc się przy tym z niesmakiem.

Zamieszanie przy drzwiach oznaczało, że przybył ktoś nowy. Ktoś, kto miał władzę. Rachele ujrzała nagle w wejściu do kuchni znajomą postać starego przyjaciela rodziny. Nie spodziewała się go tu zobaczyć, co nie znaczyło, że jego widok nie sprawił jej przyjemności. Czy zjawił się na wezwanie kardynała Spery?

Jej wuj także się rozpromienił.

— Generał Rende! Dzięki Bogu!

Był to przełożony Rachele, dowódca rzymskiego oddziału karabinierów. Jego osoba budziła strach i szacunek, nawet kiedy nie miał na sobie munduru.

Wuj Vigor próbował wysunąć się w przód, ale został brutalnie pchnięty pod ścianę.

— Musisz powiedzieć żandarmom, żeby nas wysłuchali, zanim będzie za późno.

Generał Rende popatrzył na niego z nieukrywaną pogardą.

— Już jest za późno — oświadczył lodowatym tonem.

Zza jego pleców wysunął się Raoul.

17

Złoty klucz

27 lipca, 7.00
Awinion, Francja

Gray gotował się z wściekłości, kiedy wykręcano mu ręce na plecy i krępowano. Przebrani za francuskich policjantów najemnicy po kolei rozbrajali wszystkich i wiązali im ręce. Nawet ten gnojek Raoul miał na sobie mundur.

Olbrzym stanął tuż przed Grayem.

— Cholernie trudno cię zabić — powiedział. — Ale tym razem to już koniec. I nie łudź się, że kardynał przyjdzie ci z pomocą. Spotkał na lotnisku starego przyjaciela. — Wskazał generała Rende. — Chyba nasz przywódca doszedł do wniosku, że biedny kardynał nie będzie nam już więcej potrzebny.

Serce Graya ścisnęło się, gdy to usłyszał.

Na twarzy Raoula pojawił się perfidny uśmiech.

Generał Rende żołnierskim krokiem podszedł w ich stronę. Ubrany był po cywilnemu, w elegancki czarny garnitur, krawat i wyglansowane buty. Właśnie przed chwilą skończył dyskusję z jakimś człowiekiem, który nosił koloratkę. Gray domyślił się, że to prefekt Alberto Menardi, wpływowy członek Trybunału. Menardi pod pachą taszczył jakieś tomisko, a w ręku trzymał teczkę.

Generał zatrzymał się przy Raoulu.

— Dość — powiedział krótko.

— Tak jest, wasza wysokość. — Raoul cofnął się o krok.

Rende wskazał na pogrążony w mroku tunel.

— Nie ma czasu na napawanie się sukcesem. Zabierz tych ludzi na dół i wyciągnij z nich wszystko, czego się dowiedzieli, a potem zabij.

Obrzucił ich lodowatym spojrzeniem, jednocześnie przygładzając srebrne włosy.

— Nie będę udawał, że macie szansę przeżyć. Wasz wybór ogranicza się jedynie do tego, czy wolicie szybką śmierć, czy chcecie, żeby trwało to długo. Zastanówcie się dobrze, co wam bardziej odpowiada.

— Jak możesz! — rzucił stojący pod najdalszą ścianą Vigor.

Rende majestatycznie ruszył w jego stronę.

— Nie obawiaj się, stary przyjacielu, oszczędzimy twoją siostrzenicę — oznajmił. — To mogę ci obiecać. Rzetelnie wypełniałeś swoje obowiązki, bo dzięki twojej pracy Trybunał był na bieżąco zarówno w dziedzinie archeologii, jak i poszukiwania skarbów sztuki. Dobrze nam służyłeś przez te wszystkie lata.

Twarz Vigora zbielała jak płótno, gdy uświadomił sobie, jak był wykorzystywany i jak nim manipulowano.

— Teraz twoja misja dobiegła końca — mówił dalej Rende. — Ale w żyłach twojej siostrzenicy płynie królewska krew... Krew, która wyda na świat kolejnych królów.

— Przez połączenie mnie z tym skurwysynem? — wychrypiała Rachele.

— Coś takiego jak związek mężczyzny i kobiety nie ma tutaj znaczenia — odpowiedział jej Raoul. — Liczy się jedynie krew i przyszłość. Czystość rasy jest równie cenna jak skarb, którego szukamy.

Gray spojrzał na Rachele, która ze związanymi mocno rękoma stała obok wuja. Była blada jak ściana, ale w jej oczach płonęła wściekłość. Kiedy Raoul chwycił ją za łokieć, plunęła mu prosto w twarz.

W odpowiedzi uderzył ją w usta. Głowa Rachele odskoczyła do tyłu, a z rozciętej wargi zaczęła się sączyć krew.

Gray rzucił się naprzód, ale zmuszono go do powrotu na miejsce.

Raoul przysunął się bliżej.

— Lubię, jak kobieta ma w sobie trochę ognia. — Przyciągnął ją do siebie. — Tym razem nie spuszczę cię z oka.

— Idź po to, po co tu przybyliśmy — odezwał się Rende. Całe zajście nie zrobiło na nim najmniejszego wrażenia. — Przed końcem burzy trzeba spakować tyle, ile się da. Ciężarówki powinny przyjechać w ciągu piętnastu minut.

Gray zrozumiał teraz, czemu miała służyć ta maskarada. Dzięki mundurom tamci zyskali nieco czasu na opróżnienie kawałka skarbca. Jego uwagi nie uszedł wózek pełen srebrzystych granatów, który wtoczono do kuchni, gdy ich krępowano. Wszystko, czego Trybunał nie zdoła zabrać, miało zostać zniszczone.

Alberto dołączył do Raoula.

— Zabierzcie siekiery, wiertarki i kwas — rozkazał Raoul i machnął na swoich ludzi, żeby ruszali.

Gray wiedział, że Raoul nie zabiera tych narzędzi ze względu na czekającą go na dole pracę.

To były zabawki sadysty.

Popychani karabinami i rozdzieleni przez żołnierzy Raoula znów znaleźli się w tunelu. Kiedy zeszli w dół, nawet strażnicy, którzy dotąd pozwalali sobie na pełne wyższości uśmieszki i złośliwe komentarze, zamilkli i rozglądali się dookoła szeroko otwartymi oczyma.

Raoul także spoglądał na potężne gotyckie łuki i zgromadzone pod nimi skarby.

— Będziemy potrzebowali więcej ciężarówek — mruknął.

Alberto wydawał się całkiem oszołomiony.

— Zadziwiające... Po prostu zadziwiające. Zgodnie z *Arcadium* to tylko nędzne resztki, pozostawione u wejścia do prawdziwego skarbca.

Mimo grożącego im niebezpieczeństwa ta wiadomość tak zaszokowała Vigora, że aż odwrócił się do prefekta.

— Masz dostęp do testamentu Jakuba de Molay? — spytał z niedowierzaniem.

Alberto mocniej przycisnął do piersi opasłą księgę.

— Mam siedemnastowieczną kopię. Ostatnią, która istnieje.

Gray spojrzał na Vigora, a w jego wzroku kryło się nieme pytanie.

— Jakub de Molay był wielkim mistrzem zakonu templariuszy. Został poddany torturom, ponieważ odmówił ujawnienia miejsca, gdzie znajduje się skarbiec zakonu. Spalono go na stosie. Lecz zawsze krążyły plotki o jakimś tajemniczym tekście, ostatniej rozprawie, którą de Molay zdążył napisać, zanim trafił do więzienia.

— To właśnie *Arcadium* — wyjaśnił Alberto. — Ta księga od wieków znajdowała się w posiadaniu Trybunału Smoka. Właśnie tam de Molay dał do zrozumienia, że istnieje pewien skarb, inny niż masa złota i klejnotów, jakie zgromadzili templariusze. Większy i wspanialszy. A jego odkrywca zdobędzie władzę nad światem.

— Zaginiona wiedza magów — szepnął Gray.

— Ona jest tutaj — odparł Alberto, a jego oczy błyszczały jak nigdy dotąd.

Po kolejnych kondygnacjach dotarli do szklanej tafli na samym dole. Kiedy znajdowali się na najniższym piętrze, żołnierze rozproszyli się, zajmując pozycje dookoła, a Gray i pozostali musieli uklęknąć. Alberto zszedł na szklaną podłogę zupełnie sam i zaczął uważnie studiować układ labiryntu.

— Ostatnia zagadka — zamruczał.

Raoul stał razem z Rachele na szczycie schodów prowadzących z ostatniej kondygnacji. Odwrócił się tak, żeby widzieć klęczącą przed nim grupę.

— Chyba zaczniemy od pań — powiedział. — Ale od której?

Przechylając się na bok, złapał pełną garścią włosy Rachele tuż nad karkiem i szarpnął w tył, a potem schylił się i brutalnie wpił się w jej usta. Rachele wiła się i starała wyrwać, ale niewiele mogła zrobić.

Furia zasnuła oczy Graya. Z całej siły uderzył butem o kamienną podłogę. Poczuł, jak z obcasa wysuwa się ukryte ostrze — to samo, dzięki któremu uwolnił się w zamkowej celi. Ukrył je pomiędzy skrępowanymi nadgarstkami i starając się nie przyciągać uwagi, zaczął przecinać więzy. Po chwili był już wolny, ale ręce nadal trzymał z tyłu.

Wreszcie Raoul puścił swoją ofiarę. Jego dolna warga krwawiła, bo Rachele zdołała wbić w nią zęby, ale on uśmiechał się jak gdyby nigdy nic. Nagle pchnął ją z całej siły w sam środek klatki piersiowej. Rachele momentalnie straciła równowagę i poleciała na plecy, całym ciężarem uderzając o kamienną podłogę.

— Leżeć! — warknął Raoul w taki sposób, jakby zwracał się do psa.

Rozkazowi towarzyszyło uniesienie karabinu, który teraz mierzył prosto w głowę Rachele.

Raoul odwrócił się do pozostałych.

— Zostawię sobie trochę przyjemności na później — oznajmił. — Teraz zajmę się następną.

Podszedł do Seichan, popatrzył na nią z góry, a następnie pokręcił głową.

— Nie. Nie mam zamiaru sprawiać ci przyjemności.

Spojrzał na Kat i machnął na strażników, żeby wyciągnęli ją przed resztę grupy. Schylił się po siekierę i wiertarkę, przez chwilę gapił się na jedno i drugie, a potem odłożył siekierę.

— Już raz to zrobiłem — powiedział. — Nie będę się powtarzał.

Podniósł wiertarkę i nacisnął włącznik. Warkot silnika odbił się echem od wysokiego sklepienia. Sam ten dźwięk przywodził na myśl straszliwe cierpienia.

— Zacznę od oka — poinformował wszystkich Raoul.

Jeden ze strażników przytrzymywał głowę Kat. Próbowała walczyć, ale silne kopnięcie w brzuch pozbawiło ją oddechu. Gray ujrzał, jak z kącika jej oka pociekła łza. Łza wściekłości, nie strachu.

Raoul powoli opuścił wiertarkę ku twarzy Kat.

— Nie! — wrzasnął Gray. — Nie musisz tego robić. Powiem ci wszystko, czego zdołaliśmy się dowiedzieć.

— Nie — zaprotestowała Kat i natychmiast zarobiła pięścią w twarz.

Gray świetnie rozumiał, co miała na myśli. Jeśli Trybunał Smoka zdobędzie ukrytą moc — „władzę nad światem" — to będzie to oznaczało Armagedon.

— Wszystko ci powiem — powtórzył Gray.

Raoul wyprostował się nieco.

Gray miał nadzieję, że ta gotowość do współpracy skłoni go, by podszedł bliżej, lecz olbrzym pozostał na miejscu.

— Nie widzę powodu, żeby jeszcze raz powtarzać pytanie —

oznajmił. — Na razie to tylko demonstracja. Kiedy przyjdzie czas na pytania i odpowiedzi, na serio zabiorę się do roboty.

Warkot wiertarki znów przybrał na sile.

Gray nie mógł dłużej patrzeć, jak ten szaleniec okalecza kolejną osobę z jego zespołu, i doszedł do wniosku, że lepiej będzie zginąć podczas strzelaniny. Poderwał się z podłogi, jednocześnie wbijając łokieć w pachwinę pilnującego go strażnika. Kiedy tamten zwinął się z bólu, Gray chwycił jego karabin, wycelował w Raoula i pociągnął za spust.

Klik!

Nic się nie wydarzyło.

7.22

Rachele musiała patrzeć, jak Gray obrywa lufą karabinu od stojącego za jego plecami żołnierza.

Raoul roześmiał się głośno, znów włączając wiertarkę.

— Zdejmijcie mu buty — rozkazał. Z uwagą śledził, jak jego podwładni poniewierają więźniem. — Chyba nie sądziłeś, że zapomniałem sprawdzić, w jaki sposób udało ci się uwolnić ostatnim razem, co? Kiedy ludzie, których wysłałem do zamku, żeby zrobili z wami porządek, nie dawali znaku życia, oddelegowałem tam kolejny zespół. Na dziedzińcu nie było nikogo poza psami. Odkryli, w jaki sposób udało się wam zwiać, i poinformowali mnie o tym przez radio.

Sznurowadła w butach Graya zostały pocięte na kawałki, a po chwili został już w samych skarpetkach.

— Pozwoliłem ci zachować tę odrobinę nadziei — ciągnął Raoul. — Zawsze dobrze jest znać sekrety wroga. To pozwala do minimum ograniczyć niemiłe niespodzianki. Wiedziałem, że w końcu będziesz próbował dorwać się do broni... Choć sądziłem, że jesteś bardziej odporny. Że poczekasz, aż poleje się krew.

Podniósł wiertarkę i odwrócił się tyłem.

— W którym miejscu przerwaliśmy?

Rachele patrzyła, jak strażnicy na nowo krępują ręce Graya. Jego twarz była zupełnie obojętna i pozbawiona jakiejkolwiek nadziei i to przeraziło ją bardziej niż groźba rychłych tortur.

— Zostaw ich w spokoju — odezwał się nagle Gray, z trudem wstając. — Tracisz tylko czas. Wiemy, w jaki sposób otworzyć bramę, ale jeśli nas tkniesz, nie piśniemy ani słowa.

Raoul obrzucił go uważnym spojrzeniem.

— Bądź uprzejmy wyjaśnić mi to bliżej, a wtedy zastanowię się nad twoją propozycją.

Gray poszukał oczyma swoich kolegów. Wyglądał jak ktoś, kto utracił już wszelką nadzieję.

— Chodzi o światło — powiedział.

Kat jęknęła. Vigor smętnie zwiesił głowę.

— On ma rację — zawołał z dołu czyjś głos. Na prowadzących do góry schodach pojawił się Alberto. — Te lustrzane talerze ustawione są pod pewnym kątem i mogą odbijać światło.

— Do tego potrzebny jest laser — kontynuował Gray, ujawniając w ten sposób wszystko, co odkryli. Potem zaczął wyjaśniać to, do czego nawiązywał Vigor.

Alberto stanął obok nich.

— Tak, tak... To ma sens.

— No cóż, może po prostu to sprawdzimy? — zaproponował Raoul. — Jeśli się pomylił, zaczniemy odrąbywać im kończyny.

Gray odwrócił się do Rachele i reszty towarzystwa.

— I tak w końcu by się dowiedzieli. Mają przecież złoty klucz.

— Sprowadźcie więźniów na dół — rozkazał Raoul swoim ludziom. — Nie chcę ryzykować, że znów spróbują jakiejś sztuczki. Niech staną pod ścianą, a reszta z was... — tu potoczył wzrokiem po żołnierzach, którzy zajmowali szczyt kondygnacji — ...niech nie spuszcza z nich oka. Jeśli ktokolwiek się ruszy, od razu strzelajcie.

Całą piątkę zepchnięto na dół i siłą rozdzielono, po czym strażnicy rozstawili ich przy ścianie. Gray znalazł się zaledwie trzy kroki od Rachele... Marzyła, żeby wyciągnąć rękę, zamknąć w uścisku jego dłoń, ale on wydawał się całkowicie pogrążony we własnych niewesołych myślach.

Zresztą i tak nie odważyłaby się poruszyć.

Żołnierze leżeli płasko na wyższej kondygnacji z bronią gotową do strzału i wycelowaną w ich kierunku.

Nagle Gray coś zamruczał, wpatrując się w szklaną podłogę. Z trudem rozróżniała słowa.

— Labirynt Minotaura...

Zmarszczyła brwi. Nie ruszając się z miejsca, Gray zerknął w jej stronę, po czym znów skierował spojrzenie na posadzkę. Co usiłował jej zasygnalizować?

Labirynt Minotaura...

Gray nawiązywał do jednej z wielu nazw tego labiryntu. Labiryntu Dedala. Mitycznej konstrukcji, która byłą siedzibą pół byka, pół człowieka... Potwora, który stanowił śmiertelne zagrożenie, podobnie jak jego dom...

Śmiertelne zagrożenie...

Rachele przypomniała sobie pułapkę w grobowcu Aleksandra. Tunel, który przynosił śmierć. Rozwiązanie zagadek wymagało czegoś więcej niż tylko znajomości technologii. Trzeba było rozumieć historię i dokładnie znać mitologię. Najwyraźniej Gray próbował ją ostrzec. Bo co prawda rozwikłali sprawy techniczne, lecz to nie oznaczało jeszcze, że rozwiązali zagadkę.

Teraz zrozumiała, w czym Gray pokładał nadzieję. Powiedział Raoulowi akurat tyle, by sprowokować go do podjęcia próby, która mogła zakończyć się śmiercią oprawcy.

I rzeczywiście, Raoul wziął do ręki celownik laserowy i ruszył do ustawionej w centralnej części podłogi niewysokiej kolumny. Ale nagle zawahał się, jakby coś mu się przypomniało, i wyciągnął celownik w stronę Graya.

— Ty — powiedział, wyraźnie coś podejrzewając. — Ty go tam zaniesiesz.

Gray został zmuszony do odsunięcia się od ściany. Uwolniono mu ręce. Ale ta wolność była pozorna. Karabiny śledziły każdy jego krok.

A Raoul wepchnął mu celownik do ręki.

— Idź i ustaw go. Dokładnie tak, jak nam opisałeś.

Gray rzucił spojrzenie na Rachele, po czym w samych skarpetkach podszedł do brzegu szklanej podłogi.

Nie miał wyjścia.

Musiał wkroczyć do labiryntu Minotaura.

7.32

Generał Rende sprawdził godzinę na swoim zegarku. Gdzieś za murami pałacu zadudnił potężny grzmot. To, czego pragnął od tak dawna, nareszcie miało się ziścić. I to niezależnie od tego, czy uda im się otworzyć tajemną kryptę, ukrytą gdzieś w podziemiach. Rende zdążył w przelocie rzucić okiem na to, co odnaleźli; bogactwo tu zgromadzone przyćmiewało wszystkie inne skarby.

Uciekną stąd, zabierając tyle, ile zdołają, a reszta ulegnie zniszczeniu.

Jego ekspert od materiałów wybuchowych już rozmieszczał w odpowiednich miejscach granaty zapalające.

Teraz pozostało tylko czekać na przyjazd ciężarówek.

Załatwił trzy ciężarówki Peugeota o dużej ładowności, które miały na zmianę jeździć do olbrzymiego magazynu na obrzeżach miasta w pobliżu rzeki, tam pozostawiać ładunek i wracać do pałacu.

Tam i z powrotem, tak długo, jak tylko zdołają.

Generał zmarszczył brwi. Zaczynali być spóźnieni w stosunku do planu. Szef kierowców dzwonił do niego już pięć minut temu, że dojeżdżają. Na drogach zrobiło się straszne błoto i przez ulewny deszcz wciąż panował półmrok, choć było już dawno po wschodzie słońca.

Ta burza w zasadzie im sprzyjała, jeśli nie liczyć ewentualnego opóźnienia, bo stanowiła doskonałą przykrywkę dla całej akcji i do minimum ograniczała zainteresowanie przypadkowych przechodniów. Zresztą rozmieszczeni na zewnątrz pałacu strzelcy mieli za zadanie eliminować każdego, kto okazałby się zbyt ciekawski. Jednak taka konieczność wydawała się czysto teoretyczna — wręczono łapówki komu trzeba.

Powinni mieć spokój przynajmniej przez pół dnia.

W radiu rozległ się sygnał. Generał odebrał połączenie.

— Pierwsza ciężarówka właśnie podjeżdża na wzgórze — zakomunikował kierowca.

Zaczęło się.

7.33

Z celownikiem w ręku Gray ostrożnie zbliżał się do kolumny z magnetytu. Nad jego głową rozciągały się dwa łuki z tego samego kamienia. Nawet bez dotykania czegokolwiek Gray czuł potęgę uśpionej mocy.

— Pośpiesz się! — zawołał Raoul.

Gray znalazł się przy kolumnie. Na jej wierzchołku umieścił celownik, ustawił równo i skierował w stronę talerza oznaczającego godzinę dwunastą. Następnie zatrzymał się na moment, żcby wziąć głęboki oddech. Starał się ostrzec Rachele i przygotować ją na najgorsze, bo kiedy dojdzie do aktywacji luster, wszyscy znajdą się w niebezpieczeństwie.

— Włącz wreszcie ten laser! — warknął zniecierpliwiony Raoul. — Albo zacznę strzelać im w kolana!

Gray sięgnął do włącznika i wcisnął go kciukiem.

Gładki strumień czerwonego światła wystrzelił i uderzył w talerz ze złotego szkła.

Gray pamiętał, że tak samo było w Aleksandrii. Wygenerowanie odpowiedniego napięcia zajęło trochę czasu, a potem zaczął się pokaz fajerwerków.

Nie miał zamiaru stać tam i czekać, aż coś się wydarzy.

Odwrócił się i szybko pomaszerował w kierunku ściany. Nie biegł ani nie wykonywał gwałtownych ruchów, żeby nie dostać kulą w plecy. Jakimś cudem udało mu się dotrzeć na dawne miejsce.

Raoul i Alberto stali u podstawy schodów.

Oczy wszystkich obecnych wpatrywały się w cienką czerwoną nitkę, która łączyła celownik z lustrem.

— No i nic się nie dzieje — zagrzmiał Raoul.

Z drugiej strony odezwał się głos Vigora.

— To może potrwać jeszcze kilka sekund, zanim poziom energii będzie wystarczający do aktywacji lustra.

W odpowiedzi Raoul uniósł pistolet.

— Jeśli nie, to...

Rozległ się głęboki, niski dźwięk i z talerza wskazującego godzinę dwunastą wystrzelił nowy promień lasera. Uderzył w tarczę na godzinie piątej. Na pół sekundy wszyscy zostali oślepieni.

Nikt się nie odezwał.

A potem zalśnił kolejny promień i trafił w lustro na godzinie dziesiątej. Natychmiast odbił się i przeskoczył dalej, od lustra do lustra.

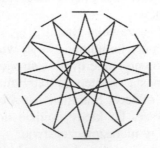

Gray wpatrywał się w układ promieni tworzących na wysokości jego pasa ognistą gwiazdę. On i reszta znajdowali się pomiędzy punktami stycznymi i instynktownie wiedzieli, że lepiej się nie ruszać.

Symbolika była oczywista.

Promienie utworzyły Gwiazdę Betlejemską.

Światło, które przywiodło Mędrców do Dzieciątka.

Buczenie wyraźnie przybrało na sile. Gwiazda zajaśniała niezwykłym blaskiem.

Gray odwrócił głowę i zmrużył oczy.

A potem nagle poczuł się tak, jakby przekroczył niewidzialny próg. Ciśnienie skierowane na zewnątrz dosłownie wepchnęło go w ścianę.

Znów pole Meissnera.

Gwiazda zdawała się wyginać od środka ku górze, jakby jakaś potężna siła odpychała ją od podłogi. W końcu sięgnęła wznoszących się nad nią łuków z magnetytu.

Trzask wyładowań odbił się echem sklepienia.

Gray czuł, jak metalowe guziki koszuli zaczynają go ciągnąć.

Ładunek magnetyczny łuków zwiększył się dziesięciokrotnie.

Laserowa gwiazda została odepchnięta przez to nowe pole i odrzucona z powrotem na szklaną podłogę; uderzyła w nią z głośnym metalicznym dźwiękiem, przypominającym głos wielkiego dzwonu.

Ustawiona pośrodku kolumna wystrzeliła w górę ze zgrzytem. Trafiła prosto w sam środek krzyżujących się łuków — i utkwiła między nimi, przyciągana przez dwa elektromagnesy.

Nagle metaliczny dźwięk złagodniał, a Gray poczuł pyknięcie w uszach. Pole straciło swą moc. Gwiazda zamigotała i zaczęła przygasać, choć cień jej dawnego blasku wciąż jeszcze oślepiał. Gray zamrugał kilkakrotnie.

Krótka kolumna wciąż tkwiła pomiędzy łukami z magnetytu, jak wskazujący w dół palec. Gray podążył za nim wzrokiem.

Pośrodku podłogi, tam gdzie niedawno stała, znajdował się idealny krąg litego złota. Takiego samego jak to, z którego zrobiono klucz. A w jego środku — „środku wszystkiego" — widniał czarny otwór.

— Dziurka od klucza! — zawołał Alberto. Porzucił księgę, otworzył teczkę i wyciągnął z niej złoty klucz.

Gray poczuł na sobie ciężkie spojrzenie stojącego po przeciwnej stronie Vigora. W tym momencie było już jasne, że oddał w ręce przeciwnika nie tylko złoty klucz, lecz także szansę zdobycia władzy nad światem.

Alberto chyba pomyślał to samo. Pełen radosnego podniecenia wstąpił na szklaną podłogę.

I wówczas z gładkiej powierzchni wystrzeliły w górę elektryczne błyskawice. Przeszyły na wylot ciało mężczyzny, zwaliły go z nóg i wyrzuciły w powietrze. Alberto wił się, wydając nieludzkie wrzaski, podczas gdy ogień ogarniał jego ciało. Po chwili jego skóra zrobiła się całkiem czarna, a włosy i ubranie stanęły w płomieniach.

Na widok tego horroru Raoul odskoczył aż do schodów, potknął się i wylądował na plecach.

Gray odwrócił się do Rachele.

— Przygotuj się do ucieczki.

To mogła być ich jedyna szansa.

Ale ona zdawała się niczego nie słyszeć. Skamieniała ze strachu, podobnie jak pozostali.

Krzyki Alberta wreszcie ucichły. Ostatni łuk elektryczny odrzucił ciało na skraj szklanej podłogi, jakby wiedział, że ofiara jest już martwa.

Nikt nawet nie drgnął. W powietrzu rozszedł się smród przypalonego mięsa.

Wszyscy jak urzeczeni wpatrywali się w śmiercionośny labirynt.

Minotaur dał o sobie znać.

7.35

Generał Rende wrócił po stromych schodach do kuchni. Został poproszony na dół przez jednego z żołnierzy, kiedy pojawiła się świetlista gwiazda. Chciał zobaczyć, co tam się stało — ale z bezpiecznej odległości.

A potem światło przygasło.

Rozczarowany, odwrócił się, żeby wyjść, kiedy nagle za jego plecami rozległ się przeraźliwy wrzask poddanego okropnym torturom człowieka.

Na dźwięk tego głosu włoski na karku stanęły mu dęba.

Jak najszybciej uciekł na powierzchnię, a wtedy w jego stronę pobiegł jeden z ludzi przebranych w mundur francuskiej policji.

— Już jest pierwsza ciężarówka! — zawołał z pośpiechem.

Rende momentalnie otrząsnął się z przerażenia.

Teraz miał do wykonania określone zadanie.

— Wezwij przez radio wszystkich, którzy nie stoją na straży. Zaczynamy opróżniać skarbiec.

7.36

Rachele wiedziała, że znaleźli się w poważnych tarapatach, kiedy Raoul zerwał się na równe nogi i rzucił w kierunku Graya.

— Ty draniu, wiedziałeś, że tak się stanie!

Gray odruchowo cofnął się pod ścianę.

— Skąd mogłem wiedzieć, że on się usmaży?

W odpowiedzi Raoul uniósł swój ogromny pistolet.

— Najwyższy czas, żeby dać ci nauczkę.

Gwałtownym ruchem odwrócił się od Graya.

— Nie... — zdążyła jęknąć Rachele.

Pistolet wypalił. Stojący naprzeciwko nich Vigor złapał się kurczowo za brzuch, a potem osunął się na ziemię. Nogi odmówiły mu posłuszeństwa.

Seichan skoczyła jak wielki czarny kot. Zdążyła złapać stopy Vigora, zanim dotknęły one szklanej podłogi.

Ale Raoul jeszcze z nimi nie skończył. Teraz skierował broń w stronę Kat, która stała trzy metry dalej. Celował prosto w jej głowę.

— Nie! — zawołał Gray. — Nie miałem pojęcia, że coś takiego się wydarzy! Ale teraz już wiem, jaki błąd popełnił Alberto!

Raoul zwrócił się w jego stronę, czerwony w wściekłości. Jednak Rachele szybko zorientowała się, że powodem tej furii nie była utrata Alberta, lecz fakt, że jego niespodziewana i dramatyczna śmierć wzbudziła taki strach. A Raoul bardzo nie lubił się bać.

— Jaki? — warknął.

Gray szybko wskazał na labirynt.

— Do tej dziurki od klucza nie można iść najkrótszą drogą, lecz trzeba trzymać się ścieżki. — Machnął ręką w kierunku krętego labiryntu.

Raoul zmrużył oczy, ale jego gniew wyraźnie stracił na sile. Zrozumiał, w czym tkwił błąd, i dzięki temu przezwyciężył obawę.

— Chyba masz rację. — Podszedł do zwłok Alberta, schylił się i zaczął wyłamywać zniekształcone przez ogień palce, między którymi tkwił klucz. Wyciągnął złoty przedmiot i starannie oczyścił z fragmentów zwęglonej tkanki.

Rozkazującym ruchem ręki przywołał jednego ze swoich żołnierzy, który stał piętro wyżej, i wskazał na środek podłogi.

— Zanieś to tam — powiedział, podając mu złoty klucz.

Młody człowiek skamieniał. Widział, co przydarzyło się Albertowi, i nie miał najmniejszej ochoty ryzykować, ale Raoul przyłożył mu pistolet do czoła.

— Idź albo umrzesz tutaj. Wybór należy do ciebie.

Mężczyzna wyciągnął rękę i wziął klucz.

— No, ruszaj się — ponaglił go Raoul, nie opuszczając broni. — Trochę nam się śpieszy.

Żołnierz zbliżył się do wejścia do labiryntu. Końcem stopy ostrożnie dotknął szkła, po czym natychmiast się cofnął. Nic złego się nie wydarzyło. Bardziej pewny siebie, lecz wciąż ostrożny wyciągnął nogę i postawił całą stopę na gładkiej powierzchni. Nie wywołało to żadnej reakcji.

Zacisnąwszy zęby, postawił także drugą nogę.

— Nie przechodź przez nitki platyny — ostrzegł go Gray.

Żołnierz skinął głową i posłał mu pełne wdzięczności spojrzenie.

Nagle bez ostrzeżenia z dwóch lustrzanych okien wystrzelił krwistoczerwony promień. Gwiazda zamrugała, na moment wróciła do życia, po czym znów zgasła.

Żołnierz stanął jak wryty. Nogi ugięły się pod nim; upadł na plecy i znalazł się poza zasięgiem labiryntu. Gdy tylko jego ciało dotknęło podłogi, ostry jak brzytwa laser przeciął je na pół na wysokości pasa. Splątane jelita wypadły na podłogę.

Raoul cofnął się, a w jego oczach znów pojawił się gniew. Ponownie uniósł pistolet.

— Masz jeszcze inne błyskotliwe pomysły?

Gray stał w kompletnym bezruchu.

— Ja... Ja już nic nie wiem.

— Może to chodzi o czas — zawołał z dala Monk. — Może trzeba wciąż iść przed siebie i się nie zatrzymywać. Tak jak w tym filmie *Speed — niebezpieczna szybkość*.

Gray zerknął w jego kierunku, a potem odwrócił wzrok, wciąż nieprzekonany.

— Mam już dość posyłania na śmierć swoich ludzi — wyrzucił z siebie Raoul. Narastała w nim wściekłość. — I już znudziło mi się czekać, aż poukładacie kawałki tej łamigłówki. Teraz ty będziesz musiał mi pokazać, jak to wszystko działa — zakończył i popchnął Graya do przodu.

Gray zatrzymał się. Za wszelką cenę starał się coś wykombinować.

— Zawsze mogę zacząć strzelać do twoich przyjaciół — warknął mu nad uchem Raoul. — Na pewno to poprawi mi humor.

I znów skierował broń w stronę Kat.

Gray wreszcie ruszył z miejsca i przestąpił leżące nieruchomo ciało.

— Nie zapomnij zabrać klucza — rzucił za nim Raoul.

I wtedy Rachele zrozumiała. Oczywiście, że tak!

Gray wyprostował się i stanął na skraju labiryntu. Zaczął schodzić, przygotowując się w duchu, do tego, że nie będzie mógł się zatrzymać, zgodnie z poradą Monka.

— Nie tak! — zawołała za nim Rachele. Bolało ją, że oto pomaga Raoulowi osiągnąć cel. Była gotowa umrzeć, byle tylko Trybunał nie zdołał dotrzeć do ukrytej tu tajemnicy, ale nie mogła bezczynnie się przyglądać, jak ginie Gray, przecięty przez laser albo porażony prądem.

Przypomniała sobie jego szept, kiedy wspomniał o Minotaurze. Za nic nie chciał się poddać. Zresztą dopóki żyli, wciąż była nadzieja. Rachele mu wierzyła, ba, ufała mu bezgranicznie.

Gray odwrócił się w jej stronę.

W jego oczach ujrzała takie samo zaufanie.

Do niej.

Uświadomienie sobie tej prawdy sprawiło, że na moment zamilkła.

— O co chodzi? — usłyszała burknięcie Raoula.

— Pośpiech nie ma tu nic do rzeczy — powiedziała, zaskoczona własnymi słowami. — Ci alchemicy doceniali wartość czasu. Zresztą mówią nam o tym pozostawione przez nich wskazówki, od klepsydry aż po lustrzany zegar. Nie wykorzystaliby czasu do tego, by zabić.

— Więc co? — spytał Gray.

Czuła na sobie jego ciężkie spojrzenie. Ale akurat ten ciężar była gotowa znosić z ochotą.

— Przypomnij sobie labirynty w katedrach — powiedziała pośpiesznie. — One przedstawiały symboliczną podróż. Z tego świata do tamtego. Aż do środka, gdzie znajdował się symbol duchowego oświecenia.

Wskazała na martwe ciało, przecięte na wysokości pasa — wysokości, na której znajdowały się lustrzane okna.

— Ale żeby osiągnąć to oświecenie, pielgrzym musiał się ukorzyć. Szedł na czworakach.

Z drugiej strony dobiegł jęk jej wuja. Vigor siedział na podłodze, a spomiędzy jego palców sączyła się krew. Seichan przycupnęła obok. Ale to nie ból był powodem tego okrzyku rozpaczy. Rachele dostrzegła to w oczach wuja. Vigor także rozwikłał tę ostatnią zagadkę, ale w przeciwieństwie do niej zachował to dla siebie.

Wyjawiając rozwiązanie, Rachele zdradziła przyszłość. Naraziła cały świat.

Poszukała oczyma oczu Graya. Ona dokonała już wyboru i wcale nie miała zamiaru tego żałować.

Nawet Raoul jej uwierzył.

Gestem ponaglił Graya, żeby zwrócił mu złoty klucz.

— Sam go tam zaniosę... Ale ty pójdziesz pierwszy.

Gray oddał mu klucz. Jednak Raoul ciągle się wahał. Wyraźnie bał się zaufać Rachele do końca.

— Właściwie skoro wpadłaś na tak genialny pomysł, to czemu także nie miałabyś iść? — spytał ze złośliwym uśmiechem — Pomożesz swojemu facetowi.

Rachele zachwiała się i poleciała w przód, kiedy ktoś przeciął jej więzy na rękach. Przykucnęła obok Graya. Skinął głową, przekazując w ten sposób milczące przesłanie.

Wszystko będzie okej.

Nie miała wielu powodów, żeby się z nim zgodzić, ale odpowiedziała w ten sam sposób.

— No to idziemy — oznajmił Raoul.

Gray ruszył pierwszy, bez wahania wczołgując się do labiryntu. Widać w pełni ufał w trafność osądu Rachele.

Raoul trzymał ją za ramię, dopóki Gray nie znalazł się w pewnej odległości od nich.

Szklana podłoga nawet nie drgnęła.

— No dobrze, teraz ty — rozkazał jej.

Rachele wyruszyła, dokładnie powtarzając ścieżkę wytyczoną przez Graya. Pod opuszkami palców czuła leciutkie drżenie. Powierzchnia podłogi była ciepła. Przy każdym poruszeniu do uszu Rachele dolatywał odległy pomruk. Nie przypominał elektrycznego czy mechanicznego odgłosu, lecz mruczenie ogromnej rzeszy ludzi. Zresztą może było to pulsowanie jej krwi.

Za plecami usłyszała polecenie wydane przez Raoula.

— Strzelajcie, jeśli ktokolwiek ośmieli się ruszyć! To samo dotyczy tamtych dwojga. Na mój rozkaz macie ich zabić.

Jeśli więc labirynt nie wykona egzekucji, zrobią to oprawcy Raoula.

Bez wahania pełzła do przodu. Pozostała jej jedna jedyna nadzieja.

Gray.

7.49

Rende położył dłoń na ramieniu eksperta od materiałów wybuchowych.

— Czy wszystkie ładunki są już rozmieszczone?

— Tak. Szesnaście — odpowiedział zapytany. — Trzeba tylko nacisnąć trzy razy ten guzik. Granaty tworzą wianuszek, a detonator jest ustawiony na dziesięć minut.

Znakomicie.

Odwrócił się w stronę, gdzie w rzędzie stało szesnastu mężczyzn. W holu czekały przygotowane uprzednio taczki. Na dziedzińcu parkowało pięć pustych ciężarówek. Pierwsza z nich cofnęła się do samej bramy, a druga czekała na swoją kolej. Nadszedł czas na opróżnienie skarbca.

— No to do roboty, chłopcy — zawołał Rende. — Płacę podwójnie.

7.50

Graya bolały kolana.

Miał już za sobą trzy czwarte labiryntu, ale poruszanie się na czworakach stało się torturą dla jego rzepek. Gładkie szkło sprawiało wrażenie równie twardego jak beton. Jednak Gray nie ośmielił się zatrzymać nawet na sekundę. Nie, dopóki nie dotrze do środka.

Robiąc kolejne nawroty, co jakiś czas spotykał sunących po sąsiednim torze Rachele i Raoula. Wystarczyłoby tylko uderzyć biodrem, żeby zepchnąć go ze ścieżki... Raoul chyba wiedział, jakie myśli krążą po głowie Graya, bo za każdym razem gdy się mijali, kierował swój pistolet prosto w jego głowę.

Ale ta ostrożność była całkiem zbyteczna. Gray wiedział, że jeśli on sam przypadkiem wysunie dłoń czy biodro poza platynową nitkę, zostanie zabity równie szybko jak Raoul. A gdy szklana powierzchnia się uaktywni, Rachele czeka prawdopodobnie ten sam los.

Nie zamierzał atakować Raoula.

Kiedy przechodził obok Rachele, ich spojrzenia się spotykały. Choć żadne z nich nie odezwało się ani słowem, zacieśniała się między nimi więź, zbudowana na przeżywanym razem niebezpieczeństwie i wzajemnym zaufaniu. Za każdym razem gdy patrzył na Rachele, pękało mu serce; oddałby wszystko, by móc ją przytulić i pocieszyć. Ale akurat w tej chwili to było niemożliwe.

Każdy krok zbliżał ich do celu.

W jego głowie coś brzęczało, a przez ręce i kolana przebiegały wibracje. Słyszał, że gdzieś nad nimi zapanowało niezwykłe poruszenie. W katedrze. Żołnierze wkroczyli do akcji.

Zignorował to zupełnie i pełzł naprzód.

Wreszcie po ostatnim zakręcie ujrzał przed sobą prostą drogę prowadzącą do centralnie położonej rozety. Przyśpieszył, szczęśliwy, że oto dotarł do celu. Na obolałych kolanach rzucił się do przodu, żeby jak najszybciej pokonać ten ostatni odcinek, a potem runął jak długi na podłogę.

Brzęczenie zmieniło się w ledwie słyszalny pomruk. Gray usiadł, czując, jak wszystkie włoski zaczynają mu drżeć w rytm tego mruczenia.

Co jest, do diabła...

Rachele podpełzła do niego. Nie podnosząc się, pomógł jej dostać się do środka rozety, a wtedy wślizgnęła się w jego ramiona.

— Gray... Czy my...?

Ukląkł obok niej i ścisnął jej dłoń, żeby zamilkła.

Pozostała im tylko jedna nadzieja.

Bardzo niepewna.

Raoul wyczołgał się na ostatnią prostą i po chwili był już obok nich. Uśmiechał się od ucha do ucha.

— Trybunał Smoka jest wam wdzięczny za pełną poświęcenia służbę. — Uniósł broń. — A teraz wstańcie.

— Co? — wykrztusił Gray.

— To, co słyszałeś. Wstańcie. Obydwoje.

Gray nie miał wyboru. Spróbował się wyplątać z ramion Rachele, ale ona przywarła do niego całym ciałem.

— Pozwól, że zrobię to pierwszy — wyszeptał.

— Nie, razem — odpowiedziała.

Spojrzał w jej oczy i ujrzał w nich prawdziwą determinację.

— Zaufaj mi — dodała.

Gray wziął głęboki oddech i we dwoje podnieśli się z podłogi. Spodziewał się, że lada moment ostrze lasera przetnie ich na pół, ale nic podobnego się nie wydarzyło.

— To bezpieczna strefa — wyjaśniła Rachele. — Centrum gwiazdy. Promienie laserów tu nie docierają.

Gray trzymał ją mocno w objęciach. Mógłby tak stać przez całą wieczność.

— Cofnijcie się albo was zastrzelę — dobiegło z dołu warknięcie Raoula. On także wstał, rozprostował kości i sięgnął do kieszeni. — A teraz zobaczymy, jaką niespodziankę przywiozłeś nam w darze.

Wyciągnął klucz, pochylił się i wetknął go w dziurkę.

— Pasuje jak ulał — zamruczał z ukontentowaniem.

Gray przyciągnął bliżej Rachele, pełen niepokoju, co teraz się wydarzy. I prosto do jej ucha wyszeptał tajemnicę, którą skrywał przed wszystkimi, odkąd wyjechali z Aleksandrii.

— Ten klucz jest fałszywy.

7.54

Generał Rende zszedł na dół, żeby osobiście nadzorować opróżnianie skarbca. Nie mogli zabrać wszystkiego, więc ktoś musiał decydować, wybierać najsmakowitsze kąski ze starożytnych dzieł sztuki i antycznych tekstów. Rende stał więc obok podestu ze spisem w ręku, podczas gdy jego ludzie krążyli po najwyższej platformie.

A potem przez ogromną podziemną przestrzeń przetoczyło się dziwne dudnienie.

To nie wyglądało na trzęsienie ziemi.

To coś zaatakowało od razu wszystkie jego zmysły. Zachwiał się i dopadł go straszliwy ryk. Skóra nagle stała się lodowato zimna jak u kogoś, kto właśnie wyszedł z grobu. Ale najgorsze było to, że wszystko zaczęło mu migotać przed oczyma. Zupełnie jakby świat zmienił się w kiepski odbiornik telewizyjny, w którym szwankuje obraz. Trzy wymiary zmniejszyły się do dwóch.

Rende rzucił się z powrotem ku klatce schodowej.

Coś tam się wydarzyło. Coś bardzo złego.

Czuł to całym sobą.

Jak najszybciej pomknął w górę schodów.

7.55

W miarę jak wibracja stawała się coraz mocniejsza, Rachele coraz mocniej przytulała się do Graya. Podłoga pod ich stopami pulsowała białym światłem. Wzdłuż platynowych nitek pędziły na zewnątrz trzeszczące łuki elektryczne i w ciągu kilku sekund cały labirynt rozświetlił się wewnętrznym ogniem.

W uszach Rachele dźwięczały słowa Graya. „Ten klucz jest fałszywy".

A labirynt zaczął odpowiadać.

Z głębi rozległ się donośny dźwięk przypominający uderzenia dzwonu, złowrogi i budzący złe przeczucia.

Ciśnienie znów zaczęło rosnąć, naciskając na nich ze wszystkich stron.

Nowe pole Meissnera z każdą sekundą nabierało mocy, zniekształcając ich postrzeganie otoczenia.

W górze cała ogromna przestrzeń zdawała się wibrować, jak migoczące włókno żarówki.

Rzeczywistość uległa zagięciu.

Metr od nich Raoul wstał niepewny, co dzieje się dookoła. Ale musiał się zorientować, że coś jest nie tak, bo wrażenie zbliżającego się nieszczęścia było wręcz przytłaczające. Tak przytłaczające, że aż przyprawiało o mdłości.

Rachele wtuliła się w Graya szczęśliwa, że ma w nim oparcie.

Nagle Raoul odwrócił się w ich stronę, unosząc pistolet. Prawda dotarła do niego zbyt późno.

— Tam w zamku... — warknął do Graya. — Psiakrew, dałeś nam podrobiony klucz!

Gray patrzył na niego bez mrugnięcia okiem.

— Tak. I przegrałeś.

Raoul skierował w jego stronę broń.

Dookoła nich płomienna gwiazda na nowo wróciła do życia. Promienie lasera strzeliły równocześnie ze wszystkich luster. Raoul instynktownie kucnął, bo bał się, że przetną go w pasie.

Wisząca dotąd nad ich głowami kamienna kolumna oderwała się od swojego magnetycznego przyłącza na skrzyżowaniu dwóch łuków i runęła w dół. Raoul za późno podniósł wzrok. Krawędź kolumny uderzyła go w ramię i wbiła się w posadzkę.

Szkło rozprysnęło się jak lodowa tafla, a odłamki pomknęły po gładkiej powierzchni. Z pęknięć w posadzce wystrzeliła oślepiająca jasność.

Gray i Rachele nie ruszyli się z miejsca.

— Trzymaj się mocno — wyszeptał jej do ucha.

Rachele też to czuła. Narastająca moc krążyła dookoła nich, czaiła się pod stopami i przenikała ich na wylot. Teraz Rachele przysunęła się jeszcze bliżej Graya. Wyszedł naprzeciw jej pragnieniom, prawie miażdżąc ją w uścisku. Nasłuchiwała gwałtownych uderzeń jego serca.

Coś pędziło w górę, usiłując się wyrwać na powierzchnię. Bulgocząca kipiel energii. Właśnie za moment miała uderzyć.

Rachele zacisnęła powieki, a wtedy cały świat eksplodował światłem.

Przyciśnięte do szklanej powierzchni ramię Raoula paliło go żywym ogniem, bo przy każdym ruchu pogruchotane kości ocierały się o siebie. Ogarnięty paniką walczył o wolność, nie zwracając uwagi na potworny ból.

A potem supernowa eksplodowała pod nim i fala światła rozlała się po całym mózgu Raoula. Starał się ze wszystkich sił sprzeciwić tej penetracji, bo wiedział, że zgubi go poddanie się.

Czuł się zbrukany i otwarty, jakby każda jego myśl, działanie i pragnienie zostały nagle obnażone.

Nie...

Nie mógł jej nie dopuścić do swojego wnętrza. Była potężniejsza niż on. Cała jego istota zdawała się podążać wzdłuż tych mieniących się srebrzystym blaskiem platynowych nitek. Na granicy załamania, udręczony do granic możliwości, nie miał już siły na gniew, nienawiść do samego siebie, wstyd, odrazę, strach czy samooskarżenia. Wszystko to zastąpione zostało przez nieskazitelną czystość. Przez prawdziwą esencję egzystencji. Właśnie takim człowiekiem mógł być, po to przyszedł na świat...

Nie...

Nie chciał tego widzieć, ale nie mógł się odwrócić. Czas rozciągnął się w nieskończoność. Był uwięziony w tym oczyszczającym świetle i cierpiał znacznie bardziej, niż gdyby palił go ogień piekielny.

Patrzył na siebie. Na swoje życie, możliwości, upadek i swoje zbawienie...

Widział prawdę... i to właśnie prawda tak bolała.

Nic więcej...

Ale najgorsze miało dopiero nadejść.

Seichan przycisnęła kurczowo do piersi starszego człowieka. Obydwoje opuścili nisko głowy, żeby uniknąć oślepiającego blasku, lecz Seichan kątem oka ujrzała, co się stało.

Ognista gwiazda szybowała ku górze w fontannie światła, posuwając się kolistym ruchem od centralnej części labiryntu aż ku pogrążonemu w ciemności sklepieniu katedry, a pozostałe lustra osadzone w ścianach olbrzymiej biblioteki przechwytywały jej blask i odpowiadały nań ze stukrotną mocą, zasilając powstały wir. Reakcja łańcuchowa objęła wkrótce całą przestrzeń. W mgnieniu oka dwuwymiarowa gwiazda zmieniła się w trójwymiarową gigantyczną kulę laserowego światła, która wirowała w podziemnej katedrze.

Emanująca z niej wśród błysków i trzasków energia omiatała dokładnie powierzchnie kolejnych kondygnacji.

Rozległy się okrzyki przerażenia.

Któryś z żołnierzy stojących na kondygnacji tuż nad głową Seichan zeskoczył w dół, ale nie było dla niego ratunku. Błyskawice uderzyły, zanim jeszcze zdążył dotknąć powierzchni labiryntu, i spaliły jego ciało do kości.

Lecz najbardziej niepokojące było to, co działo się z samą katedrą. Jej wnętrze zdawało się spłaszczać, jakby nagle straciło głębię. A potem nawet ten wizerunek zafalował, jakby wszystko co znajdowało się nad Seichan, stanowiło zaledwie odbicie w wodzie, nierealne złudzenie.

Zamknęła oczy, zbyt przerażona, by patrzeć dalej.

Gray trzymał w objęciach Rachele. Cały świat stał się jedną wielką jasnością. Gray wyczuwał, że poza granicami tego lśnienia panuje chaos, ale tu, w środku, byli tylko oni dwoje. Znowu rozległ się bzyczący szum, który dochodził z wnętrza otaczającego ich zewsząd światła, tworząc coś niepojętego.

Gray przypomniał sobie słowa Vigora.

Przedwieczna światłość.

Rachele uniosła głowę. Oczy miała tak przejrzyste, że niemal mógł dostrzec wszystkie jej myśli. I wiedział, że ona też odczytuje to, co dzieje się w jego głowie.

W naturze tego światła było coś niezwykłego; jakaś niezaprzeczalna trwałość i ponadczasowość, przy których wszystko inne wydawało się małe i nieistotne.

Z wyjątkiem jednej jedynej rzeczy.

Gray pochylił się i musnął wargami usta Rachele.

To nie była miłość. Jeszcze nie. Na razie tylko obietnica.

Światło rozbłysło jaśniej, gdy Gray mocniej przycisnął wargi do ust Rachele, rozkoszując się ich smakiem. Buczenie przerodziło się w śpiewny dźwięk. Gray zamknął oczy, lecz mimo to wciąż widział Rachele. Jej uśmiech, błysk oczu, smukłą szyję, krągłość piersi... Znów czuł jakąś trwałość i wieczną obecność.

Czy to było oddziaływanie tego niezwykłego światła? Czy raczej sprawiła to ich wzajemna bliskość?

Tylko czas mógł udzielić odpowiedzi na te pytania.

Generał Rende uciekł, gdy tylko usłyszał pierwsze krzyki. Nie zamierzał się bawić w dalsze dochodzenie. Kiedy tylko wszedł po stromych schodach do kuchni, ujrzał jakiś niezwykły błysk na dole.

Nie zamierzał ryzykować, żeby sprawdzić, co to takiego.

Zostawiał to porucznikom takim jak Raoul.

W asyście dwóch żołnierzy wycofał się z pałacu i skręcił

w stronę głównego dziedzińca. Teraz należało przeprowadzić pierwszą ciężarówkę, odjechać do magazynu i tam przegrupować siły, a następnie obmyślić nową strategię.

Powinien znaleźć się w Rzymie jeszcze przed południem.

Wychodząc przez drzwi, zauważył, że przy bramie wciąż stoją straże w mundurach francuskiej policji. W międzyczasie deszcz zdążył zamienić się w lekką mżawkę.

Dobrze.

To powinno przyśpieszyć ich odjazd.

Stojący obok ciężarówki kierowca i czterej strażnicy dostrzegli jego przybycie i wyszli mu naprzeciw.

— Musimy natychmiast odjechać — rozkazał po włosku.

— Oj, to chyba niemożliwe — odparł kierowca po angielsku, ściągając z głowy czapkę.

Czterej strażnicy wycelowali karabiny w generała i jego towarzyszy.

Rende cofnął się o krok.

To naprawdę byli francuscy policjanci... Z wyjątkiem kierowcy. Sądząc po akcencie, ten mężczyzna był Amerykaninem.

Generał zerknął w stronę bramy. Za jego plecami zgromadził się cały tłum policjantów. Wpadł w zasadzkę przez własny podstęp.

— Jeśli szuka pan swoich ludzi, to siedzą bezpiecznie zamknięci w ciężarówce — poinformował go Amerykanin.

Rende przyjrzał się mu bliżej. Ciemne włosy, niebieskie oczy... Nigdy przedtem nie widział tego człowieka, ale poznał jego głos, słyszany wiele razy w czasie rozmów telefonicznych.

— Painter Crowe — powiedział.

Painter kątem oka zauważył błysk strzału. W oknie pałacu na drugim piętrze. Tam krył się samotny snajper. Ktoś, kogo przeoczyli.

— Cofnąć się! — wrzasnął do otaczającego ich ciasnym wianuszkiem ludzi.

Pociski odbiły się od mokrego bruku, trafiając gdzieś pomiędzy Painterem a generałem. Policjanci rozpierzchli się na boki.

Rende zaczął uciekać, wyszarpując po drodze pistolet z kabury.

Ignorując ostrzał, Painter przyklęknął i podniósł jednocześnie dwa pistolety. Prawie nie celując, jeden z nich skierował w stronę pałacowego okna i otworzył ogień.

Padły trzy strzały.

Generał rzucił się na ziemię.

Z drugiego piętra dobiegł przeraźliwy krzyk, a potem z okna na bruk runęło czyjeś ciało. Ale Painter dostrzegł to jedynie w przelocie, bo skupił się na poczynaniach generała. Obaj w tym samym momencie wycelowali w siebie broń, a klęczeli tak blisko, że ich pistolety prawie się stykały.

— Odsunąć się od ciężarówki — rozkazał generał. — Wszyscy!

Painter patrzył na niego hardo, jakby chciał przeniknąć jego zamiary. W oczach przeciwnika płonęła dzika furia. Rende z pewnością zacznie strzelać, nawet jeśli miałby zaraz potem zginąć.

Ten człowiek nie pozostawiał mu wyboru.

Painter opuścił pierwszy pistolet, a potem drugi, kierując lufy ku ziemi.

Na ustach generała rozkwitł triumfujący uśmiech.

I wtedy Painter nacisnął spust. Z lufy drugiego pistoletu wystrzelił świetlisty łuk i uderzył w kałużę tuż obok kolan generała. Wstrząs elektryczny przewrócił go na plecy, a broń poszybowała w powietrzu.

Rende wrzasnął.

— Trochę zabolało, co? — powiedział Painter, kierując w jego stronę pierwszy pistolet.

Dookoła leżącego momentalnie zebrał się tłum policjantów.

— Wszystko w porządku? — rzucił jeden z nich w stronę Paintera.

— Absolutnie — odparł zapytany. — Ale wiecie co... Cholernie mi brakowało tej roboty.

7.57

W głębi jaskini ognisty pokaz trwał jeszcze nieco ponad minutę.

Vigor leżał na plecach i patrzył w górę. Ośmielił się otworzyć oczy, kiedy ucichły wrzaski, wyczuwając, że wszystko dobiegło końca.

Zauważył jeszcze ostatnie zawirowanie ognistej kuli, a potem widział, jak zapadła się w sobie, podobnie jak umierające słońce.

Nad jego głową rozciągała się teraz pusta przestrzeń.

Cała katedra zamigotała i zniknęła razem z gwiazdą.

Seichan poruszyła się i wysunęła z miejsca, które służyło jej za schronienie. Tak samo jak Vigor wpatrywała się w górę.

— Wszystko przepadło — wyszeptała.

— Jeśli w ogóle tam było — odparł cicho, osłabły z upływu krwi.

7.58

Gray oderwał się wreszcie od Rachele. Wyostrzona czułość zmysłów ustępowała ·w miarę, jak nieziemska jasność traciła blask. Jednak wciąż czuł na ustach smak jej warg i to zupełnie mu wystarczało.

Przynajmniej na razie.

W jej oczach znać jeszcze było ślad świetlistych błysków. Reszta grupy powoli zaczynała się podnosić z miejsc, gdzie dotąd leżeli wtuleni w kamienną posadzkę. Rachele dostrzegła Vigora, który usiłował ustać o własnych siłach.

— O mój Boże... — szepnęła.

Wysunęła się z objęć Graya i ruszyła w jego stronę. Monk także szedł do Vigora, gotów w razie potrzeby służyć swoim medycznym doświadczeniem.

Gray został na straży. Pełen niepokoju przeczesywał wzrokiem wyższe partie katedry, ale nie padł stamtąd ani jeden strzał. Żołnierze gdzieś zniknęli... razem z biblioteką. Zupełnie jakby coś wyssało całą zawartość wnętrza, pozostawiając jedynie puste pierścienie opadających jak w amfiteatrze kondygnacji.

Gdzie to wszystko mogło się podziać?

Czyjś jęk sprawił, że ponownie spojrzał na podłogę.

Tuż obok zwinięty w kłębek leżał Raoul, a jego strzaskane ramię nadal tkwiło pod kamienną kolumną. Gray błyskawicznie posunął się w jego stronę i kopnął potężny pistolet. Broń Raoula pomknęła w bok po powierzchni szkła, pokruszonej i pełnej tworzących fantazyjną mozaikę pęknięć.

Kat podbiegła w ich stronę.

— Zostaw go — powiedział do niej Gray. — On nigdzie nie ucieknie. Lepiej zabierzmy stąd tyle broni, ile się da, bo nie wiadomo, ilu tamtych zostało na górze.

Kat skinęła głową.

Na dźwięk głosu Graya Raoul przetoczył się na plecy.

Gray spodziewał się potoku obelg albo kolejnych gróźb, ale twarz Raoula wykrzywiał ból. Po policzkach spływały mu strumienie łez, lecz Gray podejrzewał, że to nie połamane kości wywołały tę żałość. W twarzy Raoula nastąpiła jakaś zmiana. Zniknęła zwykła hardość i pogarda, a na jej miejscu pojawiło się coś bardziej ludzkiego, łagodniejszego.

— Nie prosiłem, żebyś mi wybaczył — wycharczał pełnym cierpienia głosem.

Gray zmarszczył brwi. Wybaczył? Kto? A potem przypomniał sobie własne przeżycia, gdy kilka chwil wcześniej został poddany działaniu tajemniczego światła. *Przedwieczna światłość*. Coś, co nie mieściło się w ograniczonym ludzkim umyśle... co istniało od zarania dziejów... To właśnie przemieniło Raoula.

Przyszły mu na myśl badania nad nadprzewodnikami i to, w jaki sposób mózg wykorzystywał nadprzewodnictwo do przekazywania informacji, a także gromadzenia ich w pamięci. Były magazynowane w podobny sposób jak energia czy światło.

Gray rzucił okiem na roztrzaskaną posadzkę. Czy w nadprzewodzącym szkle kryło się coś więcej? Pamiętał swoje wrażenia z niedawno minionych chwil. Miał uczucie, że nadchodzi coś jeszcze potężniejszego.

Raoul zakrył zdrową ręką twarz.

Czy ostatnie minuty rzeczywiście odmieniły mu duszę? Może istniała jeszcze dla niego nadzieja.

Czyjś ruch zwrócił uwagę Graya. Natychmiast wyczuł niebezpieczeństwo.

Rzucił się, żeby ją powstrzymać, ale było za późno.

Seichan podniosła pistolet Raoula i skierowała go w stronę uwięzionego mężczyzny.

Teraz Raoul patrzył prosto w czarny wylot lufy. Na jego twarzy malowało się cierpienie, ale oprócz niego w oczach błysnął autentyczny strach. Gray wiedział, co było jego przyczyną — nie pistolet ani obawa przed śmiercią, lecz niepewność, co go czeka tam, po drugiej stronie.

— Nie! — zawołał.

Seichan nacisnęła spust. Głowa Raoula odskoczyła do tyłu i uderzyła w szkło, a towarzyszący temu trzask był równie głośny jak wystrzał z pistoletu.

Wszyscy zamarli z przerażenia.

— Dlaczego... — zaczął Gray, robiąc krok do przodu.

Seichan podrapała się kolbą w zranione ramię.

— Tylko wyrównałam rachunki. Pamiętaj, Gray, że zawarliśmy pewien układ. — Wskazała podbródkiem ciało Raoula. — Zresztą jak zapewne słyszałeś, ten człowiek nie prosił o przebaczenie.

7.59

Painter usłyszał huk wystrzału, który odbił się echem w pałacowych salach. Gestem nakazał zatrzymać się policjantom. Tam ciągle trwała walka.

Czyżby jego zespół brał w niej udział?

— Tylko powoli — ostrzegł, pokazując, żeby szli dalej. — Bądźcie w pogotowiu.

Zagłębił się w mroczne pomieszczenia pałacu. Do Francji przyjechał na własną rękę. Nawet Sean McKnight nic o tym nie wiedział. Na szczęście dokumenty Europolu wystawione na nazwisko Paintera wystarczyły, żeby zapewnić mu wsparcie w Marsylii. Przeleciał przez Atlantyk jedynie po to, by wyśledzić generała Rende, najpierw w magazynie na obrzeżach Awinionu, a następnie w Pałacu Papieży. Teraz przypomniał sobie ostrzeżenia swojego mentora, że dyrektor powinien siedzieć za biurkiem, a nie brać udział w akcji.

Ale to zdanie wygłosił Sean.

Nie Painter.

Sigma była teraz jego organizacją, a on miał własny sposób rozwiązywania problemów. Zacisnął dłoń na rękojeści pistoletu i ruszył w głąb pałacu na czele patrolu francuskiej policji.

Kiedy pierwszy raz usłyszał od Graya o możliwości przecieku, podjął pewną decyzję. Postanowił zaufać własnej organizacji. Ostatecznie budował tę nową Sigmę od podstaw, więc nawet jeśli doszło do ujawnienia informacji, to z pewnością nie było to wynikiem czyjejś złej woli.

A potem wykonał następny ruch — poszedł śladem przepływu informacji.

Od Graya... do Sigmy... a następnie do współdziałającego z nimi oddziału rzymskich karabinierów.

Generał Rende był na bieżąco informowany o wszystkich szczegółach przeprowadzanej akcji.

Dyskretne śledzenie jego kroków wymagało pewnego zachodu, ale wkrótce wyszło na jaw, że generał odbył kilka wielce podejrzanych podróży do Szwajcarii i z powrotem. Wreszcie Painter natrafił na pierwszy nikły ślad, wiążący bezpośrednio osobę generała z Trybunałem Smoka. Daleki krewny rodziny Rende, aresztowany dwa lata wcześniej za handel skradzionymi dziełami sztuki, trafił do więzienia w Omanie. Okazało się, że złodziej odzyskał wolność dzięki naciskom wywieranym przez Cesarski Trybunał Smoka.

Zapuszczając się w swym śledztwie coraz dalej, Painter musiał ominąć Logana Gregory'ego, który był łącznikiem pomiędzy Sigmą a karabinierami. Nie chciał wystraszyć generała, dopóki nie uzyska absolutnej pewności.

Teraz, gdy podejrzenia się potwierdziły, pojawił się następny problem.

Czy nie jest już za późno?

8.00

Rachele i Monk założyli tymczasowy opatrunek na brzuch wuja Vigora, używając do tego celu T-shirta Graya. Vigor stracił co prawda mnóstwo krwi, ale szczęśliwym trafem pocisk ominął ważne narządy. Vigor wymagał jednak natychmiastowej pomocy medycznej.

Gdy Rachele skończyła robić opatrunek, wuj pogładził jej rękę, a następnie z pomocą Monka podniósł się i pozwolił, by go na wpół niesiono.

Rachele, ociągając się, poszła za nimi. Gray poczekał na nią, a gdy go mijała, od niechcenia objął ją w talii. Przytuliła się mocno, jakby czerpała z niego siłę.

— Wydobrzeje — szepnął jej do ucha. — Jest naprawdę silny. W końcu zaszedł tak daleko.

Uśmiechnęła się, słysząc te słowa, ale była zbyt wyczerpana, by zdobyć się na coś więcej.

Zanim zdążyli dojść do końca pierwszej kondygnacji, nad ich głowami znów zabrzmiał głos wzmocniony przez megafon.

— *SORTEZ AVEC VOS MAINS SUR LA TÊTE!*

— *Déjà vu* — mruknął Monk. — Wybaczcie mój francuski.

Rachele uniosła karabin.

Druga komenda była już po angielsku.

— KOMANDORZE PIERCE, JAKA JEST WASZA SYTUACJA?

Gray odwrócił się do pozostałych.

— Niemożliwe — wymamrotała Kat.

— To dyrektor Crowe — potwierdził zaszokowany Gray. Zwrócił się ku górze i zwinąwszy dłonie w tubkę, wrzasnął: — NA DOLE WSZYSTKO W PORZĄDKU! WYCHODZIMY!

A potem spojrzał na Rachele.

— Czyli to już koniec? — spytała.

Zamiast odpowiadać, przyciągnął ją i obdarzył gorącym pocałunkiem. Tym razem nie było wokół nich tajemniczego światła, jedynie siła jego ramion i słodycz jej ust. Wtuliła się w niego całym ciałem.

Był wszystkim, czego potrzebowała.

8.02

Gray szedł pierwszy.

Monk pomagał iść Vigorowi, podtrzymując go zdrowym ramieniem. Gray wciąż obejmował Rachele, która opierała się na nim całym ciężarem, ale akurat ten ciężar dźwigał z radością.

Chociaż odczuwał prawdziwą ulgę, nie pozwolił nikomu odłożyć broni. Bał się, żeby nie weszli prosto w następną zasadzkę.

Z karabinami i pistoletami gotowymi do strzału rozpoczęli wspinaczkę do kuchni. Na kolejnych kondygnacjach mijali stosy trupów, porażonych prądem lub spalonych do kości.

— Dlaczego my zostaliśmy oszczędzeni? — spytał Monk.

— Może uratowało nas to, że byliśmy na dole? — zastanawiała się Kat.

Gray nie wdawał się w dyskusję, choć podejrzewał, że chodziło o coś więcej. Pamiętał zalewający ich blask tajemniczego światła i czuł, że kryje się w nim coś więcej niż tylko fotony. Może nie określałby tego czegoś mianem inteligencji, lecz zdecydowanie nic była to jedynie surowa, brutalna siła.

— A co stało się ze skarbcem? — spytała Seichan, omiatając spojrzeniem pustą przestrzeń. — Czy waszym zdaniem było to coś w rodzaju hologramu?

— Nie — odparł Gray, nie przerywając wspinaczki. Miał już swoją teorię. — W pewnych ściśle określonych warunkach w polu Meissnera mogą się pojawiać złudzenia optyczne, ponieważ uwolniona energia nie wpływa wyłącznie na pole grawitacyjne, tak jak przy lewitacji, której byliśmy świadkami, lecz powoduje również odkształcenia przestrzeni. Einstein dowiódł, że grawitacja zakrzywia przestrzeń. Strumień energii tworzy taki wir w polu grawitacyjnym, że przestrzeń może się zginać, a być może nawet nakładać na siebie.

Zauważył na twarzach wyraz niedowierzania.

— Badania nad tym zjawiskiem już są prowadzone w NASA — dodał z naciskiem.

— Dym i lustra... — zamruczał Monk. — Dokładnie tak mi się wydawało.

— W takim razie gdzie to wszystko zniknęło? — dopytywała się Seichan.

Vigor zakasłał. Rachele momentalnie ruszyła ku niemu, ale odpędził ją machnięciem ręki, bo tylko chciał oczyścić gardło.

— Zniknęło tam, dokąd nie możemy pójść — wychrypiał. — Zostaliśmy osądzeni i uznani za zbyt chciwych.

Gray wyczuł, że Rachele ma zamiar coś powiedzieć; prawdopodobnie coś na temat fałszywego klucza. Ścisnął lekko jej rękę i podbródkiem wskazał na Vigora, nakazując w ten sposób milczenie. Chciał, żeby pozwoliła mu skończyć. Może fałszywy klucz nie miał tu nic do rzeczy? Czy to możliwe, żeby Vigor miał rację? Może otarli się o coś, do czego nie byli jeszcze gotowi?

Tymczasem monsinior mówił dalej.

— Starożytni mędrcy szukali źródła przedwiecznego światła... Iskry, która dała początek życiu. Może udało im się odkryć przejście do innej rzeczywistości albo sposób, w jaki można się ku niej wspiąć. Dawne przekazy podają, że biały chleb faraonów pomagał egipskim królom pozbywać się śmiertelnej powłoki i unosić do nieba w charakterze świetlistych istot. I może alchemicy w końcu też to osiągnęli... Potrafili wyruszyć z tego świata do następnego.

— To mi przypomina podróż wzdłuż labiryntu — zauważyła Kat.

— Właśnie. Bo labirynt mógł być symbolem ich wniebowstąpienia. Pozostawili otwarte wrota, aby inni mogli pójść ich śladem, ale my przybyliśmy...

— ...zbyt wcześnie — wyrzuciła z siebie Rachele, nie mogąc się opanować.

— Albo za późno — dodał Gray. Te słowa same pojawiły się w jego głowie jak rozbłyski żarzącej się żarówki, pozostawiając po sobie uczucie pewnego oszołomienia.

Rachele rzuciła spojrzenie w jego kierunku, a potem przesunęła ręką po czole.

Gray ujrzał w jej oczach podobną rozterkę, jakby to, co powiedziała przed chwilą, wymknęło się jej mimowolnie. Wychylił się i popatrzył raz jeszcze na roztrzaskaną szklaną posadzkę, a potem znów odwrócił się ku Rachele.

Być może Raoul nie był jedyną osobą, na którą podziałała świetlista jasność.

Czy wewnątrz nich dwojga także coś zostało? Zrozumienie czegoś niezwykłego, jakieś ostateczne przesłanie?

— Za późno... albo za wcześnie — kontynuował Vigor. Potrząsnął głową, co znów skupiło na nim uwagę Graya. — Dokądkolwiek uciekli starożytni mędrcy — w przeszłość czy też w przyszłość — pozostawili nas w teraźniejszości.

— Żebyśmy stworzyli sobie własne niebo albo piekło — oświadczył Monk.

Dalej wspinali się już w milczeniu, pokonując kondygnację za kondygnacją. Na górze czekała grupa francuskich policjantów, a wśród nich ujrzeli znajomą twarz.

— Komandorze... — odezwał się Painter. — Jak dobrze znów pana widzieć.

Gray pokręcił głową.

— Nawet nie ma pan pojęcia.

— Może niech wszyscy wejdą na górę.

Zanim jednak ktokolwiek zdążył się ruszyć, Vigor wysunął się spod ramienia Monka.

— Zaczekajcie! — zawołał. Zachwiał się i podparł o ścianę.

Gray i Rachele podskoczyli w jego stronę.

— Wujku... — szepnęła Rachele z niepokojem.

Kilka metrów dalej stał kamienny stół. Chyba tylko on został z całej biblioteki. Na jego blacie spoczywała oprawiona w skórę księga, ale zniknęła osłona ze szkła, pod którą znajdowała się uprzednio.

— To jest główna księga — powiedział Vigor, a w jego oczach pojawiły się łzy. — Zostawili nam spis!

Próbował wziąć ją do ręki, ale Rachele odsunęła go na bok i sama podniosła księgę. Zamknęła ją i wsadziła pod pachę.

— Czemu ją zostawili? — zdumiał się Monk, pomagając znowu Vigorowi.

— Żebyśmy wiedzieli, co na nas czeka — odpowiedział monsinior. — Żebyśmy mieli czego poszukiwać.

— To zupełnie jak przysłowiowa marchewka przed nosem osła — mruknął Monk. — Super. Szkoda, że nie mogli zostawić nam na pociechę skrzyneczki złota... No dobrze, może nie złota... Rzygać mi się chce na widok złota. Skrzyneczka diamentów byłaby w sam raz.

Pokuśtykali w stronę schodów.

Gray raz jeszcze ogarnął wzrokiem podziemną katedrę. Dopiero teraz zwrócił uwagę na jej kształt. Wnętrze ogromnej jaskini przypominało stożek skierowany podstawą ku górze. Albo raczej górną połowę klepsydry, która zwężała się w kierunku szklanej podłogi.

Więc gdzie w takim razie znajdowała się dolna część?

I nagle już wiedział.

— Jak jest w górze, tak i na dole — zamruczał.

Vigor spojrzał na niego ostro. Gray ujrzał we wzroku starszego mężczyzny zrozumienie i domyślił się, że Vigor także odkrył tę tajemnicę.

Złoty klucz miał otworzyć przejście do dolnej części klepsydry. Tylko gdzie ona była? Czy dokładnie pod tą częścią znajdowała się następna jaskinia? Gray przypuszczał, że raczej nie. Świątynia wiedzy nadal czekała na swojego odkrywcę. To, co mieli przed oczyma, stanowiło jedynie odbicie innego miejsca.

Tak jak powiedział Monk. Dym i lustra.

Vigor nie spuszczał z niego surowego spojrzenia. Gray wspomniał słowa, które na temat swojej misji wypowiedział kardynał Spera: że jego celem jest chronienie sekretu Mędrców, bo wiedza tajemna sama ujawni się w odpowiednim momencie.

Może na tym polegała podróż przez życie.

Na poszukiwaniu.

Na dążeniu do prawdy.

Gray położył dłoń na ramieniu Vigora.

— Czas wracać do domu — oświadczył.

I razem z Rachele skierował się w stronę klatki schodowej.

Z ciemności w stronę światła.

Epilog

18 sierpnia, 11.45
Takoma Park, Maryland

Gray pedałował w dół Cedar Street, mijając po drodze miejską bibliotekę. Jak dobrze było czuć na policzkach pęd powietrza i ciepło promieni słonecznych. Zupełnie jakby ostatnie trzy tygodnie spędził pod ziemią w centrum dowodzenia Sigmy i z jednego spotkania udawał się na następne.

Właśnie przed chwilą zdał Painterowi Crowe'owi ostatnie sprawozdanie z akcji. Głównie dotyczyło ono osoby Seichan. Agentka Gildii zniknęła jak duch, kiedy tylko wyszli z Pałacu Papieskiego. Skręciła za róg i po prostu rozpłynęła się w powietrzu. Ale Gray znalazł w kieszeni drobiazg, który zostawiła mu na pamiątkę.

Jej wisiorek w kształcie smoka.

Znowu.

Pierwszy wisiorek, pozostawiony w Fort Detrick, miał być ostrzeżeniem; ten oznaczał coś zupełnie innego. Obietnicę. Zapowiedź, że jeszcze się spotkają.

Kat i Monk także wzięli udział w odprawie. Monk siedział i przez cały czas nerwowo bawił się nowoczesną protezą, która miała zastąpić mu dłoń. Na myśl o nadchodzącym wieczorze ogarniał go coraz większy niepokój. Kat i Monk umówili się dziś na pierwszą prawdziwą randkę, gdyż po powrocie do Stanów doszli do wniosku, że stali się sobie bliscy. Może to dziwne, ale to właśnie Kat wykazała się inicjatywą i zaprosiła Monka na kolację.

533

Już po zakończeniu odprawy Monk odciągnął Graya na bok.
— To chyba chodzi o tę mechaniczną dłoń — szepnął oszołomiony. — Można ją ustawić na dwie prędkości wibracji. No bo czy jest inny powód, dla którego kobieta chciałaby się ze mną umówić?

Pomimo tej udawanej nonszalancji Gray dostrzegł w oczach przyjaciela prawdziwą czułość i coś w rodzaju nadziei. A także odrobinę strachu. Gray wiedział, że Monk wciąż pamięta o swoich okropnych przeżyciach i że ciągła niepewność ma związek z niedawnym okaleczeniem.

Spodziewał się, że Monk jutro zadzwoni i opowie, jak wszystko poszło.

Oparł się całym ciężarem na jednym pedale, wysunął w bok kolano i nisko przechylony zakręcił w Sixth Street. Matka zaprosiła go na lunch.

Gdyby nie przyjął zaproszenia, coś ważnego zostałoby odłożone na długi, długi czas. Prześlizgnął się wzdłuż rzędu wiktoriańskich rezydencji i domów z początku osiemnastego wieku, ocienionych baldachimami wiązów i klonów.

Wreszcie dotarł do Butternut Avenue, przeskoczył przez krawężnik i zahamował na podjeździe domku rodziców. Szarpnięciem rozpiął kask, a następnie wtaszczył rower na ganek.

— Mamo, już jestem! — zawołał.

Oparł rower o ogrodzenie z metalowych prętów i otworzył drzwi.

— Jestem w kuchni — usłyszał głos matki i jednocześnie poczuł woń spalenizny. Pod krokwiami wisiał obłoczek dymu.

— Wszystko w porządku? — zapytał, przemierzając szybko krótki korytarz.

Matka miała na sobie dżinsy, koszulę w kratę i zawiązany w talii fartuch. Na uniwersytecie pracowała już tylko dwa dni w tygodniu, gdyż chciała lepiej zająć się domem.

W kuchni było pełno dymu.

— Robiłam grillowane kanapki z serem — powiedziała, otrzepując ręce. — Ale zadzwonił asystent i za długo leżały na ruszcie.

Gray spojrzał na talerz pełen grillowanych kanapek. Każda z nich po jednej stronie była spieczona na węgiel. Dotknął palcem leżącej na wierzchu. Ser nawet nie zdążył się roztopić. Jak jego mama dokonała tej sztuki? Spaliła kanapki, nie podgrzewając ich jednocześnie? To wymagało specjalnych zdolności.

— Wyglądają całkiem, całkiem — skłamał.

— Zawołaj ojca. — Machnęła ściereczką do naczyń, żeby rozgonić dym. — Jest z tyłu domu.

— Znowu robi budki dla ptaków?

W odpowiedzi tylko przewróciła oczyma.

Gray podszedł do tylnych drzwi, otworzył je szeroko i wychylił się na zewnątrz.

— Tato! Lunch już gotowy!

— Zaraz idę!

Wrócił do kuchni, gdzie matka rozstawiała właśnie talerze.

— Możesz nalać wszystkim soku pomarańczowego? — poprosiła. — Ja pójdę po wentylator.

Gray otworzył lodówkę, wziął karton soku i zaczął napełniać szklanki. Gdy tylko drzwi za matką się zamknęły, odstawił sok i wygrzebał z tylnej kieszeni małą szklaną fiolkę.

Była do połowy wypełniona szarobiałym proszkiem. Resztką amalgamatu.

Z pomocą Monka przeprowadził badanie nad proszkiem w stanie m — i dowiedział się, że poszczególne związki stymulują układ dokrewny, korzystnie wpływają na mózg, wspomagają percepcję, ostrość umysłu... i pamięć.

Bez namysłu wrzucił zawartość fiolki do jednej ze szklanek z sokiem pomarańczowym i wymieszał łyżeczką do herbaty.

Ojciec wszedł przez drzwi prowadzące na podwórko. Na włosach miał pełno pyłu drzewnego. Wytarł buty w dywanik, skinął głową synowi i opadł ciężko na krzesło.

— Twoja matka wspominała, że jedziesz z powrotem do Włoch.

— Tylko na pięć dni, tato — odparł Gray. Wziął wszystkie trzy szklanki naraz i zaniósł je na stół. — Kolejna podróż w interesach.

— Ach, tak... — Ojciec zmierzył go uważnym spojrzeniem. — No więc kim jest ta dziewczyna?

Gray był tak zaskoczony, że drgnął i przez to wylał trochę soku. Nic nie mówił ojcu na temat Rachele i nie wiedział, jak ma zareagować. W Awinionie już po uwolnieniu spędzili razem noc, zwinięci przed małym kominkiem, podczas gdy nawałnica stopniowo traciła swą moc. Nie kochali się wówczas, lecz cały czas rozmawiali. Rachele opowiedziała mu w końcu historię swojej rodziny, choć musiał przyznać, że zrobiła to z pewnymi oporami, od czasu do czasu płacząc rzewnie. Wciąż sama nie wiedziała, jakie uczucia żywi do babci Camilli.

Skończyło się na tym, że trzymając się w objęciach, zasnęli, a rano musieli wrócić do obowiązków.

Dokąd uczucie doprowadzi ich tym razem?

Wracał do Rzymu, żeby to sprawdzić.

Dzwonił do niej codziennie, a czasami nawet po dwa razy na dzień. Vigor powoli wracał do zdrowia. Zaraz po pogrzebie kardynała Spery został powołany na prefekta Archiwów Watykańskich, żeby nadzorować naprawianie szkód wyrządzonych przez Trybunał. W zeszłym tygodniu Gray otrzymał od niego list z podziękowaniami, w którym odkrył tajemną wiadomość. Pod podpisem monsiniora widniały dwie pieczęcie z papieskimi insygniami, z których każda była lustrzanym odbiciem drugiej — tak właśnie wyglądał symbol Kościoła Tomaszowego.

Wszystko wskazywało więc na to, że pozostający w ukryciu Kościół zyskał nowego członka w miejsce zamordowanego kardynała.

Przekonawszy się o tym, Gray przesłał na ręce Vigora złoty klucz — prawdziwy złoty klucz, który dotąd spoczywał bezpiecznie w schowku depozytowym w Egipcie. Kto zresztą mógł być lepszym strażnikiem skarbu? Fałszywy klucz — ten, który posłużył do oszukania Raoula — został wykonany w jednym z licznych warsztatów w Aleksandrii, specjalizujących się w podrabianiu antyków. Zrobienie go trwało mniej więcej pół godziny, podczas gdy Gray popłynął, żeby uwolnić Seichan z grobowca Aleksandra. Gray nie ośmielił się zabrać prawdziwego klucza do Francji z obawy, żeby nie wpadł on w ręce Trybunału.

Zeznania generała Rende w pełni dowiodły, jak niebezpieczną organizacją był Trybunał Smoka. Lista okrucieństw i morderstw ciągnęła się przez całe dziesięciolecia. Dzięki zeznaniom Rendego jego sekta była powoli niszczona. Ale nikt tak naprawdę nie wiedział, czy uda się to do końca.

Tymczasem — co znacznie bardziej interesowało Graya —

Rachele dokonała pewnego życiowego wyboru. Po śmierci Raoula ona i jej rodzina odziedziczyli Château Savage, co z pewnością było krwawym dziedzictwem. Jednak klątwa umarła razem z babcią Camillą. Nikt z rodziny Verona nigdy nie poznał ponurego sekretu babki. Żeby uporządkować sprawy, na rodzinnym zgromadzeniu zapadła decyzja o sprzedaży zamku, a uzyskane pieniądze miały zostać podzielone pomiędzy rodziny tych, którzy zginęli w Kolonii i Mediolanie.

Tak więc życie powoli wracało do normy i zaczynało się toczyć własnym torem.

W stronę nadziei.

A być może czegoś więcej...

Ojciec Graya westchnął i przechylił się razem z krzesłem do tyłu.

— Synu, ostatnio jesteś w zaskakująco dobrym humorze. Dokładnie od czasu, gdy w zeszłym miesiącu wróciłeś z tamtej podróży służbowej. Tylko kobieta potrafi wyzwolić w mężczyźnie ten rodzaj dobrego samopoczucia.

Gray postawił szklanki z sokiem na stole.

— Być może tracę pamięć — mówił dalej ojciec. — Ale wzrok mam ciągle w porządku. Opowiedz mi o niej.

Gray wpatrywał się w niego, jakby usłyszał niedopowiedzianą część zdania.

Dopóki mogę cokolwiek zapamiętać.

W zwyczajnym na pozór zachowaniu ojca dostrzegł coś niezwykłego. I nie był to skrywany żal ani poczucie, że coś mu umyka. Najwyraźniej ojciec starał się nawiązać kontakt. Teraz, w tej konkretnej chwili. Chciał odzyskać syna, którego być może utracił w przeszłości.

Gray zamarł. Czuł, jak odzywa się w nim dawny gniew. Jak odżywają stare urazy. Nagle zalała go fala gorąca.

Jego ojciec musiał to chyba zrozumieć, bo opuścił krzesło na podłogę i szybko zmienił temat.

— Gdzie są te kanapki?

W głowie Graya zadźwięczały pewne słowa. *Za wcześnie...* *Zbyt późno...* Ostatnie przesłanie pozostawione dla żyjących w teraźniejszości. Że powinni akceptować przeszłość i nie wybiegać w przyszłość.

Ojciec sięgnął po szklankę, w której znajdował się rozpuszczony proszek, ale Gray go uprzedził. Zabrał przyprawiony sok.

— Może masz ochotę na piwo? — zaproponował. — Widziałem w lodówce budweisera.

Ojciec uśmiechnął się i pokiwał głową.

— Właśnie za to cię kocham, synu.

Gray podszedł do zlewu, wylał zawartość szklanki i patrzył, jak płyn, wirując, znika w otworze odpływowym.

Za wcześnie... Zbyt późno...

Teraz był czas, w którym przyszło mu żyć. Jego teraźniejszość. Nie miał pojęcia, jak długo jeszcze będzie ze swoim ojcem, ale postanowił, że wykorzysta ten czas jak najlepiej.

Podszedł do lodówki, wyjął dwa piwa i otworzył. Następnie odsunął jedno z krzeseł, usiadł i postawił przed ojcem butelkę.

— Na imię ma Rachele — powiedział.

Od autora

Dzięki, że zechcieliście mi towarzyszyć w tej najnowszej podróży. Tak jak poprzednio pragnę wykorzystać ostatnie nasze wspólne chwile, żeby oddzielić prawdę od fikcji. Zresztą mam nadzieję, że zachęci to czytelników do dalszych badań na własną rękę. Wystarczy dodać, że zamieściłem poniżej kilka tytułów, które zainspirowały mnie do wymyślenia fabuły.

Zacznijmy jednak od początku. Prolog. Kości Mędrców rzeczywiście są przechowywane w złotym sarkofagu znajdującym się w katedrze w Kolonii, a karawan, który w dwunastym wieku przewoził je z Mediolanu na teren Niemiec, istotnie wpadł w zasadzkę.

Przechodząc do pierwszego rozdziału: Super Black jest prawdziwą substancją, nad którą prowadzone są badania w National Physical Laboratory w Wielkiej Brytanii. Eight Ball (Ósma Kula) faktycznie istnieje i znajduje się w Fort Detrick (strasznie przepraszam, że ją przewróciłem!), a nad płynną zbroją — choć to zdumiewające — trwają właśnie prace w laboratoriach badawczych armii Stanów Zjednoczonych.

Nie chcę zgłębiać tego typu szczegółów z pozostałej części powieści. Wybrane przykłady przytoczyłem jedynie po to, by zademonstrować, że to, co wydaje się zupełnie szalone na kartach książki, może mieć pewne podstawy w rzeczywistości. Tych, którzy są zainteresowani dalszym wnikaniem w szczegóły, zapraszam na moją stronę w Internecie (jamesrollins.com).

Cesarski Trybunał Smoka jest prawdziwą organizacją działającą na terenie Europy, a jego korzenie rzeczywiście sięgają średniowiecza. Jednak to stowarzyszenie mających rozmaite wpływy arystokratów koncentruje się głównie na pielęgnowaniu ceremoniału i dobroczynności, a cały krwawy podtekst zawarty w niniejszej książce jest jedynie produktem wyobraźni jej autora. Absolutnie nie było moim celem oczernianie kogokolwiek, kto do tej organizacji należy.

Wracając do sedna mojej powieści: można napisać całe tomy na temat metali w stanie m, a także ich śladów w historii ludzkości. Szczęśliwym trafem taka książka już powstała; z dbałością o szczegóły śledzi ona ich losy od czasów starożytnego Egiptu aż do współczesności, włączając w to niezwykłe efekty uzyskiwane w polu Meissnera, nadprzewodnictwo i magnetyzm. Zachęcam każdego, kto choćby w najmniejszym stopniu interesuje się tą tematyką, do przeczytania książki *Lost Secrets of the Sacred Ark* pióra sir Laurence'a Gardnera. Dla mnie była ona biblią podczas pracy nad tą powieścią.

Jeśli już mówimy o Biblii: gdyby interesował was konflikt, który istniał we wczesnochrześcijańskim Kościele pomiędzy wyznawcami apostołów Jana i Tomasza, to gorąco polecam dwie wspaniałe prace napisane przez Elaine Pagels, laureatkę National Book Award — *Beyond Belief: The Secret Gospel of Thomas* oraz *The Gnostic Gospels*.

Zainteresowanych osobami Mędrców i tajemniczym bractwem, które istnieje po dziś dzień, odsyłam do książki napisanej przez Adriana Gilberta *Magi: the Quest for a Secret Tradition*.

Polecam również *When in Rome, a Journal of Life in Vatican City*, pracę Roberta J. Hutchinsona, wobec którego mam dług wdzięczności. Jest to wspaniałe i jednocześnie zabawne źródło wiedzy na temat Watykanu i jego historii.

Na końcu wyrażam nadzieję, że moja powieść zabawi czytelników, ale również zachęci ich do stawiania pytań. W tym duchu zamykam dyskusję o faktach i fikcji, przywołując podstawową maksymę gnostyków: szukać prawdy... zawsze i na wszelkie sposoby. Wydaje mi się ona odpowiednim zakończeniem tej powieści. Bo jak powiada święty Mateusz (7:7): „Szukajcie, a znajdziecie".

Spis treści

Podziękowania 7

Prolog 15

DZIEŃ PIERWSZY 27
   1. Ósma Kula 29
   2. Wieczne Miasto 50
   3. Sekrety 79
   4. Proch do prochu 101

DZIEŃ DRUGI 135
   5. Szaleństwo 137
   6. Niewierny Tomasz 172
   7. Łut szczęścia 202
   8. Kryptografia 230
   9. Scavi 258
  10. Grobowiec 281

DZIEŃ TRZECI 311
  11. Aleksandria 313
  12. Zagadka sfinksa 343
  13. Krew w wodzie 376

DZIEŃ CZWARTY 407
  14. Gotyk 409
  15. Polowanie 437
  16. Labirynt Dedala 469
  17. Złoty klucz 498

Epilog 533

Od autora 539